l'Alliance Française
de
Paris

CAPTAIN LAFORTUNE

YVES GANDON

CAPTAIN LAFORTUNE

Roman

PLON

© Librairie Plon, 1970.

à mes filles jumelles
Françoise et Michelle.

L'or et les esclaves sont deux choses estimées par tout le monde.

Mémoire ou relation du sieur du Casse sur son voyage de Guinée avec « La Tempeste » en 1687 et 1688.

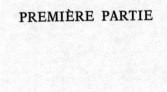

PREMIÈRE PARTIE

I

J'ai reçu le baptême du feu à Fleurus, le 1er juillet 1690. L'armée du roi était aux ordres du maréchal duc de Luxembourg. Ce grand capitaine, de taille médiocre et de visage plutôt rebutant, avait deux bosses, l'une dans le dos, très grosse et fort pointue, et l'autre à l'esprit, d'où il tenait le génie militaire. M. de Waldeck, son adversaire à la tête des troupes d'Empire, plus hautain du bréchet et roide de la vertèbre, eût peut-être gagné la réputation d'un bon général s'il ne s'était régulièrement affronté à meilleur que soi.

Dameret de dix-sept ans, je brûlais de conquérir la gloire avec les dragons de Pomponne, que j'avais rejoints le 5 mai à l'instigation de mon frère Cyriaque, guidon de l'escadron.

Mes illusions sur les plaisirs de la guerre durèrent jusqu'à la veille de la bataille. Il était plaisant de fourrager dans cette riche campagne du Hainaut, où les filles blondes et roses n'avaient pour nous que sourires, et où, pour nous mettre en appétit, nous bousculâmes plusieurs partis de cavalerie hanovrienne et espagnole. J'avais appris l'usage du sabre ; je n'y étais pas maladroit et je ne me rappelle pas sans un frisson les yeux exorbités de ce grand flandrin noiraud, le premier à qui j'enfonçai mon fer dans la gorge.

L'action commença à huit heures du matin, par un temps béni. Les oiseaux s'égosillaient dans les arbres. Quand j'entendis sonner le bouteselle et battre la générale, je fus transporté d'enthousiasme. A la première charge, M. de Gournay, qui commandait la cavalerie, fut tué à dix pas de moi. Les boulets de l'artillerie ennemie faisaient de grandes trouées dans les rangs des dragons. Les chevaux trébuchaient, culbutaient ; les cavaliers roulaient à terre dans un bruit de ferraille. Il fallut se replier avant d'avoir pu atteindre ceux qui nous causaient tant de dommage.

Pendant cette malheureuse chevauchée, j'avais senti un choc violent dans le bras gauche. En descendant de cheval, je m'aperçus que ma manche était ensanglantée. On pansa ma blessure qui était de petite conséquence.

Durant que l'aile gauche de ses troupes, dont nous étions, perdait ainsi la partie, M. de Luxembourg avait enfoncé le centre et l'aile gauche de M. de Waldeck. Je remontai en selle et donnai furieusement de l'éperon pour sabrer les fuyards. Soudain, en plein galop, mon cheval, atteint d'une balle au chanfrein, s'écroule. Précipité contre un arbre, je perds connaissance.

Quand je revins à moi, j'avais le bras droit cassé, la jambe droite itou, et les oiseaux ne chantaient plus. Le bruit de la galopade s'était éloigné. Je demeurai une heure environ sous mon arbre, qui était un peuplier, incapable de remuer un membre. Enfin on s'avisa que je n'étais pas tout à fait mort ; on me transporta sous le chaume, où un chirurgien prit soin de moi. Ce brave homme parlait de me couper la jambe. Je protestai et demandai qu'on fît venir mon frère. Il avait eu la tête emportée par un boulet et projetée dans un marécage si profond qu'on ne put la retrouver. Cette étrange disgrâce eut pour effet de sauver ma jambe, le disciple d'Hippocrate jugeant que c'était assez pour ma famille d'avoir perdu une tête.

J'aimais tendrement mon frère Cyriaque, de quatre ans mon aîné, et que la nature avait doté de tous les avantages. Sa fin prématurée me fit l'effet d'un coup de gourdin sur la nuque. Pourtant, je n'étais pas au bout de mes peines, et tandis que de nouveaux lauriers allaient être amoncelés par l'armée du roi, je devais continuer de gémir sur mon grossier grabat de paille d'orge.

Dans cette triste condition, je connus néanmoins un moment de réconfort. Le lendemain du jour où j'avais été si vilainement traité, le maréchal de Luxembourg vint à mon chevet me prodiguer de bonnes paroles. Ce héros si redoutable à ses ennemis se flattait de ne l'être pas moins aux dames, encore qu'il reçût d'elles plus de blessures qu'il ne leur en portait. Après m'avoir congratulé pour ma bravoure et avoir loué la glorieuse conduite du malheureux Cyriaque, il me représenta qu'à mon âge la vigueur du sang guérissait vite toutes les plaies, que je ne tarderais guère à être remis sur pied, et qu'à défaut de pouvoir reprendre le service du roi avant mon complet rétablissement, celui des belles me promettait des plaisirs dont il dépendait seulement de moi qu'ils fussent moins périlleux.

— Allez ! je vous envie, jeune homme, et je veux faire quelque chose pour vous porter bonheur... Touchez ma bosse.

Un silence régna parmi les officiers de sa suite. Il n'y avait personne, en quelque temps que ce fût, pour oser faire allusion à sa difformité, crainte de provoquer sa colère. J'étais, dans l'instant, d'autant plus gêné que le maréchal s'était retourné en riant.

— Eh bien, qu'attends-tu ? Touche, l'ami.

J'allongeai mon bras gauche et touchai. Sous le justaucorps à brevet, la protubérance pointue était dure comme de la pierre. Le maréchal rit de nouveau.

— A présent, Fortunat, si la chance n'accompagne pas tes entreprises, c'est que tu n'auras pas su la saisir par les cheveux. Mars et Vénus sont faits pour s'entendre.

Je n'aurais jamais cru qu'un si grand homme eût la fibre si facétieuse. J'étais aussi trop peu avancé dans la vie pour avoir appris qu'amour et galanterie peuvent troubler les têtes les mieux faites.

L'armée victorieuse campa cinq jours sur place pour enterrer ses morts, tandis que prisonniers et blessés étaient expédiés à Dinant et à Philippeville. Le chirurgien estimait que j'étais trop mal en point pour faire partie du convoi. Aussi demeurai-je encore trois semaines, avec quelques estropiés de mon calibre, à compter les jours et à vouer aux gémonies tout ce qui était d'Empire.

Enfin notre cortège d'éclopés, flanqué de six dragons d'escorte, eux-mêmes plus ou moins boursouflés de pansements, se mit en route. Comment s'y prit le vieil officier, un vétéran de Turckheim, qui avait reçu mission de nous ramener en France ? A deux lieues de Namur, nous fûmes cernés par une troupe de cavaliers souabes qui devaient aimer la compagnie, car, lassés de la guerre, ils retournaient chez eux et voulurent nous y emmener. Ainsi passai-je automne et hiver à Schwäbisch-Gmünd, morne petite ville au pied de montagnes sauvages. Au printemps, bras et jambes ressoudés, j'avais assez appris du langage rugueux du cru pour savoir demander mon chemin sur les routes. Faussant compagnie à mes gardiens, je gagnai le Palatinat qu'occupaient des garnisons du roi. Un affreux spectacle m'y attendait. Deux villes et vingt-cinq villages de cette florissante contrée avaient été rasés quinze ans plus tôt par ordre de notre grand monarque. Avant la dernière campagne, l'armée de Boufflers avait de nouveau bouté le feu partout. Le château d'Heidelberg n'était plus qu'un amas de murs noircis. Des bourgs que je traversais ne restaient que cendres, et les misérables qui n'avaient pu se résoudre à quitter la terre natale abritaient leurs guenilles dans des cabanes faites de troncs d'arbres grossièrement assemblés. Les rares maisons à être demeurées debout avaient pour habitants des rustres en uniforme qui secouaient leur pipe dans les ruines.

J'arrivai à Paris dégoûté d'une gloire acquise au prix de tant de malheurs. Je venais d'accomplir mes dix-huit ans. Après avoir répandu des flots de larmes sur la fin tragique de son premier né, mon père s'arrêta net, étancha le flux lacrymal avec son large mouchoir à tabac, puis, fronçant le sourcil, me palpa bras et jambes, me fit avancer, reculer.

— Dieu soit loué ! opina-t-il enfin, tu ne cloches pas et ne seras point empêché de porter notre nom avec honneur. Dix-huit ans, c'est un âge trop tendre pour t'acheter le régiment Dauphin-Cavalerie, dont j'ai ouï dire qu'il était à vendre, mais je suis tout prêt à t'offrir une charge de cornette.

Je le remerciai de la bonne intention et objectai que le désir de ne pas voir s'éteindre sa lignée était trop ancré en moi pour que je reprisse le métier des armes avant de lui avoir assuré une descendance. Là-dessus, il se reprit à pleurnicher et me serra sur son cœur, sans se douter que mon souci d'ajouter des rameaux à son arbre généalogique était simple prétexte pour épargner à ma précieuse carcasse d'être exposée inconsidérément au fouet de la balle et au vent du boulet.

Mon père Bénigne-Auguste-Urbain, marquis de la Prée de la Fleur, était issu d'une vieille famille du Sancerrois qui ne fournissait pas moins de deux fois huit quartiers. Marié à une riche héritière, Marie de Posanges, fille du premier président de la Chambre des Comptes de Bourgogne, il l'avait quittée le lendemain de ses noces pour aller ferrailler en Franche-Comté, puis aux Pays-Bas, sous le prince de Condé, à la tête d'un régiment de chevau-légers. A Seneffe, le poids de son cheval tué sous lui avait rompu en trois endroits sa jambe gauche qui en était restée sensiblement raccourcie : d'où son inquiétude lorsqu'il m'avait su victime de la même infortune, car sa claudication l'avait obligé d'abandonner l'armée. Un an après ma naissance, ma mère était morte d'une fièvre maligne ; le veuf n'avait pas voulu se remarier, en sorte que mon frère et moi avions été élevés par des gouvernantes aussi jeunes qu'avenantes et qui changeaient souvent, sans que notre innocence en devinât le motif.

J'ai toujours vu mon père se déplaçant avec une dignité majestueuse, aidé d'une haute canne à pomme d'ivoire, laquelle était garnie d'une dragonne de rubans feu. Il portait beau, le visage frais encadré d'une ample perruque bouclée, l'œil pétillant, la cravate de dentelle

d'une éblouissante blancheur, et je n'ai pas oublié ce
merveilleux tricorne, galonné d'or et frangé de plumes
d'autruche, qui l'avantageait de si plaisante façon.

— Donc, Fortunat, me dit-il, ce jour de mon retour
d'Allemagne, après m'avoir étreint, tu penses au con-
jungo, et c'est un louable dessein, dont tu me vois tout
réjoui. Nous allons incontinent nous mettre en quête
d'une demoiselle digne de toi.

Je protestai que l'affaire n'était pas si pressée, qu'il
me fallait d'abord prendre l'air de la cour, que la
condition de militaire en campagne, privé de surcroît,
pendant de longs mois, de l'usage d'un bras et d'une
jambe, m'avait sevré des plaisirs de mon âge, bref,
qu'avant de me mettre la corde au cou, j'entendais
jeter ma gourme.

— N'est-ce pas assez, mon père, que de se marier
à vingt ans ? Je vous demande ce délai de grâce :
deux petites années.

Il se prit à rire.

— Accordé, mon fils. Je serais mal venu à m'inscrire
là-contre, n'ayant pas, de mon chef, été un petit saint.
Il faut bien que jeunesse caracole pour apprendre à
se défier des belles personnes. Ta mère était un parangon de vertu. Tant s'en faut qu'elles soient toutes
bâties sur le même canevas !

C'est ainsi que, fort de sa bénédiction, j'entamai
la vie aimable d'un gentilhomme de bon lieu, non
moins prompt au lansquenet et à la paume qu'aux
révérences de cour et aux prouesses galantes. Mon père,
quant à lui, bien qu'il frisât seulement la cinquantaine,
s'était rangé depuis plusieurs saisons, commettant l'entretien du logis à une intendante d'âge certain et réso-
lument moustachue, lointaine parente qui avait nom
Apollonie de Belœil, par une dérision du sort, car
j'atteste Jupiter que le plus beau des dieux n'était pas
son cousin et qu'elle louchait de l'œil droit.

S'il avait pris le parti d'éloigner de lui les tentations
qui nous viennent du désir amoureux par la nécessité
de songer à ses fins dernières, et peut-être aussi défaillance de nature, le marquis Bénigne-Auguste ne mépri-

sait pourtant point les biens de ce monde, et le marquait singulièrement par son intérêt aux choses de finance. Il s'était, dans sa jeunesse, passionné pour la mathématique, où il voyait la reine des sciences, et n'en avait gardé, avec un culte pour l'illustre Pierre de Fermat, que le goût moins noble de compter et multiplier les sacs d'écus. Ma mère lui avait apporté en dot cinquante mille livres de rente, qu'il avait fait fructifier surtout en prenant des parts chez les traitants « d'affaires extraordinaires » tenant marché d'offices. Agrégé, d'autre part, à la Compagnie de Guinée, qui pratiquait le commerce du bois d'ébène sur les côtes d'Afrique, il semblait n'avoir d'autre souci que d'accroître sa fortune. Sans mener train de grand seigneur, il s'entendait toutefois assez bien à l'écorner, donnant dans les occasions des dîners de cinquante couverts avec accompagnement de musique, et porté qu'il était sur le brelan et le hoca, fréquentant volontiers les tripots quand il ne taillait pas à domicile.

J'aurais mauvaise grâce à dire que j'eusse à me plaindre de lui, car, chaque semaine, il me remettait une bourse convenablement dodue, en me recommandant seulement de ne pas gaspiller son bon argent à des occupations futiles. Sur quoi je lui demandai vivement certain jour s'il pensait que la vie fût logée à une autre enseigne que futilité. Il me regarda d'un air sourcilleux, et cessant de me tutoyer, comme chaque fois qu'il voulait être solennel :

— Donneriez-vous dans la philosophie, Fortunat ? Voilà qui n'est guère de votre âge et condition. Gardez-vous d'oublier que ni louis de France, ni florin de Hollande, ni doublon d'Espagne ne se trouvent dans le pas d'un cheval.

Futile, certes, je ne me privai pas de l'être en ce temps que les noms de Steinkerque et de Neerwinden ajoutaient leurs fleurons à la gloire du maréchal de Luxembourg et que la prise de Namur par Sa Majesté très chrétienne inspirait à M. Despréaux les plus méchants vers nés de sa Muse pédestre.

C'est peu de jours après l'annonce à Paris de la

victoire de Steinkerque, un samedi d'août 1692, que je
fis la rencontre qui devait apporter dans ma vie
frivole un trouble considérable et dont je me fusse
passé mieux que de pain. De la manière dont il avait
organisé la sienne, le marquis mon père, qui se laissait
appeler tantôt la Prée tantôt la Fleur, recevait surtout
des gentilshommes de son bord, je veux dire qui trem-
paient avec lui dans les affaires extraordinaires, sous
l'œil complaisant du contrôleur général des Finances
Louis Phelypeaux, comte de Pontchartrain. On voyait
parfois ce haut personnage, d'ailleurs d'assez petite
taille, paraître dans notre hôtel où il surprenait un
chacun par la gracieuseté de ses manières et le brillant
de sa conversation.

Donc, ce soir d'après Steinkerque, mon père donna
un grand dîner suivi d'un bal où une trentaine d'invités, mâles et femelles, firent une brillante assemblée
entre les bras de lumière et les girandoles où palpitaient des dizaines de bougies. Mais peut-être convient-
il que je rapporte d'abord succinctement ce qui m'était
advenu depuis mon retour d'Allemagne. J'ai déjà dit
que le divertissement avait occupé le plus clair de
mon temps. Hors le jeu et la chasse, qu'aurais-je pu
faire d'autre que de jouer de la prunelle, de coqueter,
de soupirer, de débiter force fadaises et fleurettes à
des fins assez claires et sans jamais engager mon
cœur ? Ainsi en usais-je, petit coq avantageux, per-
suadé que tous les plaisirs étaient non seulement à sa
portée, mais lui étaient dus par décret des puissances
suprêmes. Ma règle d'inconduite était, je l'avoue à ma
confusion, qu'il ne faut marquer de respect aux dames
que lorsqu'on ne peut pas leur en manquer. Ainsi va
la jeunesse.

Je reviens à notre soirée. Le comte de Pontchartrain
devait, ce soir-là, être de la fête. Mon père savait
d'expérience qu'une table bien servie dispose ordinairement les hommes à entendre de la bonne oreille les
affaires d'intérêt, et il en avait justement une à soumettre au contrôleur général. Bien entendu, il s'agissait
d'une « affaire extraordinaire » et, au propre, de la

création d'un nouvel office, pour lequel il avait déjà pris langue avec le fameux traitant Poisson de Bourvalais. Comment avait-on pu, jusqu'à ce jour, ne pas songer à instituer un poste public conférant à ceux qui voudraient s'en porter acquéreurs contre bonnes espèces sonnantes et trébuchantes, titre et fonction d'inspecteur des hôteliers, aubergistes et loueurs de garnis ? N'y avait-il pas là une lacune à combler, quand le trésor royal réclamait tant d'argent pour les besoins de la guerre ? Bourvalais étant prêt à passer le traité, mon père, en tant que « donneur d'avis », recevrait non seulement une substantielle commission, mais encore un bénéfice proportionnel à sa participation dans l'entreprise.

Il m'avait, la veille, touché mot de son idée qu'il jugeait la plus ingénieuse du monde, et c'était la première fois que je recevais de lui une telle confidence. Il ne me trouvait pas en effet l'esprit assez mûr pour les affaires sérieuses et attendait surtout de moi que je fisse le joli cœur et le bel esprit, que, d'une façon ou d'une autre, je me misse en valeur pour ajouter à son mérite.

— Plais, Fortunat, m'avait-il dit un jour, plais et il te sera beaucoup pardonné.

(Je venais de prendre une sévère culotte au brelan, et il avait renâclé à payer la note.)

— Parce que j'aurai beaucoup aimé ? répliquai-je légèrement.

— Parce que tu seras beaucoup aimé, mon fils.

Je n'étais, en somme, à ses yeux, qu'une pièce sur son échiquier.

J'arrive à mon fait. Cette réception qui, en principe, était donnée pour célébrer la victoire de Steinkerque, commença sur les huit heures du soir. De lourds carrosses cahotant sur le pavé avaient déchargé devant notre hôtel d'importants personnages, parmi lesquels le comte et la comtesse de Beauvallon, le baron et la baronne de Puycastaing, le pimpant marquis de la Morlière, déjà trois fois veuf et en quête d'une quatrième victime bien rentée, le vicomte et la vicomtesse de

Basseville, don Diego de Zuniga y Tovar, hidalgo de vieille souche, Stéphanie de Valbert du Coudray et ses filles jumelles, Emmeline et Catherine, escortées du seigneur comte, leur époux et père, étrangement laid, quant à lui, chenille autour de laquelle voletaient ces trois papillons. Je passe sur le fretin, mais je dois noter, de surcroît, que la plupart de nos commensaux jouissaient d'une réputation de spéculateurs et d'agioteurs de la plus belle eau.

Une lourde chaleur avait écrasé la ville tout le jour et stagnait encore dans les rues où s'exaspéraient d'infâmes relents. Les odeurs que nous apportaient nos invitées par leurs décolletés étaient, par chance, plus obligeantes, la mode du temps préconisant le savon de Venise et les crèmes de beauté à la vanille.

On soupa vaillamment jusqu'à près de onze heures, et je ne saurais dire tout ce qu'on mangea et but, sinon que l'ordre de la frairie comportait une demi-douzaine de services et que mon père, en veine de facétie, avait eu celle de faire servir un chapon entier du Maine à chaque dame et une poularde bressane à chaque convive du sexe fort. J'étais encadré par les demoiselles de Valbert du Coudray, et je me rappelle que l'une d'elles me demanda d'un air innocent, et battant de la paupière, à quoi l'on pouvait distinguer un chapon rôti d'une poularde qui avait subi le même traitement. Je ne me laissai pas surprendre et répondis tout à trac que le chapon ayant la chair plus ferme et la poularde plus délicate, notre maître queux avait imaginé que les dames en prendraient plus de vigueur, les hommes, du même train, se relâchant de leur rudesse. Les deux demoiselles étouffèrent en même temps un rire fripon, et la questionneuse me complimenta sur l'ingéniosité de mon imagination. Je levai alors ma flûte, où pétillait un allègre saute-bouchon du Clos Saint-Pierre, et repartis que ce vin de Champagne, élaboré par les bénédictins de Pierry, proche Epernay, et qui concurrençait alors le nectar d'Hautvillers, conjuguait force et suavité, en sorte d'être également propre à la consommation des deux sexes.

— A ce que je vois, monsieur, dit gravement l'autre jumelle, vous n'êtes pas de ces écervelés que l'on prend sans vert.

Derechef, toutes deux éclatèrent de rire. A première vue, prenant tour à tour le relais, c'étaient deux jeunes personnes redoutables, et en dépit des années, leur ravissante image m'est restée présente à l'esprit. Aucun signe apparemment ne semblait les différencier. C'était même visage, même port de tête, même voix, même tournure ; et, pour rendre l'identification plus malaisée encore, même ajustement. Tracer le portrait de l'une c'était croquer celui de l'autre.

— Emmeline et Catherine, deux prénoms qui vous coiffent à merveille, qui sont comme le parfum à la fleur, avais-je commencé par leur dire en plongeant dans la révérence la mieux étudiée.

Et je ne sais laquelle m'avait répondu avec un rire espiègle :

— Ne vous fatiguez pas. On nous appelle sans façon Line et Trine.

— M'autoriseriez-vous à faire de même ?

— Mieux, monsieur, nous ne souffrirons pas que vous en usiez autrement, à condition toutefois qu'en nous nommant, vous ne commettiez pas d'erreur sur la personne.

C'était bien là le hic. Comment distinguer Line de Trine ? Elles riaient encore, et leur rire roucoulant tenait exactement la même note. Pendant tout le souper, je considérai à tour de rôle, à dextre et à senestre, ces pépiantes perruches, et ma perplexité allait croissant. Elles avaient mêmes cheveux couleur de blé mûr, étagés en boucles à la Fontanges, même teint transparent, que l'on dit de lis et de roses, mêmes yeux, légèrement bridés, d'un bleu tirant sur le violet, et des dents pures, blanches comme l'amande, petites et bien rangées, la lèvre mutine, l'oreille mignonne, le nez un tantet retroussé, qui annonçait une impertinence bien affûtée. D'aimables avantages gonflaient pareillement leur corsage bleu aurore, et leur jupe était décorée des mêmes broderies d'argent. Qui était

Line ? Qui était Trine ? A laquelle porter mes empressements quand, regardant l'une, je voyais l'autre ?

Piqué au jeu, séduit, troublé, je résolus d'éclaircir le mystère. Je leur demandai par quelle malice du sort je n'avais pas encore eu la fortune de les rencontrer, alors que, depuis mon retour d'Allemagne, leurs parents nous avaient plusieurs fois honorés de leur visite. Line ou Trine m'apprit qu'ayant accompli leurs dix-huit ans, elles venaient de quitter le couvent et qu'elles faisaient, ce jour-là même, leur entrée dans le monde. Je repartis que je ressentais avec transport la faveur ainsi impartie à notre maison. Elles répandirent alors le même rire de gorge qui me causa une étrange sensation de vide au creux de l'estomac, et Trine ou Line déclara que je pourrais bien être trop poli pour être honnête et que leur mérite était mince au prix de celui que j'avais acquis en versant glorieusement mon sang à l'armée du roi.

Cet échange de gracieusetés était de bon augure. Il se poursuivit après le repas, quand la société s'éparpilla dans les salons et les galeries. Tout de suite, nos hôtes s'étaient divisés en deux clans, l'un composé de joueurs résolus à perdre jusqu'à leur dernier liard au pharaon, au lansquenet ou à la bassette, l'autre qui préférait aux tentations du tapis vert les apartés dans les coins, succédant à l'affrontement de la danse, aux pressions de mains éloquentes et aux regards complices.

Je faisais, quant à moi, tout à fait la figure de l'âne de Buridan balançant entre le seau et le picotin. Parlais-je à Line ? Souriais-je à Trine ? Elles étaient indistinctement associées à mes voltes, virevoltes, sauts et pirouettes dans la gigue et la sarabande, la gavotte et le menuet. Croyant lui voir l'œil tendre, j'interrogeais l'élue de l'instant, comme elle formait un « pas assemblé ».

— Fille de Mars ou de Vénus, vous êtes Line.

— Perdu ! On me nomme Trine.

— Cette fois, vous ne me tromperez pas. Pour danser avec tant d'aisance, il faut que Terpsichore ait été votre aïeule, Trine.

— Je suis Line.

J'en perdais mon latin ; je ne savais plus à quel saint me vouer. En vain cherchais-je le signe entre les signes, qui me tirerait d'une situation aussi cruelle qu'absurde. Passé minuit, le hasard me secourut. Je sautillais, levant la jambe, puis tournant sur place, et j'apercevais tout proche du mien, tout rose d'une animation aimable, et empreint d'une douce raillerie, un visage où se conjuguaient tous les charmes.

— Qui suis-je, monsieur de la Fleur ?

— Trine.

— A merveille ! Vaillant guerrier, vous avez donc enfin découvert le nœud du problème ?

Je n'avais rien découvert du tout, mais l'assurance a toujours payé. Aussi lançai-je à tout hasard :

— Il est peu apparent.

— Oui, répondit la belle. Placé où il est sous l'oreille gauche, le mien se laisse entrevoir assez facilement, mais il faut de bons yeux pour déceler celui de Line, à la jointure du lobe de l'oreille droite.

Je lorgnais, sans en avoir l'air, l'oreille gauche de ma danseuse et éventai le *corpus delicti* : c'était un minuscule grain de beauté.

— Maintenant vous ne pourrez plus vous tromper, ajouta Trine en formant un sourire céleste.

Soucieux d'assurer ma créance, peu après, je m'inclinais devant l'exacte image de celle que je venais de quitter. L'oreille droite de la demoiselle masquait en effet un grain de beauté quasi imperceptible.

— Si vous niez être Line, lui dis-je à mi-voix, je ne veux plus être le fils de mon père.

— Vous allez donc plonger dans l'affliction l'excellent gentilhomme qui se flattait jusqu'à présent d'être l'auteur de vos jours, répliqua-t-elle en levant délicieusement le sourcil, car vous voilà bâtard et j'en ai regret pour vous. Je suis Trine.

Je protestai.

— Allons donc ! il faudrait que votre oreille dextre fût aussi large que celle d'un éléphant pour cacher ce grain, ce petit grain qui vous nomme et sur lequel on pâmerait de poser les lèvres.

— Que me chantez-vous là, monsieur le libertin ? C'est ma sœur qui a le grain à droite.

Je me sentis quinaud. Je n'étais pas plus avancé. Laquelle mentait ? Fallait-il penser que ces jeunes personnes s'entendaient comme larrons en foire à berner, duper, éberluer la gent porte-braguette ? Je refusais de me tenir pour battu.

— Dites-vous bien, mademoiselle de Valbert du Coudray, repris-je, que, Line ou Trine, à mes yeux vous l'emporterez toujours sur quelque rivale que ce soit, à jamais indissociable et indiscernable de votre double, en dépit d'un demi-grain de café voyageur. Hélas ! deux perfections égales ne peuvent que se tirer au sort.

Elle se rebella.

— Insinueriez-vous, monsieur, que nous serions mises en loterie ?

— Si cela était, je vendrais jusqu'à mes grègues pour acheter tous les billets.

Elle fit une moue qui laissait paraître un certain contentement.

— Seriez-vous Turc ?

Elle rit et, détournant la tête, voit la vaste perruque de Diego de Zuniga y Tovar s'abaisser devant elle, tandis que les violons attaquent un menuet. Elle s'éloigne de moi avec l'avantageux hidalgo qui a tout du Morisque par le teint basané, les yeux flambants sous une touffe de sourcils fuligineux. Cependant, la fortune me sert. Sur une banquette voisine siège, battant de l'éventail, une superbe créature en déshabillé d'été à échelles de rubans feuille morte. Par l'éclat du teint, les yeux bleu-violet, mais avec plus d'ampleur des hanches et du corsage, elle ressemble étrangement, dans une maturité triomphante, aux deux Grâces avec lesquelles je viens de faire ma passe d'armes. C'est leur mère, dont le sourire figé m'attire comme le miroir fait l'alouette. La course du temps épanouit la beauté de la femme. Perdant la fraîcheur du bourgeon, elle gagne la succulence du fruit. Ainsi de Stéphanie de Valbert du Coudray à qui j'offre de conduire le menuet avec moi. Elle y accède du meilleur air. Elle exhale un parfum discret, où je reconnais l'eau de la reine de Hongrie. Avançant un pied délicat, chaussé d'un satin mordoré où brille une boucle d'émail, elle danse avec une noble aisance qui accuse la souveraineté de ses attraits. Son immuable sourire laisse filtrer l'éclair des dents pures. Le menuet terminé, elle soupire :

— Je me sens un peu lasse, monsieur de la Fleur. Me ferez-vous l'amitié d'un bout de conversation ?

J'aime ce « bout » familier. Nous prenons place côte à côte.

— Oh ! dit-elle, soupirant derechef, je vous sais gré de vos bonnes façons, mais ne vous croyez pas obligé de me jurer sur votre salut éternel que vous avez pris autant de plaisir à danser avec moi qu'avec mes filles. Je vous ai vus ensemble tout à l'heure et vous faisiez un bien charmant spectacle. Quel âge avez-vous ?

— Vingt ans, madame.

— Elles en ont dix-huit. La jeunesse doit aller à la jeunesse.

Je proteste que, plus que leur mère, elle paraît leur sœur. Elle ronronne derrière son éventail. Je crois devoir renchérir que la jeune fille n'étant que la promesse de la femme, un homme de goût peut préférer à l'ébauche l'œuvre achevée. Elle referme son éventail et me donne sur les doigts.

— Allez, mon petit maître, c'est vous mettre par trop en frais. Parlez-moi plutôt de mes filles.

Mais ses paupières ont battu, cachant mal un soudain éclat de l'œil. Du diable si ces yeux-là ont renoncé !

J'entre dans son dessein. Je l'interroge sur ses filles, et singulièrement sur l'attribution de leurs grains de beauté respectifs.

— Ces petites sont incorrigibles. Apprenez, mon beau monsieur, que ces prétendues fantaisies de la nature ne sont que des mouches, de simples petits ronds de taffetas, de ces mouches derrière l'oreille qu'on appelle...

— Effrontées ?

— C'est sur le nez.

— Passionnées ?

— C'est au coin de l'œil.

— Baiseuses ?

— Au coin de la bouche ! Contenez vos ardeurs, jeune homme.

— Je capitule.

— Vous faites bien. Derrière l'oreille, les mouches n'ont pas reçu de nom. Line et Trine ambitionnent de lancer la mode. Elles ont décidé de les appeler menteuses.

— Bien choisi. Mais, privées de ces grains providentiels, comment distinguer Line de Trine ?

— C'est la question que je me pose depuis leur naissance. Elles ne sont différentes que par le caractère.

— Eclairez-moi.

— Trine est plus romanesque, plus portée sur le sentiment, plus tendre peut-être. Line est plus spontanée, plus piquante. Encore faut-il compter avec l'humeur du moment.

— C'est à désespérer.

— Attendez ! Trine a plus de raison quand elle n'extravague pas, Line plus de fantaisie quand elle ne déclare pas subitement qu'elle veut se faire nonne. Entre les orateurs sacrés, Line préfère Monsieur de Meaux pour sa belle voix, Trine le révérend Bourdaloue parce que, prêchant les yeux fermés, elle prétend qu'il parle pour les anges.

— Ah ! madame, je vois bien que, pour résoudre l'énigme, il faudrait être mahométan.

Elle se guinde dans une dignité prompte à s'offenser.

— Qu'entendez-vous par là, monsieur de la Fleur ?

— Eh ! un disciple du prophète n'aurait-il pas licence de les épouser toutes deux ?

La comtesse hausse le menton.

— Fi ! de quel front il me dit cela ! Tenez, vous n'êtes qu'un mauvais sujet.

J'ai cependant surpris une malice dans son œil, tandis qu'elle poursuit :

— Vous avez vu mes filles aujourd'hui pour la première fois, et voilà que vous me débitez à leur sujet des propos de païen.

Je crois pouvoir garder le ton du badinage.

— C'est une calomnie, madame, ou je me suis fait mal entendre. Mes intentions sont pures.

— Si vous ne mentez pas par la gorge, il vous faudrait pourtant choisir.

— Comment le faire, de par Dieu, si l'on ne peut distinguer Line de Trine ?

— Pauvre jeune homme ! Dans quel guêpier est-il allé se fourrer ? Mais je vous veux du bien, Fortunat, et je vous le prouverai, à condition toutefois que vous trouviez grâce aux yeux du comte, leur distingué père. C'est un homme terrible, je vous en préviens, qui abomine les larrons d'honneur, et fine lame s'il en fut. Sachez, en outre, que son prénom est Athanase, du grec *athanatos*, c'est-à-dire immortel. Chaque fois qu'il a une affaire, quand il salue l'adversaire de son arme, il ne manque jamais d'annoncer avec un accent de tristesse dans la voix : « Aussi vrai que je me nomme Athanase, tu ne peux rien contre moi, l'ami, et je suis au regret d'avoir à t'expédier chez Pluton. » Il a, de la sorte, mis à mal tous ceux qui ont eu l'impudence de le provoquer. Ainsi tremblez, mon mignon, si vous avez mauvaise conscience.

— Vous oubliez, madame, que je m'appelle Fortunat, ce qui pourrait me rendre aussi invulnérable que votre époux.

— Ne soyez pas présomptueux. Je vous ai déjà dit que vous me plaisiez. Il vous suffira de ne pas lui déplaire. Le voici justement qui s'approche.

J'ai dit que le comte Athanase de Valbert du Coudray était laid. Le mot est faible. Cheveux et sourcils d'encre, maigre comme une blatte et jaune comme un coing, il me dépassait d'une bonne tête et, légèrement voûté hochait la sienne en avant à chaque pas, comme font les échassiers.

Il s'arrête devant nous et se racle la gorge d'une toux grasse pour s'éclaircir la voix. Je me suis incliné révérencieusement.

— Vous reconnaissez, mon ami, l'enfant de la maison, le jeune de la Prée de la Fleur qui s'est vaillamment battu en Flandre ? susurre la comtesse.

— Comment ne le reconnaîtrais-je pas ? profère le comte d'une voix caverneuse. Ce n'est pas la première fois que nous venons céans. La Prée et moi avons conclu quelques bonnes opérations ensemble, et si je n'ai pas encore eu l'occasion de juger que le fils avait la même étoffe que le père, je vois qu'il s'emploie activement auprès de vous à se faire valoir.

Le ton est déplaisant, cherche à l'être, et le personnage m'inspire à première vue une antipathie prononcée. La comtesse se reprend à battre de l'éventail.

— Et il y réussit, mon cher comte, il y réussit à merveille, réplique-t-elle nonchalamment. A en juger par ses confidences, je suis même portée à croire qu'il fera bien des ravages dans des cœurs qui ne sauraient pas se défendre.

Elle rit, et le comte se renfrogne.

— Parce qu'il en est déjà aux confidences ? dit-il avec une hargne accrue. Voilà un gaillard qui s'entend à brûler les étapes.

Mon affaire paraît mal engagée, et il est grand temps que j'entre en lice.

— Monsieur, lui dis-je, la jeunesse ne se prive pas d'être maladroite, et je ne me flatte pas d'avoir acquis à mon âge la maturité d'esprit qui ne vient qu'avec les années. Je ne crois pas toutefois, dans ma conversation avec madame, avoir dépassé les bornes de la plus stricte bienséance.

— Je l'espère pour vous, fait-il d'un air devenu presque menaçant. De quoi parliez-vous donc ?

Ce gentilhomme a le commerce difficile. Bah ! Allons-y de la flatterie ingénue.

— Eh bien ! monsieur, avec tout le respect que je vous dois, je parlais de l'extraordinaire ressemblance

de vos filles jumelles qui m'ont accordé la faveur
de quelques pas de danse, et je demandais à madame
leur mère s'il lui était possible à elle-même de les
distinguer l'une de l'autre. Mettre au monde une perfection peut être déjà tenu pour un privilège insigne.
En créer deux dans le même temps, offrir à un monde,
où le beau est infiniment moins répandu que le laid,
deux échantillons aussi accomplis de la grâce plus belle
encore que la beauté, comme l'a dit notre immortel
fabuliste, n'est-ce pas un exploit de beaucoup plus rare
et plus précieux que de forcer le quinola ? Et je pensais
qu'en vérité, il a fallu la conjonction de deux natures
non moins exceptionnelles pour obtenir cet incomparable résultat.

La flatterie gagne toujours. Les sombres sourcils
du comte frémissent et plusieurs rides se creusent à
son front. Je me demande s'il ne va pas éclater, mais
presque aussitôt son visage se détend.

— C'est bien de l'honnêteté à vous, monsieur,
déclare-t-il. Assurément mes filles Emmeline et Catherine sont dignes d'un prince, et c'est, à n'en pas douter,
le sort qui leur est promis. Si l'on marie la vigne à
l'ormeau, on ne conjoint pas la rose au chardon.

Bien que cette profession de foi me paraisse assez
comique dans la bouche d'un être au physique aussi
disgracié, j'approuve du chef et crois en même temps
surprendre dans ses yeux une flamme furtive, où la
morgue s'allie à la fourbe.

— Gardez-vous de l'oublier, jeune homme.

Et s'adressant à sa femme :

— Nous partirons dans un quart d'heure, ma chère.
En attendant, je ne vous défends pas de faire un peu
de morale à ce garçon qui pourrait en avoir besoin.

Un sourire ambigu étire les lèvres de la comtesse.
Elles sont sensiblement plus charnues que celles de
ses filles. Le butor éloigné, j'entends qu'on me chuchote
à l'oreille :

— Faire de la morale à un garçon de vingt ans !
Quelle idée ! J'aime autant vous révéler tout de suite
que mon digne seigneur et maître a été en son temps

un fameux polisson et que, maintenant aussi bien, il
ne se gêne guère pour courir la guenuche.

Elle baisse encore de ton.

— Il part demain, seul, pour ses terres. Bon voyage
et bon vent ! Il ne faut pas vous laisser prendre à
ses grands airs. Votre maison vaut la nôtre, et votre
père est, à ce qu'on dit, bien pourvu.

Je lève des épaules d'héritier que de telles questions
n'agitent pas.

— Oui, poursuit-elle. Eh bien, sachez que le comte
de Valbert du Coudray n'a qu'une préoccupation en ce
bas monde : l'argent. Vous ne sauriez donc être pour
lui un parti à dédaigner. Ses filles font partie de son
capital, voilà tout... Vous ne dites mot... M'abuserais-je
sur vos intentions ?

Line et Trine ! Je ne pensais aucunement au mariage,
une heure plus tôt. L'idée soudaine de tenir dans mes
bras une de ces merveilleuses créatures me met la
tête en feu.

— Madame...

Mon trouble ne lui a pas échappé et elle en prend
avantage. Elle soupire :

— Ah ! jeunesse ! Enfin je vous comprends. Certes,
je serai bien chagrine d'avoir à me séparer de ces deux
astres, les lumières de ma vie, mais une mère doit
songer au bonheur de ses enfants, non au sien propre.
Je vous veux du bien, Fortunat, je vous le répète,
et je vous le prouverai incontinent. Si bien disposée
que je sois à votre égard, il vous faudra faire un choix,
vous prononcer entre Line et Trine, et pour ce, au
préalable, les connaître, ou plutôt les reconnaître.
L'absence de mon mari durera une dizaine de jours.
Venez me voir après-demain, sur la brune. Ces demoiselles feront de la musique avec moi. Je touche du
clavecin, et elles chantent à ravir. Je vous propose
de venir chaque jour ainsi, à la même heure, jusqu'au
retour de mon barbare. Si, après avoir, pendant toute
une semaine, entendu des airs à sentiment, vous n'êtes
pas à même de trancher, ce sera que votre cas est
désespéré. Acceptez-vous ?

— Je n'aurai pas trop de toute ma vie pour vous bénir, madame.

— Laissez là le goupillon et soyez après-demain fidèle au rendez-vous. Jusque-là, silence et discrétion. Vous ne pouvez pas vous tromper. C'est la troisième maison après le jeu de paume de l'île. Adieu !

Elle accompagne d'un sourire éblouissant un bref salut de la tête et s'envole. La maîtresse femme, et qui ferait une bien grisante maîtresse tout court !... Que dis-tu, Fortunat ? Et Line et Trine ? Perds-tu la tête ? Leur mère, misérable !

J'étais loin de me douter qu'avec cet entretien aux fins apparemment toutes morales, venait de commencer ma vie d'aventures.

II

Apollonie de Belœil secoua la tête et lâcha un rire qui ressemblait à un hennissement.

— Fortunat, cette cravate est nouée en dépit du bon sens. Tu ressembles à un bohémien. Vas-tu courir la ville dans cet équipage ?

Je donnai un regard à la grande glace placée au-dessus de la cheminée, puis, posant un doigt sur mes lèvres, dédiai un baiser à la cousine.

— Apprenez, noble dame, que ma cravate est nouée à la Steinkerque, ce qui revient à dire qu'elle ne saurait être davantage au goût du jour. Ne le vîtes-vous point avant-hier, à cette soirée que donna mon honoré père ? Il n'était pas un de nos hôtes dont la cravate ne fût nouée à la diable, ses deux bouts pendant inégalement, et toutes les belles d'applaudir.

Apollonie leva les épaules.

— Alors, parce que le maréchal de Luxembourg a dormi une heure de plus que ce Guillaume d'Orange, que le diable emporte, et qu'il a, toute la maison du roi suivant son exemple, juste eu le temps de jeter sa cravate autour du cou, avant d'aller étriller ce damné Hollandais, tout le beau monde va dorénavant devoir entrer en concurrence avec les portefaix ?

— La mode, chère cousine, ne se discute pas, puisqu'elle est fondée sur le caprice. Même si elle ne vit que l'espace d'un matin, l'important, pour un homme de bon lieu, est de la suivre ce matin-là.

— Et le jour où le maréchal de Luxembourg n'aura

pas eu le temps de passer sa culotte, que fera, monsieur de la cravate à la Steinkerque, l'homme de bon lieu ?

— Il rallongera sa chemise, repartis-je en m'efforçant de garder mon sérieux.

C'était une hardie luronne qu'Apollonie de Belœil. Petite cousine de ma défunte mère, elle avait son franc parler, la langue bien pendue et toujours le mot pour rire. Maigre et vive comme une belette, avec le même museau pointu, elle trottinait tout le jour dans l'hôtel en faisant sonner son trousseau de clefs et menait le domestique avec l'autorité d'un sergent de bataille. Mariée à vingt ans à un capitaine du Royal-Champagne, un boulet lui avait ravi ce héros trois mois plus tard, en 1667, devant Lille. Elle m'avait conté les circonstances de ce triste événement lorsqu'elle avait pris sa charge d'intendante, et afin de me mettre en confiance.

— Tu me croiras si tu veux, mon petit cousin, mais c'est l'émotion, quand j'ai appris mon malheur, qui m'a rendue bigle.

— Vous aimiez beaucoup le capitaine.

— Notre vie conjugale avait été courte. Il avait rejoint son régiment quinze jours après nos épousailles, mais il m'aimait à la folie et m'en avait administré les preuves les plus tendres. Oh ! j'avais bien déjà l'œil droit un peu de travers, mais Matthieu — c'était son prénom — prétendait que c'était justement ce qui lui avait d'abord plu en moi, que cela me donnait un petit air hors du commun. Après sa mort, malheureusement, le défaut s'est accentué, et puis ces méchants poils m'ont poussé sous le nez, pour compléter le tableau. Ce que je t'en dis, cousin, c'est pour que ma loucherie et ma moustache ne te fassent pas peur.

Un pleur avait roulé sur sa joue. Alors je l'avais embrassée de grand cœur ; je lui avais dit qu'elle était la meilleure des cousines, et elle avait ri dans ses larmes. Depuis ce temps-là, nous avions lié pacte d'amitié, et elle prenait vertement ma défense quand mon père me tançait pour quelque folie de jeune homme.

— Bénigne, mon ami, je ne vous trouve guère bénin pour un pauvre orphelin à qui a toujours manqué l'amour d'une mère. Auriez-vous le front de jurer que vous n'étiez pas pire à son âge ?

Le marquis en demeurait court.

— Bon, reprit Apollonie, mais si, mon petit maître, vous nourrissez le coupable dessein de séduire une beauté avec une cravate bonne, tout au plus, pour un recors de basse mine, et si vous y parvenez, c'est que vous aurez affaire à une borgne.

— Ce ne serait donc pas une beauté, mais sachez, madame, que ma tâche est plus ardue encore. Il ne s'agit pas d'une beauté, mais de deux.

— Seigneur ! Tu voudrais te faire passer pour un monstre d'immoralité, de perversité !... Mais non, je ne te crois pas. Tu te vantes, Fortunat, tu te vantes...

Elle s'enfuit, secouée d'un fou rire. Le tintement de son trousseau de clefs s'éteignit derrière la porte. Ah ! la bonne, l'obligeante personne qu'était Apollonie de Belœil !

Cependant, le moment fatal était venu. J'allais rendre à la mère des radieuses Line et Trine la visite dont nous étions convenus. J'avais, la veille, interrogé mon père sur la famille de Valbert du Coudray, et ce qu'il m'en avait dit n'était pas de nature à me rassurer sur mon entreprise. Selon lui, le comte Athanase appartenait à cette catégorie d'individus que le scrupule n'étouffe pas. Il était de bonne noblesse picarde, et sa fortune semblait bien assise, mais sa façon de la sauvegarder et de l'arrondir ne laissait pas de prêter à la critique ou, pour le moins, au soupçon. Quant à la comtesse, sa femme, on n'hésitait guère à la mettre, comme sa complice, dans le même corbillon. Il y avait notamment certaine histoire d'un fermier général qui, pendant une chasse à courre, aurait été surpris par le mari étreignant la belle Stéphanie sous le couvert. On aurait pu ne voir là que hasard malencontreux si le comte ne s'était trouvé opportunément accompagné d'un officier de justice qui avait tout aussitôt couché les attendus de la cause dans un procès-verbal. Comment l'affaire avait, par la suite, été étouffée, nul ne le savait au juste, mais, six mois plus tard, l'époux outragé avait fait acquisition d'un somptueux hôtel, dans l'île Notre-Dame, contre une somme dont on n'aurait pas cru qu'il pût disposer.

J'avais demandé à mon père pourquoi, sachant ce qu'il en était, il ne craignait pas de recevoir un couple d'un renom aussi douteux.

— Eh ! mon fils, m'avait-il répondu après avoir puisé dans sa tabatière une pincée de tabac d'Espagne, si l'on ne recevait que des âmes pures et sans tache, les salons seraient vides. Et puis ce Valbert est peut-être une franche canaille, mais il n'a jamais été pris la main dans le sac. Il sent de loin la bonne affaire et a l'oreille de tous les traitants. J'ai fait quelques gains d'importance grâce à lui.

— Et ses filles, mon cher père, que pensez-vous de ses filles ?

Il cligna de l'œil.

— Ah ! ah ! Fortunat. *Percé jusques au fond du cœur*... dès la première escarmouche ?... Inutile d'arborer cet air crispé. Je te comprends. Ces demoiselles ont une grâce, un charme, un feu... Mais je ne suis pas plus avancé que toi sur ce chapitre. Je les ai vues avanthier pour la première fois et ne sais d'elles que ce que m'en a dit leur père à qui je faisais compliment de son doublé ! Elles sortent du couvent, et ces Ménechmes femelles ne sortent jamais l'une sans l'autre. Voilà, par parenthèse, qui risque de compliquer la tâche des galants à venir. Aurais-tu décidé de tenter ta chance ? Si oui, je te mets tout de suite en garde. Il n'y a rien de plus dangereux que ces animaux-là.

— Vous vous moquez, je crois.

— Du tout, et je consens, pour te complaire, que les demoiselles en question soient provisoirement mises hors de cause. N'empêche que si la femme, quel que soit son état dans le monde, est, comme tous les descendants du premier couple, composée d'un corps et d'une âme, c'est le corps, autrement dit la partie matérielle, animale de sa nature qui, chez elle, prédomine. Pourquoi ? Parce qu'il lui appartient de captiver, de retenir l'homme par ses attraits extérieurs. Tu ne saurais aimer une femme pour sa belle âme, qui te restera toujours cachée, mais pour son beau corps qui, lui, s'impose à tes sens. Il est stupide de prétendre que les yeux sont le miroir de l'âme. Il n'y a rien de plus menteur au monde que des yeux de femme.

— Avez-vous bien regardé, père, les yeux de Line et de Trine ?

— Nous en sommes donc aux diminutifs ? Oui, mon fils, j'ai remarqué les yeux de ces demoiselles, et ils sont admirables, tout de même, d'ailleurs, que ceux de leur mère. J'ajouterai seulement que plus les yeux de femme sont beaux, plus il convient de s'en méfier, car ils engourdissent le jugement de l'homme. Tu n'es sensible qu'à leur éclat, à leur fallacieuse douceur, à une langueur savamment distillée, et tu oublies que, derrière cette flatteuse apparence, est tapi un être rompu à toutes les roueries, prêt à toutes les cruautés, et qui s'ébat dans le mensonge comme le poisson dans l'eau.

— Est-il possible, mon père, que vous croyiez Line et Trine capables de tant de noirceur ?

— Je ne crois rien. Je me borne à craindre pour toi et je voudrais t'éviter les faux pas. Ta mère — que Dieu ait en son paradis ! — était une sainte et digne femme. Pour les demoiselles de Valbert du Coudray, la preuve de leur vertu reste à établir ; elles sont belles, et la beauté trop sûre d'elle est généralement mauvaise conseillère... Au fait, tu ne m'as pas encore dit expressément pourquoi tu me demandais mon sentiment sur ces charmantes créatures et, si tu es ferré, laquelle t'a pris à l'hameçon.

— Comment savoir ? Elles sont pareilles, semblables, identiques de la tête aux pieds, et tous les synonymes exprimant la ressemblance ne suffiraient pas à dire combien elles se ressemblent.

— Hum ! Mais mon garçon, la bigamie est interdite

par la loi, et je présume que tu te contenterais d'épouser l'une des deux.

— Me donneriez-vous votre consentement, mon père ?

— Je t'ai dit ce que je pensais des parents. Le comte de Valbert du Coudray est peut-être un filou, mais peut-être aussi seulement un habile homme, peut-être un escroc qualifié, mais peut-être seulement l'instrument d'une drôlesse qui le fait tourner comme un toton. Dans le doute, et supposé que ton bonheur fût en jeu, une franche opposition de ma part me paraîtrait abusive. N'oublions pas, d'autre part, qu'il te faudrait outre le mien, obtenir le consentement du père de l'élue.

— Si j'ai le vôtre, père, tous les espoirs me sont permis.

— Heu ! le voilà parti sur ses grands chevaux... Garde ton sang-froid, Fortunat, si tu ne veux pas être jobard, et ne perds pas de vue que la plus niaise des femmes sera toujours capable d'entortiller le plus malin des hommes.

Le soir tombait sur Paris, un soir chaud et lourd, où courait une menace d'orage. L'hôtel de Valbert était sis quai de Bourbon. J'avais décidé de m'y rendre à pied, sans me faire accompagner d'un porte-falot. Il n'était qu'environ sept heures, et déjà cabarets et rôtisseries répandaient leurs jaunes lumières dans les rues, où nombre de gens prenaient le frais sur le pas de leurs portes.

Devant l'église Saint-Louis-des-Jésuites, un cocher de fiacre, fouet en main auprès de sa voiture, conversait avec un porteur de chaise dont l'acolyte buvait au goulot d'une bouteille.

Je saisis ces mots au vol :

— Tu diras tout ce que tu voudras, Boniface. Avec le père La Chaise et la veuve du bossu, c'est le pape noir qui aujourd'hui gouverne le royaume.

— Doucement, Nicodème, fit l'homme à la bouteille. Vise à droite.

Un prêtre sortant de l'église descendait les marches

qui la précèdent. Le cocher tira respectueusement son tricorne.

— Que Dieu vous garde, mon fils !

Saint-Louis était notre paroisse, et j'étais, chaque dimanche, tenu d'y accompagner mon père. J'y avais entendu, cinq ans plus tôt, le père Bourdaloue prononcer l'oraison funèbre du prince de Condé, un mois après celle dont Monsieur de Meaux avait fait retentir les voûtes de Notre-Dame. Au solennel évêque, mon père préférait le modeste jésuite, en quoi il rejoignait Trine. L'étrange chose que la religion me ramenât à la pensée de cette aimable personne ! « Il parle pour les anges » disait-elle, à en croire sa mère. Trine était apparemment plus portée sur la poésie que sa sœur Line. Serait-ce à elle qu'irait ma préférence ?

Par la rue des Prêtres-Saint-Paul, je voulus gagner la rue des Nonnains d'Hyères. Le ciel s'obscurcissait de plus en plus. J'entendis un bruit scandé de pas lourds venant de la rue du Figuier. C'était une patrouille d'archers du guet. Je n'eus que le temps de me jeter sous une porte cochère. Les gens de condition n'étaient autorisés à porter l'épée de nuit qu'accompagnés de porte-falots, afin que ces messieurs de la police pussent les reconnaître.

Les sbires passés, je poursuivis ma route pour déboucher quai des Célestins. Le ciel nocturne était maintenant d'un bleu profond où palpitaient quelques étoiles, et quoique la lune fût invisible, on eût dit qu'y flottait une fine poudre d'argent. Sur la droite, dans la direction de la place de Grève, j'aperçus une dizaine d'ombres d'où venait le bruit d'une violente altercation, que suivit bientôt un choc d'épées. L'orage menaçant rendait les têtes chaudes. Je hâtai le pas pour traverser le pont Marie entre les maisons qui bordaient les trois premières arches. De maigres lueurs filtraient derrière les carreaux.

Il m'était arrivé, à plusieurs reprises, d'aller faire des échanges de balles au jeu de paume de l'île Notre-Dame. « La troisième maison après le jeu de paume », m'avait dit dame Stéphanie. J'arrivai devant l'hôtel

qui avait noble allure avec ses hautes fenêtres à bar-
reaux et sa large porte cloutée au-dessus de laquelle
je crus distinguer un mascaron à tête de faune. Il n'y
avait plus à tergiverser. Cependant, je ne pouvais
m'empêcher de me rappeler les réticences de mon
père. Et si le comte et la comtesse de Valbert étaient
décidément des aventuriers, des personnes équivoques,
lui un maître filou, elle une drôlesse ? Mais quel intérêt
pourraient-ils avoir l'un et l'autre, l'un ou l'autre, à
leurrer, à berner, à mettre enfin dans un mauvais cas
un garçon de vingt ans dont ils avaient moins à redouter qu'à espérer ? Derrière moi, le fleuve coulait sans
une ride, sans un clapotement. Je levai le marteau de
la porte, et le bruit qu'il fit en retombant me parut
résonner dans l'île tout entière.

J'attendis une bonne minute avant que la porte
fût déverrouillée et qu'une lanterne s'élevât à hauteur
de mon visage. Derrière la lanterne, un regard méfiant
brillait au-dessus d'un nez pointu dans une figure
blafarde.

— Vous êtes monsieur de la Prée ? fit l'homme à
mi-voix.

— C'est moi.

— Si vous voulez vous donner la peine de me
suivre...

J'entrai. La porte se referma lourdement. Emboîtant
le pas à l'homme, je traversai une cour pavée au
fond de laquelle, à droite, je gravis trois marches, puis
franchis une porte vitrée pour me trouver au bas
d'un escalier en fer à cheval, flanqué d'une rampe à
balustres.

— C'est au premier, monsieur. Vous tirerez le pied-
de-biche.

L'homme s'évanouit dans l'ombre. Bizarre accueil.
J'entrepris l'ascension de l'escalier. Malgré mon application à faire le moins de bruit possible, mon pas
crissait sur la pierre. L'éclairage était faiblement assuré
par une seule lanterne fixée au mur entre le rez-de-
chaussée et le premier palier.

Parvenu à celui-ci, je m'arrêtai, le cœur battant, et

m'efforçai de me persuader que mon émotion était sans objet. J'allais coqueter avec deux délicieuses demoiselles avec l'agrément et en présence de leur mère et aux fins les plus honnêtes. Elles chanteraient pour mon plaisir, et il n'y avait pas lieu d'en inférer que leur père était une franche canaille. Je repris mon sang-froid ; je tirai le pied-de-biche, qui se trouvait être un large cordon de tapisserie, et une sonnerie grelotta dans les profondeurs de la maison. Les dés étaient jetés.

La porte s'ouvrit. Une soubrette jeunette et en cotillon court plongeait dans un salut à angle droit. Elle découvrit, en se relevant, des joues de pomme d'api, un petit nez retroussé, une bouche moqueuse.

— Monsieur le comte est attendu.

Celle-là connaissait mon titre, comme le portier mon nom. Ma visite n'avait donc rien de clandestin, et j'en éprouvais une certaine surprise, la comtesse ayant prétendu l'entourer de mystère en raison de l'absence de son mari. Il fallait qu'elle eût une confiance absolue dans la discrétion de ses gens. Bah ! Qu'avais-je à me poser des questions !

Dans l'antichambre où j'avais été introduit, un vaste chandelier de bois doré, suspendu au plafond, éclairait les panneaux à la capucine, peints en blanc et décorés de fleurons et de rosaces. La soubrette ouvrit une nouvelle porte et s'effaça. J'aperçus, allongée sur un lit de repos, entre deux guéridons supportant des candélabres à girandoles, la comtesse de Valbert du Coudray enveloppée dans une robe d'intérieur flottante rose bonbon. A deux pas d'elle était un tabouret recouvert de damas vert. Un clavecin occupait un coin de la pièce.

— Approchez, mon ami, dit-elle d'une voix exténuée. Ah ! j'ai de bien fâcheuses nouvelles à vous apprendre, et il n'est que trop vrai de dire qu'un malheur n'arrive jamais seul. Mon mari devait quitter Paris hier. Je ne sais quels empêchements il a eus : il était encore là ce matin. Bref, j'allais dépêcher un exprès pour vous décommander, quand mes deux filles — oui, ensemble, c'est le sort des jumelles — ont été prises d'un accès de fièvre dont je ne saurais dire si elle est tierce, quarte ou quintaine, mais en tout cas des plus violentes. Le médecin les a sur l'heure saignées, purgées, voilà les pauvrettes tout abattues. Dans l'agitation où j'étais, j'ai oublié l'exprès.

— Et le comte n'est pas parti ?

— J'espère que si, à présent. Il n'est pas venu dîner et il me disait ce matin qu'il comptait prendre la route avant midi. Il a fort à faire sur ses terres et ne se sentait plus d'impatience.

Elle me tend sa main à baiser. J'y porte des lèvres que je voudrais furtives, mais elle prolonge le contact, insiste ; une bague armoriée, qu'elle porte au doigt, s'enfonce dans ma joue, y imprime une marque blanche que j'aperçois, en relevant la tête, dans la glace qui, derrière elle, occupe le panneau. Je n'ai pu retenir un petit cri.

— Pardon, dit-elle. J'espère que je ne vous ai pas fait mal. Ne restez donc pas debout. Rapprochez un peu ce tabouret et asseyez-vous là, tout près de moi, que je vous voie bien.

J'obéis. Elle prend ma tête à deux mains, me regarde fixement.

— Non, dit-elle, ce ne sera rien.

En me lâchant, ses mains se sont attardées sur mes joues pour une légère caresse.

— Ah ! soupire-t-elle, il faut me pardonner si je suis sur les nerfs. Vous êtes trop jeune encore pour comprendre la détresse d'une femme qui souffre de l'incompréhension et de la solitude. Ah ! ces hommes qui jurent de vous aimer toujours et qui, leur contentement pris, ne songent plus qu'à courir la gueuse ! A votre âge, quand on a l'âme bien née, on n'a pas perdu toute la fraîcheur du sentiment. Dès que je vous ai vu, Fortunat, j'ai pensé que vous aviez le cœur sensible. Me suis-je trompée ?

— Madame...

— Il faut que j'en sache davantage sur vous. Donnez-moi votre main, que j'y lise votre avenir.

L'entretien prend une singulière tournure, mais comment me dérober ? Je tends ma main que la comtesse saisit, palpe, étire, examine. Ce faisant, elle se penche, sa robe d'intérieur bâille, et un parfum poivré s'en exhale. Parole de gentilhomme, bien malgré moi, je découvre que cette robe est son seul vêtement. Et voici qu'elle rend son oracle.

— La ligne de vie est belle. Vous êtes un Mathusalem en puissance, Fortunat. A moins que... Pas de duels, surtout, pas de duels...

Elle a un petit rire grinçant, incompréhensible.

— Quant à la ligne de cœur...

Sa voix est devenue rauque. Elle attire ma main vers son sein, la presse doucement... Ma tête se brouille.

— Fortunat, écoutez-moi...

Line ! Trine ! au secours ! Je tente de reprendre mes esprits. Je veux dégager ma main. Trop tard ! Une porte s'est ouverte brusquement, et une voix furieuse, dont je reconnais aussitôt l'accent caverneux, tonne dans la pièce.

— Ne vous gênez pas, jeune homme. Voulez-vous que je tienne la chandelle ?

La peste soit de la carogne ! Dans l'instant, j'ai éventé le complot. Les soupçons de mon père n'étaient que trop justifiés : je suis tombé dans le traquenard tendu par la belle Stéphanie de connivence avec son coquin de mari. Je me dresse d'un bond, la main à la poignée de mon épée. Le triste sire, ricanant et balançant la tête en avant, s'avance vers moi. Stéphanie, qui s'est levée, elle aussi, tente de s'interposer.

— Je vous en prie, Athanase. Ne vous laissez pas abuser par les apparences. Il n'y a rien, absolument rien de monsieur à moi, rien qu'un déplorable concours de circonstances.

Il l'écarte d'une main.

— Madame, allez reprendre votre place.

Elle recule, se cache la tête dans ses mains, pleurniche. O sexe trompeur ! Un naïf pourrait la croire sincère. Elle se laisse tomber sur le lit de repos avec tous les signes de l'accablement. Le comte, planté devant moi, me souffle à la figure une haleine qui le ferait bon trompette, car il l'a forte.

— Maintenant, monsieur de la Prée de la Fleur — de la fleur des pois s'entend — procédons par ordre. Je vous trouve chez moi en galante posture avec ma femme laquelle, par un déplorable concours de circonstances, j'en conviens...

Il fait trois pas vers dame Stéphanie qui continue de larmoyer ; il ouvre sans ménagement sa robe d'intérieur qui, ainsi que je l'avais remarqué un peu tard, constitue son unique vêtement et qu'elle referme aussitôt d'un grand air d'indignation vertueuse.

— ... laquelle, par un déplorable concours de circonstances, dis-je, n'est guère plus vêtue que notre mère Eve avant la faute. Vous admettrez, monsieur, que, ayant sujet de m'en émouvoir et me jugeant offensé, je vous demande réparation. C'est de quoi, avec votre permission, nous allons débattre. Veuillez vous asseoir.

L'étrange personnage ! Où veut-il en venir ?

— Mais, monsieur...

Sa voix se fait menaçante.

— Je vous ai prié de vous asseoir.

Il pousse un fauteuil recouvert de tapisserie, me le désigne de la main. Je m'assieds donc, et il prend place vis-à-vis de moi.

— Au cas où vous l'ignoreriez, je vous apprendrai qu'il y a une justice, mon petit monsieur. La Providence, qui fait bien toutes choses, ne veut pas que les maris atteints dans leur honneur soient impunément bafoués. C'est ainsi que j'avais eu propos, ce soir, d'offrir à souper impromptu à deux de mes bons amis. J'arrive chez moi avec eux, je les laisse dans l'antichambre pour aller prévenir ma femme, et que vois-je ? Cette dame, à qui la cour et la ville auraient donné le bon Dieu sans confession, est occupée à me faire porter du bois. Il convient que des témoins se portent garants de mon infortune. Souffrez donc que je les aille quérir.

Son cynisme me laisse sans voix. Il a bondi vers la

porte de l'antichambre. Je vois entrer deux sombres gaillards aux allures de spadassins, rapière au côté. Leurs tricornes fendent l'air d'un salut obséquieux, tandis que le maître de céans s'écrie d'une voix changée, dramatique :

— Messieurs, je viens, à ma honte, de surprendre la comtesse de Valbert en plein exercice de galanterie avec ce damoiseau. Jugez plutôt.

Il se borne cette fois, d'une main brutale, à dénuder les blanches épaules de sa femme qui fait mine de pâlir sous l'outrage et jette vers les nouveaux venus un regard éperdu.

— Messieurs, l'accusation de mon mari n'a d'autre fondement que les fumées d'un esprit jaloux. Je suis sans reproche et j'ai ma conscience pour moi.

Le comte de Valbert ricane derechef.

— Ces messieurs ne sont pas aveugles. En tout cas, madame, il serait d'un mauvais hôte de les faire pâtir de vos écarts. Le souper doit leur être servi avant une heure. Allez y pourvoir. Vous serez dispensée d'y assister.

La comtesse, sort, visage crispé, menton haut, et le comte se tourne vers moi.

— A nous deux.

Je m'étais levé à l'entrée des deux spadassins. Il les nomme.

— Baron de Malapart, chevalier de Bourdaillac.

Et s'adressant à eux :

— Mes amis, j'ai des dispositions à prendre avec monsieur. Faites-moi la grâce de m'attendre à côté. L'affaire sera vite réglée.

Les deux hommes disparaissent sans que j'aie entendu le son de leur voix. Nul doute que ce soient des hommes de main. Quant au comte, il pense jouer le jeu du chat et de la souris.

— Jeune homme, dit-il froidement, j'aurais le droit de vous tuer. Flagrant délit d'adultère. Aucun homme d'honneur ne me donnerait tort.

Il va de long en large, tout en poursuivant :

— Je ne suis pas un assassin, et si vous êtes tout

à l'heure un homme mort, — on ne sait ni qui vit ni qui meurt — c'est que j'aurai tiré mieux que vous. Toutefois, prenant en considération votre jeunesse et les bonnes relations que je n'ai cessé d'entretenir avec un père dont vous êtes l'unique héritier, je vous laisserai une chance. A vous de la saisir au vol. Toute faute appelle un châtiment. Vous devez donc être châtié. Quelle sera la nature du châtiment ? Je veux bien vous en laisser le choix. Supposons que je vous laisse la vie sauve. Que me donnerez-vous en échange ? Songez que vous êtes à ma merci. Peut-être avez-vous entendu dire que j'étais d'une assez jolie force à l'épée. Les deux gentilshommes que vous venez de voir sont encore plus forts que moi. Je ne songe pas sans crainte pour vous à un affrontement qui vous opposerait non seulement à moi mais à eux.

Il était temps de réagir. Je savais maintenant à qui j'avais affaire. Ma position assise me mettait en état d'infériorité à l'égard du comte de Valbert debout. Je repoussai mon fauteuil d'un geste si violent qu'il se renversa. En même temps, je remettais ma main à la garde de mon épée.

— Trois contre un, monsieur, et vous osez dire que vous n'êtes pas un assassin ?

Il leva les épaules.

— Vous avez le sang bouillant, monsieur de la Prée, c'est de votre âge, mais vous m'avez mal compris. Si je ne suis pas payé par votre sang de l'injure que vous m'avez faite, n'est-il pas légitime que je le sois d'une autre monnaie, et pourquoi pas en espèces ? Oh ! je ne serai pas très exigeant. Je sais bien que vous valez davantage, mais signez-moi un billet de cent mille livres et je vous laisse aller. Votre père est riche, et que ne ferait-on pour arracher à la mort un fils dernier du nom !

Le masque était tombé ; l'escroc avait découvert son vrai visage. Quand dame Stéphanie, la bonne âme, lisait dans les lignes de ma main, que je serais bien inspiré en évitant les combats singuliers, elle savait ce que parler veut dire et préparait les voies à son aigrefin de mari. Fortunat, mon joli, le moment est venu de prouver qu'un dragon de Pomponne ne se laisse pas pigeonner par le premier chevalier d'industrie venu, même décoré du titre de comte.

Je tire délibérément mon épée et j'exprime suavement :

— Monsieur, mon choix est fait. J'ignore s'il y a une barre sur votre blason, mais je suis au regret de penser que vous ne vous conduisez pas en gentilhomme. Ce néanmoins, et dans le doute, je vous rendrai raison.

Une amère déception se lit sur le visage d'Athanase de Valbert du Coudray. Son teint naturellement jaunâtre a viré à l'abricot. Il grince des dents et fait une suprême tentative pour sauver les cent mille livres qu'il croyait déjà tenir.

— Réfléchissez, jeune homme ! Vous n'avez pas une chance sur cent de sortir vivant d'une aventure où le beau rôle n'est pas de votre côté.

— Je préfère le mien au vôtre, monsieur. En garde !

Dans ses yeux plus jaunes encore que son visage, des yeux de fouine ou de chat sauvage, éclate la fureur de la bête prise au piège.

— Nous ne pouvons en découdre ici, dit-il. Allons jusqu'au pont Marie. Je ferai demain dire une messe pour le repos de votre âme.

— Comptez que je vous rendrai le même service, au cas où la fortune vous serait contraire, monsieur.

Cet échange de civilités ne semble pas de son goût.

— Vous n'allez pas tarder à regretter votre arrogance, mon petit coq.

Il me montre la porte. Je passe dans l'antichambre, l'épée toujours en main. A ma vue, les deux spadassins, qui étaient assis sur une banquette, se dressent comme des ressorts. Je me suis adossé à une cloison et les fais sortir devant moi. Garde-toi à droite, garde-toi à gauche, ultime surgeon des la Prée la Fleur ! Dans l'escalier, je me tiens à la même hauteur que le funèbre Athanase. La porte qui donne sur le quai retombe derrière nous comme la pierre d'un tombeau.

On ne sentait pas le moindre souffle d'air, le temps était de plus en plus lourd, et aucune étoile ne luisait plus dans le ciel d'encre : tous signes avant-coureurs de l'orage imminent.

Un silence compact régnait sur l'île qui semblait désertée. Au coin de la rue des Deux Ponts, le comte de Valbert fit halte sous une lanterne qui dispensait une maigre clarté sur quelques toises de pavé.

— A nous, monsieur, dit-il, et recommandez votre âme à Dieu.

Il tomba en garde, m'éprouva de quelques passes sèches. Il avait le poignet agile et se déplaçait rapidement. Peut-être était-il meilleur escrimeur que moi, et son expérience aurait pu prendre l'avantage sur ma fougue. Il avait seulement omis de compter avec le ciel. Je parai deux vicieuses bottes de quarte et, comme il prenait du champ pour prononcer une nouvelle attaque, un éclair, accompagné d'un assourdissant coup de tonnerre, déchira la nue, et la foudre tomba tout près de nous dans le fleuve. La surprise lui fit faire un faux pas de côté, je lui portai aussitôt une botte en tierce, et il s'effondra comme un pantin désarticulé, tandis que s'abattait la pluie.

Pendant notre bref assaut, les deux hommes de main annoncés comme baron de Malapart et chevalier de Bourdaillac, s'étaient sagement tenus à quelques pas derrière le comte de Valbert. Ayant expédié celui-ci, je m'attendais à les voir fondre sur moi et je m'apprêtais à vendre chèrement ma peau, mais voilà que j'assistais à un tout autre spectacle. L'un d'eux, s'approchant du corps étendu, mettait un genou en terre pour l'examiner.

— Il a pris le fer en plein cœur, dit-il. *Requiescat in pace !* Félicitations, monsieur. Je n'aurais pas fait mieux.

Je le vis fouiller le mort, puis se relever, une bourse à la main.

— Ne nous prenez pas pour des coupe-jarrets, reprit-il. Nous exerçons l'honorable profession de maître d'armes, et le comte nous avait promis une certaine somme qui devait nous être versée après votre trépas. C'était un homme trop sûr de lui. D'après ses intentions, nous n'étions tenus d'intervenir qu'au cas où vous lui auriez opposé une trop longue résistance. Il est mort. Nous n'avons plus rien à faire avec vous dont notre client n'a d'ailleurs même pas jugé utile de nous dire le nom, mais mort pour mort, ce qui est dû est dû... Il faut vous avouer que je ne suis pas plus baron que mon compère n'est chevalier. Je m'appelle Malapart tout court et lui Bourdaillac sans particule, tous deux originaires du Poitou. S'il vous arrivait d'avoir besoin de nos bons offices, la salle où nous enseignons l'art de l'escrime est sise rue de l'Echarpe, vis-à-vis la place Royale. Nous sommes bien connus dans la profession et nous écharpons de notre mieux.

Il ponctua cette déclaration d'un rire sinistre, dans le même temps que l'autre ferrailleur touchait le cadavre du bout de son soulier.

— Qu'allons-nous faire de notre homme ? Le jeter à l'eau ? Par une pluie pareille, il ne sera guère plus mouillé.

Je protestai.

— Vous ne ferez pas cela. Il a droit à une sépulture chrétienne.

— Peuh ! dit Malapart. Vous êtes généreux, mon jeune seigneur. Il a voulu vous tuer, et je ne pensais qu'à vous rendre service. N'est-ce pas vous qui l'avez occis ? Mais puisque tel est votre bon plaisir, laissons-le là où il est. Il tombe des hallebardes, je n'aime pas me faire tremper, et les archers du guet s'abritent comme tout le monde. Profitons-en pour décamper. Serviteur !

Ils s'éloignèrent à grands pas, et un long trait de foudre, de nouveau, illumina le ciel. Je me penchai vers le mort pour lui fermer les yeux. La pluie battante les avait emplis de larmes.

III

Mes vêtements étaient à tordre, et mon tricorne ruisselait comme une gouttière quand, après une fuite précipitée, mi-marchant mi-courant, hors d'haleine et le cœur en déroute, j'atteignis notre hôtel. Je trouvai encore la force de gravir quatre à quatre les marches de l'escalier et de traverser du même train le grand salon obscur, après avoir arraché une bougie à un candélabre posé sur une console de l'antichambre. D'une horloge alors j'entendis s'égoutter la sonnerie de dix heures, je m'arrêtai pour reprendre mon souffle et haussai devant moi la bougie dont la cire chaude coulait et se figeait sur le dos de ma main. Un visage défait, hagard, et rougi par la pluie m'apparut dans la glace éclaboussée de lumière tremblante. J'avais tué un homme. Je ne tarderais pas à être dénoncé par la comtesse de Valbert comme coupable du meurtre de son mari : les sinistres Malapart et Bourdaillac n'hésiteraient guère, moyennant finance, à appuyer ses dires. Qui me croirait si j'alléguais m'être trouvé en situation d'avoir à me défendre ? Quelle preuve pourrais-je en apporter ? Seul mon père pouvait me tirer de ce mauvais pas.

Une faible clarté filtrait sous la porte de sa chambre où j'allais toquer du doigt, quand, prêtant l'oreille, je m'avisai que — par la sambleu ! je ne rêvais pas — mon père chantonnait. Oui, je n'avais pas à m'y tromper. C'était bien la *Plainte des Hollandais* qui avait fait fureur deux ans plus tôt et que l'on continuait de fredonner un peu partout :

O ciel ! quel est notre malheur !
Sur mer comme sur terre,
Louis en tous lieux est vainqueur ;
Tout cède à son tonnerre.
Hélas ! faut-il comme à Fleurus
Nous voir ainsi vaincus !

J'attendis qu'il eût terminé le couplet pour frapper, et une voix, où le défi s'assaisonnait de jovialité, s'écria :

— Entrez, maudit Hollandais.

J'entrai. Mon père venait de retirer son justaucorps et dénouait sa cravate de dentelle. Il éclata de rire, puis se prit à déclamer :

O mon fils ! ô ma joie ! ô l'honneur de mes jours !
O d'un Etat penchant l'inespéré secours !

Il était féru du vieux Corneille, dont il citait des tirades entières dans les occasions, et passait avec désinvolture de la chansonnette à *Horace*.

— Non, reprit-il, ce n'est pas encore demain, frivole Fortunat, que tu débarrasseras Louis de ce damné Guillaume d'Orange. Il faut que je me fasse une raison. Tu refuses, provisoirement j'espère, de prendre la figure d'un héros moulé sur l'antique. Tu brigues moins la gloire des armes, où tu t'étais si brillamment engagé, que la faveur des belles, et je gage que, de ce pas, tu viens d'en soumettre à discrétion une, sinon deux.

Il était de la meilleure humeur du monde et j'en connus tout aussitôt le motif.

— Baste ! A chaque âge ses plaisirs, garçon. Au tien ceux de l'amour, au mien celui de se tenir les pieds au chaud. J'ai passé ce soir deux heures dans un tripot assez louche, mais Plutus était avec moi. Après avoir tiré par trois fois un brelan carré, j'ai eu la sagesse de quitter la table sur un gain de vingt mille livres. Tel que tu me vois, j'allais me mettre dans les toiles, la conscience légère, et ce n'est pas toi, je présume, qui m'empêcheras de goûter un repos mérité.

Il commençait à déboutonner son gilet, et je venais de souffler ma bougie, la pièce étant éclairée, quand, me regardant de plus près et clignant des yeux, il découvrit le désordre où j'étais.

— Ah ! ça, mais... d'où sors-tu, fils ? Te voilà comme un caniche émergeant de l'eau, tout évaltonné, la mine longue. Que n'as-tu attendu la fin du déluge sous quelque auvent ! Je t'aurais même absous de passer un moment chez une appareilleuse plutôt que de risquer la pulmonie. Ces garces-là ne manquent pas d'humanité quand tu leur laisses entendre que tu ne fais pas état de ladre.

A le voir si bonhomme, je repris cœur et lâchai d'un trait :

— Mon père, si vous ne venez à mon secours dans l'heure, je suis un homme perdu.

Il sourcilla, posa ses deux mains sur mes épaules et, me regardant bien en face, dit calmement :

— Remets-toi, Fortunat. L'important est que tu sois vif et gaillard. Quant au reste, quelque sottise que tu aies faite, je suis là tout à la fois pour y porter remède et te morigéner congrûment. Eclaire ta lanterne. Tu as été moins heureux que moi au brelan ? Ce n'est pas être perdu qu'avoir perdu. Combien ?

— Plût au ciel que j'eusse dissipé mille pistoles !

— Eh ! là, fils prodigue, comme tu y vas !

— Je n'ai pas joué, père. Je viens de tuer en duel le comte de Valbert du Coudray.

Il ne parut pas aussi frappé par cette révélation que je m'y attendais et murmura seulement :

— Raconte.

Je racontai sans débrider le piège tendu par la perfide comtesse, ma naïveté surprise, les menaces du comte, mon refus de souscrire à son odieux marché, les hommes de main stipendiés pour me faire un mauvais parti, le duel sur le quai, l'éclat de foudre qui avait miraculeusement secouru mon bras.

— Pardonnez-moi, père, fis-je en conclusion de mon récit.

C'était mal connaître mon marquis. Il se récria impétueusement :

— Mais je n'ai rien à te pardonner. Imprudence n'est pas faute. Tu t'es conduit en véritable hurluberlu, mais la provocation ne venait pas de toi et tu t'es rebiffé comme l'eût fait tout homme d'honneur. Ce scélérat de Valbert a reçu le juste salaire de sa turpitude. Le ciel ne s'est-il d'ailleurs pas ouvertement déclaré en ta faveur ? Je prononcerai donc comme le vieil Horace :

Ta vertu met ta gloire au-dessus de ton crime ;
Ta chaleur généreuse a produit ton forfait...

En admettant que crime et forfait il y ait, bien entendu, ce qui, pour le moins, souffre contestation.

Il se frotta le menton et parut un instant plongé dans ses pensées.

— La difficulté, vois-tu, c'est que nous ne sommes pas à Rome au temps du roi Tulle et que messieurs les juges ne badinent pas quand il y a mort d'homme. Au mieux, ils t'enverront à la Bastille où tu pourrais moisir jusqu'à la tombe. Nul ménagement à espérer de la veuve. Cette tigresse te chargera férocement et, dès demain, je recevrai la visite d'un exempt de police commis pour se saisir de ta personne. A ce moment-là, tu galoperas sur la route de Nantes.

— De Nantes, père ?

— De Nantes où tu seras avant six jours, dusses-tu crever dix chevaux pour y embarquer sur *la Pétulante*, navire armé en guerre de 250 tonneaux, 24 canons et 90 hommes d'équipage.

— Et que diable ferais-je sur *la Pétulante* ?

— Je pourrais me borner à te répondre, écervelé, qu'elle te fera voir du pays et que mieux vaut, à tout prendre, garder la tête sur les épaules entre mer et ciel que de la perdre sur la terre ferme. J'ajouterai, pour éclairer ta religion, que *la Pétulante* est un bâtiment bien gréé, qui fait le trafic des pièces d'Inde, autrement dit la traite des nègres sur les côtes d'Afrique, avant de voguer à pleines voiles vers Saint-Domingue. Tu sais que j'ai des intérêts dans la Compagnie de Guinée. *La Pétulante,* qui fait partie de sa flotte, lèvera l'ancre dans six jours : d'où la nécessité pour toi d'être à son bord dans le plus bref délai. Tu seras absent dix-huit mois ou deux ans : d'ici là, je me serai employé auprès des puissances à ce que ton affaire soit enterrée.

— Mais je ne sais rien des choses de la mer.

— Tu apprendras. Je vais te remettre une lettre pour le capitaine Aubert Fulminet, souverain maître et seigneur de *la Pétulante* et qui n'a pas volé son nom, car il s'est acquis la réputation de fulminer avec la même virulence contre pirates, rois nègres, vents et marées. Il sait que mon apport à la Compagnie appelle considération, ce qui te rendra sacro-saint à ses yeux. Tu seras enseigne sur *la Pétulante,* fils, et y feras fonction d'écrivain, c'est-à-dire que tu tiendras le journal de bord sous la haute main du sieur Fulminet qui t'enseignera conjointement le métier de marin.

Déjà mon père prévoyait toutes les conséquences du nouvel état qu'il m'imposait dans le monde.

— Tu ne peux voyager sous ton vrai nom. Il te faut une couverture. Ton prénom est Fortunat et tu vas courir la fortune de la mer. Ne cherchons pas davantage. Tu t'appelleras Lafortune et je te propose de ne retenir que ton troisième prénom, celui de Félix : double porte-bonheur. Seul le capitaine du navire sera au fait de ta véritable identité.

Il se gratta la tempe avant de poursuivre :

— Germain t'accompagnera jusqu'à Nantes. C'est un homme de confiance. Il a été piqueux chez le duc de Chaulnes avant d'entrer à mon service. Il est bon cavalier et tâte de l'épée aussi bien qu'il sonne du cor. Je vais lui demander de seller les chevaux. Vous partirez avant l'aube. De ton côté, mets en ordre ton bagage qui doit être réduit à l'essentiel. N'oublie pas tes pistolets ; les routes ne sont pas sûres. Reviens dès que tu seras paré.

Il s'exprimait avec un parfait sang-froid, et la pers-

pective de me voir éloigné de lui pour un laps de
temps assez long ne paraissait pas ébranler sa sérénité.
Je me rappelais ses larmes sur le trépas de son premier
né, et cette insensibilité me surprenait.

Quand je le retrouvai dans sa chambre une heure
après, je le vis debout, en tenue de grand apparat,
canne en main, coiffé de son tricorne galonné d'or et
frangé de plumes d'autruche, sous lequel se déployait
sa vaste perruque bouclée. Il était solennel en diable
et commença par me glisser dans la main une bourse
rebondie dont il me recommanda, par mesure de
précaution, de répartir le montant dans ma ceinture et
dans mes bottes.

— Germain t'attend dans la cour avec les chevaux,
dit-il. Réflexion faite, je crois que mieux vaut pour toi
prendre le large illico. Le ciel est maintenant dégagé.
Vous verrez clair sur la route. Adieu, fils. Souviens-toi
que, dès que tu seras hors les murs, tu ne t'appelleras
plus que Félix Lafortune. Prends bien garde à toi.
Les Barbaresques, les flibustiers, sans parler des sauvages de tout poil, de ces Anglais et de ces Hollandais
de malheur, risquent de te mener la vie dure. Je
prierai pour toi, et la cousine Apollonie n'a pas fini
d'enfiler des patenôtres. Souviens-toi que tu es le dernier des La Prée la Fleur.

Sa voix avait chevroté sur ces mots et je compris
que, jusque-là, il avait seulement réussi à se rendre
maître de ses mouvements. Ses yeux étaient humides.
Il renifla, m'étreignit, descendit derrière moi jusqu'à
la cour. Comme j'allais sauter en selle, il me tapota
l'épaule.

— Et surtout, ne va pas t'acoquiner avec une
négresse. Je ne veux pas de petits enfants chocolat.

Mais sa voix était cassée et son rire sans conviction.

Cher père ! Je lui rendais bien l'affection qu'il me
portait et je pensais à lui sur la route de Nantes où
nous galopions de conserve, Germain et moi, éperon-
nant sans merci nos malheureuses montures. Il nous
fallut un peu moins de cinq jours, à raison de vingt

lieues par jour, pour arriver à destination. Je prenais soin de ne faire étape qu'à nuit close dans des auberges de village d'où nous ne repartions qu'au soleil levant. Germain, solide gaillard de cinq à six ans mon aîné, était un compagnon de belle humeur et qui n'avait pas froid aux yeux. Je pris la mesure de son mérite à la seule mauvaise rencontre que nous fîmes, proche la Ferté-Bernard où, au sommet d'une côte, quatre malandrins armés d'escopettes nous couchèrent en joue. J'en tuai un d'un coup de pistolet, Germain en abattit un autre, et les deux survivants détalèrent.

J'avais les reins rompus en entrant à Nantes, ville malpropre aux rues étroites, presque toutes bordées de branlantes maisons de bois construites sur pilotis. Nous errâmes quelque temps au bord d'une vasière baptisée la Fosse. On y apercevait, sous des hangars de planches grossièrement assemblées, de ces gabares ventrues qui servaient au transport du sel ou au déchargement des navires. Partout, dans des odeurs de suif et de goudron, l'on entendait retentir le marteau des calfats. Enfin je découvris *la Pétulante* amarrée sur le bras de la Madeleine. Des crocheteurs et autres portefaix allaient et venaient sur la passerelle qui la reliait au quai, pour embarquer les caisses, les tonneaux et les ballots de la cargaison. Un officier, appuyé sur une fine canne à pommeau d'argent, et qui fumait une longue pipe en terre au tuyau noirci, les surveillait d'un œil vigilant. Laissant les chevaux à la garde de Germain, je m'approchai pour lui demander s'il connaissait le capitaine Fulminet.

— Je n'en connais pas d'autre que moi, monsieur, me répondit-il après avoir retiré la pipe de sa bouche.

Je lui tendis la lettre de mon père. Il vida sa pipe et la glissa dans une poche de son justaucorps. Puis il lut la lettre et me dévisagea avec curiosité.

— Soyez le bienvenu, monsieur, reprit-il. A ne vous rien celer, mon équipage était au complet. Nous appareillons demain à la première heure, mais il est encore temps de vous ajouter au rôle. Je ne le présenterai que ce soir au commissaire de la Marine. Je n'avais prévu qu'un enseigne. Bah ! Plus on est de fous, plus on rit.

Il ajouta en clignant de l'œil :

— Ainsi vous vous appelez Lafortune. Avez-vous déjà navigué ?

— Non, capitaine, mais j'ai servi à l'armée du roi. J'ai été blessé à Fleurus.

— Voici qui me rassure, et la lettre de monsieur le marquis, votre père, m'était déjà une caution suffisante. J'aime autant vous dire qu'un freluquet qui ne connaîtrait pas l'odeur de la poudre et tournerait de l'œil au premier coup de canon serait mal venu sur *la Pétulante*. Aimez-vous la guildive ?

J'avançai une moue perplexe, et il hocha la tête.

— Ce n'est pas une boisson pour enfant de chœur, mais une eau-de-vie de canne assez roide, qui se fabrique aux îles de l'Amérique et que les sauvages de là-bas appellent tafia. Il faut vous y mettre en diligence pour vous donner du cœur. Faites-moi la grâce de me suivre.

Je gravis la passerelle entre les portefaix ployés sous leur charge et qui dégageaient un fumet puissant. Nous escaladâmes l'échelle du gaillard d'arrière, et le capitaine s'effaça pour me faire entrer dans sa chambre.

C'était un réduit exigu, bas de plafond et qui prenait jour par une seule étroite ouverture, laquelle n'aurait pas laissé passer un corps d'homme. Un lit recouvert d'une peau de tigre, une table avec l'astrolabe, la boussole et quelques livres ou registres, un tabouret enfin composaient tout l'ameublement. La projection de Mercator était clouée à une cloison. Derrière la porte, un râtelier d'armes groupait un fusil, une paire de pistolets, un sabre et une poire à poudre.

J'allais omettre de signaler un grand coffre de fer, tout hérissé de clous à tête pointue, d'où Aubert Fulminet tira solennellement une bouteille et deux gobelets qu'il emplit à ras bord. Une violente odeur qui montait au nez, mi-mélasse, mi-caramel, se répandit dans la pièce.

— A votre santé, Félix Lafortune ! dit mon homme. Fasse le Ciel que le pian ne vous couvre pas d'écailles, que le scorbut ne vous déchausse pas les dents, que les requins ne vous avalent pas tout cru et que les cannibales ne vous dévorent pas tout cuit comme ce pauvre chevalier de la Tourasse qui fut rôti à la broche sur la Côte des Dents la bien nommée. Oui, monsieur, rôti et mangé tout entier, à l'exception toutefois de sa jambe gauche, parce qu'elle était en bois : il avait perdu la véritable à son précédent voyage, dans un engagement contre un corsaire saletin.

Il lâcha un rire tonitruant et but son gobelet d'un trait. J'eus l'imprudence de vouloir en faire autant et faillis étouffer. Aussitôt vides, à la diligence du terrible Fulminet, les gobelets étaient aussitôt remplis. Il fallait héroïquement récidiver, et comme, à cette épreuve, une traînée de feu parcourait ma poitrine et que les yeux me sortaient des orbites, une lourde paume s'abattit sur mon épaule.

— Vous me plaisez, enseigne Lafortune. Il y a en vous un touchant effort de bon vouloir. Cette guildive, je dois en convenir, n'est pas de première qualité. Je ne l'aime que pure, telle qu'au sortir de l'alambic, et le coquin de planteur de Saint-Domingue, à qui j'ai acheté mon dernier fût, a la funeste manie de corser sa liqueur avec quelques pincées de poudre à mousquet. Bah ! Tout est question d'habitude. Commencez par prendre une option de survie en résistant aux fatigues du premier voyage et tout ira bien. Je ne vous cacherai pas qu'il faut être bâti à chaux et à sable pour faire ce métier, mais la nature me paraît avoir été pour vous assez généreuse. Alors, pourquoi vous dorerais-je la pilule ? La traite n'est pas une partie de plaisir, et si vous craignez le mal de mer, mieux vaudrait pour vous rester sur le plancher des vaches. Si, en revanche, vous avez du goût pour la vie dangereuse, la vie de surprise et d'aventure succédant aux plus monotones semaines de mer sans un souffle dans les voiles, alors vous serez servi.

Je le remerciai pour l'ouverture de son accueil. Je me rappelais ce que m'avait dit de lui mon père, et je ne le trouvais pas si « fulminant ». Un navire ne se comporte pas de la même façon au mouillage et en navigation hauturière. Ainsi en allait-il du commandant de *la Pétulante*. Je considérais sa forte carrure, ses larges mains, son visage tanné comme du vieux cuir, ses yeux dominateurs, d'un vert d'aigue-marine. Toute sa personne respirait la résolution. Il était élégamment vêtu d'un justaucorps brun à brandebourgs sur lequel moussait une cravate de dentelle.

— Puisque votre décision est prise, poursuivit-il d'un air satisfait, installez-vous à bord. Vous êtes chez vous. *La Pétulante* n'est pas aussi vaste que le château de Versailles, mais vous vous y ferez. Vous partagerez la chambre de l'enseigne Sosthène Goujet, un joyeux drille. Ce soir, à sept heures, soyez avec lui sur le gaillard où je vous retrouverai avec mon second et les lieutenants, pour lecture des instructions de l'armement et toutes dispositions éventuelles.

Il descendit sur le pont, et je fus retrouver sur le quai le brave Germain qui monta mon bagage à bord. Il était visiblement ému en prenant congé du fils de son maître.

— Que Dieu vous garde, monsieur ! me dit-il. Vous allez voir du pays et j'espère que vous y aurez de la satisfaction.

Il cherchait ses mots, tortillant son couvre-chef à deux mains. Il aurait voulu me laisser sur des paroles réconfortantes et finit par trouver celles-ci :

— Après tout, ce grand bateau-là, c'est pour aller sur la mer ni plus ni moins comme un grand cheval de bois. Moi, je préfère les chevaux en viande, à cause, peut-être, que j'ai été piqueux par les bois et les champs, mais à chacun son goût.

Je ris avec lui et le vis s'éloigner sur le quai, la tête basse, entre deux bêtes flageolantes, qu'il tenait par la bride.

Le lendemain à l'aube, nous mîmes à la voile par une bonne brise de terre qui nous fit bientôt laisser Paimbœuf à bâbord, Saint-Nazaire à tribord. L'océan déployait devant moi son immense nappe verte qui allait me conduire sur la côte des Esclaves et aux îles de l'Amérique. Au-dessus de moi, les voiles claquaient dans le vent ; sous mes pieds, des planches fragiles constituaient ma seule protection contre la profondeur de l'abîme et la fureur des flots. Huit jours plus tôt, mon père avait donné cette soirée qui, à mon grand dam, m'avait valu de connaître Line et Trine. J'avais beau jeu de faire le joli cœur, de balancer entre leurs attraits semblables, de disputer avec l'artificieuse comtesse de Valbert du Coudray sur l'emplacement et la signification de leurs mouches. Funeste badinage ! Line et Trine avaient-elles partie liée avec leur mère ? Je ne parvenais pas à le croire. Elles appelaient leurs mouches « menteuses ». Aurais-je dû y voir un avertissement ?

Quoi qu'il en fût, la sagesse consistait pour moi à oublier un épisode qui avait si brutalement imprimé un nouveau cours à ma vie. Que pouvais-je d'ailleurs faire d'autre que de m'accommoder d'un état imposé par les circonstances ?

La veille au soir, à l'ordre de monsieur Fulminet, notre capitaine, l'état-major de *la Pétulante* avait tenu conseil, comme annoncé. Il était composé de monsieur Justin Colinet, capitaine en second, de messieurs Pigache (Zébédée) et Dufourneau (Camille), lieutenants, et de l'enseigne Goujet, déjà nommé. Autant portraire la brochette sans attendre.

Monsieur Colinet, originaire de Saint-Malo, long et sec comme un cotret, tout en angles avec un grand nez pointu, l'œil jaune fureteur et le teint hâlé du vieux coureur d'océans, avait fait plusieurs campagnes sur des vaisseaux du roi et navigué au long cours comme pilotin. Il était sur la trentaine et, d'un an de captivité au port de Plymouth d'où il s'était évadé avec monsieur de Forbin, avait gardé l'habitude d'acquiescer à toute question par des *Well !* dignes de l'Anglais le plus flegmatique.

Le lieutenant Pigache était un magot pansu au teint cuit avec de gros yeux à fleur de tête. Embarqué comme mousse à douze ans sur la *Charmante Gabrielle*, et tour à tour calfat, gabier, maître voilier, enseigne, après quinze ans de navigation de Pégou, par delà les Indes Orientales, jusqu'aux îles Malouines dans la mer du Sud, il savait aussi bien que personne gouverner à la lame comme sur l'ancre, même lorsque, ayant bu de guildive plus que son compte, il tanguait et roulait sur ses courtes jambes comme une barque démâtée.

Autant le sieur Pigache montrait une nature exubérante et secourue à point nommé par cette incendiaire eau-de-vie de canne dont il acquérait à chaque débarquement, chez un planteur du Cap Français, un baril réservé à sa consommation personnelle, autant monsieur Dufourneau, lieutenant en second, avait l'extérieur compassé et l'abord revêche. Droit comme un piquet, le regard froid dans un visage blême et grêlé, il menait l'équipage sans douceur, d'une voix sèche et stridente. Agé de quelque vingt-cinq ans, excellent navigateur, il avait étudié à l'école d'hydrographie de Dieppe et savait faire le point avec autant de sûreté que le capitaine Fulminet lui-même. Peu causant, buvant avec modération, j'ai d'abord estimé incapable de passion ce fils de notaire qui avait tourné le dos à la basoche pour courir l'aventure marine. C'était porter sur lui un jugement hâtif.

Reste l'enseigne Goujet (Sosthène), lequel n'était pas le moins voyant de l'équipage. Vingt ans, de taille moyenne, blond, l'œil bleu, une peau de fille. Toutes les apparences d'un freluquet, d'un godelureau, voire d'un dameret, mais si parfumé, soigné, calamistré qu'il fût, ses larges épaules inspiraient considération, et il vous serrait la main à la broyer, car il avait des muscles de fer. Issu d'une famille d'armateurs nantais, il avait eu, dès l'enfance, les oreilles rebattues des exploits des corsaires et des frères de la Côte. Aussi ne rêvait-il que d'effacer les noms du terrible Olonnois qui prit Maracaïbo, des intrépides capitaines Laurent et Van Horn qui enlevèrent de haute lutte la Vera-Cruz, de l'inimitable Gallois Morgan enfin qui, durant cinq années de rang, sema la terreur en Nouvelle-Grenade, jeta bas, à Carthagène des Indes, la tour de Santo

Domingo, et devint gouverneur de la Jamaïque. Je ne pensais pas qu'il fût capable de telles prouesses, à n'en juger que par le spectacle qu'il m'offrit le premier jour de notre cohabitation dans le recoin qui nous tenait lieu de chambre à bord de *la Pétulante.*

Il faisait toilette, ce matin-là, devant un fragment de miroir, et se grattait le cuir avec application, lorsque je l'entendis se récrier pour un minuscule point noir apparu au coin d'une narine :

— Quelle horreur, Lafortune ! disait-il d'une voix de basse-taille qui formait un étrange contraste avec son aspect juvénile. Pourquoi la nature maltraite-t-elle ainsi l'harmonie d'un aimable visage ?

Il expulsa entre deux ongles l'objet de son ire et ajouta :

— Ah ! que tu as de la chance de n'être pas joli garçon !

Il m'était difficile de souffrir une remarque aussi malsonnante, et je tirai aussitôt mon épée.

— Une balafre qui te coupera la joue en deux peut tout de suite nous mettre à égalité, repartis-je sereinement.

Il leva les épaules et éclata de rire.

— A la bonne heure, compagnon ! Tu as du cran et nous sommes faits, je crois, pour nous entendre plutôt que pour nous étriper. Sois mon Enée, je serai ton Achate. Mais commence par rengainer.

Je pris le parti de rire à mon tour, et nous devions être, à partir de ce moment-là, les meilleurs amis du monde.

Je reviens à la réunion de notre état-major. Ainsi que j'en étais avisé, le capitaine avait commencé par nous donner lecture des instructions de l'armement, et j'en fus, dans l'heure, tout ébahi, tant elles tiraient à hue et à dia. L'instante recommandation d'avoir à prier Dieu matin et soir précédait les soins à donner en cas de colique, et la nécessité de gargariser les nègres avec du vinaigre ou du jus de citron additionné d'une goutte d'eau-de-vie, à titre préventif contre le scorbut, succédait aux dispositions prévues en cas de

3

mort du capitaine, puis de son second, puis des deux lieutenants habilités à prendre, dans cet ordre hiérarchique, le commandement du navire. Après la mort du second lieutenant, le sort de *la Pétulante* appartiendrait à Sosthène Goujet, puis, le cadavre de ce dernier ayant éventuellement été expédié par-dessus bord, à moi-même.

Pour improbable qu'elle m'apparût, la perspective d'être promu, par une catastrophique série de décès, maître souverain d'un navire de 250 tonneaux, ne laissait pas de me troubler l'esprit. Car, si la Compagnie avait jugé utile de prévoir le cas, évidemment il était prévisible.

Cependant Aubert Fulminet poursuivait *recto tono*, la lecture des seize articles aux termes desquels nous étions tenus de nous conformer et qui se terminaient par cette formule édifiante :

« Nous vous souhaitons, monsieur, un bon voyage à tous et à chacun en particulier, et prions Dieu qu'il vous ait, les uns et les autres, en Sa très Sainte et Digne Garde. »

— Amen ! me souffla à l'oreille le camarade Goujet, tout en conservant un visage de marbre.

Après quoi, le capitaine passa aux ordres concernant le rôle de chacun pendant le voyage, monsieur Dufourneau ayant délégation spéciale de la Compagnie pour la traite et le troc des marchandises de la cargaison sous le contrôle de son chef. Puis il se tourna vers moi.

— Messieurs, dit-il, je vous présente un nouveau venu, l'enseigne Félix Lafortune, qui s'est vaillamment battu à l'armée du roi et que le goût du voyage a convaincu de prendre la mer avec nous. Il est établi écrivain sur notre rôle d'équipage et travaillera aussi à la traite comme adjoint à monsieur Dufourneau. Par manière de bienvenue, et avec votre agrément, nous allons vider un flacon à la santé de ce novice envers qui je vous prie de vous montrer officieux.

— *Well !* fit le second.

Les gobelets, remplis de guildive à ras bord, tintèrent, la langue du lieutenant Pigache claqua, et le lieutenant Dufourneau, levant un doigt mouillé d'eau-de-vie, déclara que, le lendemain, le vent serait des plus favorables pour l'appareillage.

Ainsi en était-il par ce clair matin d'un déclinant été, où *la Pétulante,* toutes voiles gouvernant dehors, quittait le Vieux Monde pour gagner des rives lointaines. Je n'avais que vingt ans : l'âge des projets, des espoirs, des enthousiasmes et des illusions. Au lieu de coqueter dans les salons et de hanter les tripots sous la bénédiction d'un père débonnaire, je me trouvais embarqué dans une aventure où j'aurais à faire la preuve qu'à l'instar de mes rudes compagnons, j'étais prêt à tout supporter, à tout surmonter.

Accoudé à la lisse, je voyais s'éloigner derrière nous la pointe de Saint-Gildas, puis, peu après, se diluer la ligne bleuâtre des côtes de Noirmoutier. J'aspirais à longs traits l'air salin, une ivresse inconnue gonflait ma poitrine. Il me semblait naître à une autre vie, à la vraie vie.

Dans mon dos, quelqu'un toussa à deux reprises, comme pour s'annoncer.

— J'ai l'honneur de vous saluer, monsieur.

Je me retournai pour voir un gros homme sanguin, vêtu de basin noir et coiffé d'un tricorne de cuir.

— Taillebois Joël, chirurgien natif de Paimpol, dit-il avec un brin de solennité. Quarante-cinq ans aux prunes et doyen de cette ratière.

Il me tendit une main molle, que je serrai en me nommant.

— Oui, poursuivit-il en se retenant à la lisse, car le navire commençait à rouler dans la grande houle, autant que vous en soyez instruit sans attendre. *La Pétulante* est infestée de rats. J'ai bien essayé, à chaque retour des îles, de la débarrasser de ces sales bestioles, en leur administrant une mixture à tuer tout un troupeau d'éléphants. Rien à faire. Il en reste toujours et on se demande où les survivants se cachent. Il faut dire que, dès que l'entrepont a reçu son chargement de sauvages, ces bons nègres, faute de chair humaine, en dévorent plus que leur ration, et le peuple rat diminue alors de façon appréciable. Dès leur débarquement, hélas ! la vermine à moustaches recommence à pulluler. Veillez à ne pas vous faire mordre, si vous tenez à votre précieuse carcasse.

Une grosse voix, où je reconnus le capitaine Fulminet l'interrompit :

— Je gage que ce vieux singe vous débite encore son couplet sur les rats. Il ferait mieux de battre sa coulpe, après le bel exploit qu'il a perpétré à notre dernier voyage. Il avait conçu le beau dessein de purger à tout jamais *la Pétulante* de ses pensionnaires indésirables, grâce à la plus radicale des mort-aux-rats. Résultat : notre raterie a continué de croître et de se multiplier, mais vingt de nos plus beaux nègres ont péri victimes du poison. Voilà le beau produit de son industrie. Allez donc plutôt piler vos onguents, mons l'écorcheur, et ne nous rompez plus les oreilles avec vos rêveries.

Le chirurgien s'éloigna en grommelant, tandis que le capitaine dispersait un gros rire, puis ajoutait :

— Bah ! il a le mérite, j'en conviens, de tuer un peu moins que la moyenne des gens de son état... Maintenant, monsieur Lafortune, écoutez-moi. La mer est belle, quoiqu'elle commence à remuer un peu. Vous ne changez pas de couleur, ce qui laisse augurer que vous auriez le pied marin, mais vous n'avez pas de temps à perdre pour apprendre le métier. Il vous faut d'abord savoir prendre la hauteur.

Il s'employa sur-le-champ à me l'enseigner et, ce jour-là et les suivants, m'éclaira sur les secrets de la marine à voile, en commençant par la mâture. J'appris à distinguer le mât de misaine, à l'avant, du mât d'artimon, à l'arrière, le premier portant, comme le grand mât, une voile basse, un hunier et un perroquet, le second un mât de perroquet avec une voile de perroquet de fougue et une voile basse. Il me fallut retenir que sur l'étai du grand mât, était enverguée une voile triangulaire, dite voile d'étai. J'eus enfin à me mettre en tête le rôle de la voile de civadière, située au-dessous du mât de beaupré et dont les orifices, percés à chacun des angles inférieurs, permettaient l'écoulement de l'eau embarquée.

Sur les talons de son maître après Dieu, j'explorai toutes les parties de *la Pétulante*, répondant aux questions qu'après m'avoir instruit, sans relâche on me posait *ex abrupto* :

— Qu'est-ce que la dunette, monsieur Lafortune ?

— C'est l'étage situé au-dessus du gaillard d'arrière et qui s'étend de la poupe au mât d'artimon.

— Qu'est-ce que le tillac ?

— Le pont supérieur.

— Qu'est-ce que la sainte-barbe ?

— Le compartiment réservé au maître-canonnier et qui précède la soute aux poudres.

Ce qui fit sur moi le plus d'impression fut toutefois le double entrepont ménagé entre la cale et le tillac, et où devaient être parqués les quelque trois cents noirs de notre cueillette sur la Côte de Guinée. Il ne mesurait pas plus de cinq pieds de hauteur, et des captifs adultes ne pouvaient, dans un espace aussi restreint, se tenir qu'assis ou couchés. Cette partie du navire avait été à Nantes, plus soigneusement encore que les autres, lavée à grande eau, et « parfumée », comme on disait, au vinaigre. Pourtant, une odeur affreuse y stagnait, qui était proprement celle du tombeau. Je demandai au capitaine comment des êtres humains pouvaient se maintenir en vie, durant des mois, dans un tel confinement.

— Il faut se résigner à perdre à chaque voyage le quart de la marchandise, répondit-il. Vous pensez bien que la Compagnie préférerait voir arriver tout son monde aux îles frais et dispos, car la perte d'un seul négrillon alourdit le compte de traite où chaque tête de nègre est portée. Mais Dieu dispose souverainement de la vie et de la mort. Le pape Martin V a proclamé, du haut de la chaire de Saint-Pierre, que la terre appartenait au Christ et que son Vicaire avait le droit de disposer de tout ce qui n'était pas au pouvoir des chrétiens. Il s'ensuit que la traite est un commerce légitime, puisque les nègres sont des païens.

Pour compléter mon instruction, il me remit un petit livre relié en veau et qui avait dû être abondamment consulté, car nombre de ses pages étaient écornées et maculées. Il avait pour titre *le Flambeau de la mer*.

— Lisez cela, me dit-il. Les principales routes maritimes y sont inscrites, avec la direction et la force des courants. Ce n'est pas la Bible, mais vous y apprendrez l'essentiel.

Au bout de huit jours, j'avais la tête farcie de tout le vocabulaire maritime et de notions assez embrouillées pour conduire en droiture au naufrage le meilleur navire du monde. Je m'étais fait à bord deux amis : le lieutenant Pigache, qui avait trouvé en moi un auditeur complaisant à qui narrer les péripéties de sa vie d'aventures sur toutes les mers du globe, et l'enseigne Goujet qui maudissait le Ciel lorsque le vent tombait et me demandait si, couleur mise à part, les négresses étaient conformées comme les femmes blanches. Il avait appris à Nantes tout ce qu'un apprenti marin devait connaître mais ne s'était jamais risqué à plus de quelques lieues en mer sur des bateaux de pêche. Il voguait donc pour la première fois, tout comme moi, vers la côte africaine, et je notais avec intérêt que, de jour en jour, il négligeait davantage les soins de sa toilette.

Quand, après trois interminables semaines de navigation sans histoire, ponctuées de longs intervalles de calme plat, nous fûmes en vue du cap Roca, il n'était guère moins hirsute et débraillé que gabier dans sa hune. Comme je lui en faisais innocemment réflexion, il me répondit en levant l'épaule :

— Le négligé du matelot, c'est la coquetterie du grand large. Attends un peu (car nous nous tutoyions déjà) que nous soyons au Cap Français, et je ne me priverai pas d'éblouir par mes raffinements d'élégance ces dames créoles.

Combien Monsieur Fulminet avait dit vrai en me parlant de la monotonie du voyage en mer quand le vent calmit et que le navire flotte immobile, dérisoire assemblage de planches, perdu entre l'eau et le ciel, comme s'il était à jamais abandonné de Dieu et des hommes ! Capitaine, second et lieutenants fumaient placidement leurs pipes de Hollande en attendant le retour de la brise. Quant à Sosthène et à moi-même, nous jouions aux échecs ou battions et abattions les cartes en nous injuriant comme des rouliers pour chasser tant bien que mal la mélancolie qui nous étreignait. Afin de nous en délivrer, notre imagination surexcitée par le désœuvrement appelait la tempête, l'affrontement avec quelque bateau pirate ou ennemi, en attendant les singuliers plaisirs de la traite.

Aucun de ces divertissements n'allait nous être refusé.

IV

Nous mouillâmes proche la tour de Belem, à une lieue de la ville de Lisbonne, le capitaine jugeant indispensable de faire du bois et de l'eau. Des corsaires barbaresques croisaient au large de la Péninsule. Afin de les éviter, la prudence commandait d'allonger l'itinéraire en mettant le cap sur les îles de Madère et des Canaries.

Dès notre départ de Nantes, remplissant ma fonction d'écrivain, j'avais commencé de tenir, sous dictée et contrôle de Monsieur Fulminet, notre journal de navigation, où je donnais à chacun du « monsieur », comme je le fais présentement, après avoir imploré, à la première ligne, la Toute-Puissance de Dieu. Il a heureusement été conservé et secourt aujourd'hui opportunément ma mémoire. Grâce à lui, je suis en mesure de noter par exemple que les douaniers portugais, intraitables sur les règlements, commencèrent par nous astreindre à trois jours de quarantaine. Monsieur Fulminet, qui ne bornait pas son goût à la guildive, ne perdit pas l'occasion d'acquérir un petit fût de vin de Porto qu'il mit aussitôt sous clef dans sa chambre. Je me rappelle aussi une joyeuse partie au bord du Tage, où, en compagnie de Sosthène, qui avait rendossé sa livrée galante et s'était parfumé au néroli, je dégustai d'incomparables sardines grillées, arrosées d'un piquant petit vin blanc où fusent des bulles pressées et que les gens du pays appellent *vinho verde*. Quant à celles qui nous le versaient, je n'ai oublié, Dieu me pardonne ! ni la grâce de leurs formes ni leurs yeux brûlants sur lesquels battaient de longs cils sombres, ni leur peau dorée, douce comme le velours. Ah ! jeunesse !

Huit jours plus tard, nous appareillions à l'aube levante et partions toutes voiles dehors ouest-sud-ouest. A peine étions-nous sortis de la passe que le capitaine, voulant inspecter l'artillerie du bord avec Monsieur Colinet, me pria de le suivre. Comme me l'avait dit mon père, toujours bien informé, *la Pétulante* était armée de 24 canons, plus 4 pierriers sur le gaillard d'arrière et 4 espingoles à chandelier dans les hunes. J'étais déjà entraîné à l'escalade des cordages, et Monsieur Fulminet me fit la faveur de m'envoyer seul en reconnaissance dans le nid-de-pie du grand mât. Quel étrange plaisir c'était de serrer dans ses paumes le chanvre rugueux et, me hissant peu à peu d'un jarret preste, de dominer orgueilleusement le navire et son équipage ! Le matelot de vigie, un Normand déluré, qui s'appelait Lamarche, m'expliqua le maniement de l'espingole qui, grâce à son chandelier, pouvait pivoter sur elle-même et contrebattre un assaillant à courte distance dans toutes les directions. Le vent assez fort, en s'engouffrant dans les voiles, faisait craquer le grand mât qui suivait toutes les oscillations du bateau. Je voyais l'étrave labourer la mer comme un soc dans une double gerbe d'écume. La côte portugaise avait disparu. J'aimais le balancement rythmé de la hune, le goût salé du vent sur mes lèvres, l'odeur profonde de la mer, plus vive encore dans l'altitude purgée des fortes senteurs qui montaient de la cale.

Du tillac où je l'apercevais, le nez en l'air, bien campé sur ses jambes écartées, le capitaine me cria de redescendre. Je lui obéis à regret pour lui emboîter le pas dans la visite des batteries. Le navire comprenait vingt-huit sabords, dont quatre pourvus de faux canons en bois. Dix à bâbord et dix à tribord portaient leurs pièces de 12, tandis que deux sabords de chasse donnaient sur la poulaine [1] et deux étaient percés sur le

1. L'avant.

gaillard d'arrière. Tous les canonniers occupaient leurs postes. Un bonnet bleu leur serrait la tête, une ceinture de laine rouge leur barrait la taille, et ils avaient les pieds nus.

— Ayez l'œil, garçons, disait le capitaine. N'oubliez pas, dès le branle-bas de combat, que le plus petit retard dans la mise à feu peut causer notre perte.

— *Well !* faisait le second.

Le reste de la journée s'écoula sans incident, mais, la nuit suivante, comme je dormais à poings fermés, Sosthène, qui était de quart, envoya un matelot me secouer. Je le rejoignis sur la dunette.

— Tu m'en aurais voulu si je t'avais fait manquer l'éclipse de lune, bonhomme. Le spectacle est gratuit.

Au milieu du ciel où vibrait une poudre lumineuse, l'astre dans son plein commençait en effet d'être, sur sa droite, grignoté par l'ombre. La mer était calme, et bientôt le vent tomba tout à fait. On n'entendait plus qu'un léger clapotis contre la coque du navire. Peu à peu, la lune s'écornait davantage, la luminosité devenait plus faible. Un trouble profond m'envahissait et j'avais l'impression que le souffle allait me manquer.

Sosthène lui-même, qui n'avait pourtant pas la sensibilité prompte à s'émouvoir, semblait saisi et contemplait le phénomène en silence. Il fallut que le disque lunaire, complètement occulté, s'éteignît à la fois dans le ciel et dans la mer qui le reflétait, pour que sa légèreté reprît le dessus.

— Cette fois, dit-il, elle est dans la trappe. Espérons qu'elle en sortira.

Un duvet de clarté rougeâtre ceignit, pendant un bref moment, d'un halo tremblant l'astre disparu, puis un éclair blanc jaillit de sa partie droite qui avait été la première à s'évanouir, et le joyeux Sosthène m'appliqua dans le dos une bourrade à me jeter par terre.

— Phébé revient. Mon quart est terminé. A toi de lui conter fleurette.

Il s'en fut en roulant les épaules, j'assistai à la lente résurrection de la lune, et quand elle eut repris tout son éclat, je m'approchai du timonier. C'était un grand diable noiraud et taciturne qui, dans la circonstance, devait éprouver le besoin de s'exprimer, car, ayant fait passer sa chique d'une joue à l'autre, il me dit :

— Fameuse éclipse, monsieur, la deuxième que je voie en mer, et que Dieu nous garde !

Il se signa, expulsa un long filet de salive noirâtre dans la jaune lumière du fanal et poursuivit :

— La première, c'était voici tantôt trois ans, devers les Mascareignes. Je servais, en ce temps-là, sur *la Perle*, une flûte de 120 tonneaux ; il était onze heures du soir, et la lune n'a été mangée qu'aux trois quarts. Le lendemain, à l'aube, nous étions attaqués par un Hollandais. Sa première bordée nous rompt le mât de beaupré qui, dans sa chute, tue notre capitaine ; la seconde nous met cinq hommes hors de combat. Nous n'en menions pas large. Par chance, la tempête nous a tirés d'affaire en nous jetant sur des rochers, devant l'île Bourbon, que j'ai gagnée à la nage. Comme quoi l'éclipse, monsieur, n'annonce jamais rien de bon.

Je ne crois pas aux mauvais présages et refuse aujourd'hui encore d'établir une relation entre l'éclipse et ce qui devait nous advenir dans la matinée du lendemain. Pourtant, je suis bien obligé de reconnaître que, sur les neuf heures, la mer étant grosse, la vigie nous signala un navire sous le vent. Monsieur Fulminet, l'ayant examiné avec sa lunette d'approche, opina que le bâtiment en vue n'avait rien de catholique et ordonna sur-le-champ le branle-bas de combat.

— Il arbore pavillon français, me dit-il, mais que le diable m'emporte s'il a été gréé à Nantes ou à Dunkerque ! Regarde, petit, il est bien trop haut sur l'eau et trop effilé. Il viendrait de Salé ou plutôt d'Alger, que je n'en serais pas autrement surpris. Nous allons tenter de le semer, quoiqu'il soit meilleur voilier que nous, et si nous n'y parvenons pas et qu'il vienne à l'abordage, nous le recevrons avec les honneurs.

J'avais pris la lunette, dans le cercle de laquelle je vis distinctement le fallacieux pavillon bleu, traversé d'une croix blanche. Cependant le capitaine avait embouché son porte-voix et criait :

— Larguez les ris.

Le Barbaresque ne cessait pas de gagner sur nous.

— Goujet ! Lafortune ! commanda encore Monsieur Fulminet, aux batteries ! Toutes les bouches à feu doivent être chargées, les canonniers à leurs postes.

Nous nous empressâmes, Sosthène et moi. Le maître canonnier avait pris les devants. Chaque homme était devant sa pièce, la mèche en main.

— Prêt ! cria le Normand de vigie.

Le capitaine fit descendre les espingoles des autres hunes pour les disposer sur le gaillard d'arrière. Toutes mesures prises, il rentra dans sa chambre pour charger ses pistolets. J'admirais son sang-froid autant que l'habileté avec laquelle il manœuvrait, mettant le cap au sud-est pour se rapprocher de la côte portugaise où aurait pu croiser un navire ami.

Le poursuivant gagnait de plus en plus. Au bout d'une heure environ, il était à portée de fusil et hissait à la corne d'artimon la bannière verte, frappée d'étoiles d'argent et des croissants du Prophète. Il venait donc d'Alger.

Je ne devais jamais oublier la leçon que me donna ce jour-là le capitaine de *la Pétulante*. La mer était de plus en plus forte, et il fallait une belle audace aux pirates pour venir sur nous dans ces conditions, toutes voiles dehors, à dessein de nous aborder. Mais Monsieur Fulminet ne s'en laissait pas conter. A son commandement, les deux basses voiles étaient carguées et le vent mis sur les huniers pour faire reculer le navire.

J'étais trop novice encore pour comprendre la finesse de cette manœuvre, dont l'opportunité ne m'apparut qu'après coup. Tous nos hommes, fusil en main et sabre à la ceinture, étaient agenouillés derrière le plat-bord, afin de ne pas présenter à l'assaillant leurs cibles vivantes. Accroupi, pour ma part, derrière le cabestan, j'avais la main droite serrée sur la crosse d'un pistolet, la gauche tenant mon épée nue. Sosthène était à plat-ventre à côté de moi.

Le vaisseau algérois était arrivé à portée de pistolet lorsqu'il lâcha sa bordée, accompagnée d'une décharge de mousqueterie. Quelques haubans furent rompus, des cordages tombèrent sur le pont, et un matelot qui avait eu la mauvaise inspiration de hausser la tête l'eut emportée par un boulet.

Aussitôt après, suivant les instructions préalables de Monsieur Fulminet, tous nos canons à bâbord, nos pierriers et nos espingoles crachaient le feu. Le mât de misaine du corsaire s'abattit dans un grand craquement, et les grappins lancés par les infidèles grincèrent en s'accrochant à nos bordages.

Ces Algérois étaient de vrais écureuils. Une dizaine d'entre eux déjà bondissaient sur nous, mais nos fusils remplissaient leur office, et quelques pirates seulement, cimeterre d'une main, coutelas de l'autre, survivaient à l'entreprise. Sosthène, toujours à plat-ventre, avait attrapé par les chevilles et culbuté un de ces coquins, puis, sautant sur lui, le clouait au plancher d'un coup de pointe. Pour ma part, il m'avait suffi d'appuyer sur la détente de mon pistolet, pour expédier un second larron, avant d'entamer une explication à l'épée avec un troisième.

Celui-là était plus rétif. Il sautillait de droite et de gauche et, chaque fois qu'il se fendait, grondait entre ses dents : « Allah ! » Il s'effondra tout à coup, les yeux exorbités, un jet de sang lui sortant par le nez. Le doux lieutenant Pigache lui avait cassé la tête d'un coup d'espar.

J'eus encore le temps d'apercevoir un démon basané s'embrochant sur l'épée du capitaine, et alors qu'une nouvelle grappe d'assaillants allait nous tomber dessus, *la Pétulante*, par la manœuvre que j'ai signalée, se délivrait de tous les grappins rompus en même temps, un écart se creusait entre les deux navires et, emportés par leur élan, les disciples de Mahom s'abîmaient dans les flots.

En quelques instants, nous étions hors d'atteinte, et

le dernier épisode du combat fut fourni par le Normand de vigie qui, d'un seul coup d'espingole, dépêcha trois pendards à turban sur leur tillac. Une exclamation salua cet exploit. Cependant, le grain dégénérait en tempête, et nos païens, sévèrement étrillés, renonçaient à l'être davantage.

Quand nous les eûmes perdus de vue, Monsieur Fulminet recensa nos pertes. Outre le matelot à la tête emportée, nous comptions six blessés légèrement atteints, et l'on s'avisa soudain que Monsieur Colinet, notre second, était introuvable. On finit par le découvrir agonisant sur le gaillard d'arrière. Il avait eu la gorge trouée d'une balle, et les cadavres de deux pirates tués de sa main étaient étendus à ses pieds. Le chirurgien voulut le panser, mais sa blessure ne laissait pas d'espoir. Monsieur Colinet faisait de vains efforts pour parler, et il fallut lire sur ses lèvres teintées d'une mousse sanglante le mot qui ne parvenait pas à les franchir, et qui constituait un adieu résigné à sa vie aventureuse. Ce mot était : *Well !*

Le gros temps dura jusqu'au soir, où nous jetâmes nos morts à la mer, après que le capitaine, selon l'usage, eut récité le *De profundis* et le *Requiem* sur leurs dépouilles.

Cette cérémonie accomplie, les réjouissances pouvaient se donner libre cours. Ce n'était pas une petite affaire que d'avoir tenu la dragée haute à un corsaire d'Alger, et Monsieur Fulminet fit distribuer une double ration de guildive à tout l'équipage. Quant aux officiers, dont j'étais, il leur donna la table, où il se montra d'une largesse inusitée : chapons à la broche, langues de bœuf bouillies, salade de casse-pierre — rare friandise —, biscuits trempés dans l'eau-de-vie, le tout arrosé de vin de Cahors à discrétion. Il poussa même la libéralité jusqu'à tirer pour chacun de nous à son précieux fût un gobelet de ce vin de Porto dont il était chiche. Ce diable d'homme devait avoir les yeux partout, car il me félicita d'utiliser le pistolet à bon escient et loua Sosthène de savoir ramper pour tuer. Il annonça ensuite à Monsieur Pigache, devenu capitaine en second par la mort de l'infortuné Monsieur Colinet, qu'il serait fort tenté de ne plus l'appeler désormais que Monsieur d'Espar.

— Quant à Monsieur Dufourneau, dit-il enfin, je ne voudrais pas, messieurs, qu'il me taxât d'injustice à son endroit, et il convient que vous sachiez tout le mérite qu'il a montré dans l'exécution de la manœuvre dont je l'avais chargé. C'est grâce à lui que notre navire a été décroché du forban.

Un furtif rictus contracta le visage ingrat du lieutenant qui était meilleur navigateur que dégustateur, car il avala son vin de Porto d'un trait.

Monsieur Fulminet nous donna congé en spécifiant qu'après Madère et l'île de Palma, nous mettrions le cap sur l'archipel du Cap Vert, d'où nous piquerions sur le cap Tangrin et les îles Bananes. Là, nous commencerions les opérations de traite. A son estimation, nous devions être sur les lieux dans le délai d'un mois, sauf rencontre mal venue et pourvu que les vents nous fussent favorables.

Ils nous le furent presque sans discontinuer durant toute une semaine, ce qui nous permit de laisser loin derrière nous le nid à corsaires de Salé. Sosthène bâillait désespérément à scruter l'horizon marin sans y découvrir une voile, et quand il lui advenait d'apercevoir un aileron de requin crevant la surface de l'eau, parlait aussitôt d'armer la chaloupe. Monsieur Pigache se bornait à hausser les épaules. Au large de Porto Santo, nous croisâmes un troupeau de cachalots. Ces monstres, dont quelques-uns mesuraient plus de vingt mètres de longueur, excitèrent la verve du second.

— Voilà un gibier digne de vous, monsieur Goujet, dit-il en tirant sur sa pipe à petites bouffées. Je dois seulement vous prévenir que ces aimables bêtes, d'un seul coup de queue, vous retournent un brigantin comme un vulgaire radeau.

Sosthène poussa une moue dégoûtée et se réfugia dans sa chambre pour y faire un somme. Il fut réveillé par un coup de vent assez violent pour le jeter à bas

de son hamac, tant le navire donna de la bande. Nous
étions au début d'octobre qui, au nord du tropique, est
la saison des tempêtes. Il suffit de quelques minutes
pour qu'en plein jour le ciel devienne noir comme de
l'encre, que la mer gonfle en vagues hautes comme
des maisons, que le navire craque de toute sa membrure et qu'un vent furieux arrache les voiles. Telle
était notre situation.

Nous voguions alors entre l'île de Madère, toute
coiffée de nuées fuligineuses, et les Desertas, trois
îlots maudits sans âme qui vive, sans un arbre, sans
une touffe d'herbe, et dont je me souviendrai toujours
comme des portes de l'enfer. Je vis Sosthène surgir
devant moi, avec un œil poché, gros comme un œuf
de pigeon, conséquence de sa chute. Le capitaine n'avait
pas perdu de temps pour faire carguer les voiles et
prendre lui-même la barre. Monsieur Pigache courait
d'un bord à l'autre, sans que sa démarche de canard
dût rien à la guildive. Monsieur Dufourneau criait des
ordres que Sosthène et moi-même transmettions en
nous cramponnant à tout ce qui nous tombait sous la
main, pour garder l'équilibre. Un matelot fut enlevé
par une lame sans que, vu l'état de la mer, il pût être
question de lui porter secours.

Car la tempête était au plus fort et il fallait toute
l'expérience du pilote et la discipline de l'équipage pour
éviter que *la Pétulante* fût drossé, à la côte de la
Deserta Grande et se fracassât contre ses rives
hostiles.

La Deserta Grande, qui ne mesure que quelques
lieues de longueur, semble avoir réuni dans cet espace
restreint tout ce que la nature volcanique offre de plus
menaçant pour l'homme. On dirait un énorme bloc de
fer brusquement chu dans les flots. Même à bonne
distance et par mer démontée, comme c'était notre cas,
une odeur de soufre et de métal fraîchement refroidi
s'en dégage et prend à la gorge. C'est d'abord un chaos
de rocs convulsés, de-ci de-là désagrégés en amas de
pierraille, puis une muraille de hautes falaises, au long
desquelles des veines qui varient du jaune citron au

vermillon cru et qui furent des coulées de lave, font des stratifications zigzaguantes.

Après la Deserta Grande, il fallait encore échapper à Bugio, le dernier îlot, dont le profil déchiqueté fait penser, par ses dentelures, à la mâchoire d'un gigantesque animal d'avant le déluge. Quand nous l'eûmes enfin doublé, je vis notre chirurgien, Monsieur Taillebois, qui, depuis le début de la tempête, s'était attaché au mât de misaine, se signer précipitamment. Il devait m'expliquer par la suite que, lorsqu'un navire est en péril, les rats s'évadent de la cale pour gagner l'entrepont, puis le pont même, et que, faute de pouvoir les écraser tous à coups de talon, il préférait être dévoré à l'air libre. Mais il clignait bizarrement de la paupière en me faisant ce conte.

Passé les Desertas, la tempête dura encore près de deux jours. Les coups de mer nous recouvrirent jusqu'à l'arrière à plusieurs reprises, nous fûmes obligés de gouverner cap à la lame, et la pauvre *Pétulante* faisait de l'eau d'inquiétante façon. Quand l'embellie se manifesta, aucun membre de l'équipage n'avait un fil de sec. Nous changeâmes tous de chemise et d'habit, si bien que, toute une journée, nous arpentâmes le pont en costume de fête comme pour la Saint-Louis. Ce n'était que la Sainte-Clémence, qui ne mentait pas à son enseigne.

Huit jours plus tard, ayant dérivé à l'est, au lieu de Palma, nous apercevions par-devant nous le pic de Ténérife couronné d'une collerette de neige, d'où s'élevaient des vapeurs. Notre navire avait fatigué par la mauvaise mer, et Monsieur Fulminet décida de relâcher à Santa Cruz pour le regréer. Ce furent deux semaines de délices, pendant lesquelles Monsieur Pigache ne désenivra guère, se retranchant, en guise de justification, derrière l'autorité de Monsieur Taillebois qui accordait au vin épais de l'île, un très bon malvoisie, de remarquables vertus stomachiques et diurétiques. Sosthène, quant à lui, conquit dès le premier soir par ses belles manières une affriolante mulâtresse nommée Consuelo et dont la sœur Juanita ne me fut pas cruelle. Une douce chaleur régnait sous les palmes où nos ardentes insulaires nous éventaient amoureusement et nous rafraîchissaient de sorbets à l'orange préparés de leurs mains expertes.

Quand il fallut quitter cette Capoue océane, Sosthène fit serment à Consuelo de l'épouser à son prochain passage et la requit de tenir à jour la liste des impudents qui, d'ici là, auraient eu le front de solliciter, sinon d'obtenir ses faveurs, afin qu'il leur passât en temps utile son épée au travers du corps. Je ne pouvais faire moins que de marquer les mêmes dispositions à Juanita, et les deux sœurs, toutes larmoyantes, après nous avoir offert des scapulaires de Notre-Dame de la Bonne Mort, agitèrent des mouchoirs, qui témoignaient de leur sensibilité quand *la Pétulante* s'éloigna de leur terre fortunée.

Nous étions arrivés à mi-chemin entre les îles Canaries et le cap Blanc quand fut célébré à bord le baptême des Tropiques. Ce sacrement burlesque, de tradition sur les navires marchands et les vaisseaux du roi, était réservé à ceux qui entraient pour la première fois dans la zone tropicale. Parmi l'équipage, une douzaine de matelots, sans compter les mousses, étaient dans ce cas.

La cérémonie commença sur le midi, comme le navire était encalminé. La cloche sonna soudain, les anciens de *la Pétulante* brouillèrent les voiles et se saisirent des catéchumènes, si j'ose m'exprimer ainsi, auxquels ils lièrent les mains derrière le dos. Il n'était plus ensuite que de leur faire subir l'estrapade marine, c'est-à-dire, après leur avoir attaché une corde sous les épaules, de les élever à l'extrémité de la vergue du grand mât, puis de les laisser tomber à l'eau trois fois. Les estrapadés prenaient d'ailleurs assez bien la chose, car, après leur bain forcé, ils recevaient une double pinte : eau-de-vie et vin de Ténérife.

L'un d'eux, pourtant, causa une surprise. Après sa seconde chute dans l'eau, où il avait entièrement disparu, on ne le vit pas remonter au bout de la corde. Craignant qu'il ne se fût noyé ou qu'un invisible

requin ne l'eût happé subrepticement, le capitaine
fit mettre un canot à la mer. Le silence avait subitement succédé aux cris et aux rires. Deux matelots du
canot avaient plongé. Quelques minutes passèrent, et
comme tout l'équipage était penché sur le plat-bord,
un éternuement bien conditionné retentit, lequel venait
de la dunette. C'était notre noyé, tout ruisselant et
hilare, qui, s'étant détaché de sa corde, avait fait le
tour de *la Pétulante* en nageant sous l'eau, puis s'était
hissé sur le gaillard d'arrière. Au milieu des acclama-
tions, Monsieur Fulminet lui remit solennellement une
bouteille du meilleur vin de Bordeaux réservé, dans
les grandes circonstances, à la table des officiers.

Les mousses étaient traités avec plus d'humanité.
Vêtus de leur seule chemise, on leur mettait un panier
sur la tête avant de leur jeter à la volée une demi-
douzaine de seaux d'eau.

Quant aux officiers, afin de sauvegarder leur autorité,
ils ne pouvaient être aspergés que d'un verre d'eau
sur le chef. Sosthène et moi-même, en tant que novices,
étions les seuls de l'état-major à devoir subir cette
épreuve.

Ce fut le joyeux Normand de vigie qui me baptisa
« au nom du tropique et du bois de Campêche ».

Sosthène, à cette occasion, ne pouvait manquer de
se singulariser. Comme, après avoir reçu sa ration
d'eau sur la tête, on lui tendait un gobelet de guildive,
il versa lui-même l'alcool sur ses cheveux, à l'indignation du calfat qui lui avait administré le sacrement.

— Apprends, l'ami, lui dit-il sur un ton doctoral, que
l'eau-de-vie produit sur la toison de l'homme un effet
aussi bienfaisant que le goudron sur la coque du
navire. Il la renforce, il la conserve.

— Gachte de gachte ! fit le calfat, un Bas-Breton
un peu simplet, en se grattant l'occiput.

Après ce divertissement, une semaine de vents favorables nous amena à la hauteur des îles du Cap Vert ;
mais Monsieur Fulminet avait dû commettre une
erreur sur la longitude, car nous n'eûmes connaissance
d'aucune d'entre elles. Plus d'une semaine encore, par

une assez belle mer, nous avons gouverné près et plein
jusqu'à certaine nuit où le navire donna du talon sur
un banc. Par chance, Monsieur Dufourneau était de
quart. Il ne voulut pas réveiller le capitaine, qui avait
le sommeil lourd, mais fit aussitôt mettre la chaloupe
à la mer avec six hommes, et, *la Pétulante* étant revenue à flot, jeta une ancre de mouillage.

A l'aube, Monsieur Fulminet pesta, sacra et, ayant
fait sonder, ne trouva que six brasses. Comment le
navire ne subit néanmoins aucun dommage, ce fut une
vraie bénédiction du Ciel. Des goélands tournaient
autour de la mâture, annonçant la terre proche. La
mer brisait de toutes parts en rouleaux écumeux sur
des hauts-fonds. Enfin le bon monsieur Pigache, ayant
pris place dans la chaloupe, trouva une passe qui nous
tira d'affaire.

Plusieurs jours après, dans une brume laiteuse, nous
découvrions le cap Tangrin. La Sierra Leone était
devant nous, le bois d'ébène à notre portée. Nous
allions pouvoir commencer la cueillette.

V

Monsieur Fulminet m'avait signifié, au départ de Nantes, qu'outre ma fonction d'écrivain à bord, j'aurais, sur la côte de Guinée, à seconder Monsieur Dufourneau dans les opérations de la traite. Quand je pris place au côté du lieutenant dans la chaloupe qui allait aborder la première des îles Bananes, la curiosité le disputait chez moi sinon à la crainte, du moins à l'anxiété. N'allais-je pas faire mes premiers pas dans un monde inconnu ? Comment m'y comporterais-je ?

Nous avions mouillé la veille au déclin du jour, les bas-fonds nous contraignant de nous tenir à bonne distance de la côte, et notre arrivée n'avait pas échappé aux indigènes, car un grand feu avait aussitôt été allumé sur le rivage et entretenu une partie de la nuit.

— Ces macaques nous préviennent qu'ils ont du bois d'ébène à vendre, opina Monsieur Taillebois.

Et de poursuivre gravement :

— Vous êtes un jeune homme de mérite, monsieur Lafortune, et je vous veux du bien. C'est pourquoi je me fais un devoir de vous prévenir que vous aurez quelques précautions à prendre dans cette damnée partie du monde, si vous avez le louable dessein de conserver un fils à votre père. D'abord, ayez toujours soin de garder la tête couverte, et la poitrine pareillement. Le soleil ici ne plaisante pas avec ceux qui le narguent, et la fièvre chaude vous expédie au monument du jour au lendemain. Méfiez-vous aussi des moustiques lorsque vous longerez la moindre flaque d'eau croupissante : la fièvre palustre est un mal incurable. Si une négresse bien constituée émeut par ses rotondités vos esprits animaux, repoussez vertueusement la tentation en vous disant qu'elle n'a probablement pas une âme et que le mal de Naples sévit dans ces parages avec virulence. Soyez modéré enfin sur la boisson : le vin alourdit les membres, l'eau-de-vie engourdit le cerveau, et la conclusion de tous les plaisirs du monde se tire entre quatre planches.

Une gaieté ironique brillait entre ses paupières bordées de jambon. Il fit une courte pause et reprit :

— Je n'irai pas jusqu'à prétendre que j'observe rigoureusement pour ma part toutes les recommandations que je viens de vous faire. La soif est prompte à étouffer les scrupules de l'altéré, la chair est faible, et je crains, en ce qui vous concerne, l'exemple de Monsieur Dufourneau. A Dieu vat !

L'exemple de Monsieur Dufourneau... Que voulait-il dire ? Je tenais le lieutenant pour un homme fort réservé sur les plaisirs du monde. De trois ans seulement mon aîné, la petite vérole, en criblant son visage de menus pertuis blanchâtres, l'avait assez défiguré pour lui faire porter dix ans de plus. Il était d'ailleurs si peu causant que j'avais vite renoncé à démêler ce que pouvaient cacher de bizarre et d'inquiétant ses yeux gris acier, sa voix coupante.

Dans la chaloupe qui nous emmenait vers la côte avec quatre solides matelots qui tiraient à une bonne cadence sur leurs avirons, il m'éclaira d'emblée sur les relations que nous allions nouer à terre avec les habitants, et j'observai qu'un changement s'opérait dans sa manière d'être. Alors qu'il gardait ordinairement son sang-froid jusqu'à paraître non seulement figé, mais privé de sentiment, il présentait maintenant tous les signes d'une agitation qui confinait au malaise. Il tapotait nerveusement le rebord de la chaloupe ; on eût dit qu'il s'apprêtait à bondir, et une flamme insolite dansait dans ses yeux pâles.

— Monsieur Lafortune, me disait-il, vous allez entrer

avec moi dans une société aux mœurs très particulières et qui ne ressemble en rien à celle que vous avez quittée par une aberration qui fut la mienne et que, d'ailleurs, je ne regrette pas. Cette société est à la fois affreuse et captivante, ingénue dans ses transports et raffinée dans sa barbarie. Les hommes sont ici à l'image de la nature : ils ne savent pas résister à leurs impulsions. De même qu'en un clin d'œil, des ouragans, dont rien, dans nos pays d'Europe, ne peut donner une idée, emportent comme fétus de paille les cases de ces misérables, brisant ou déracinant des arbres de trente pieds de hauteur et plus au milieu des éclats de foudre, de même le noir d'Afrique, en proie à une frénésie aussi soudaine qu'inexplicable, devient capable des pires excès. La vie, à ses yeux, ne compte pas, voire la sienne propre qu'il perd avec la même inconscience qu'il la transmet. C'est un divertissement pour lui, et du comique le meilleur, que, par exemple, de faire sauter d'un coup de sabre ou de hache la tête d'un passant inoffensif qui baye aux corneilles en respirant le serein. Vous m'objecterez que nous autres Français, qui nous targuons d'avoir atteint le plus haut degré de civilisation, ne nous gênons guère davantage pour supprimer nos semblables par le biais de ce que nous appelons sans plus de raison les affaires d'honneur. La seule différence entre ces bons nègres et nous, c'est que nous commettons l'homicide en y mettant des formes. Ils ne voient pas, eux, la nécessité de tant de délicatesse, mais le résultat est le même.

Il me jeta un regard de côté, et je me demandai un instant s'il n'était pas au fait de ma funeste querelle avec le comte de Valbert, mais quelle apparence y avait-il à cela ? Il poursuivait :

— Oui, monsieur Lafortune, ce monde noir, dominé par des tyranneaux féroces et cupides, tour à tour débonnaires et obséquieux, mais tous, comme leurs sujets, fourbes, menteurs, ivrognes et luxurieux, m'évoque curieusement l'Eden avant la faute. L'Africain ignore ce que sont pour nous le délit, l'infraction ou, chrétiennement parlant, le péché, ce qui lui permet de se rendre coupable des forfaits les plus noirs, c'est le cas de le dire, avec une totale innocence. J'ajoute que ce refus délibéré de toute morale individuelle ou collective a ses bons côtés.

Il ricana :

— Je veux dire qu'il est favorable à la traite que nous pratiquons avec la bénédiction de la Sainte Eglise catholique. Au pays des Quas-Quas, j'ai vu un mari vendre sa femme pour une sonnette, et un autre se contenter d'une pipe. Au royaume de Juda, plus un notable est riche, plus il a de femmes. Qu'une épouse adultère dénonce l'amant au mari, et le suborneur devient la propriété du cornard qui, à la première occasion, le vend aux traitants. Aussi n'est-il pas rare que des maris envoient leurs femmes exercer leur pouvoir de séduction auprès des plus beaux mâles de l'endroit. Si les malheureux succombent, c'en est fait de leur liberté.

Nous approchions du rivage bordé de cocotiers sous lesquels on apercevait quelques groupes de huttes.

— Il faut dire que ces négresses sont diablement appétissantes pour ceux que leur couleur ne rebute pas. Leur peau surtout, mon cher...

Il toussa et reprit :

— Bref, il n'est aucunement interdit de s'y frotter. Ce serait même plutôt recommandé si l'on veut prendre assurance de n'être pas trompé sur la marchandise, et je pense que ces messieurs de la Compagnie ne sauraient que nous louer d'un tel souci. Je dois vous signaler toutefois qu'aux termes du Code Noir promulgué, voici tantôt sept années, par notre glorieux souverain Louis, par la grâce de Dieu roi de France et de Navarre, le concubinage entre blancs et personnes de couleur en état d'esclavage est passible d'une amende de 2 000 livres de sucre. C'est M. de Colbert, sauf respect, qui a inventé cette sottise, dont personne ne tient compte. On voit bien que ce Rémois n'est jamais venu en Afrique.

Ce discours n'avait pas laissé de me surprendre. Je n'en fis pourtant rien paraître. Notre chaloupe grinçait sur le sable parsemé de coquillages, et plusieurs naturels en costume d'Adam s'avançaient vers nous en poussant des cris, sautant et faisant mille grimaces.

Nos quatre matelots étaient armés de fusils et de coutelas. Deux d'entre eux restèrent à la garde de la chaloupe, tandis que les deux autres prenaient pied sur l'île avec le lieutenant et moi-même qui portions épée et pistolet.

Arrivés à notre hauteur, les nègres nous firent de grandes salutations accompagnées de paroles inintelligibles pour moi. Monsieur Dufourneau commença par leur répondre en tirant son épée et en l'inclinant vers la terre au bout de son bras tendu. Je crus bien faire en l'imitant, et les mal blanchis reculèrent d'un air effrayé, puis, comme nous rengainions, se prirent à rire, comme des enfants à qui l'on vient de jouer un bon tour, et à répéter indéfiniment : « Marabou ! marabou ! »

Le lieutenant hocha la tête et leur signifia d'aller devant nous. Continuant de s'esclaffer, ils nous conduisirent en trottinant jusqu'à une hutte où le plus âgé entra pour ressortir presque aussitôt avec le « marabou », grand diable lippu et grisonnant, qui portait, enroulé autour de la taille, un pagne d'un vert cru, et sur sa poitrine velue, au bout d'un lacet, une amulette d'ivoire représentant le fabuleux amphisbène, le serpent à deux têtes.

Le « marabou » est ordinairement, dans ces régions, la première personne après le roi. Une interminable palabre, conduite dans un français corrompu, s'engagea entre Monsieur Dufourneau et cet important dignitaire, qui était aussi le griot, c'est-à-dire le sorcier du village, et tenait lieu de courtier pour la vente des captifs. Il nous offrit du vin de palme dans une calebasse, et il fallut une bonne pinte d'eau-de-vie, tirée d'une gourde dont le lieutenant avait eu soin de se munir, pour corriger l'effet produit sur mon palais offensé par cette boisson tiède et aigrelette.

L'affaire se débattait sous un bouquet de bananiers où nous étions assis, les jambes croisées, à même la terre rougeâtre. Le « marabou » ne se faisait pas scrupule de tendre fréquemment sa calebasse aussitôt remplie d'eau-de-vie qu'il avalait d'un trait.

Je ne saurais dire si la palabre dura une heure, ou deux, ou trois, mais je crois pouvoir affirmer que le « marabou » était complètement ivre lorsqu'il se décida à frapper dans ses mains. Aussitôt un des noirs qui formaient cercle autour de nous se détacha, partit en courant, et revint avec une négritte de treize à quatorze ans, aussi nue qu'au jour de sa naissance, et qui, au commandement, tourna sur place, leva les bras, plia sur ses genoux, se pencha pour faire admirer toutes les particularités de son anatomie.

Excités par ce spectacle, les nègres s'exclamaient à l'envi, riaient, s'administraient des bourrades, se répandaient en cris perçants. Selon le « marabou », la négritte n'avait pas encore connu l'homme, elle était de sang royal et, à titre de droit de « coutume », il n'en exigeait pas moins, personnellement, de trois pièces d'indienne, autant de colliers de rassade et six mesures d'eau-de-vie. Il fallait prévoir au moins le double pour le propriétaire de l'esclave, qui requérait de surcroît l'équivalent du poids de celle-ci en bœuf salé.

Monsieur Dufourneau rompit la négociation en déclarant que ce prix était celui de six nègres jeunes et robustes. Je crus que, d'indignation, les yeux du « marabou » allaient lui sortir de la tête, mais le lieutenant ayant une nouvelle fois rempli sa calebasse, il la vida sans sourciller, sa tête ballotta sur ses épaules, et il roula à terre, ivre-mort.

Après trois jours d'âpres disputes, Monsieur Dufourneau devait obtenir ses six nègres, plus la négritte. Je l'avais cru, jusque-là, inaccessible aux faiblesses humaines. C'est à la conclusion définitive de l'accord que me fut révélée sa vraie nature.

Il avait amené à bord de la chaloupe les marchandises destinées à être troquées contre sa cargaison humaine. Le « marabou », en dépit de sa résistance, ayant, durant trois jours, satisfait sans restriction son penchant pour l'ivrognerie, ne conservait plus que des lueurs de clairvoyance. Comme il s'entêtait à ne pas revenir sur ses prétentions, Monsieur Dufourneau finit par accepter de payer la négritte aux conditions fixées, sous réserve que six nègres fussent compris dans le marché, ceux-ci constituant l'escorte due à une fille de sang royal et n'étant payés, pour le principe, que six pipes de Hollande. Une dernière calebasse d'eau-de-vie eut raison des suprêmes résistances du « marabou ».

Ce troisième jour, donc, Monsieur Taillebois, qui était resté à bord les deux journées précédentes, nous avait accompagnés à terre. Monsieur Dufourneau, qui connaissait bien ses noirs, pensait en effet traiter cette fois-là ou jamais, et en prévision de l'événement le chirurgien devait se tenir prêt à examiner les yeux, la bouche, les oreilles, et d'une façon générale toutes les parties du corps des « pièces d'Inde » faisant l'objet de la traite.

Quand le principe de la vente fut acquis, le lieutenant tira d'une poche un mouchoir de Cholet finement brodé et apprêté, qu'il affirma avoir été fabriqué à l'intention de la marquise de Maintenon elle-même et qu'il offrait au « marabou » sans lui rien demander en échange et par pure amitié. Le « marabou » s'épanouit et, sur son avantage, Monsieur Dufourneau annonça que le chirurgien allait procéder à l'examen de santé des six captifs et de la négritte. Pour ce faire, il demandait qu'une case fût mise à la disposition de l'homme de l'art. Le « marabou », dodelinant de la tête, accusa une noble indifférence, et Monsieur Taillebois commença son office dans une hutte voisine.

J'étais, quant à moi, avec les deux matelots en armes, de faction devant la porte faite de roseaux entrelacés, le lieutenant ayant seul qualité pour demeurer avec le chirurgien. L'un après l'autre, les nègres entraient dans la hutte, dont ils ressortaient presque aussitôt. Ils étaient, de toute évidence, parfaitement conformés, jeunes et en excellente santé. A mesure qu'ils reparaissaient, les matelots leur liaient les mains derrière le dos. Je n'en revenais pas de les voir accepter aussi passivement l'esclavage. J'en vis même deux, aussitôt attachés, se mettre dos à dos et se chatouiller mutuellement les paumes en poussant de grands éclats de rire. C'étaient de vrais enfants qui ne se faisaient, selon toute apparence, aucune idée du sort qui les attendait.

Vint le tour de la négritte, qui passait la dernière. Malgré son âge encore tendre, elle était parfaitement formée, avec des seins droits, des hanches étroites, des jambes longues et fines, et sa peau de bronze mat, au grain serré, justifiait l'enthousiasme de Monsieur Dufourneau pour les femmes de sa race. Son visage me sembla moins attrayant, bien que ses lèvres épaisses découvrissent des dents d'une éclatante blancheur. Elle avait le front bas, le nez camus, et ses yeux globuleux, à la sclérotique bleuâtre, roulaient dans leurs orbites avec un effroi manifeste.

A peine avait-elle disparu dans la hutte que le chirurgien en sortit. Il me regarda en clignant de l'œil et me dit à mi-voix :

— A chacun ses félicités. Pour les uns c'est la boisson, pour d'autres le jeu. Pour notre lieutenant, c'est le bois d'ébène. Chaque fois qu'il traite une négritte présumée pure et sans tache, il n'a de cesse qu'il lui ait fait perdre cet état précaire et plus rare encore en terre africaine que sous nos climats. Aujourd'hui, je crois qu'il ne sera pas volé.

Il lâcha un gros rire, et comme s'échappait de la hutte un cri dont il était permis de penser qu'il traduisait moins le plaisir que la douleur, les six captifs se gaussèrent encore plus bruyamment.

— Que vous disais-je ? reprit Monsieur Taillebois en haussant les épaules. La messe est dite.

Un temps raisonnable s'écoula avant que Monsieur Dufourneau quittât la hutte, poussant devant lui la négritte, à première vue moins confuse et troublée que surprise et fiérotte du sacrement qu'elle venait de recevoir. Il avait recouvré tout son sang-froid, à supposer qu'il l'eût jamais perdu. Je lui ai rarement vu l'air aussi distant. Il commença par prescrire aux matelots de ne pas lier la négritte, puis son regard glacé se posa sur moi.

— Maintenant, dit-il, la Banane nous a assez vus. Payons et embarquons la marchandise.

Il envoya les matelots chercher à la chaloupe la pacotille, l'eau-de-vie et le bœuf salé qui étaient le prix de sept êtres humains composés d'un corps et d'une âme, remit le tout au « marabou » encore dans les fumées de l'ivresse et à qui restait à peine la force de bégayer. Enfin, comme nous nous dirigions vers le rivage et que des indigènes nous suivaient à petite distance, il arma son pistolet et, se retournant vers eux, tira en l'air. Ils s'égaillèrent aussitôt comme une volée de moineaux, tandis que nos captifs tremblaient de tous leurs membres. La négritte, elle, claquait des dents, et le lieutenant semblait ignorer son existence.

Dès que nous eûmes regagné *la Pétulante*, Monsieur Fulminet, satisfait de notre première traite, fit mettre à la voile, puis Monsieur Taillebois se préoccupa de marquer nos esclaves aux initiales de la Compagnie. L'opération se pratiquait à l'aide d'une mince lame d'argent rougie au feu. On frottait avec du suif la partie de la peau où la marque devait être appliquée. Il suffisait ensuite de recouvrir cette partie avec un papier graissé ou huilé, sur lequel on posait le métal brûlant. La chair grésillait et gonflait pour former une inscription indélébile. Certains hurlaient pendant le marquage ; d'autres se bornaient à grincer des dents en roulant des yeux furieux. Il n'était plus ensuite que de leur passer les fers aux chevilles et de les enfermer dans l'entrepont. La négritte, exempte de fers, fut la première à loger dans la partie réservée aux esclaves du sexe, sous le gaillard d'arrière.

Des îles Bananes, nous ralliâmes par bon vent le rio des Gallines, ainsi nommé parce que les poules y sont en telle abondance que les indigènes en cèdent une paire ou deux pour un couteau d'un sol, puis la Côte des Males Gens, peuplée de cannibales qui ne font

pas de différence entre la chair de l'homme et celle du
bœuf, pour lesquels leur vocabulaire dispose d'un seul
mot. Selon Monsieur Taillebois, leur préférence allait
toutefois au bœuf anglais, jugé par eux plus épicé que
le bœuf hollandais. Cette Côte était bordée de palmistes et de lataniers. Une vingtaine de nos matelots y
firent du bois, dont nous avions grand besoin, sous la
protection de vingt autres armés jusqu'aux dents et
qui gardaient le fusil braqué sur la broussaille
épineuse.

La cueillette des pièces d'Inde, sur la Côte de Guinée,
est aussi fastidieuse qu'éprouvante, et je ne saurais
relater dans le détail tout ce qui nous y advint. Elle
dura près d'une année, au cours de laquelle il nous
fallait régulièrement faire, outre du bois et de l'eau,
du riz et des giraumons, qui sont de grosses courges,
non seulement afin de pourvoir à notre alimentation
quotidienne et à celle de notre chargement, mais en
prévision de la longue traversée que nous devrions
accomplir jusqu'aux îles d'Amérique.

Nous traitâmes une cinquantaine de nègres du Grand
Mesurade au rio Sextos et au cap des Trois Pointes.
Nous étions encore loin du compte, et six mois avaient
passé depuis notre arrivée devant les îles Bananes.
Monsieur Fulminet, qui ne traitait lui-même que les
affaires d'importance, commençait à s'impatienter. A
deux reprises, nous avions aperçu, venant à tribord ou
sur notre arrière, des navires hollandais dont ses
habiles manœuvres nous avaient évité le hasardeux
affrontement. La Côte de l'Or était surtout fréquentée
par la traite anglaise qui ne présentait pas de moindres
dangers. Une douzaine de nègres trépassèrent du pian
et de la dysenterie en moins de huit jours ; la négritte
de l'île Banane subit le même sort, et Monsieur Dufourneau vit son jeune cadavre disparaître dans les flots
sans frémir d'un cil. A son sentiment à lui aussi, l'expédition était mal partie. Cinq négresses seulement
avaient été traitées, et il n'en avait trouvé que deux
propres à être honorées de son approche.

Mon confrère Sosthène ne se privait pas, lui non

plus, d'exhaler son amertume, du moins devant moi. Il avait choisi l'aventure pour elle-même et tenait que celle-ci lui était trop chichement mesurée. Il avait vu à son déplaisir le capitaine faire mettre toutes voiles dehors pour distancer les bateaux hollandais qu'il se voyait déjà enlevant à l'abordage. Un jour que *la Pétulante* encalminée flottait comme un vulgaire bouchon sur une mer de plomb fondu, il me confia tout à trac qu'il n'avait pas embarqué pour tenir boutique, mais pour mener une vie mouvementée, et que les flibustiers étaient bien heureux qui ne naviguaient que pour se battre et faire des prises.

Le genre de plaisir qu'il recherchait devait lui être fourni à quelques jours de là. Etait-ce sur la Côte des Dents, ou au pays des Quas-Quas, ou encore environ cette rivière Saint-André de funeste renom, où, quelques années plus tôt, un équipage hollandais entier avait été rôti à la broche et mangé, du capitaine au dernier des mousses ? Nous connûmes dans ces trois endroits des aventures similaires, mais celle que je vais rapporter devait être la plus marquante.

Nous avions mouillé à quelque distance de la côte défendue par un double rempart de brisants où la houle déferlait en hautes gerbes d'écume. Au-delà, on entrevoyait un cordon de lagunes, toutes hérissées de roseaux et de palétuviers, où nageaient des buffles, où des familles d'éléphants, portant d'étranges oiseaux blancs sur le dos, piétinaient dans la vase, et où un énorme mufle d'hippopotame crevait parfois la surface de l'eau.

Monsieur Fulminet, qui avait déjà traité dans le pays, savait que sous ces dehors sauvages, passé le réseau marécageux, s'étendait un pays de cocagne où manguiers et bananiers alternaient avec les cocotiers, les palmiers-dattiers, et ces autres arbres, dits du voyageur, dont les larges feuilles gorgées d'eau rafraîchissent, à la saison sèche, l'homme perdu dans la grande forêt. Là volaient des pigeons verts et des perroquets rouge-feu, des oiseaux-mouches dont le plumage brillait comme des gemmes et des oiseaux de paradis empanachés comme des princesses de théâtre ; là s'ouvraient de larges fleurs dont le parfum entêtant invitait au sommeil, et d'autres qu'il suffisait de cueillir pour perdre la vue si l'on avait l'imprudence de porter ensuite la main à ses yeux. On y payait dix-huit barres de fer par tête de noir. Il était seulement recommandé de s'assurer que nul bateau hollandais ne rôdait dans ces parages familiers aux suppôts de l'exécrable Guillaume d'Orange.

Nous étions au mouillage depuis un jour et une nuit, et le capitaine venait de délibérer avec le second sur les décisions à prendre, quand deux pirogues longues et étroites apparurent derrière les brisants. Je les observai à la longue-vue. A bord de chaque pirogue se tenaient une douzaine de noirs, dont six seulement frappaient l'eau de leurs pagaies à une bonne cadence. Un septième, debout à l'avant comme une figure de proue, brandissait un objet dont je ne compris pas tout de suite que c'était une hache. Puis, je distinguai nettement, dans la première pirogue, qu'un nègre à genoux, ayant placé sa tête sur l'étrave, comme sur un billot, le fer de la hache brillait dans le soleil et décapitait d'un seul coup le malheureux. Détaché du tronc, le chef sanglant disparut dans les flots.

Je n'avais pu me retenir de pousser un cri d'horreur, et Sosthène, qui était près de moi, me demanda ce qui se passait.   .

— Attends ! lui-dis-je.

Portant ma longue-vue sur la seconde pirogue, j'assistai à la même affreuse exécution. Alors, sans mot dire, je tendis l'instrument à mon compagnon qui le garda plus longtemps que moi. A quatre reprises, je l'entendis produire un léger sifflement qui correspondait à autant de décapitations, puis, cessant de regarder, il me dit dans une moue :

— Ces nègres n'y vont pas de main morte. Serait-ce un avertissement du sort qu'ils sont disposés à nous réserver ?

Je repris la longue-vue et assistai encore à une quadruple décollation, ce qui portait à dix le nombre des

victimes. Puis je vis le bourreau et les pagayeurs tremper leurs mains dans le sang qui giclait des cous
tranchés et les élever vers le ciel en hurlant à plein
gosier. Il ne leur restait plus qu'à jeter les corps à
l'eau qui, à l'entour, rougissait et s'agitait, car les
requins, dont les ailerons pointaient à la surface, se
disputaient chèrement les proies. Peu après, les pirogues disparurent derrière des touffes de roseaux.

De la dunette, le capitaine avait, lui aussi, assisté
au spectacle en compagnie du chirurgien. Il vint à nous
et dit :

— J'espère, jeunes gens, que vous n'êtes pas trop
émus par cette petite cérémonie récréative qui n'est
pas une nouveauté pour moi. Un esprit que la raison
gouverne pourrait penser, je vous l'accorde, que la
désinvolture avec laquelle ces bons nègres ravissent
la lumière du jour à leurs congénères, ou acceptent de
la perdre eux-mêmes, a quelque chose de choquant.
Aussi bien la plate raison n'a-t-elle pas cours auprès
de ces peuplades primitives chez qui la superstition
commande presque tous les actes de la vie. Sachez
donc que vous venez d'être les témoins intéressés d'un
sacrifice rituel. Vous n'avez pas été, je présume, sans
remarquer à la lunette qu'à moins d'une lieue d'ici
écument deux barres dont je sais qu'elles marquent
une passe, la seule par laquelle nous puissions atteindre l'embouchure du fleuve voisin et joindre la ville
où règne le puissant roi Lolo, grand vendeur d'esclaves
devant l'Eternel. C'est afin de se concilier le dieu de
la barre, pour le bon accès de notre navire, que les
exécuteurs des deux pirogues viennent, à l'ordre du
potentat, d'immoler dix de ses sujets qui en ont reçu
un grand honneur.

— J'ai particulièrement admiré le coup de hache du
premier bourreau, observa Monsieur Taillebois. Ce
garçon a la main sûre. Il aurait fait un bon chirurgien.

Que ces explications et commentaires me satisfissent
pleinement eût été peut-être beaucoup dire, mais je
n'étais pas au bout de mes surprises. Dans la matinée
du lendemain, toute une flottille de pirogues, une demi-

4

douzaine je crois, au total, s'approcha de nous à force
de pagaies. Bientôt, elles cernèrent le navire, et les
naturels qui les occupaient commencèrent à battre
notre bordage avec des baguettes de bambou. Monsieur Fulminet, debout sur le tillac, considérait la
scène d'un œil impassible lorsque, d'une pirogue, je
vis un gros nègre, vaguement recouvert d'un lambeau
de tissu rouge, et dont les oreilles étaient percées par
des boucles d'or, projeter dans sa direction une statuette de bois noir figurant une divinité mâle avec
tous ses attributs. Celle-ci aboutit sur la poitrine
du capitaine qui ne broncha pas. Alors, poussant des
cris d'orfraie et riant de toutes leurs dents, les nègres
grimpèrent à notre bord avec une agilité de babouins.
Celui qui portait des boucles d'oreille et que son
abdomen rendait peu ingambe, dut seul être hissé
sur les épaules d'un géant à la mine obtuse. C'était
le premier ministre du roi Lolo, député par son maître.
Il bredouilla tout de suite, dans un anglais trébuchant,
que notre navire était le bienvenu dans les eaux qui
baignaient son pays et qu'un bon coup d'eau-de-vie le
serait de sa part, vu qu'il sentait le besoin d'un remon-
tant. Monsieur Fulminet exauça sur-le-champ une
requête aussi légitime et apprit que la statuette expé-
diée sur lui représentait le dieu de la barre.

— Le dieu ne t'a fait aucun mal, capitaine. C'est le
signe que tu es son ami. Tu as vu que le roi Lolo
lui avait sacrifié dix nègres pour te le rendre propice.
C'est que notre souverain bien-aimé est un grand
sage. Il donne aux dieux qui ont faim autant de têtes
qu'ils peuvent en manger.

Ayant bu à lui seul le contenu de toute une bouteille
d'eau-de-vie, le ministre se déclara satisfait et ajouta
qu'il laissait à bord un pilote chargé de nous faire, le
lendemain, franchir la passe, à la sortie de laquelle
nous devrions attendre le « mafouc ». Sur quoi il jeta
un ordre bref ; les nègres qui, pendant son entretien
avec le capitaine, avaient fait cercle autour de lui en
se grattant, sautillant et faisant force grimaces, rega-
gnèrent précipitamment leurs pirogues ; il descendit

dans la sienne sur les épaules du même géant, et la flottille repartit, glissant sur l'eau bleue avec une grande rapidité, et des « ho ! ho ! », jetés à tue-tête, ponctuant chaque coup de pagaie.

Le « mafouc » annoncé correspondait à un gouverneur de province. Il nous attendait, le lendemain comme convenu, après la passe. C'était un grand diable aux épaules de gladiateur, et dont les dents saillantes donnaient au visage brutal un air de férocité sournoise. Outre un pagne jaune bordé d'un galon vert, il portait, suspendu à la ceinture, un sabre sans fourreau, dont l'extrémité, du côté non tranchant, représentait un crocodile à la gueule largement ouverte. Il monta à bord, accompagné d'un vieux noir aux cheveux blancs, au front labouré de rides et qui regardait de droite et de gauche avec une expression d'affolement.

— Capitaine, dit-il à Monsieur Fulminet qui n'avait pas attendu sa demande pour lui offrir un gobelet d'eau-de-vie, tu as appelé sur toi la bienveillance du Grand Etre, car tu es généreux et brave et mérites d'être honoré.

A ces mots, empoignant son sabre, il fit voler d'un revers la tête du vieux nègre qu'il avait évidemment amené à cette fin.

Sans sourciller, le capitaine ordonna à deux matelots de jeter le cadavre à l'eau et de laver le pont ensanglanté. Tandis qu'ils obtempéraient à l'ordre, j'observais le « mafouc » sur les traits farouches de qui je croyais lire la seule sorte d'admiration dont ces sauvages sont capables, celle qu'ils vouent à la force.

— Oui, capitaine, reprit-il, tu es brave et généreux, et le roi Lolo se réjouit grandement de te recevoir.

Cependant *la Pétulante* remontait le fleuve à petite allure, suivie par la pirogue du « mafouc », et nous fûmes assez vite en vue de la capitale du royaume qui n'était qu'une assez grande bourgade aux nombreuses cases de terre séchée et grisâtre, disséminées sous de hauts cocotiers. Monsieur Fulminet commanda de désaffourcher pour assurer un bon mouillage, puis fit arborer tous nos pavillons et charger nos canons à poudre. Suivit une salve de vingt et un coups. A chaque détonation, le « mafouc » perdait sa superbe, sursautait, et sa contenance témoignait qu'il aurait bien voulu être ailleurs, malgré les sourires du capitaine qui fumait placidement sa pipe.

La canonnade terminée, le moment était venu de mettre pied à terre, et une sérieuse discussion s'engagea. Le « mafouc » aurait voulu, selon l'usage, que Monsieur Fulminet débarquât seul. Le capitaine, lui, exprimait le désir d'être encadré de ses deux enseignes, Sosthène Goujet et moi-même. Son interlocuteur lui opposait que si, messager infidèle, il acquiesçait à ce vœu, il risquait de se faire couper la tête. Tout en admettant que cette regrettable hypothèse méritait considération, Monsieur Fulminet répondit que, s'il devait quitter la place sans traiter, par l'entêtement d'un simple émissaire du roi, ses canons pouvaient très bien réduire la capitale en poussière et supprimer toute sa population.

Peu à peu, la résistance du « mafouc » mollissait. Il demanda pourquoi le brave et généreux capitaine tenait tant à emmener deux gardes du corps. Manquait-il de confiance envers le roi Lolo qui était le plus brave et le plus généreux des hommes et qui n'avait jamais eu qu'une parole ?

— Que non pas ! répliquait Monsieur Fulminet, mais les deux jeunes gens que voici appartiennent à d'illustres familles du royaume de France. Ils sont venus de leur lointain pays dans l'unique pensée de connaître le roi Lolo, de l'admirer dans ses œuvres, de faire retentir l'Europe entière du bruit de sa gloire et de sa grandeur.

— *Well !* faisait le « mafouc » qui ne jargonnait, lui aussi, qu'un méchant anglais, et qui, dans le moment, me rappela l'infortuné second de *la Pétulante*, Justin Colinet, hôte prématuré des profondeurs atlantiques. Mais, capitaine, pour te transporter au palais du roi, il n'y aura qu'une litière. Deux jeunes gens d'illustre famille peuvent-ils s'y rendre à pied ?

— Certainement, mafouc, la marche est un excellent exercice.

— Le soleil est mauvais à cette heure, capitaine.

— Il l'est plus encore dans notre pays, où l'orage abat des tours aussi hautes que cinq cocotiers mis bout à bout.

— Est-ce possible, capitaine ?

— Oserais-tu me traiter de menteur ?

Monsieur Fulminet avait porté la main à son pistolet, et le « mafouc » céda.

— Au moins, tu me jures de raconter tout ce que tu viens de me dire au roi Lolo, capitaine ?

— Tout, foi de marin !

Ce débat bouffon avait été suivi avec une impatience et un intérêt croissants par Sosthène qui, au soupir du « mafouc » vaincu, fit écho par un « hurrah ! » retentissant. Il espérait des merveilles de la visite au roi Lolo et son attente ne devait pas être trompée.

VI

Nous descendîmes dans la pirogue du « mafouc »,
Monsieur Fulminet quittant son bord le dernier, pour
la bonne règle. Monsieur Dufourneau, accoudé à la
lisse, faisait grise mine. Il ne devait débarquer, avec
les marchandises faisant l'objet du troc, que lorsque
l'accord aurait été conclu entre le capitaine et le roi
Lolo. Quant à Monsieur Pigache, capitaine en second,
il avait écouté, raide comme un piquet autant que
le lui permettaient ses rondeurs, les laconiques recommandations de son chef :

— Tenez toujours les canons chargés et ayez l'œil,
monsieur d'Espar.

Leur visage à tous deux avait alors porté la marque
d'un rire mal contenu, cependant que le chirurgien
me coulait à l'oreille :

— N'oubliez pas, monsieur Lafortune. Méfiez-vous de
la Vénus noire.

Pour la circonstance, Monsieur Fulminet avait
endossé la tenue d'apparat que je lui avais vue à
Nantes, sur le quai de la Madeleine. Il avait laissé
à bord sa canne à pommeau d'argent, mais il portait
l'épée au côté, et deux pistolets étaient enfouis dans
les poches de son justaucorps. Moins glorieux par la
vêture, Sosthène et moi étions pareillement armés.

Sur la rive grouillait une foule de noirs aussi nus
que le premier homme. Avant même que la pirogue
eût touché le fond, une trentaine d'excités se jetaient
à l'eau, la poussaient à sec sur le sol sableux et se
précipitaient sur le capitaine pour l'introduire dans

une litière au toit recouvert de feuilles de palmier. Sans perdre de temps, quatre solides gaillards saisissaient les bras de celle-ci et partaient au petit trot. Sosthène et moi-même n'étions pas moins honorés, à cela près qu'il n'y avait pas de litière pour nous, comme l'avait annoncé le « mafouc ». Enlevés comme des plumes, nous étions seulement installés à califourchon sur de sombres épaules. Des cris, que nous pouvions espérer de bon accueil, retentissaient autour de nous, et je suais à grosses gouttes sous mon tricorne.

Je n'ai pas encore parlé de la chaleur qui règne sous ces latitudes. Elle était, ce jour-là, pis qu'oppressante, suffocante. J'avais l'impression de respirer du feu et je me demandais comment le nègre, il est vrai, bâti en hercule, qui me servait de monture, pouvait ainsi courir avec ses cent cinquante livres sur le dos, car je n'avais rien du gringalet. Il transpirait d'ailleurs, lui aussi, le malheureux, à grosses gouttes ; des rigoles sillonnaient sa peau noire, de laquelle s'élevait une âcre senteur.

Sosthène, juché sur un noir aussi musculeux que le mien, semblait au comble de la jubilation. Il criait : « hue ! hue ! » comme un enfant sur un cheval de bois ; il brandissait triomphalement son tricorne, au risque d'attraper le plus pernicieux coup de soleil.

Arrivé au pied d'une petite éminence, mon porteur, qui avait pris la tête du cortège, ralentit son allure, gravit la pente au pas et, parvenu au sommet, me déposa à terre, avant de redescendre en courant. Le coursier de Sosthène fit de même. Enfin apparut la litière d'où notre capitaine fut extrait avec ménagement et dont les porteurs, eux aussi, redescendirent en hâte.

Nous restions seuls tous les trois sur cette éminence, qui était une simple dune de sable exposée en plein soleil et encerclée par la foule africaine devenue étrangement silencieuse. Monsieur Fulminet ne semblait pas troublé le moins du monde par cette situation. Je crois même qu'un mince sourire éclairait son rude visage quand il nous dit à mi-voix :

— Ne vous inquiétez pas, mes agneaux, et restez cois. Vous subissez pour l'instant l'épreuve de purification. Si vous êtes animés de mauvais sentiments à l'égard du roi Lolo et de son peuple, le dieu soleil doit vous foudroyer sur place. Si, au contraire, vos intentions sont pures, si votre âme est toute blanche, alors il vous épargne et vous avez droit à tous les honneurs.

L'endroit, en tout cas, était bien choisi, et non moins l'heure de midi où le disque solaire dardait des rayons fort propres à tuer leur homme. Je sentais son impitoyable brûlure tomber droit sur ma nuque comme un couperet. Dans un éclair, j'évoquai les ravissants visages de Line et de Trine. Qu'eussent-elles pensé, les poulettes, à me voir ainsi entouré d'affreux sauvages tout prêts, si je donnais le moindre signe de défaillance, à m'égorger et à me découper en morceaux ? Qu'eût pensé leur mère, l'artificieuse comtesse de Valbert du Coudray, dont la coupable industrie m'avait exilé en ces lieux ? Etait-elle si peu sensible que de n'en pas verser toutes les larmes de ce tendre corps qui n'avait pas cessé d'être désirable ?

Cette rêverie m'avait fait perdre la notion du temps. Une immense clameur me rendit à la réalité. Elle était poussée par les centaines de nègres qui environnaient la dune.

— Affaire faite, reprit Monsieur Fulminet. Ces braillements annoncent que nous sommes purifiés.

— Ce n'est pas malheureux, observa Sosthène. Je suis tout en eau, et le fils de ma mère a bien perdu trois livres.

La foule, en bas, s'écartait pour laisser passer une demi-douzaine de personnages vêtus de longues robes blanches, qui montèrent jusqu'à nous et firent de grandes gesticulations à notre adresse, élevant les mains, les abaissant, se cassant en profondes révérences. C'étaient les prêtres chargés de nous apporter la bonne nouvelle. Dans l'impossibilité de se faire entendre d'eux par un langage articulé, Monsieur Fulminet prit sa bourse, y puisa une première poignée de pièces d'or, puis une seconde, qu'il lança à la volée, pour finalement jeter la bourse elle-même. Il fallait voir prêtres et fidèles, *niger, nigra, nigrum,* tous à plat-ventre comme gélines en quête de grain, et s'assommant à qui mieux mieux pour la possession d'une pièce.

Lorsque la bagarre fut terminée, laissant une dizaine d'éclopés sur le carreau, Monsieur Fulminet retrouva sa litière, et Sosthène et moi-même les épaules de nos hercules, dont l'un — le mien — avait un œil poché.

Peu après, nous étions introduits dans le pourpris du roi Lolo. C'était tout bonnement une case de bambous, dont le sol de terre battue présentait le luxe extraordinaire d'être recouvert de nattes de jonc. De petits lézards jaunes, à qui leurs pattes munies de ventouses permettaient de se déplacer dans toutes les positions, couraient sur la face inférieure des poutres qui soutenaient le toit, et l'on voyait tout à coup leur langue aiguë s'allonger démesurément pour capturer une mouche ou un moustique. Hors quelques jarres dans les les coins, le mobilier se réduisait à un vaste fauteuil de tapisserie sur une estrade de près de deux pieds de hauteur. Qu'il fût effiloché, voire que la bourre s'en échappât par plusieurs accrocs, n'empêchait pas le puissant roi Lolo de dominer l'anonyme troupeau sur lequel il avait droit de vie ou de mort.

Le souverain nous reçut assis. Sa cour réunie autour de lui comprenait le « mambouc » ou prince héritier, le « macaye » ou premier ministre, et le « mafouc » qui ne semblait pas rassuré outre mesure, plus divers spécimens de négraille. J'avais grand-peine à distinguer entre eux ces noirs à qui je trouvais la même bouche lippue, le même nez écrasé, le même front déprimé, les mêmes oreilles en feuilles de chou. Tous, à mes yeux, avaient les mêmes cheveux crépus, les mêmes dents plates et blanches, les mêmes yeux en boules de loto. L'expérience de Monsieur Fulminet ne s'y laissait pas surprendre, mais je n'étais qu'un petit apprenti négrier à ses débuts dans la carrière.

Je reviens au roi Lolo qui, épaté dans son fauteuil, devait se faire l'effet du roi de France. A l'image de Louis le Grand, il avait sur la tête une opulente perruque à trois marteaux, mais en étoupe de lin roussâtre, et son front était si fuyant qu'elle lui descendait jusqu'aux yeux. Sa qualité royale se dénonçait d'autre part à un long manteau écarlate, couvert de taches de graisse et maintenu autour de son triple menton par une agrafe d'or en forme de tête d'éléphant. Ce symbole de la souveraineté, largement ouvert, découvrait un corps obèse, et singulièrement une poitrine aux poils touffus et graissés de sueur. Ses pieds enfin étaient nus, des pieds immenses, les ongles des orteils peints en rouge pour le pied droit, et pour le pied gauche en bleu.

Je n'aurais garde d'omettre un personnage important, qui se tenait à sa droite, en bas de l'estrade, un mulâtre né des œuvres d'un navigateur anglais et qui, fier de cette origine, remplissait l'office de drogman.

— Puissant sire, disait d'entrée Monsieur Fulminet, je t'apporte les vœux et compliments du roi de France qui est le plus grand prince d'Europe, comme tu l'es de la côte d'Afrique.

Le drogman traduisit ces paroles à son maître qui répondit en roulant des yeux furibonds et désignant successivement Sosthène et moi-même d'un index boudiné. Il lui importait de savoir, avant toute chose, si, comme le lui avait dit le « mafouc », qui serait, le cas échéant, puni de son mensonge par la perte de son nez, de ses oreilles, de ses parties nobles et en définitive de sa vie, il exigeait même de recevoir la confirmation que nous étions véritablement des cadets de sang royal, dignes d'être admis à son auguste audience.

Je regardai le « mafouc ». Son visage était devenu couleur de cendre. Sa vie, en ce moment, ne tenait plus qu'à un fil. Monsieur Fulminet hocha la tête. Notre noblesse, à l'entendre, passait par l'illustration et l'ancienneté celle des plus grands parmi les grands, et Sa Majesté le roi Louis nous avait choisis entre tous pour apporter au roi Lolo le témoignage d'une considération de laquelle aucun autre monarque n'était également digne.

Le roi Lolo balança un instant et, après un intense effort de réflexion, opina que le « mafouc » avait de la chance de n'avoir pas travesti la vérité, mais qu'il avait cependant pris sur soi de nous introduire auprès de son roi sans consultation préalable de celui-ci. La peine de mort lui étant épargnée, il n'en restait donc pas moins coupable du crime de lèse-majesté, pour quoi il allait recevoir cinquante coups de bâton.

Le « mafouc » se jeta au pied du trône en remerciant le roi de sa longanimité. Deux hommes l'emmenèrent, et l'on ne tarda pas à entendre dehors les cris de douleur que lui arrachait la bastonnade.

Après cet acte de justice, l'entretien pouvait se poursuivre par le canal du drogman. Le capitaine apprit que ses vingt et un coups de canon avaient eu l'agrément du roi Lolo, fils chéri du Grand Etre, et que le souverain brûlait de savoir quels cadeaux lui étaient apportés de France.

Monsieur Fulminet assura que les meilleures pièces de sa cargaison, soit plusieurs centaines de barres de fer, de nombreux paquets d'indienne, de limeneas et de salempouris, des colliers de grenats et autres bijoux de rassade, et enfin des ancres de l'eau-de-vie la plus pure étaient destinés à Sa Majesté nigritique. Mais il y avait aussi, il y avait surtout un cadeau exceptionnel, du plus haut prix, un cadeau enfin tel que, de mémoire d'homme, n'en avait jamais reçu un roi africain.

Le capitaine connaissait son monde. A chaque terme de l'énumération, traduite à mesure par le drogman, le roi Lolo avançait une lèvre avide, un filet de bave coulait sur son menton, et il grognonnait comme un goret. A l'annonce du cadeau suprême, il ne se tint plus et expédia un jet de salive qui étoila les pieds de son premier ministre.

— Majesté, dit solennellement Monsieur Fulminet, le roi de France, quand il parcourt ses Etats, a accoutumé de se coiffer d'un tricorne de castor frangé de plumes d'ibis et brodé d'or fin au point d'Espagne. J'ai pensé que tu n'étais pas moins que lui digne de porter une telle merveille. Tu vas la recevoir.

Un bredouillement haché s'ensuivit, que le drogman interpréta comme la manifestation du contentement et de l'impatience du souverain. Celui-ci souhaitait de n'avoir point à attendre la fin du jour pour entrer en possession du fameux couvre-chef et demandait combien d'esclaves seraient le prix du tout. Le capitaine prononça le chiffre de trois cents. Le roi se récria qu'il n'en pouvait fournir plus de cinquante. La discussion s'éternisa pour aboutir à un accord sur le chiffre de deux cents. Encore le roi ne disposait-il pas d'un nombre d'esclaves aussi élevé et devrait-il conduire en pays ennemi, pour en ramener des prisonniers, une expédition qui pourrait durer plusieurs semaines.

Affaire conclue, le capitaine dut boire une coupe de vin de palme, auquel on le prévint honnêtement qu'avait été mélangé un poison violent. S'il n'y succombait pas, la preuve de sa bonne foi serait établie. Il but avec vaillance la mixture dont l'odeur lui fit penser à certaine excrétion liquide du corps humain, et le roi Lolo rit aux éclats du bon tour joué à son hôte. Le capitaine français méritait l'amitié de Sa Majesté, qui lui accordait l'autorisation de construire le *barracon* où les cinquante premiers esclaves seraient enfermés en attendant le complément.

Le jour même, les marchandises furent déchargées de *la Pétulante*, et le roi reçut son tricorne galonné dans des transports comparables à ceux que le roi David dut marquer en accueillant Bethsabée. Le lendemain, les charpentiers du navire entreprenaient la construction du *barracon*, lequel devait comporter un étage réservé à l'appartement des officiers, où l'on accédait par un escalier extérieur, et un rez-de-chaussée où seraient parqués les esclaves.

Dès qu'ils eurent terminé leur travail, Messieurs Dufourneau et Taillebois prirent officiellement livraison des cinquante premiers captifs, et, sur l'invitation du chirurgien, j'assistai à l'examen qu'il avait à faire de leur état de santé. J'appris qu'il était tenu d'écarter impitoyablement les nègres efflanqués, ceux qui avaient la poitrine étroite, ceux dont les yeux égarés et l'air idiot annonçaient une prédisposition à l'épilepsie. Monsieur Taillebois était un praticien consciencieux. Il vérifiait soigneusement la taille des sujets, qui devait être au minimum de cinq pieds six pouces, leur tâtait l'aine et le cou, la hernie et les écrouelles constituant des vices rédhibitoires. Il les faisait tousser, cracher, courir, grimper à un cocotier, s'inquiétait d'une tache sur l'œil, d'une dent manquante.

— Lolo est honnête, me dit-il, après avoir passé une journée entière à ces occupations. Tous ses nègres paraissent sains de corps et d'esprit.

La satisfaction de Monsieur Dufourneau était moindre. Sur les cinquante « pièces d'Inde », il n'y avait que deux négresses. Encore étaient-elles toutes deux accommodées de négrillons en bas âge, et ne correspondaient-elles que d'assez loin à son canon de la beauté africaine. Il allait, au demeurant, disposer de tout le temps nécessaire à la satisfaction de ses goûts particuliers, notre séjour dans la capitale du roi Lolo devant durer plus d'un mois. Mais je tiens à honneur d'observer la discrétion qui s'impose en ces matières, et je me bornerai à rapporter dès maintenant une confidence qu'il me fit un peu plus tard, alors que nous avions levé l'ancre depuis deux jours pour faire voile vers les Indes Occidentales.

Il n'y avait pas un souffle de vent ce jour-là, le navire était étale, et je bâillais comme une huître sur le tillac, dans l'attente que le bon plaisir du ciel gonflât notre voilure. Le lieutenant, dont j'ai assez dit qu'il avait l'humeur taciturne, était à côté de moi, sa longuevue braquée sur l'horizon. Il finit par renoncer, leva les épaules, soupira, et me dit avec la courtoisie dont il ne se départait jamais :

— Monsieur Lafortune, j'ai le regret de vous faire savoir, au cas où la circonstance vous aurait échappé, que nous sommes au calme le plus plat qui se puisse concevoir, et que nul espoir ne s'offre à nous d'une complaisance du dieu Eole à notre endroit. Nul mouton, aussi loin que porte cette lunette, nulle voile en vue, *mais tout dort, et l'armée, et les vents, et Neptune,* et quand toutes les flottes d'Angleterre et de Hollande, que le diable emporte ! croiseraient à une demi-lieue du point de la boule où nous sommes rendus, elles n'auraient aucune chance de nous joindre. C'est dans des moments comme celui-ci que le marin submergé par la mélancolie, ou, si vous préférez, par l'atrabile, c'est-à-dire une abusive sécrétion de bile noire, ressent le besoin d'éclaircir, par un moyen ou par un autre, la décourageante vision qu'il a du monde. La boisson est le plus simple. Notre excellent second, Monsieur Pigache, voire le digne Monsieur Taillebois, en dépit de ses doctorales exhortations à la sobriété, sans oublier Monsieur Fulminet en personne, recourent au tafia, et je n'ai aucun argument décisif là-contre, encore que l'alcool ait le tort d'abrutir après avoir excité, mais que diriez-vous d'une tablette de chocolat ?

Et comme je le regardais avec surprise :

— Oui, reprit-il, c'est mon remède, ma panacée, ma douceur à moi. Voilà tantôt huit ans qu'ayant fui sans regrets les sacrées minutes, expéditions et autres paperasses de l'étude paternelle, je parcours mers et océans, et j'en suis à ma troisième expérience négrière. Dans la royale ville de Blois qui m'a vu naître, la consommation du chocolat qu'on y fabrique, et qui est le meilleur du monde, a été élevée à la hauteur d'une institution. Quand, à l'âge de seize ans, la petite vérole eut transformé en passoire ce visage qui, avant elle, en valait un autre, je résolus de me faire marin, d'abord parce que le notariat m'assommait, ensuite par un certain goût qui, tout enfant, m'avait porté à jouer de l'aviron sur la Loire, enfin dans la pensée que, sur les terres lointaines, les demoiselles de couleur regarderaient peut-être d'un œil moins inexorable mon cuir grêlé. Je réfléchis aussi que ce chocolat, tellement apprécié des filles de procureurs et autres grippeminauds qui faisaient leurs mijaurées dans les salons de la petite noblesse de robe blésoise, pouvait produire sur des Indiennes ou des négresses des effets déterminants. A l'expérience, mon calcul s'est révélé bon. Aussi, à chaque voyage, mon coffre est-il garni de vingt livres de chocolat, qui valent au bas mot quarante négresses.

Il tira de sa poche une plaque dont il cassa un fragment qu'il me tendit. Je le complimentai et croquai la friandise.

Je reviens au roi Lolo. Nos cinquante esclaves, dûment marqués et enfermés dans le *barracon*, ne représentaient que le quart du chiffre prévu par l'accord passé entre lui et Monsieur Fulminet. Aussi, quelques jours plus tard, le potentat nous annonça-t-il que le Grand Etre venait de lui ordonner très opportunément d'entrer en guerre pour châtier des tribus de l'arrière-pays, qui suscitaient contre lui, par maléfices, des dieux inférieurs à tête de porcs sauvages. L'impétueux Sosthène, à cette nouvelle, me déclara sérieusement qu'embrassant le parti du roi Lolo, il serait bien aise de suivre de près sa campagne, et me demanda si j'aurais éventuellement le goût d'en faire autant. Je lui répondis que deux blancs isolés au milieu de centaines de noirs sur le pied de guerre auraient toutes les chances de ne pas revenir vivants et que l'estomac d'un anthropophage aux dents limées pour être plus pointues ne me paraissait pas une sépulture chrétienne.

— Bon ! dit-il, piqué. Je croyais te faire plaisir.

Le lendemain, à l'aube, un charivari assourdissant publiait le grand événement qui allait se produire, et qui était le départ des guerriers. Le roi Lolo nous avait conviés à la cérémonie préliminaire, laquelle avait pour objet d'appeler sur son entreprise la bienveillance du Grand Etre. Ils étaient là, deux ou trois cents nègres armés d'arcs, de sarbacanes et de sagaies, la figure toute zébrée en blanc de signes magiques propres à terrifier l'ennemi et à leur assurer la victoire. Alignés sur un rang, une demi-douzaine de grands diables aux masques hideux, assortis de défenses d'éléphant, tapaient sur les peaux tendues d'étroits et longs tambours à un rythme frénétique, et les guerriers formés en cercle dansaient une pyrrhique sauvage en brandissant leurs armes. Le roi Lolo, le chef surmonté d'un monstrueux masque cornu aux yeux rouges, dansait, lui aussi, tout en décrivant des moulinets avec son sabre, et je n'aurais jamais imaginé que ce nègre adipeux pût se montrer si agile. A l'écart, les femmes de la tribu frappaient dans leurs mains, et l'on aurait pu croire à distance qu'elles avaient revêtu des costumes de fêtc. En réalité, seule la partie inférieure de leur corps était dissimulée, pour certaines sous des pagnes aux tons criards, pour d'autres sous un grossier assemblage de lianes et de feuilles. Quant à leur front, à leurs joues et à leur poitrine découverte, de larges incisions y avaient été pratiquées et peinturlurées de vert, de rouge, de jaune et de bleu, tandis que leurs cheveux laineux, finement tressés, portaient à l'extrémité de leurs nombreuses nattes des papillotes d'or et d'argent.

Cependant le rythme des tambours allait toujours s'accélérant, et le roi Lolo, en plein délire, peu à peu se rapprochait dangereusement de ses guerriers avec son sabre tournoyant. Soudain, il me parut que le vacarme augmentait encore d'intensité, le roi poussa un cri furieux, suivi d'un « han » de bûcheron. Dans un éclair, son sabre détachait, comme le fruit d'un arbre, la tête du danseur le plus proche de lui.

Aussitôt une clameur s'éleva et, avant même que le corps mutilé de la victime propitiatoire chût sur le sol, le puissant monarque, sans lâcher son arme, le saisissait dans ses bras pour une horrible étreinte, et buvait à même le cou tranché le sang jaillissant.

Depuis mon arrivée sur cette côte maudite, je commençais à être repu d'horreurs, mais celle-là passait encore les autres. J'avais beau me dire que, pour le roi Lolo comme pour ses sujets, le meurtre était un acte aussi naturel que celui de boire et de manger, une barbarie aussi atroce me soulevait le cœur.

Je tournai la tête vers Sosthène qui, près de moi, avait assisté à l'affreux spectacle. Il avait le regard fixe, les dents serrées.

— Alors, lui coulai-je à l'oreille, es-tu toujours aussi disposé à suivre la fortune du roi Lolo ?

— Pourquoi pas ? me répondit-il avec une expression de défi.

Ses yeux demeuraient attachés sur le roi qui, après avoir aspiré goulûment le sang de sa victime, rejetait le corps sans tête et découvrait à l'assistance fascinée un visage ricanant, barbouillé de caillots rougeâtres.

Un chariot traîné par une dizaine de nègres s'avança. Il supportait une vaste caisse oblongue, où fut introduit le cadavre. Sur la caisse on plaça la tête, si bien tranchée qu'elle tenait parfaitement en équilibre sur le socle du cou. Les batteurs de tambour l'encadrèrent et, sur un rythme à trois temps, entreprirent une sorte de marche funèbre. Un cortège s'organisa enfin, qui gagna lentement la rive du fleuve. Peu après, la caisse embarquée sur une pirogue était immergée devant la barre où le dieu attendait son offrande.

Dans l'après-midi du même jour, la troupe du roi Lolo s'ébranla et, de la population noire, il ne resta plus sur les lieux que des femmes, des enfants et des vieillards, sous le gouvernement du « mafouc » encore trop endolori par sa bastonnade pour participer à l'expédition.

Monsieur Fulminet, capitaine prévoyant, avait, dès le premier jour, communiqué ses instructions à son équipage. Il alternerait, quant à lui, le service, d'un jour sur l'autre, avec son second, Monsieur Pigache, tantôt à terre, tantôt à bord du navire. Il en irait de même pour Sosthène et pour moi. Seuls, Monsieur Dufourneau, commissaire de la Compagnie, resterait en permanence au *barracon*, et Monsieur Taillebois, tenu par son office de chirurgien, s'installerait à demeure dans une case voisine de celui-ci avec ses instruments et sa pharmacopée. Une dizaine de matelots armés assureraient à tour de rôle la garde des captifs.

Ce soir-là, c'était au tour de Sosthène de rester à terre. Le lendemain matin, quand je vins le relever, il avait disparu. Le capitaine, aussitôt informé, se rendit auprès du « mafouc » afin de procéder avec lui à une perquisition de toutes les cases et de leurs alentours. Les recherches se poursuivirent sans succès jusqu'à la nuit. Je crus alors de mon devoir de révéler à Monsieur Fulminet les propos du camarade. De toute évidence, il avait mis à exécution son projet de suivre le roi Lolo. Le capitaine éclata. Il fallait que ce garçon eût perdu le sens commun pour se lancer dans une aventure aussi périlleuse qu'absurde. Parce qu'il était le fils d'une des plus grosses têtes de la Compagnie de Guinée, il se croyait tout permis. Quelle explication fournirait-il, lui, capitaine de *la Pétulante* au très influent Monsieur Goujet père, si son héritier périssait d'un coup de sagaie entre les épaules, avant d'être mis à la broche pour le régal d'un bande de cannibales ? On l'accuserait de n'avoir pas su se faire obéir, et le manque d'autorité, pour un chef étant une faute sans excuse, il risquait de perdre son commandement. La peste soit de ces godelureaux qui, ayant pris fantaisie de naviguer, ne rêvent que plaies et bosses, sans seulement imaginer qu'ils peuvent être les premières victimes de leur inconséquence !

J'insinuai que notre homme ne devait pas avoir fait une longue traite et que j'étais tout disposé à me mettre à la tête d'une dizaine de matelots pour le ramener mort ou vif. Monsieur Fulminet rugit :

— Pour qu'au lieu d'un écharpé, j'en aie douze ? Non, monsieur. Les fièvres, la dysenterie et le reste suffiront à décimer mon équipage et si, par miracle, Monsieur Goujet réchappe au sort qui l'attend, sachez que mon premier soin sera de le mettre aux fers, pour lui apprendre à vivre.

Une semaine après, Sosthène reparut, échevelé, les vêtements en lambeaux, exubérant, hilare. Il m'expliqua aussitôt qu'il avait suivi à distance les guerriers du roi Lolo, se nourrissant de biscuits, dont il avait emporté une petite provision, et s'abreuvant de lait de coco.

— Figure-toi que, pour corser le menu, j'ai tué, le premier jour, une espèce d'antilope à grandes cornes,

oui, et j'en avais même découpé deux gigots. Malheureusement, la viande se gâte vite dans ce pays béni.
A l'aube du troisième jour, le roi Lolo a attaqué un
village dans une clairière de la haute forêt. Sa tactique
est simple. Il boute le feu à toutes les cases et, à
mesure que tous les occupants sortent de leur tanière,
ses hommes se jettent dessus et les ligotent. Ceux qui
font mine de résister sont assommés, ou égorgés, ou
étripés. Un seul, autant que j'ai pu voir, a réussi à
s'enfuir sous le couvert. Deux guerriers de Lolo se
jettent à sa poursuite et voilà que cet imbécile tire du
côté où j'étais, derrière un gros arbre, à observer le
spectacle. Les guerriers m'aperçoivent et me lancent
tous les deux leurs sagaies qui ne m'ont raté que d'un
poil. Deux coups de pistolet ont eu raison de ces
coquins, mais après un tel exploit je n'avais plus qu'à
déguerpir. Je cours, je vole, je m'égare, dévoré par les
moustiques et les maringouins ; j'évite de justesse une
procession de fourmis carnivores, et ce n'était pas
fini ! Un gorille me tombe sur le râble. Je le décapite
dans la meilleure manière du roi Lolo. Vu la multitude
de serpents, de scolopendres et autres insectes que
j'aurais lieu de croire plus ou moins venimeux, je niche
la nuit dans les arbres où je ne dors que d'un œil.
Comme j'ai cédé au sommeil, un cynocéphale me
réveille. Il me cherche amicalement des poux dans la
tête, pendant qu'un autre grignote mon dernier biscuit.
Je me crois définitivement perdu et, avant de recommander mon âme à Dieu, j'invoque le bon saint
Antoine. Dans l'heure il m'exauce, je retrouve ma route,
je suis le bord du fleuve, et me voici.

Sosthène m'avait conté les péripéties de son équipée
dans le *barracon* où, depuis sa disparition, je demeurais chaque jour. Comme il achevait son récit, Monsieur Fulminet entra. Je pensais qu'il allait justifier
son nom en manifestant une colère bleue. C'était le
mal connaître. Il dit froidement :

— Eh bien, monsieur, je pense que vous avez pris
du plaisir à votre escapade. Il vous faudra maintenant
souffrir que, comptable de la vie de mes officiers

comme de mes matelots, je vous en marque mon mécontentement et vous en fasse payer le prix. En d'autres temps, votre acte d'indiscipline vous aurait coûté cher. Vous tenant, dans le feu de votre jeunesse, pour plus irréfléchi que coupable, je me bornerai à vous mettre aux fers où vous resterez jusqu'au moment où *la Pétulante* lèvera l'ancre pour gagner d'autres cieux.

— Je vous suis obligé, monsieur, répondit Sosthène en s'inclinant.

— Mais n'y revenez pas, reprit le capitaine. En cas de récidive, je me verrais dans la cruelle nécessité de vous renvoyer à Nantes par le premier bateau que nous croiserions faisant retour en France.

Le pauvre Sosthène fut enchaîné par Monsieur Pigache lui-même, qui prétendit le réconforter en lui représentant que, sur un vaisseau du roi, tenu pour déserteur, il eût été pendu à une vergue haut et court sans autre forme de procès. Il devait, durant trois semaines, être livré à ses méditations dans un réduit puant et obscur, voisin de la sainte-barbe, d'où il ne sortait, pour prendre l'air sur le pont, qu'une demi-heure par jour. On le déferrait alors, non seulement pour qu'il pût marcher librement, mais afin que les matelots ne fussent pas dans le cas de voir un officier dans une condition humiliante. J'avais, pour ma part, toute latitude de lui rendre visite et je ne m'en privais pas. Il prenait son mal en patience, entonnant par exemple, à ma vue, avec une gravité bouffonne, la complainte de la Brinvilliers :

> *Puisqu'il me faut mourir,*
> *Aussi mes jours finir*
> *Aux lieux patibulaires,*
> *Je confesse aujourd'hui*
> *Le mal et le délit*
> *De mes actions noires...*

Je n'irai pas jusqu'à affirmer qu'il ne trouvait pas le temps long. Il me harcelait de questions sur ce qui se passait à terre et maudissait le roi Lolo de se montrer si lent à ramener ses deux cents captifs.

— Il en a bien raflé une cinquantaine dans ce damné village que je l'ai vu mettre en flammes. Mais imagine qu'ailleurs il ait rencontré de la résistance, que ses diables noirs aient été taillés en pièces, que ses vainqueurs aient mitonné avec sa précieuse bedaine un ragoût bien gras. Combien de temps Monsieur Fulminet est-il disposé à l'attendre ?

Je m'efforçais de lui faire admettre que le roi Lolo n'était pas un débutant et que sa sauvagerie avisée ne devait frapper qu'à coup sûr.

— Tu en parles à ton aise, Félix doublement fortuné et qui n'as pas les pieds chargés de six livres de fonte. Mais enfin, je veux bien te croire. Passons maintenant à la chronique locale.

Je lui contais que, depuis le départ de leurs époux et pères, les négresses du cru exécutaient chaque matin, après avoir pilé le mil, d'étranges momeries. Réunies devant la case de Sa Majesté absente, et dans la pensée de forcer le destin en singeant les exploits des guerriers, elles dansaient le « fétiche ». Cela consistait pour ces dames à s'armer de sabres de bois et à simuler un combat qui parfois laissait deux ou trois victimes plus ou moins étourdies. Elles couraient ensuite aux pirogues, y embarquaient et faisaient mine de pagayer, tandis que d'autres, truelle en main, imitaient le travail du maçon édifiant un ouvrage fortifié pour la protection de la communauté.

Monsieur Fulminet recevait régulièrement, dans sa chambre du *barracon*, la visite du « mafouc » qu'il imbibait d'eau-de-vie pour ne le laisser aller qu'ivremort. Monsieur Dufourneau procédait à de méthodiques distributions de chocolat, après avoir reçu de Monsieur Taillebois l'assurance que les bénéficiaires de ses largesses étaient parfaitement saines.

Ainsi s'écoulèrent encore trois semaines au cours desquelles dix de nos matelots périrent de fièvre quarte ou de dévoiement dus au climat. Enfin, annoncé par un coureur qui, à son arrivée, s'effondra comme le messager de Miltiade, parut le roi Lolo à la tête de ses guerriers encadrant les captifs.

C'était un affligeant spectacle, et tel qu'un homme de cœur pouvait difficilement le supporter sans révolte. Chaque esclave avait le cou enserré dans une fourche de bois rivée par une cheville de fer. La queue de cette fourche reposait sur l'épaule du malheureux qui marchait devant, et ainsi de suite, par groupes de trente. Les guerriers commis à la surveillance du cortège avaient en main des baguettes de jonc dont ils cinglaient allègrement le dos et les épaules de leurs prisonniers, lorsque ceux-ci ployaient ou titubaient sous le joug.

Monsieur Fulminet accueillit le roi Lolo devant le *barracon* et, par le canal du drogman, engagea avec lui l'inévitable palabre. Il convenait de le féliciter pour la réussite de son expédition. Le gros nègre, afin de se rendre plus majestueux, avait pris le temps de coiffer son tricorne emplumé. A l'entendre, aucun roi, sur toute la terre d'Afrique, n'eût été capable, dans un laps de temps aussi court, de réunir un lot de captifs aussi important. Le capitaine repartit qu'aussi bien, le seul roi Lolo avait reçu le don insigne d'un couvre-chef en tout point semblable à celui du roi de France.

Aux congratulations réciproques Monsieur Fulminet fit succéder une dégustation d'eau-de-vie, à laquelle le roi Lolo se prêta sans façons. Vint ensuite le dénombrement des esclaves. Aux termes de l'accord, ils devaient être cent cinquante. Tout compte fait, et encore que dix négresses y fussent incluses, alors que deux négresses n'équivalaient qu'à une pièce d'Inde, il en manquait une quarantaine. Le roi Lolo avança que, la qualité l'emportant sur la quantité, ses dix négresses, toutes fort jeunes et parfaitement constituées, ne tarderaient pas à engendrer quarante négrillons et que, par conséquent, il se trouvait quitte. Il ajouta que cinq de ses meilleurs guerriers avaient péri au combat et que, pour cette perte irréparable, il était fondé à réclamer une ancre d'eau-de-vie supplémentaire. Monsieur Fulminet, las de disputer, capitula, sur l'avis conjoint de Messieurs Dufourneau et Taillebois, que les négresses en cause étaient effectivement aptes à la procréation.

Les captifs, embarqués par dix sur notre chaloupe, furent donc transportés à bord de *la Pétulante*, et disposés entre le mât de misaine et l'artimon pour être une nouvelle fois examinés par Monsieur Taillebois avant de recevoir la marque de la Compagnie. Cette double opération achevée, ils recevaient les fers aux pieds, deux à deux, puis étaient arrimés dans l'entrepont. Notre chirurgien ne fut pas trop surpris de découvrir que nombre d'entre eux étaient atteints du pian à ses premières manifestations, qu'on appelle maman-pian, et dont les papules causent de vives démangeaisons. Le roi Lolo savait que la poudre de traite et le jus de citron appliqués à propos masquent l'éruption initiale de maman-pian, et que la peau, frottée ensuite à l'huile de palme, retrouve l'apparence d'un épiderme sain. Certains captifs ne subissaient pas l'examen et le ferrage sans pleurs ni grincements de dents. A peine avaient-ils mis le pied sur le pont qu'ils se jetaient à genoux, hurlaient, sanglotaient, dans la crainte d'être égorgés par ces blancs dont ils croyaient que le sang humain était la boisson habituelle.

Quand toutes nos pièces d'Inde eurent occupé dans les flancs du navire leurs places respectives, on chargea le ravitaillement composé d'ignames, de manioc, de riz, de figues-bananes, de mil et d'une bonne trentaine de tierçons d'eau. Monsieur Fulminet était d'autant plus pressé de mettre à la voile que le vent soufflait dans le bon sens. Le roi Lolo, qui avait le goût du divertissement, aurait voulu le retenir pour lui faire admirer un spectacle d'adieu dont le drogman assurait qu'il avait été inventé par la fertile imagination du souverain. Les cinq guerriers morts au cours de l'expédition laissaient des veuves dont la piété envers le Grand Etre apparaissait de ce fait plus que suspecte. Il s'agissait de les envoyer au plus tôt rejoindre ces vaillants. Elles allaient donc être enduites de miel de la tête aux pieds et attachées à autant d'arbres, dits arbres à moustiques. Deux jours suffiraient pour que ces aimables bestioles ou autres insectes, les dévorant par toutes les issues de leur corps, les réduisissent à l'état de squelettes.

Pour sauver les malheureuses de l'affreux supplice qui leur était promis, notre capitaine proposa de les acheter. En dépit de sa cupidité, le roi Lolo protesta que c'eût été s'attirer la colère du Grand Etre. Un dernier flacon de guildive le mit hors d'état de prolonger l'entretien. Il était tout à fait inconscient quand il fut descendu dans sa pirogue, tandis que Monsieur Fulminet donnait l'ordre d'appareiller.

VII

Dès que le vent de terre eut commencé de gonfler les voiles de *la Pétulante*, Monsieur Pigache alla délivrer Sosthène, qui se rendit aussitôt dans notre chambre commune pour faire toilette avant de se présenter à Monsieur Fulminet. Celui-ci, s'abstenant de toute allusion directe à l'incarcération de l'enseigne, le complimenta d'un air mi-figue mi-raisin sur sa bonne mine et lui offrit, comme à moi, un verre de son vin de Porto.

— Maintenant, messieurs, ajouta-t-il, votre zèle ne devra pas connaître de relâche, et je vous préviens que je ne souffrirai aucune entorse à la discipline. Ce coquin de Lolo m'a frustré de quarante pièces d'Inde, et avec les pertes que nous avons subies depuis l'île Banane, c'est une bonne cinquantaine de pièces qu'il nous reste à traiter pour que la cargaison soit au complet.

Après cet avertissement, il nous donna congé, et Sosthène m'annonça qu'il allait grimper dans la grand-hune pour se donner de l'exercice et prendre un bain de ciel.

— J'avais l'impression d'être tout rouillé, bonhomme, de n'avoir plus dans les veines que du sang de navet. Le porto du *boss* m'a remis en selle.

Il éclata de rire et commença son escalade des cordages, tandis que je me dirigeais vers le gaillard d'avant où je rencontrai Monsieur Pigache. Tout en regardant fuir les cocotiers de la rive, le second rejetait en rapides expirations les bouffées bleues tirées de sa pipe en terre. A ma vue, il expédia un long filet de salive dans l'eau et me dit :

— Si étrange que puisse vous paraître la chose avec le métier que j'exerce, monsieur Lafortune, j'aime les nègres. Voyez-vous, ce ne sont que de grands enfants. Oui, cruelle, craintive, superstitieuse, vindicative tant que l'on voudra et incapable de distinguer le mal du bien, leur race entière est infantile. Que fait-on aux enfants pour qu'ils deviennent des hommes ? On les instruit, on les éduque. Pourquoi n'éduque-t-on pas les nègres ? Je tiens que, si on s'y appliquait, ils ne seraient pas moins civilisés que nous qui, par parenthèse, ne témoignons guère que nous le sommes en les traitant comme du bétail.

Ce que j'avais vu chez le roi Lolo et ses sujets ne m'inclinait guère à partager les vues généreuses de Monsieur Pigache. S'il voulait faire accéder les nègres aux bienfaits de la civilisation, je me permis de lui signaler qu'alors la traite devrait être abolie.

— J'y compte bien, reprit-il. Vous savez, je ne suis qu'un négrier d'occasion, et il y a d'autres marchandises à transporter que le bois d'ébène. A l'appui de ce que je pourrais appeler ma « négrophilie », laissez-moi vous conter une aventure personnelle. Voici tantôt trois ans, je revenais des Indes Orientales à bord de la *Vierge-sans-Macule*, une flûte de 200 tonneaux. J'avais vu de curieuses gens dans ces lointaines contrées, et notamment au royaume de Pégou dont le souverain, craignant la dépopulation, avait décrété que toutes les femmes, sauf celles de ses ministres et la sienne, seraient communes et soumises au premier passant. Nous y perdîmes une dizaine de nos matelots qui avaient l'esprit moins prompt et la chair plus faible que les autres. Bref, renonçant à recouvrer ces débauchés qui s'étaient répandus dans la nature, nous avions pris la route du retour avec un chargement d'épices, de soieries et de laques de Chine, quand un ouragan nous drossa sur des récifs, devant la côte malgache. De soixante hommes que comptait l'équipage, trois seulement se tirèrent d'affaire, dont moi. La terre était rougeâtre, d'apparence peu hospitalière. A peine y avions-nous fait une centaine de pas qu'une bande

de nègres nous entoura en s'écriant : « Liberi ! amis !
Liberi ! amis » et nous faisant signe de les suivre.
Ainsi nous conduisirent-ils, toujours vociférant et bon-
dissant comme des cabris, jusqu'à une ville faite de
cases en terre séchée. A ma surprise, j'y aperçus des
blancs qui, aussitôt, s'approchèrent de nous.

« — Anglais ? Français ? Portugais ? me demanda
l'un d'eux.

« Notre origine devait évidemment être difficile à
établir, car la tempête nous avait presque complètement dépouillés de nos vêtements.

« — Français, répondis-je.

« — Compatriotes naufragés, repartit solennellement le personnage, soyez les bienvenus au pays des
hommes libres.

« Quelques instants après, nous étions reçus par
un autre compatriote, le sieur Misson, gentilhomme de
fortune et prince de l'aventure, ex-illustration de la
flibuste, devenu de son chef « Sa Haute Excellence le
Conservateur » de la République de Libertalia.

« C'était un fort bel homme que ce Misson avec sa
haute taille — cinq pieds six pouces au bas mot —,
ses larges épaules, ses yeux verts, ses cheveux bouclés,
aussi roux que sa barbe taillée comme celle du roi
Henri. Je devais vite apprendre qu'âgé d'une quarantaine d'années, il avait longtemps écumé la mer des
Caraïbes et enlevé de nombreux galions espagnols
avant de se décider à courir une nouvelle fortune à
l'autre bout du monde. Deux vaisseaux de haut bord,
la Victoire et le Bijou, montés de trois cents hommes
chacun, étaient à ses ordres. Comme ses navires lon-
geaient l'archipel des Comores, il avait décidé de mettre
à sac l'île d'Anjouan. Ce n'eût été qu'une formalité
pour un forban aussi résolu si, débarqué sur cette
terre fortunée avec une cinquantaine d'hommes, il ne
s'était trouvé, malgré soi, le héros d'une piquante
aventure. Au bord d'un petit cours d'eau, quelques
jeunes négresses lavaient leur linge sous les yeux d'une
autre qui, debout, tout enveloppée de voiles mauves
et jaunes, semblait commise à leur surveillance.

« L'arrivée inopinée d'une troupe d'hommes blancs aux mines farouches, armés jusqu'aux dents et commandés par un colosse aux cheveux flamboyants, aurait pu causer de l'effroi aux sombres lavandières. Elles s'étaient bornées à rire en continuant leur tâche, tandis que la demoiselle voilée s'avançait vers Misson avec un port si noble, tant de grâce dans la démarche, que le flibustier se sentit frappé au cœur.

« Ce fut bien autre chose quand ce nouvel Ulysse découvrit le visage de sa Nausicaa d'ébène. Les Comoriennes, par le hasard des brassages de sangs comptent parmi les plus belles femmes du monde, et celle que Misson admirait dans cet instant, sœur cadette de la reine d'Anjouan, était belle entre les belles.

« Je passe le détail. Non seulement l'île d'Anjouan ne fut pas pillée, mais le féroce Misson, fléau des Caraïbes, subjugué par la grâce, épousa la demoiselle et l'emmena à Madagascar où il fonda Libertalia.

« Il me reçut avec les honneurs. Il avait fait de sa ville, défendue par des forts et des batteries, une république composée d'hommes et de femmes, tous libres et égaux en droits et qui s'appelaient les *Liberi* : anciens flibustiers comme lui, français, anglais, hollandais ou portugais, nègres et négresses d'Angola délivrés par la capture d'un négrier britannique, comoriens et comoriennes, musulmanes enlevées sur un navire de pèlerins de la Mecque. Outre ses deux vaisseaux, Sa Haute Excellence le Conservateur possédait une flottille de petits voiliers dont les équipages étaient formés par moitié de noirs et de blancs. A Libertalia, argent et produits de la terre étaient en commun. L'ancien forban régnait pacifiquement sur une société fraternelle, sans riches ni pauvres, où les noirs, traités en hommes et non en bêtes, avaient autant que les blancs droit au bonheur [1].

Je demandai à Monsieur Pigache pourquoi il avait

1. *Historique.* La ville de Libertalia fut attaquée, à la fin du XVIIe siècle, par les Malgaches qui la détruisirent et massacrèrent tous ses habitants. Misson, qui avait pu s'échapper, périt en mer.

quitté ce paradis sur terre. Il me répondit qu'il y vivait depuis un mois quand, ayant un jour un peu trop bu de la roide eau-de-vie du pays, faite de jus de canne fermenté, il avait, sans mauvaise intention, fendu le crâne d'un noir qui buvait avec lui. Conscient d'avoir forfait à la loi de fraternité qui régissait Libertalia, il s'était enfui sur une barque et, après deux jours passés dans des eaux infestées de requins, avait eu la chance d'être aperçu par une vigie et hissé à bord d'un vaisseau du roi retour de la côte de Coromandel.

— De quoi j'infère, mon jeune ami, dit-il, que les nègres peuvent très bien vivre en parfaite harmonie et égalité de traitement avec les blancs. Je ne me suis jamais pardonné d'avoir tué mon pauvre nègre de Libertalia. L'homme qui boit a la main lourde. Cette eau-de-vie de l'île Rouge est traîtresse et, ce jour-là, j'avais mon compte.

Monsieur Fulminet ne se posait pas de telles questions. L'égalité des races ne le tourmentait pas, et il ne s'agissait pour lui que d'achever sa cueillette au plus tôt et dans les meilleures conditions. Il allait falloir à *la Pétulante* encore un mois de navigation au long des côtes, de cap en cap, et jusqu'à l'île du Prince, pour y parvenir.

La façon de procéder dans cette région était toujours la même. Quand nous avions mouillé, une pirogue venait à nous avec un courtier nègre ou mulâtre, qui nous annonçait une affaire à traiter. Le capitaine faisait alors parer la chaloupe qu'il envoyait à terre avec Monsieur Dufourneau et moi-même.

Ces courtiers de couleur, toujours volubiles et qui s'exprimaient dans un français corrompu, mâtiné d'anglais et de portugais, marquaient des prétentions souvent exorbitantes. Outre l'eau-de-vie sans laquelle aucun marché ne pouvait être conclu, ils réclamaient, suivant leur humeur, des bagues, des tabatières de corne, des couteaux, des colliers de rassade, sans parler des masses de contre-brodé blanches et noires ni des fameuses « pièces d'Inde » dites guinées, nicanées et bajutapeaux, selon qu'elles étaient rouges ou bleues. Les marchandises remises pour obtenir le bois d'ébène s'appelaient les *dachys*, et trois lots étaient à prévoir : le *dachy courtier* pour celui qui engageait la transaction, le *dachy second* pour le patron de la pirogue et le *dachy cenou* pour le propriétaire des captifs. Il y avait lieu aussi de payer aux rois, roitelets ou chefs locaux les grandes « coutumes » d'ancrage et de libre trafic, et certains exigeaient, outre les présents en marchandises, un nombre variable de *cauris*, simples coquillages à usage de monnaie. Plusieurs jours étaient parfois nécessaires pour satisfaire ces appétits coalisés et n'en retirer en échange que trois ou quatre nègres, négresses ou négrillons.

Il va de soi que les courtiers s'ingéniaient à gruger le négrier, encore qu'il y eût un moyen d'éprouver leur honnêteté. Chaque capitaine traitant leur remettait un billet par lequel il faisait connaître s'il avait été ou non satisfait de leurs services. Comme ils ne savaient pas lire, ils présentaient avec une belle assurance le papier qui, dans leur esprit, ne pouvait que faciliter le trafic. Ainsi l'un d'eux qui répondait au nom pittoresque de Joly Croquant, courtier du Grand Bassam, eut-il le front de remettre à Monsieur Fulminet un certificat de bons offices assez particulier. Le commandant de *la Prospère*, navire malouin, y avait porté que le sieur Joly, justement surnommé Croquant, non seulement ne proposait, deux fois sur trois, que de la marchandise de mauvaise qualité, mais qu'il réclamait pour ses captifs infiniment plus qu'ils ne valaient et augmentait ses exigences à mesure que se prolongeait la négociation. Il avait, de plus, tenté de vendre aux matelots, en guise d'amulettes, des figurines grossières qu'il disait sculptées dans le morfil, c'est-à-dire la défense d'éléphant, alors que, selon le chirurgien de *la Prospère*, il s'agissait d'ossements humains.

Ayant lu ce poulet, Monsieur Fulminet lui demanda froidement combien il vendrait un squelette d'homme entier. Sans se démonter, Joly Croquant répondit que les opérations préliminaires, consistant à égorger le captif, puis à lui enlever jusqu'à la dernière once de chair, justifieraient une élévation du prix qui serait, de toute façon, supérieur à celui d'un bœuf vivant. Le capitaine, outré, le fit jeter à l'eau, où il barbota quelque temps avant d'être repêché par ses pagayeurs.

Je me rappelle notre dernière traite à l'île du Prince, où nous embarquâmes cinq nègres. Nos entreponts étaient pleins et nous pouvions désormais faire voile vers les îles d'Amérique. Un navire était ancré dans la baie, au bord de laquelle croissaient des palmistes et des arbres très hauts et touffus en forme de parasol. Une salve de six coups de canon fut tirée à la fois pour l'honorer et marquer notre départ. C'était le *Sâo Serrâo* de Lisbonne. Il venait du Brésil, et Monsieur Fulminet avait, au préalable, pris langue avec son capitaine pour quelques échanges d'amitié : sucre candi et café, dont nous manquions, contre pipes de Hollande, qui faisaient défaut aux Portugais, et un petit fût de vin de Bordeaux.

Ainsi prîmes-nous congé en même temps de la terre d'Afrique et de ces pittoresques Lusitaniens, vrais Jean-qui-pleure et Jean-qui-rit, car ils chantaient à tour de rôle des chansons de leur pays à fendre l'âme, puis éclataient de rire en portant la santé du pape.

Dès que la ligne grisâtre décelant encore l'île du Prince se fut évanouie à l'horizon marin, Monsieur Fulminet réunit la maistrance du navire et dit :

— Messieurs, la première partie de notre tâche est accomplie. La seconde ne sera pas la moins ardue. Nous voici en partance pour l'île de Saint-Domingue, et il nous faut plus de deux mois pour y parvenir avec la grâce de Dieu. Nous avons deux cent cinquante-six captifs. J'ai pris l'engagement de les amener à bon port vifs et gaillards. Il faut, pour cela, qu'ils restent pendant tout le voyage sains de corps et d'esprit. A Monsieur Taillebois le corps, aux autres le reste. Quelques-uns de ces nègres entendent plus ou moins le français. Nous les utiliserons comme interprètes pour persuader leurs congénères qu'une vie de délices les attend au débarqué.

Monsieur Fulminet était un négrier consciencieux,

qui ne négligeait aucun détail pour mener à bien son
entreprise. A cet effet, chacun de nous reçut ses instructions particulières. La nuit, tous les captifs mâles,
accouplés à une barre de fer garnie d'anneaux cou-
lants, devaient occuper les mêmes places dans l'entrepont durant toute la traversée, sauf par gros temps.
L'air leur était mesuré par les écoutilles toujours ouver-
tes et devant lesquelles une sentinelle montait la garde
en permanence. Le service de quart était assuré à tour
de rôle par deux officiers, d'une part Monsieur Pigache
et moi-même, d'autre part Monsieur Dufourneau et
l'enseigne Goujet. De jour, quand le bois d'ébène montait sur le pont par groupes de quatre, Monsieur Taillebois procédait à l'examen de santé. Tout malade sus-
pect de maladie contagieuse, aussitôt signalé au capitaine, selon la gravité du cas, ou bien recevrait les
soins nécessités par son état, ou bien serait jeté à la
mer pour éviter l'épidémie.

Je n'ai pas oublié mon premier quart avec Monsieur Pigache, alors que nous gouvernions nord-nord-
ouest, toutes voiles dehors. Tout le jour, la chaleur
avait été accablante, et la nuit criblée d'étoiles nous
apportait enfin sa fraîcheur. L'odeur fauve du bétail
humain montait par les écoutilles.

— Bon Dieu de bois ! fit le second, que ces nègres
sentent fort ! Comment peuvent-ils y tenir ? C'est à
tourner de l'œil.

Une gourde de guildive était accrochée à sa ceinture.
Il but un grand coup et me la tendit.

— Allez-y ! Il n'y a pas de meilleur remède.

J'avais le cœur au bord des dents, et une bonne
rasade me ragaillardit.

— Vous avez entendu le *boss*, reprit-il. Ne croyez
pas qu'il exagère sur les précautions à prendre. Je ne
donne pas une semaine pour qu'une bonne dizaine de
nos captifs aient passé l'arme à gauche, soit qu'ils
s'envoient eux-mêmes dans l'autre monde, ou que le
pian et autres variétés de pourriture africaine s'en
mêlent. Il y en a qui avalent leur langue pour mourir
étouffés. D'autres se fracassent la tête en se jetant

contre la coque. Le pire est lorsqu'ils se révoltent, parce que nous sommes obligés de les balayer à coups de pierriers et d'espingoles. Sains de corps et d'esprit ! Ouiche ! Mettez-vous à leur place. Est-ce que ce ne sont pas des hommes comme nous ?

Monsieur Pigache ne se trompait guère. En six jours, cinq d'entre eux se tuèrent et trois périrent de dysenterie. La chaleur ne diminuait pas et nous eûmes deux jours de calme plat, qui furent peut-être les plus pénibles de tout le voyage. En vain s'efforçait-on d'occuper les mains et l'esprit des malheureux noirs, les uns tressant de petits cordages, les autres grattant et nettoyant avec des briques les planches du fauxpont qui leur servaient de lit pendant la nuit. Accroupis, l'œil torve, ils abandonnaient leur tâche, comme s'ils étaient soudain frappés de paralysie, et si un matelot leur frappait sur l'épaule en riant, pour les tirer de leur hébétude, ils grognaient et promenaient autour d'eux des regards féroces. Il n'était pas jusqu'aux chants et aux danses qui, d'ordinaire, leur faisaient oublier pour un temps leur misérable sort, où ils ne parussent s'adonner qu'à contrecœur.

Les seuls moments où ils parvenaient à secouer leur torpeur étaient ceux des repas, qu'ils prenaient à dix heures du matin et à quatre heures après midi. Avec quelle voracité ils se jetaient sur les gamelles, qui contenaient des fèves et du riz, alternant avec la farine de manioc ou de maïs, le tout cuit à l'eau et renforcé accessoirement de maigres portions de viande ou de tortue salée ! Leur nourriture engloutie en un clin d'œil, ils n'avaient plus que des yeux d'assassin pour le voisin qui mangeait encore.

Quand le soleil commençait de s'abaisser à l'horizon, ils redescendaient deux à deux dans leur sépulcre nocturne après avoir été fouillés, car il convenait de s'assurer que, pendant leur séjour sur le pont, ils n'avaient dérobé aucun objet qui pût les aider à briser leurs fers.

Ainsi passaient les jours et les semaines entre la mer et le ciel qui nous paraissaient également sans

5

bornes. Je m'appliquais à perfectionner mes connaissances nautiques avec Monsieur Pigache qui déclara bientôt n'avoir plus rien à m'apprendre. Je m'entretenais aussi la main, tour à tour à l'épée et au sabre, avec l'ami Sosthène. Matin et soir, nous faisions assaut sur le tillac, et je me rappelle qu'un jour Monsieur Dufourneau, ayant assisté à une série de passes et de voltes qui nous laissaient haletants et tout en sueur, nous dit de sa voix glacée :

— Parole d'honneur, messieurs, vous batailleriez dans la flibuste, pour le partage des dépouilles opimes, que vous ne seriez pas plus enragés.

Et Sosthène de repartir suavement :

— Il faut tout prévoir, monsieur le lieutenant. Qui sait ? Peut-être ce sort-là nous est-il promis.

Et vint la Saint-Louis, jour entre tous mémorable. Monsieur Fulminet nous avait prévenus la veille que, pour célébrer dignement la fête du roi, l'équipage recevrait double ration, les captifs, servis un peu plus largement que de coutume, ayant même droit, après le repas du soir, à un dé d'eau-de-vie. Ce traitement de faveur risquant toutefois de provoquer chez eux une certaine excitation, dès qu'ils auraient achevé de s'alimenter, sans attendre la chute du jour, ils regagneraient l'entrepont pour permettre aux matelots de prendre un libre divertissement.

A la quotidienne prière du matin, que nos nègres entendaient toujours sur le pont, et qui n'était pour eux qu'un bourdonnement de vaines paroles, Monsieur Fulminet ajouta, pour la circonstance, un vibrant *Salvum fac regem*, suivi d'un solennel *Te Deum*, et il ne manqua pas de faire agenouiller tout son monde, suivant le rituel, lorsqu'il entonna le verset *Te ergo quaesumus*.

Il savait bien de quels mouvements d'humeur ses pensionnaires étaient capables, comme la suite devait le faire paraître. Si leur supplément de nourriture avait déjà suscité chez eux quelque agitation, la distribution d'eau-de-vie souleva force disputes et échanges de bourrades. Quelques coups de fouet, distribués à la ronde par le maître d'équipage, parurent les calmer, puis, Monsieur Fulminet, ayant tiré en l'air plusieurs coups de pistolet, ordonna de faire rentrer le troupeau dans son logement.

Je dois signaler ici que le temps de la récréation, marqué surtout par des danses accompagnées d'une musique sauvage, suivait généralement le repas du soir des captifs. Durant deux ou trois heures, les uns faisant retentir de coups sourds des calebasses vides, les autres soufflant dans des bambous creux percés de trous, stimulaient un couple formé d'un nègre et d'une négresse, placés vis-à-vis l'un de l'autre, presque ventre à ventre. Ces derniers se bornaient d'abord à des torsions, contorsions et rotations de tout le corps, d'une impudeur éhontée. Leurs visages étaient défigurés par des grimaces qui exprimaient la menace ou le défi. Peu à peu, le rythme s'accélérait, l'assistance battant des mains et poussant des hurlements frénétiques. Les yeux exorbités, l'écume aux lèvres, les danseurs frappaient le sol du pied à coups redoublés, et rugissaient comme des bêtes fauves, jusqu'au moment où, brisés de fatigue, dans une dernier râle, ils s'écroulaient à bout de forces, pour être aussitôt remplacés par d'autres.

La suppression des danses, le jour de la Saint-Louis, ne pouvait être considérée par eux que comme une mesure injustifiable, et leur colère était visible à la façon dont ils roulaient les yeux, dont ils grondaient et grinçaient des dents. Mais les quatre pierriers du gaillard d'arrière étaient braqués sur eux, et une vingtaine de matelots armés de fusils les couchaient en joue, tandis que Sosthène et moi-même vérifiions les anneaux de fer qui enserraient leurs chevilles. Deux par deux, les écoutilles avalaient ces nouveaux Jonas, comme fit la baleine du Livre.

Quand la dernière eut refermé sa mâchoire, Monsieur Fulminet donna le signal des réjouissances en faisant apporter des bouteilles de tafia et de vin de Cahors. Il y eut des luttes bretonnes entre six champions dont le vainqueur reçut en prix un écu d'or, des exercices de tir au fusil et au pistolet ; les mousses jouèrent à colin-maillard et à pet-en-gueule ; on chanta à tue-tête *Vive Henri IV.*

Au milieu de ce tumulte, la mer avait calmi et le temps de souper était venu. Six cabris embarqués à l'île du Prince avait été mis à la broche, plus dix petits gorets qu'une truie amenée de France avait mis bas huit jours plus tôt. Langues de bœuf, jambon, biscuits, goyaves et bananes confites étaient aussi de la fête, que j'ai de bonnes raisons de n'avoir pas oubliée jusque dans le détail.

Après cette frairie, les divertissements reprirent et, la nuit tombée, les matelots dansèrent aux chandelles sur des airs de musette. L'un d'eux, pris de boisson, demanda au capitaine de faire monter sur le pont quelques négresses. La requête n'avait rien d'extra-ordinaire en soi, car ces dames noires étaient séparées des hommes de même couleur, et Monsieur Dufour-neau, entre autres, au su de tous, ne se privait pas de témoigner aux mieux constituées un intérêt persé-vérant. Monsieur Fulminet refusa sèchement, sur la considération que la Saint-Louis ne devait pas être prétexte à bacchanale.

Les amateurs de beautés africaines se consolèrent de cette fin de non-recevoir en forçant la consommation de *ponche.* C'était une sorte de limonade où entraient à dose variable citron, sucre, muscade et eau-de-vie étendue *d'aqua simplex.* L'eau-de-vie, dans l'occasion, n'avait pas été ménagée. Aussi beaucoup de nos hommes, déjà fortement abreuvés, ne tardèrent-ils pas à tituber et divaguer sous l'empire de l'ivresse. Per-sonne ne fut donc surpris de voir une sentinelle de garde à une écoutille, et qui avait pinté tout autant que les autres, s'étaler soudain, les quatre fers en l'air. La nuit était si limpide qu'on avait laissé la plu-part des chandelles s'éteindre sans les remplacer. Seuls restaient quelques lumignons qui grésillaient avant d'expirer. La voix de Monsieur Fulminet qui, depuis un moment, s'était retiré dans sa chambre, descendit de la dunette.

— Assez, les amis ! A vos hamacs. Il fera jour demain.

A peine avait-il lancé son ordre qu'une seconde sentinelle s'effondra à son tour devant l'écoutille où elle était postée. Des hurlements furieux retentirent. Les panneaux rabattus, les nègres, armés des barres de fer dont ils avaient réussi à se délivrer, surgissaient de toutes parts et se mettaient en devoir d'assommer tous les membres de l'équipage qui se présentaient devant eux. Ils s'emparent des fusils des sentinelles, qui avaient été leurs premières victimes, puis des coutelas de ceux qu'ils abattent. Subitement dégrisés, nos matelots font face comme ils peuvent. Certains d'entre eux, sans armes, ne trouvent que la ressource de se hisser dans les haubans. La situation semble bien compromise, car si Messieurs Fulminet et Dufourneau côte à côte sur la dunette, lâchent coup sur coup de pistolet, ils ne peuvent servir les pierriers dont les boulets atteindraient aussi bien les blancs que les noirs enchevêtrés sur le pont.

Sosthène et moi-même, sabre en main, nous escrimions de notre mieux, adossés au bastingage, l'un à bâbord, l'autre à tribord, et je crois bien avoir expédié trois ou quatre captifs tandis que Monsieur Pigache, fidèle à sa vocation et en dépit de sa négrophilie, s'étant saisi d'un anspect, décrivait avec son arme improvisée des moulinets redoutables.

Si acharnée que fût notre résistance, nous risquions d'être submergés sous le nombre. Une demi-douzaine de nos hommes avaient déjà rendu l'âme et je voyais des nègres escalader le gaillard d'arrière où le capitaine et Monsieur Dufourneau leur cassaient méthodiquement la tête. C'est alors qu'une inspiration me secourut. Il était clair que, faute de pouvoir utiliser les pierriers, nous viendrions difficilement à bout des assaillants. Pénétré de cette pensée, je me pris à crier :

— Dégagez le pont ! Dégagez le pont !

— Dégagez le pont ! Nous allons leur tirer dessus,

clama à son tour dans son porte-voix Monsieur Fulminet.

L'équipage avait compris. Tout en se défendant comme de beaux diables, les matelots, les uns après les autres, essayaient de se frayer passage à travers leurs agresseurs, soit pour se rapprocher du bordage, soit pour gagner le gaillard d'arrière. Deux canonniers réussirent assez promptement à rejoindre Monsieur Fulminet et chargèrent les pierriers. Aussi, quand les captifs, qui déjà se croyaient les maîtres du navire, furent seuls à occuper le centre du tillac, une décharge presque simultanée des quatre bouches à feu fit-elle autant de trouées dans la masse noire. Presque en même temps, le maître d'équipage avait réussi à se glisser dans le magasin d'armes, et quelques hommes qui l'avaient suivi, pourvus de fusils et d'espontons, témoignaient qu'ils n'étaient pas manchots.

Une seconde décharge des pierriers acheva de semer la panique chez les nègres. Plusieurs d'entre eux se jettent à la mer. D'autres apeurés, craignant les représailles, vont se replonger dans les écoutilles. A ce moment, Monsieur Pigache est victime d'un coup immérité du sort. Un noir, qui s'était introduit dans la soute aux vivres, en remonte avec deux flacons de la meilleure guildive et les expédie à la tête du second qui s'écroule, mêlant son sang à l'eau-de-vie des Iles.

Ce devait être le dernier acte de la révolte. Abattus un à un par des salves bien dirigées, les mutins survivants, qui n'ont encore pu se réfugier dans les écoutilles, se jettent à genoux. Abandonnant barres de fer, broches et couteaux, ils implorent merci. Sous la menace des pistolets, on rive de nouveau leurs fers, la mer engloutit vingt-cinq cadavres, et les panneaux des écoutilles, soigneusement rabattus, reçoivent double cadenas.

Il était environ minuit quand l'ordre fut tout à fait rétabli à bord. Au matin, on fit le bilan des pertes de l'équipage. Huit matelots avaient succombé dans l'action. Neuf étaient plus ou moins gravement blessés. Quant à Monsieur Pigache, dont les yeux, par fortune, avaient été épargnés, quoique son visage, entaillé de balafres et d'estafilades, ne fût qu'une plaie, sa vie, au dire de Monsieur Taillebois, n'était pas en danger.

Notre chirurgien, relativement sobre à l'ordinaire, pour avoir bu, par exception, au-delà de sa capacité, s'était retiré d'assez bonne heure et aussitôt endormi d'un sommeil de plomb. Il fallut la deuxième décharge des pierriers pour l'extraire de sa torpeur. Le temps de bâiller, de s'étirer, de se frotter les yeux, l'échauffourée avait pris fin, et il ne restait plus à l'homme de l'art qu'à se mettre à l'ouvrage.

Son premier patient fut tout justement Monsieur Pigache. La tête bardée de bandelettes comme une momie, le second accueillit aigrement la remarque selon laquelle, blessé par les éclats de verre, le remède lui aurait été apporté en même temps que le mal par l'aspersion concomitante de guildive.

— Monsieur Taillebois, opina-t-il, apprenez que ce nectar n'est pas destiné à l'usage externe, mais interne.

Le chirurgien admit ce point de vue avec les réserves que la sérénité de la science a le devoir de faire admettre à la frivolité de l'ignorance. Les neuf matelots blessés réclamaient ses soins ; cinq devaient périr en peu de jours d'infection gangreneuse.

Cependant la révolte appelait un châtiment de nature à inspirer une crainte salutaire à ceux qui auraient pu être tentés de la renouveler. Il fallait faire des exemples.

Monsieur Fulminet n'était pas cruel de nature. Les intérêts de la Compagnie commandaient toute sa conduite, en considération de quoi il s'agissait pour lui d'amener à bon port le plus grand nombre possible de captifs. Il n'était pas de ces négriers pour qui les rebelles, sans distinction, doivent être roués vifs à coups de barres de fer. Il se bornait à les faire amarrer sur le pont par les quatre membres, puis fouetter complètement nus et couchés sur le ventre. Pour que la peine fût plus sévèrement ressentie à la fois au physique et au moral, d'une part la région la plus charnue de leur individu était préalablement sacrifiée à la pointe du couteau, d'autre part un matelot athlétique, après avoir commencé le travail, était relayé par des nègres choisis parmi les plus robustes et qui flagellaient avec la dernière vigueur les victimes étendues, dans le désir de se faire valoir. Quand la garcette avait, au jugement du capitaine, suffisamment fait ruisseler le sang des flagellés, leurs plaies étaient frottées avec un mélange de poudre à canon, de jus de citron et de saumure de piment, le tout pilé avec une drogue miraculeuse, due à l'industrie de Monsieur Taillebois et qui avait pour effet de prévenir la gangrène. Je me rappelle avoir observé que l'application de cette mixture faisait hurler ceux qui la recevaient avec beaucoup plus de conviction que les coups de fouet.

Tel fut le traitement subi par six nègres tenus pour les meneurs de la révolte et qui en perdirent le goût de la renouveler.

J'allais omettre de rapporter, en toute modestie, un hommage que me rendit monsieur Fulminet, après qu'on les eut transportés à l'écart de leurs compagnons de chaîne.

— Monsieur, me dit-il, vous avez eu le premier la pensée de faire dégager le pont, et c'est ce qui nous a sauvés. Vous n'êtes pas seulement devenu un bon marin ; vous avez le coup d'œil du chef. Continuez et vous irez loin.

Dans sa bouche, l'éloge avait du poids et me fit réfléchir. Que voulait-il dire, et où diable pouvais-je aller, moi qui n'étais venu à la mer que par contrainte ?

Nous avions appareillé de l'île du Prince depuis plus de deux mois, et le scorbut nous avait encore enlevé une demi-douzaine de nègres, quand les terres de la Dominique et de Marie-Galante apparurent dans une aube brumeuse. Quelques jours plus tard, nous étions en vue de Saint-Domingue et nous échangions des signaux d'amitié avec l'Intrépide, négrier de Saint-Malo, qui revenait à son port d'attache. Le temps, chargé de grains, nous obligea de louvoyer pendant toute une journée pour approcher du Cap Français, but de notre voyage, et la nuit tombait quand *la Pétulante* se présenta devant la passe. Malgré une salve de coups de canon, le pilote ne se manifestait pas, et il fallut mettre le cap au large. Enfin, dans la matinée du lendemain, la brise de mer s'étant levée, il devint possible de rallier la côte. Après avoir de nouveau craché le feu par plusieurs sabords, nous vîmes le pilote arriver en canot. Peu après, rendant grâces à Dieu, nous mouillions dans la rade.

VIII

J'avais beau avoir le pied marin et m'être fait à la
dure vie du navigateur, c'était une étrange et enivrante
sensation que de ne plus sentir un plancher tremblant
sous mes semelles, de ne plus abriter de la main en
visière mes yeux blessés par le miroitement infini des
flots, de respirer, au lieu de l'air salin qui mord la
peau, l'odeur délicieuse exhalée par les fleurs du magnolia, du jacaranda et du frangipanier.

Nous avions surmonté tous les obstacles, triomphé
de la nature et des hommes conjurés pour notre perte.
Sur les deux cent cinquante-six captifs partis avec
nous de l'île du Prince, deux cent dix étaient arrivés
à bon port et recevaient, dans des « habitations »
entourées de bananiers et de pistachiers, les soins
éclairés de Monsieur Taillebois. Les colons qui s'en por-
teraient acquéreurs ne seraient pas volés sur l'apparence. On les gavait, on les parait comme des volailles.
Ils étaient chaque jour conduits au bain. Tête et barbe
rasées de près, tout le corps frotté à l'huile de palme,
ils se présentaient d'autant plus avantageusement que,
matin et soir, un doigt de vin ou d'eau-de-vie rani-
mait leur humeur. C'était ce qu'on appelait les « par-
fumer ».

Quant à notre *Pétulante*, elle prenait son bain de
jouvence aux îles du Carénage. Après l'avoir désinfec-
tée par fumigations, puis lavée au vinaigre, il fallait
l'espalmer, c'est-à-dire l'enduire d'un mélange de suif
et de goudron qui rendrait sa coque parfaitement

étanche pour reprendre la mer. La moitié de l'équipage, se relayant aux ordres de Monsieur Pigache, procédait à ce travail, tandis que l'autre moitié hantait les cabarets où le vin et le tafia ne faisaient pas faute et où un honnête matelot, abusé par une année sur la Côte des Esclaves, était autorisé à découvrir que toutes les femmes n'ont pas la peau noire.

Pour ma part, en compagnie de l'ami Sosthène, j'apportais tout le feu de mon âge à jouir des délices insulaires. Nous avions commencé par abandonner nos cirés et nos bottes roussies par le sel pour revêtir un plus galant appareil. Monsieur Fulminet, à cet égard comme pour la navigation, nous servait de guide et d'exemple. Epée au côté, en tête le tricorne d'où s'évadait une vaste perruque bouclée, il avait fière allure dans son justaucorps bleu paon, la cravate de dentelle moussant sur le jabot, négligemment appuyé sur cette canne à pommeau d'argent que je ne lui avais pas revue depuis notre départ de Nantes. Nous ne lui cédions en rien sur le chapitre des élégances, avec l'atout supplémentaire de la jeunesse, et nos plus doux plaisirs, grâce à lui, prirent leur source à la vente des captifs.

Celle-ci eut lieu dans la « savane » où notre cargaison se rafraîchissait depuis une semaine. Elle avait été annoncée tant par des affiches collées à la porte des cabarets que par des lettres personnelles adressées à tous les riches planteurs et marchands d'esclaves de la région, car Monsieur Fulminet connaissait son monde.

Ce n'était pas seulement un marché. Cela tenait, pour les amateurs, de la cérémonie mondaine et de la kermesse. Il était de bon ton de voir et de se faire voir, sans compter que le fait d'acheter plusieurs esclaves, au su et au vu de tous, était flatteusement commenté par l'assistance.

Je me rappelle ces carrosses à armoiries, conduits par des cochers noirs en livrée, très conscients de leur dignité et flanqués, sur leur siège, de négrillons qui, dès l'arrêt de la voiture, se précipitaient pour ouvrir la portière aux épouses de leurs maîtres. Ces dames de la noblesse aux airs alanguis, vêtues de légères robes à fleurs, abritaient leur teint ambré sous des ombrelles de soie, tandis que leurs maris, coiffés de larges chapeaux de paille de Panama, chevauchaient, pressant les flancs de leurs montures avec leurs bottes plissées à la hussarde, où étincelaient des éperons de vermeil.

Les bourgeois, qui avaient pour ascendants directs des boucaniers enrichis, quand ils n'avaient pas eux-mêmes pratiqué le métier, étalaient un faste plus vulgaire, bagues aux doigts et chaînes d'or barrant des bedaines de gros mangeurs. Leurs filles, surprenants colibris nés de ces papegais obèses, nous intéressaient davantage. La peau fine, la taille souple, l'ondulante chute des reins n'étaient pas leurs moindres attraits. Je n'ai pas connu de femmes pour savoir mieux que ces troublantes créoles jouer de la paupière battant sur des yeux de velours sombre, éparpiller un rire de gorge qui ressemblait à un roucoulement, retrousser, comme par mégarde, un cotillon qui, dans un flot de dentelle, laissait apparaître de délicates chevilles. Presque toujours deux à deux et se tenant par l'épaule, et chuchotant, elles feignaient de ne remarquer personne et vous jetaient de biais une œillade furtive, à la fois appel et promesse.

Telles étaient, entre toutes, Eponine et Valérie Cazenave de Saint-Lary, filles d'un riche planteur du Limbé, dans la société de qui nous fûmes introduits, Sosthène et moi, par l'excellent Monsieur Fulminet.

Nous assistions donc à la vente aux enchères, conduite par notre capitaine renforcé de maître Taillebois et d'un aboyeur à gages. De nos deux cent dix captifs, cent quatre vingt-dix seulement restaient à négocier, le gouverneur et ses officiers en ayant prélevé une vingtaine à titre de « coutume ». Nègres et négrillons, négresses et négrittes, ils étaient là, exposés comme bestiaux sur le foirail, nus, silencieux, ébahis ou hagards, également résignés à un avenir semblable au passé, depuis que, cessant d'être des personnes, ils étaient devenus des choses.

Si les colons, habitués à cette parade inhumaine,

trouvaient le spectacle naturel, il n'en allait pas de même pour moi. L'aboyeur payé pour faire valoir la marchandise annonçait d'une voix de chat écorché le prix de chaque pièce, qui était, pour un « grand mâle », de dix mille livres de sucre, et pour une « grande femelle » de six mille. Il lui appartenait de mettre en évidence, chez les uns l'air franc et décidé, la qualité du muscle qui garantissait l'aptitude aux travaux de la terre, chez les autres l'éclat de la denture, la fermeté de la poitrine, la générosité d'un bassin bien armé pour les épreuves de l'enfantement.

Les acquéreurs éventuels ne se laissaient pas facilement convaincre. Ils contestaient les dires de l'aboyeur, disputaient sur une prétendue tache dans l'œil ou une verrue mal placée, prenaient à partie le chirurgien. Ils voulaient s'assurer par eux-mêmes, tâtant, et palpant, contre toute honnêteté, ces corps à vendre, que mâle ou femelle valait bien son poids de sucre. J'entends encore la grosse voix de ce colon mafflu et rougeaud qui, s'étant complaisamment attardé à pincer et chatouiller sans vergogne une magnifique négresse tout éperdue de ce traitement, finit par déclarer, au milieu des rires, qu'après tout, rien ne lui prouvait que cette fille de Cham ne serait pas bréhaigne.

Augustin Cazenave de Saint-Lary, fils d'un boucanier d'origine béarnaise et qui, la fortune venue, avait renforcé son patronymique plébéien du nom de son village natal, paraissait d'une espèce moins grossière. Il possédait plusieurs milliers d'acres de bonne terre, où non seulement il récoltait coton et café, mais où surtout poussait à foison la canne à sucre qu'il traitait lui-même dans ses sucreries et raffineries. Ses esclaves se comptaient par centaines. Dans sa seule habitation, sa « grande case », une vingtaine de nègres et de négresses assuraient le service domestique.

Dès que les opérations de vente avaient commencé, j'avais tout de suite remarqué cet homme long et sec, au teint basané, aux yeux d'un bleu d'acier et au nez en lame de couteau. Monsieur Fulminet lui avait cordialement serré la main. Durant les enchères, il n'avait ni ouvert la bouche ni, comme la plupart des autres planteurs, vérifié *de tactu* la qualité des lots proposés. Quand l'un d'eux était à sa convenance, il se bornait à lever l'index pour enchérir et finalement l'emporter. Ainsi s'était-il assuré la propriété de cinq négrillons et d'autant de négrittes pour douze mille livres.

Moins sensible que moi à ce qu'avait de révoltant pour l'esprit ce marché de chair souffrante, Sosthène réservait toute son attention aux belles créoles dans leurs atours de fête, et singulièrement aux plus jeunes. Deux demoiselles en robe de mousseline rose praline sous des ombrelles de même couleur, et qui se ressemblaient trait pour trait, avaient dès l'abord suscité chez lui un lyrisme débordant.

— Non, me disait-il, je n'aurais pu imaginer voir un jour de telles merveilles. Détaille-les un peu, je te prie, en commençant par ce qu'elles ont de plus noble, c'est-à-dire la tête : le cheveu luisant, aile de corbeau, avec ces mignonnes boucles à l'anglaise, l'œil bleu, le nez aussi mutin que la bouche, le menton juste assez rond pour n'être pas pointu, et qui marque le caprice de la jeunesse triomphante. Et leur teint ! Ni la fadeur anémique du lis ni la miévrerie sucrée de la rose, mais la succulence nourrissante du fruit mûri au soleil de cette île de paradis, entre la sapotille et l'abricot. Et le reste ! ah ! le reste, frère Félix : la naissance charmante des épaules, le doux gonflement du corsage, et la taille faite au tour, et, ah ! que maudites soient ces stupides couturières qui, en allongeant démesurément les robes, nous privent du spectacle d'autres splendeurs !

— Es-tu fou, Sosthène ? fis-je en lui dépêchant dans les côtes un coup de coude qu'il ne parut même pas sentir.

— Si je ne le suis, reprit-il, je pourrais le devenir. Peut-être même le suis-je déjà, puisque je vois double. Pince-moi, Lafortune.

Je le pinçai vicieusement, en exerçant une torsion sur la peau du bras. Cette fois, il poussa un cri.

— Aïe !... Mais elles sont toujours deux. Je ne rêve pas.

— Cela s'appelle des sœurs jumelles, camarade.

Il se gratta la tête.

— Ouais ! La nature est prodigue aux îles d'Amérique, car enfin il est rare que les chefs-d'œuvre aillent par paires. As-tu la vue assez perçante pour avoir observé qu'elles ont de surcroît la même mouche à la tempe gauche, la mouche dite à la Conty, sauf erreur ?

— Mouche ou grain de beauté ?

J'avais posé la question d'une voix si blanche que, malgré son exaltation, Sosthène me regarda d'un air inquiet.

— Tu ne te sens pas bien ? Alors elles te font encore plus d'effet qu'à moi. Vas-tu tomber du haut mal ?

— Rassure-toi. Elles me laissent froid comme marbre.

— On ne le dirait pas.

A la vérité, dans l'instant, aux visages des deux gracieuses créoles venaient de se substituer dans mon esprit ceux d'Emmeline et de Catherine de Valbert du Coudray. Line et Trine ! J'étais transporté dans l'hôtel paternel; je dansais avec elles, à tour de rôle, gavotte et menuet; je croyais, à un fallacieux grain de beauté, distinguer Line de Trine; j'étais joué par ces coquettes; la comtesse leur mère, la perfide Stéphanie, me conviait à lui rendre visite le surlendemain. A cause d'elles, j'avais dû m'expatrier, je me trouvais maintenant au bout du monde, et les deux beautés trop semblables célébrées par mon naïf compagnon m'apparaissaient comme le double et menaçant visage de la fatalité.

— Je pense, poursuivis-je, sortant de mon rêve, que des demoiselles aussi peu différentes l'une de l'autre risquent de poser des problèmes à leurs soupirants et qu'en pareil cas, il est plus sage de s'abstenir.

— Est-ce qu'elles te feraient peur ? s'exclama-t-il en riant.

— Oui.

Il m'expédia une bourrade dans le dos.

— Alors c'est que tu es mordu, bonhomme, autant dire amoureux à périr. La vie est belle. Une pour toi, une pour moi. Comment serions-nous jaloux, puisque ce sont les mêmes ?

La vente terminée, Monsieur Fulminet nous fit signe d'approcher.

— Voici, nous dit-il, mon ami Augustin Cazenave de Saint-Lary, qui m'a demandé de vous présenter à lui. Il donne un grand bal demain soir dans sa plantation de l'Acul, à quatre lieues d'ici, pour les dix-huit ans de ses filles, et serait heureux de vous y voir. Je l'ai assuré que vous étiez de bonne compagnie et danseurs accomplis.

Ses filles, Eponine et Valérie, étaient tout justement ces merveilles dont Sosthène me rebattait les oreilles depuis une heure. Elles nous firent des révérences de la bonne façon, assorties d'œillades assassines, tandis que mon compagnon, sa faconde brusquement tarie, bégayait en rougissant, lâchait son tricorne d'émotion et manquait son rond de jambe.

Il était un peu plus faraud le lendemain, le cher Sosthène, sur la route de l'Acul où nous trottions botte à botte, juchés sur de mauvais roussins loués à un prix exorbitant. Il prétendait n'avoir pas fermé l'œil de la nuit, passant et repassant dans sa tête en feu les divins attraits d'Eponine et de Valérie. Le drôle mentait par la gorge, car il logeait à l'auberge du *Joyeux Marinier* dans la chambre voisine de la mienne, et j'avais entendu, pendant des heures, ses ronflements traverser la mince cloison qui nous séparait. Je n'aurais d'ailleurs pas eu besoin de cette musique pour m'empêcher de dormir, tournant et retournant à part moi les circonstances de mon aventure avec cette Line et cette Trine, exquises et odieuses artisanes de mes malheurs. Le Ciel, en me mettant sous les yeux des créatures si curieusement taillées à leur image, ne m'envoyait-il pas le solennel avertissement d'avoir à me garder de la tentation ?

Sosthène, lui, ne pensait qu'à y succomber et se berçait de rêves d'or.

— Réfléchis un instant, Félix. Il faudrait être aveugle comme je crains que tu ne le sois, et nigaud comme je ne voudrais pas que tu le fusses, pour révoquer en doute que nous avons fait sur ces deux nymphes la plus flatteuse impression. As-tu jamais vu regards plus aguichants, plus langoureux, palpitation du sein plus révélatrice du trouble que leur inspirait notre vue ? Crois-tu qu'il leur soit souvent donné de rencontrer dans leur île perdue des gaillards aussi bien faits que nous et d'aussi galante tournure ? Elles flambent, te dis-je. Mieux, elles se consument, elles se dessèchent. Par la sambleu, la partie est gagnée. Laquelle veux-tu ? Eponine ou Valérie ? Je ne tiquerai pas sur le prénom, seul point par où elles se distinguent. Nous pourrions les tirer au sort.

— Fou ! triple fou !

Agacé, il piqua par mégarde son cheval qui se cabra. Peu s'en fallut qu'il vidât les étriers.

— Malheur ! fit-il en se rétablissant, une rosse pareille, le Quichotte lui-même n'en aurait pas voulu... Ecoute-moi bien. Si c'est être fou que d'aspirer à conduire devant l'autel une fille de dix-huit ans, belle comme tous les Amours, émoustillante comme toutes les houris du paradis d'Allah, riche en plus à faire verdir d'envie le roi de toutes les Espagnes assis sur ses galions, une monture enfin telle qu'on n'en trouverait pas une sur cent mille dans tous les sérails des Grands Turcs présents, passés et à venir, alors je veux bien être trois fois fou, et je proclame que tu n'es bon, toi, qu'à faire un gardien de prison et à épouser la fille du geôlier.

Je me pris à rire.

— Parce que tu aspires au mariage ? A merveille. Il fallait le dire. Objection : et la mer ? et l'aventure ?

Il grommela.

— Tu embrouilles tout. Epousons d'abord. A nous le paradis ! Nous aviserons ensuite si nous sommes décidément faits pour l'enfer.

Je brûlais de lui révéler mon mécompte avec Line et Trine. Il eût fallu me démasquer, avouer que je ne m'appelais pas Félix Lafortune, mais Fortunat-Richard-Félix de la Prée de la Fleur. Il était fils de bourgeois et m'en eût peut-être voulu de lui avoir caché ma naissance. Notre amitié risquait d'en souffrir. Je me bornai à soupirer :

— A la grâce de Dieu !

Et, volontairement cette fois, il donna de l'éperon à sa bête qui hennit de douleur et prit le galop.

La « grande case » du sieur Augustin Cazenave, dit de Saint-Lary, était construite au sommet d'un « mornet », d'où l'on apercevait la mer et où les bananiers alternaient avec les jujubiers et les citronniers. On y accédait par un étroit chemin de terre molle et rougeâtre, au-dessus duquel la densité de la végétation formait un arceau de verdure. Un colibri se sauvait à tire-d'ailes. Des perroquets s'affrontaient en chœurs dissonants. Un petit singe au visage de procureur grincheux grignotait une banane sur une basse branche. Il s'enfuit en criaillant, après avoir malicieusement fait choir la peau du fruit sur la tête de Sosthène. Mon compagnon jura.

— Nous arrivons, lui dis-je. Méfie-toi de te faire mal considérer.

Nous arrivions en effet. Le chemin débouchait sur une vaste clairière au milieu de laquelle apparaissait la maison du planteur. C'était une grande bâtisse en bois, toute peinte en blanc, et dont la façade ne manquait pas de caractère avec son fronton à l'antique, ses colonnes cannelées et la galerie à claire-voie qui l'entourait. Le jour baissait. Déjà toutes les fenêtres dessinaient des rectangles de clarté et, sur la balustrade de la galerie comme au bord du toit, de petites flammes tremblaient dans des godets de verre multicolores.

Nous n'étions pas les premiers, car plusieurs chaises, calèches ou vinaigrettes stationnaient déjà sur l'espace sablé qui faisait figure de cour d'honneur. Au milieu de celui-ci, un jet d'eau jaillissait dans un bassin cerné, lui aussi, d'un cordon lumineux. Les gourmettes des chevaux tintaient; les cochers noirs, tous dans des livrées à boutons dorés, tenaient des conciliabules à mi-voix et se débridaient en gros rires qu'ils étouffaient dans leurs paumes. En bordure de la maison, des orchidées et des hibiscus agitaient doucement à la brise de mer leurs pétales blancs et rouges.

A peine avions-nous mis pied à terre que deux nègres tout de blanc vêtus, en faction de chaque côté de la porte, se précipitèrent pour prendre nos chevaux et les conduire à l'écurie. Un troisième, qui portait une chaîne d'argent autour du cou à l'instar d'un huissier de la Chambre du roi, se cassa en deux devant nous. C'était le majordome Agamemnon, qui prit soin lui-même de nous décliner ses nom et qualité et nous pria de le suivre.

Nous lui emboîtâmes docilement le pas, et il nous introduisit dans une pièce aux proportions imposantes, où les lustres et les appliques étaient plantés de centaines de bougies dont les lumières se reflétaient indéfiniment dans les hautes glaces aux cadres dorés et dans le bois soigneusement poli des buffets de teck et des cabinets d'ébène marquetés de nacre. Fendant l'assistance avec dignité, il finit par s'incliner respectueusement devant une grosse dame au teint cuivré et aux brûlants yeux noirs, puis lui annonça fièrement :

— Madame Maîtresse, voici messieurs officiers.

— *Mucho gusto, caballeros*, fit la dame.

Et se tournant avec un sourire de ravissement vers Monsieur Fulminet qui se tenait à son côté, elle nous tendit sa main à baiser, tout en susurrant derrière son éventail :

— *Bonitos !*

Si obligeant que fût l'accueil, les termes m'en paraissaient un peu surprenants. Le capitaine se chargea de nous expliquer, sous l'œil attendri de la dame, que la *señorita* Soledad-Pilar-Concepcion de Mora, sixième fille d'un colon de la Vera Cruz, avait quitté son

Mexique natal à vingt ans, sur un navire de Sa Majesté Catholique, pour gagner l'Espagne où elle devait épouser un sien cousin, corregidor à Badajoz. En pleine mer Caraïbe, le bâtiment qui la portait, bien qu'il s'appelât présomptueusement *l'Invincible* et fût doté de quarante-huit canons, s'était laissé enlever par un corsaire dieppois. Ce dernier, jouant de malheur à son tour, dévié de sa route et pris dans une affreuse tempête, avait sombré au large de Saint-Domingue. Comment Soledad-Pilar-Concepcion, cramponnée à une épave et jetée à la côte, avait été découverte, demi-nue et demi-morte, au milieu d'un chaos de rochers, par Augustin Cazenave, alors dans sa vingt-cinquième année et fort bien fait de sa personne, elle ne l'aurait su dire elle-même. Toujours est-il que le jeune homme avait transporté la naufragée chez son père, où on l'avait ramenée à la vie. Avec la grâce touchante de la jeunesse malheureuse, elle montrait le feu des Espagnoles nées sous le soleil mexicain. Elle n'avait jamais vu le cousin corregidor et se souciait de lui comme de sa première mantille. Malgré l'opposition de maître Cazenave, le vieux boucanier, qui, n'ayant qu'un fils, finit par mettre les pouces, la romanesque Soledad avait épousé son sauveur. Après vingt ans de mariage, elle ne parlait encore que très approximativement le français.

Tandis que Monsieur Fulminet nous contait cette histoire morale, son héroïne ponctuait le récit de soupirs à fendre l'âme et de *Muy bien !* extasiés. Mais, *caramba !* était-ce pour elle ou pour les *muchachas* qu'étaient venus ces jeunes *caballeros ?* Que diable tramaient ces perruches ?

Eponine et Valérie, encadrant leur père, approchaient tout justement, plus radieuses et ensorcelantes que jamais dans leurs déshabillés jaune citron, dont le décolleté en bateau laissait entrevoir un peu plus que l'avant-veille et les harmonieuses épaules et la naissance de la gorge. A cette vue, je pense que Sosthène dut avaler de travers, car il fut secoué d'un malencontreux accès de toux et devint rouge comme un homard sortant du bouillon, ce qui eut pour effet immédiat de provoquer l'allégresse des demoiselles.

— Je n'ai plus de présentations à faire, dit le planteur. A vous, messieurs, d'ouvrir le bal avec mes filles. A moins que, ajouta-t-il en levant le sourcil comme si cette idée venait de surgir dans son esprit, à moins que le capitaine Fulminet ne fasse valoir la priorité du grade pour faire les premiers pas avec leur mère...

Dame Soledad haussa les épaules et cingla de son éventail une joue de son mari.

L'orchestre préluda. Il était composé de deux violons, d'un violoncelle et d'une flûte qui valaient bien les crincrins de la Courtille, quoique les musiciens eussent basse mine. (Mais, pour faire sauter en mesure les colons de Saint-Domingue, eux-mêmes de toute extrace, il n'était pas interdit d'avoir coupé des bourses ou des gorges de l'autre côté de la mer ou d'avoir été forban.)

La première danse fut un menuet, et je le conduisis avec Valérie, suivie de sa sœur et de Sosthène. Du moins ma cavalière se donna-t-elle pour Valérie, car comment l'eussé-je distinguée d'Eponine ? Mon aventure avec Line et Trine se renouvelait, à cette différence près que je n'avais pas à choisir et que je devais me garder de marcher sur les brisées du camarade. Quoi de plus simple à première vue ? Nous ne pouvions nous jalouser l'un l'autre, comme il me l'avait judicieusement fait remarquer, les mêmes perfections nous étant généreusement offertes.

Bientôt d'ailleurs, tout s'effaça pour moi. Un écran s'était interposé entre le monde et le couple que je formais avec Valérie. J'oubliais ma vie ancienne : les dragons de Pomponne, Fleurus, Paris, mon père, et Line et Trine, la poitrine trouée du comte de Valbert, les pirates saletins, l'Afrique, les nègres massacrés sur *la Pétulante* et la mer infinie sous le soleil torride. De tout ce que j'avais été, tout ce que j'avais désiré, rien ne comptait plus à mes yeux. Je ne voulais plus retenir que cette nuit tiède, cette musique, ces lumières tournoyantes, et surtout cette main menue qui frémissait dans la mienne, et ces yeux qui semblaient se fondre dans les miens, et ce souffle léger qui passait entre des lèvres dont je n'aurais su dire si leur sourire exprimait un défi ou une promesse, et ce parfum frais qui se dégageait d'un corps dont la souplesse annonçait l'ardeur.

J'étais conquis. Il avait suffi d'un menuet et qu'à ce menuet succédât une gavotte. J'aurais dansé toute la nuit. Le temps n'existait plus. J'avais assurément perdu la tête, et le meilleur signe que la raison m'avait fui, c'est qu'après ces danses et d'autres encore, bien que n'ayant pas échangé un seul mot avec celle que je serrais dans mes bras, j'étais pénétré du sentiment qu'entre nous venait de s'établir une entente secrète et profonde, au-delà des paroles, et que cette entente pourrait durer toute la vie.

Les musiciens firent la pause. Le maître de céans, montant sur leur petite estrade, agita une sonnette et proclama qu'un feu d'artifice allait être tiré devant la maison. Les invités applaudirent et des esclaves commencèrent de circuler avec des plateaux supportant des gâteaux feuilletés, des gaufres, des tourons, des verres de tafia, des coupes de vin de sureau et des sorbets à l'orange. Mon attention avait été détournée un instant par le propos de Monsieur Cazenave. Je voulus parler à Valérie. Elle avait disparu. A sa place, devant moi, le visage rond, quelque peu couperosé aux pommettes, de Monsieur Taillebois, s'épanouissait dans un sourire jovial.

— Félicitations, mon garçon. Beau couple que le vôtre, celui que votre Castor, cher Pollux, formait avec la sœurette ne l'étant pas moins, je me plais à le reconnaître. Avis : ne pas commettre d'erreur sur la personne, il pourrait y avoir du grabuge. A votre bonne santé !

Il avait attrapé au vol un verre de tafia qu'il avala d'un trait.

— Fameux ! reprit-il. Ah ! j'ai tort de me laisser aller à ce funeste penchant, je le sais, mais à mon âge, faute de pouvoir honorer Vénus, les petites compensations du côté de Bacchus ont du bon. L'essentiel n'est pas tant d'éviter les erreurs que de les reconnaître.

Je le regardais sans le voir.

— Ouais ! fit-il encore, mes considérations de vieux turlupin repenti ne vous font ni chaud ni froid. Il faut que le jeune poulain s'ébroue. Grand bien vous fasse !

Il s'éloigna, et je me mis en quête de ma belle. Vainement. Je devais avoir l'air passablement déconfit, car me trouvant tout à coup nez à nez avec Sosthène, je le vis éclater de rire.

— Quelle tête tu fais, joli cœur ! Alors la tienne aussi s'est envolée ?

— A moins qu'elle ne se soit enfoncée dans une trappe.

— La perfide créature !

— Tu me parais t'accommoder assez bien de la situation.

— Moi ! Apprends, si tu veux tout savoir, qu'Eponine m'a réduit à l'état de larve, de fantôme, ou mieux de zombi, comme ils disent par ici. Plus exactement encore, à peine l'ai-je tenue dans mes bras que je me suis senti pétrifié. Je flottais entre ciel et terre, j'étais paralysé de la langue, si bien que je n'ai pas desserré les dents.

Il exhala un soupir et conclut :

— Ce néanmoins, elle est à moi.

— Explique.

— Impossible.

Sa folie répondait si bien à la mienne que je n'insistai pas. Les premiers pétards éclataient. Je suivis avec lui le mouvement qui portait un chacun dehors, tournant la tête de droite et de gauche dans l'espoir de redécouvrir Valérie. La nuit criblée d'étoiles était tout embaumée de parfums complexes, à la fois sucrés et poivrés, qui ajoutaient à mon désarroi. J'avais beau tenter de me faire une raison, me répéter qu'un homme sensé se défend de commettre deux fois la même sottise, et que chat échaudé craint l'eau froide : une autre voix me disait qu'aucune comparaison ne pou-

vait être établie entre Line et Trine d'une part,
Eponine et Valérie de l'autre. Les premières, demoiselles de condition, n'avaient-elles pas été formées à
l'école d'une rouée rompue à tous les pièges et artifices de la galanterie, la redoutable Stéphanie, leur
mère ? L'affreux comte Athanase de Valbert, leur géni-
teur, n'avait-il pas ourdi une machination diabolique,
de concert avec son épouse, à seule fin de m'extorquer
une rançon de cent mille livres ? Eponine et Valérie,
au contraire, ne pouvaient qu'avoir été élevées par
leur mère de sang espagnol dans les pratiques de la
religion et le culte de l'honneur, et à n'en juger que
par son comportement lors de la vente, leur père,
fils de boucanier, mais affiné par la fortune, eût mérité
autant qu'un autre la particule abusivement accolée à
son nom. Valérie n'était pas « née » ? Baste ! Des filles
de grands seigneurs n'épousaient-elles pas des gens de
finance *ipso facto* lavés de leur roture ? Le marquis
Bénigne-Auguste-Urbain de la Prée de la Fleur, le respectable auteur de mes jours, pensait, comme beaucoup de ses pareils intéressés aux « affaires extraordinaires », que l'argent n'a pas d'odeur. A coup sûr,
Valérie aurait une belle dot, et les espèces sonnantes et
trébuchantes sont savonnettes à vilaine aussi bien
qu'à vilain.

J'en étais là de mes réflexions quand une pièce d'artifice crépita en l'air, dispersant les pétales d'une
immense fleur jaune d'or. Une rumeur d'admiration
courut parmi les spectateurs.

— J'avais raison, me coula à l'oreille la voix de
Sosthène. Les voilà.

Eponine et Valérie, se tenant gracieusement par la
taille, venaient en effet de reparaître dans l'encadre-
ment de la porte, et le motif de leur absence était
manifeste à tous les yeux. Elles avaient simplement eu
la coquetterie de changer de robe, et le léger tissu
qui maintenant ennuageait leurs formes charmantes
était du plus tendre vert amande. Cette nuance ne leur
seyait pas moins que le rose praline et le jaune citron.
Sosthène observa aussitôt qu'elles en tenaient pour

les couleurs propres à exciter les papilles gustatives d'un honnête homme porté sur les douceurs, et autant dire tout de suite qu'au cours de cette soirée elles devaient, par deux fois encore, nous fausser compagnie pour se parer de rouge cerise et de bleu dragée.

Nous nous approchâmes d'elles, et avant que nous les eussions rejointes, une question aussi troublante qu'importune me vint aux lèvres :

— Laquelle est Valérie, laquelle Eponine ?

Dans la soudaine lumière plâtreuse d'une nouvelle pièce d'artifice, je vis Sosthène pâlir.

— Laquelle ? murmura-t-il.

— Notre seul recours est de nous en remettre à elles, repris-je. Passe le premier.

Il me précéda, mais lorsqu'il fut arrivé devant elles, tandis que j'étais à plusieurs pas derrière lui, aucune ne parut lui porter un plus sensible intérêt. Les malignes restaient l'une à côté de l'autre sans avancer d'un pouce, aussi indiscernables que deux pièces de monnaie frappées au même coin, les cils battant au même rythme, les lèvres étirées du même sourire figé.

Etait-ce de leur part simple enfantillage, divertissement féminin ? Sauf à être pipé, mieux valait sans attendre trancher dans le vif. Je gratifiai donc, au hasard, d'une profonde salutation celle qui me faisait vis-à-vis.

— Divine Valérie, lui dis-je, qui seriez en tout incomparable si votre sœur, votre double ne pouvait se prévaloir des mêmes privilèges de la nature, savez-vous que je commençais à craindre que vous n'eussiez été enlevée par quelque forban, et j'en étais à me demander s'il valait encore la peine de vivre.

La demoiselle rit de toutes ses dents.

— Vivez, je vous l'ordonne, et pour ce qui est de l'enlèvement, ayez l'âme en paix. Nous ne sommes pas aussi désarmées que vous semblez le croire. Nous tenons fort bien le galop à cheval, et nous avons toujours à notre chevet un pistolet chargé, dont nous savons nous servir aussi bien que d'une épée. A l'usage des forbans qui tourmentent votre imagination, nous

possédons en outre une arme, un moyen de défense
courant au Mexique et dont notre mère nous a enseigné l'emploi. Il suffit de surveiller ses ongles, de façon
qu'ils soient toujours bien pointus et qu'ils aient le
fil du rasoir. Si un malappris prétend nous en conter,
rien alors de plus facile que de l'éborgner. S'il insiste,
le second œil y passe. Regardez.

Elle me tendit sa main droite que j'examinai en la
tenant dans la mienne. Elle avait les plus jolis doigts
du monde, fuselés, effilés, au bout desquels les ongles
étaient aigus comme des fers de lance.

— Montre les tiens, dit-elle à sa sœur.

La présumée Eponine obéit, et Sosthène, hochant
la tête, fit légèrement :

— Vous ne me ferez jamais croire que de si charmantes choses soient capables d'accomplir des actes
aussi cruels.

— Ne vous y fiez pas, répliqua-t-elle gentiment. Dans
un pays comme le nôtre, où les hommes, déjà rudes
par tempérament, sont un peu plus que de raison
portés sur le tafia mélangé de poudre noire, la meilleure façon de se défendre pour les femmes, c'est
d'attaquer. Nous ne nous séparons d'ailleurs jamais
de plus de quelques pas, ma sœur et moi, de manière
à pouvoir nous porter secours l'une à l'autre, en cas
de nécessité.

— Soyez assurée, dit fermement Sosthène, que je
me ferais hacher menu comme chair à pâté plutôt que
de vous voir souffrir la moindre offense.

— Nous verrons cela, repartit la même.

Et s'adressant à moi :

— Et vous, monsieur Lafortune, êtes-vous dans
d'aussi louables dispositions ?

— Que je meure dans l'instant si vous en doutez,
mademoiselle.

— En ce cas, fit celle en qui je me félicitais d'avoir
reconnu Valérie, je ne vois pas ce qui nous empêche-
rait de faire maintenant une petite promenade.

Elle passa délibérément un bras sous le mien, tandis que sa sœur, l'imitant avec Sosthène, nous mon-

trait le chemin. Le feu d'artifice ne cessait pas de remplir le ciel de fleurs éblouissantes qui s'épanouissaient en gerbes et retombaient en grains de poussière lumineuse. Nous traversâmes les groupes d'invités répartis en couples et d'où s'élevaient des cris de femmes dont on pouvait penser, au choix, qu'elles admiraient le spectacle ou marquaient leur émoi à des privautés favorisées par l'ombre.

Bientôt nous quittâmes l'espace sablé pour entrer sous le couvert des arbres où je reconnus la vive odeur des fleurs de magnolia. La proximité du corps de la jeune fille, dont le pas était accordé au mien, achevait de m'étourdir.

— Vous n'êtes guère bavard, dit-elle au bout d'un moment. J'espérais que vous alliez me faire la cour à la mode de Paris.

Qu'entendait-elle par là ?

— Ah ! Valérie, soupirai-je, que vous dire que votre beauté ne rende insipide ?

— Bien, murmura-t-elle en me serrant le bras. Continuez.

Je lui saisis une main.

— Alors laissez-moi prendre mon inspiration.

Je portai la main à mes lèvres. Elle la retira prestement.

— Je vous ai accordé une promenade, rien de plus. Gare aux ongles si vous brûlez les étapes.

Je sentis contre ma joue cinq petites pointes acérées.

— Songez que, si j'appuyais, vous seriez défiguré.

— N'avez-vous pas compris, Valérie, que, dès notre première danse, j'étais devenu votre esclave ?

Elle rit.

— Nous en avons beaucoup ici. Eclairez-moi sur la façon dont vous avez été réduit en esclavage.

— Je vous ai appartenu au premier regard, au premier pas.

— Vous vous enflammez vite. Et si je n'étais pas Valérie ? Et si c'était avec ma sœur que vous aviez dansé tout à l'heure ? N'aurais-je pas alors le droit de penser que, passant indifféremment de l'une à l'autre, vous n'êtes qu'un fieffé libertin ?

Disait-elle vrai ? M'étais-je fourvoyé sur la personne ? Mais je ne pouvais plus revenir en arrière.

— Non, Valérie, repris-je, mon cœur ne s'est pas trompé.

Elle rit encore, et un petit cri, semblable à celui d'un engoulevent, retentit non loin, comme un appel. La jeune fille tressaillit.

— Mon Dieu ! c'est ma sœur. Ne bougez pas. Je reviens à l'instant.

Sans que j'eusse pu la retenir, elle se dégageait, disparaissait dans un froissement soyeux. Nous étions parvenus à une sorte de rond-point d'où partaient en étoile plusieurs sentiers qui, se recoupant, devaient former un vrai labyrinthe. Dans lequel avait-elle bien pu s'engager ? Les deux sœurs n'avaient-elles pas résolu de s'égayer à nos dépens ? Le ciel, au-dessus de ma tête, était baigné d'une lueur laiteuse, mais la végétation touffue ne permettait pas d'y voir à plus de quelques pas. Les seuls bruits à parvenir jusqu'à moi étaient celui des feuilles agitées par la brise et, à intervalles irréguliers, le déchirement aérien des pièces d'artifice.

J'attendis ainsi, le cœur battant, plusieurs minutes, puis des rires légers s'égrenèrent et, presque aussitôt, une voix, où je crus déceler une pointe de raillerie, fit derrière moi :

— Eh bien, vous me tournez le dos ? Ce n'est guère civil.

Et de m'expliquer, dans un babil coupé de nouveaux rires, que sa sœur, ayant buté contre une racine, se serait étalée de tout son long, au risque de gâter sa belle robe, sans le bras vigoureux de Sosthène qui l'avait secourue à point.

— Auriez-vous eu la même présence d'esprit, monsieur Lafortune ?

Je lui baisai la main. Cette fois, elle ne protesta pas et, encouragé par ce premier succès, je la pris contre moi, la serrai dans mes bras. Elle se dégagea sans faire usage de ses ongles.

— Ne soyez pas si fougueux, mon ami. Si je cédais d'emblée à votre caprice, qu'iriez-vous penser de moi ?

— Que vous me faites la grâce de ne pas me détester.

— Vous êtes un grand fou.

A je ne sais quel frémissement dans la voix, je pensai que sa résistance mollissait et renouvelai ma tentative. Elle me repoussa encore.

— N'ayez pas la main si indiscrète, monsieur l'enseigne, la mienne deviendrait leste, et ma sœur est sur mes talons. Vingt ongles plantés dans vos joues, voilà qui risquerait de compromettre votre carrière galante.

Eponine — était-ce Eponine ? — apparaissait en effet avec Sosthène. Elle s'approcha de sa sœur, lui prit les mains, et toutes deux, le buste renversé en arrière, se prirent à tourner en rond, de plus en plus vite, et poussant de petits cris de plaisir.

Quand elles interrompirent ce jeu, légèrement essoufflées, comment eussions-nous pu, confondues plus que jamais dans leur giration, distinguer Valérie d'Eponine ? Elles étaient, au demeurant, fermement décidées à ne pas nous le permettre, car l'une d'elles s'écria d'un air d'affolement où pouvait entrer un grain d'affectation :

— Ah ! messieurs les officiers, vous nous faites perdre la tête. Voilà le feu d'artifice terminé, tout le monde va être rentré à l'habitation. Nous ne pouvons pas revenir avec vous. Ce ne serait pas moins d'une demi-douzaine d'affaires que vous auriez tout de suite sur les bras. A tout à l'heure, et surtout ne vous pressez pas. Vous retrouverez bien votre chemin. Les marins savent se diriger d'après les étoiles.

Encore une cascade de rires et, se tenant par la main, elles disparaissaient dans l'ombre.

Ce fut moi qui rompis le silence épaissi soudain.

— Voilà, mon cher, de singulières fillettes.

— Adorables ! dit Sosthène. Mon parti est pris.

Avant que *la Pétulante* appareille pour le retour en
France, je fais ma demande au père et j'épouse.

— Laquelle ?

Le camarade se gratta la tempe.

— Examinons le problème. Physiquement parlant,
aucune différence entre l'une et l'autre. Pas de question. Pour le caractère, le tempérament, qui ne laissent
pas d'avoir leur importance, j'ai idée que l'une des
deux est plus accommodante que l'autre, moins hérissée sur l'entreprise. Est-ce Eponine ou Valérie ?
Admettons qu'Eponine soit entrée avec moi sous le
couvert. Elle avait déjà accepté un baiser dans le cou
sans faire trop de simagrées lorsque, voulant pousser
mon avantage, je l'ai prise dans mes bras. Alors elle
a jeté ce cri — un cri bizarre, ma foi, comme si elle
voulait imiter un oiseau — et qui a fait accourir sa
sœur.

— Elle n'avait donc pas buté contre une racine ?

— C'est ce qu'elle a prétendu après coup, car elle
a feint de fléchir sur ses jambes. Bon ! La présumée
Valérie survient, elles se mettent à faire la ronde
comme il y a un instant ici même. Est-ce la première
ou la seconde qui est ensuite restée avec moi ? Impossible, en tout cas, de reprendre l'entretien où je l'avais
laissé. Menace immédiate d'ongles sur la joue.

— Pas de doute. Elles tournent, mais c'est nous qui
sommes les totons.

— Conclusion ?

— J'épouse plus que jamais. Suis bien mon raisonnement. Je demande Eponine au père planteur. Il est
clair qu'elles décideront entre elles qui sera ma femme,
et de toute façon, je n'y verrai que du feu. Qu'importe
le pavillon ? Je serai choisi, comprends-tu ? N'est-ce
pas tout ce qui compte ?

Ce raisonnement me paraissait boiteux, et je commençais à me sentir fort perplexe.

IX

Il fallait maintenant regagner la « grande case ». Du rond-point où ces demoiselles nous avaient abandonnés à nos méditations, quatre ou cinq sentiers fuyaient dans autant de directions. Lequel choisir ? Nous balancions entre deux voies. La mauvaise, bien entendu, l'emporta. Le bois où nous errâmes pendant une bonne demi-heure était de plus en plus épais. Nous finîmes par revenir sur nos pas pour retrouver le rond-point, et le bon sentier nous ramena en quelques minutes à la maison qui brillait de toutes ses fenêtres dans l'obscurité nocturne.

Le bal marquait justement une pause, et notre rentrée ne passa pas inaperçue. Eponine et Valérie, qui en étaient à la robe rouge cerise, avaient rassemblé autour d'elles un groupe d'admirateurs appartenant à la colonie. Tous semblaient à peu près du même âge que nous et se montraient fort empressés. J'eus la fantaisie de les compter. Ils étaient six : le chiffre exact des affaires dont nous avions été menacés.

— Je pensais que les officiers de la traite avaient plus de goût pour la danse, s'écria une des deux belles à notre vue. Vous seriez-vous, messieurs, risqués du côté du village nègre où logent nos esclaves ? A force de traquer le bois d'ébène, ne seriez-vous plus férus que de beauté noire ? Fi ! Dépêchez-vous de rassurer votre capitaine, qui déjà vous allait rayer de son rôle comme déserteurs.

Toute la gent exotique se gaussa, et comme, à quelques pas, Monsieur Fulminet, ayant entendu l'algarade, nous faisait un signe d'amitié, l'orchestre entama un rigaudon.

— Serons-nous absous, mesdemoiselles, dit Sosthène, en vous demandant cette danse ?

— Mon Dieu ! fit Valérie — ou Eponine ? — c'est œuvre pie que de remettre dans le bon chemin des brebis égarées.

Chacun enlaçant sa chacune, il nous fut donc permis d'attaquer le rigaudon d'un bon pied, et je ne laissai pas d'observer que des regards hostiles nous accompagnaient.

— Que vous est-il arrivé ? me demandait d'entrée ma danseuse. Je crois deviner, mais c'est trop de délicatesse à vous que d'avoir tant attendu pour nous rejoindre.

— Je serai franc, Valérie. Cette délicatesse doit beaucoup à une imparfaite détermination des points cardinaux.

Elle pouffa, puis, reprenant malaisément son sérieux, dit, en plongeant ses yeux dans les miens :

— A quoi avez-vous reconnu que je suis Valérie ?

— Ne mettez pas en doute ma sincérité : au battement de mon cœur.

— Voilà un battement bien avisé, monsieur Lafortune.

Ses ongles me piquèrent légèrement le dos de la main, et elle reprit plus bas :

— Si vous avez des intentions à mon endroit, il faut me dire lesquelles.

La question me prenait sans vert, mais j'étais sous le charme et ne pouvais plus reculer.

— Toutes, repartis-je avec élan, à commencer par les plus honnêtes.

— C'est bien dit, répliqua-t-elle paisiblement, mais ma mère m'a toujours recommandé de me méfier des beaux parleurs.

Le rigaudon n'est pas une danse très propice aux effusions sentimentales, et si je ne perds que rarement le sens du ridicule, le contact de cette ravissante créature me mettait hors de moi.

— Hélas ! Valérie, fis-je, la gorge serrée, comment vous convaincre de l'excellence de mes intentions ?

Je sentis encore une fois ses ongles, et elle murmura en regardant ostensiblement ailleurs :

— Je veux bien vous croire, monsieur l'officier, mais jusqu'à nouvel ordre il faudra surveiller aussi bien vos gestes que vos paroles et vos allées et venues. Les gens d'ici ont la tête près du bonnet, ils sont jaloux comme des tigres et persuadés qu'ils ont des droits même sur ce qu'ils ne possèdent pas, quand ils le désirent. Demain, dans l'après-midi, j'irai au Cap Français avec ma sœur. Nous passerons à cheval devant votre auberge. Ayez l'œil et soyez prêt, ainsi que votre ami, à nous rejoindre à la Pointe de la Trompeuse. Maintenant, plus un mot. Prudence et discrétion. Pour ne pas éveiller les soupçons, nous ne danserons plus ensemble ce soir. Compris ?

— A vos ordres.

La danse était finie. Je m'inclinai devant elle qui forma un sourire fascinant et chuchota :

— *Buenas noches. Hasta mañana.*

Il était environ trois heures du matin quand nous nous retrouvâmes, Sosthène et moi, chevauchant sur la route où flottaient des odeurs balsamiques. Le camarade était transporté et multipliait les commentaires sur la soirée qu'il venait de vivre. Les deux sœurs s'étaient évidemment donné le mot, car la présumée Eponine lui avait tenu les mêmes propos que j'avais entendus dans la bouche de Valérie. Comme moi, il avait reçu l'avis de ne plus danser avec elle après le rigaudon. Le rendez-vous du lendemain à la Pointe de la Trompeuse nous était commun.

— En sorte que nous voilà jumeaux, dit-il en se dressant sur ses étriers.

Il me confia aussi qu'il n'avait pas été sans remarquer les regards noirs des admirateurs locaux, lorsque nous dansions avec les deux jeunes filles.

— Crois-tu que ces gaillards soient aussi dangereux qu'elles le laissent entendre, mon Félix ?

— Et crois-tu, mon Sosthène, que nous soyons de taille à leur faire la loi ?

— Il faudrait poser la question aux pirates algérois que nous expédiâmes après cette damnée éclipse de lune.

— Qu'Allah les accueille en son paradis !

Et il se prit à chanter à tue-tête.

Monsieur Fulminet m'avait demandé de l'accompagner dans la matinée chez un planteur qui avait acheté dix esclaves contre un chargement de rocou et d'indigo. La plantation était située à deux lieues du Cap Français, et je grillais d'impatience, tandis que, sur le midi, le capitaine discutait pied à pied sur le nombre de boucauts à remplir. Le planteur contestait les clauses prévues lors de la vente ; je voyais Monsieur Fulminet prêt à se fâcher. De l'humeur où j'étais, je tirai à demi mon épée du fourreau et l'y renfonçai sèchement. L'homme se crut-il menacé ? Il capitula aussitôt et nous invita même à partager son repas. Je tremblais que le capitaine acceptât, car je risquais de manquer mon rendez-vous avec Valérie. Par chance, il fit valoir que, devant sans tarder se rendre à son bord pour y surveiller les travaux de carénage en voie d'achèvement, il ne pouvait s'attarder. Le planteur, devenu tout sucre et tout miel, insista pour nous lester au moins d'une collation qui nous permît de tenir la route.

— Allons-y, dit Monsieur Fulminet.

Cette conversation avait lieu dans un long magasin en planches où, dans des compartiments cloisonnés, étaient entreposés, avec les plantes à teinture, la vanille et le tabac, dans une étrange émeute d'odeurs. Nous venions de le quitter pour nous diriger vers la maison du maître, à une centaine de pas de là, quand des hurlements nous surprirent devant une case crépie de terre et recouverte de feuilles de latanier.

— Qu'est-ce ? demanda le capitaine.

Le planteur haussa les épaules.

— Le palais de justice. Vous voulez voir ?

Il écarta le rideau de lianes qui tenait lieu de porte, et nous aperçûmes un nègre à genoux, les mains liées derrière le dos. Tout un côté de son visage ruisselait de sang. Devant lui, un mulâtre de haute taille essuyait un grand couteau avec un chiffon.

— Je vous présente mon dévoué commandeur, Martin, dit le planteur. Il a l'œil à tout, il sait se faire respecter et tient à couper lui-même les oreilles des délinquants. C'est ce qu'il vient de faire avec celui-ci qui avait volé toute une balle de coton. Coût : une oreille. En cas de récidive, la seconde y passera.

— Ne trouvez-vous pas le châtiment disproportionné à la faute ? observa Monsieur Fulminet.

L'homme parut surpris de la remarque.

— Je trouve, répondit-il, que nous péchons plutôt par longanimité que par sévérité avec ces animaux-là. Songez que les Hollandais leur fendent le nez ou leur arrachent les dents pour avoir seulement sucé une canne à sucre de la récolte. Quant aux Anglais, c'est une autre mutilation qu'ils pratiquent et la plus redoutée de ces enragés qui ne rêvent que de faire la bête à deux dos. Du temps de mon père, on coupait le poignet droit aux voleurs; mais c'était gâcher son capital.

Un peu plus loin, nous croisâmes une demi-douzaine de nègres ployant sous des sacs de café. Un autre mulâtre les surveillait, qui salua son maître et, sans doute pour témoigner de son zèle, fit siffler son fouet qui s'enlaça autour des mollets de l'esclave le plus proche de lui. Le misérable s'écroula. Un nouveau coup de fouet, accompagné d'une bordée d'injures, le remit sur pied, tout gémissant. Un troisième lui fit reprendre sa marche.

Des spectacles de cette nature n'étaient pas faits pour aiguiser mon appétit. Je touchai à peine au pâté de gibier que notre hôte voulut absolument nous faire goûter et qui dégageait une odeur musquée de sauvagine. Il fallut un grand verre de tafia pour me rendre cœur.

Sur la route du retour, je ne pus me tenir de marquer à Monsieur Fulminet mon indignation du traitement infligé à l'infortuné voleur de coton. Il secoua la tête.

— Vous êtes jeune, mon cher Lafortune. Je pensais pourtant que ce vous aviez vu en Afrique vous avait endurci contre les débordements de la sensibilité. Le planteur que vous venez de voir n'est pas plus mauvais qu'un autre. Je ne serais même pas surpris qu'il fût le modèle des pères de famille. Le nègre sait que, s'il vole, il sera durement puni dans sa chair. Il le sait et court le risque, mais si la punition était trop bénigne, il recommencerait tous les jours. Cela dit, je comprends que les plus fiers d'entre eux, quelquefois d'anciens chefs de tribus, tombés en esclavage par erreur ou par surprise, désertent pour s'enfuir dans les mornes et les forêts de l'île où ils constituent de vraies bandes de *desperados*. Mieux vaut ne pas les rencontrer, ceux-là, si vous ne voulez pas subir les pires sévices, y compris celui d'être mis à la broche. On les appelle les *marrons*. Les plus féroces, avec les originaires de la Côte des Dents, sont les Mandingues. Ce bon Cazenave me contait hier que, dernièrement, ils avaient enlevé le fils d'un planteur, un enfant de douze ans, qu'ils ont tranquillement dévoré. Il est vrai que, repris, ils sont roués vifs. *Homo homini lupus*, hélas !

Cette explication ne me contentait pas, et j'avais une réponse toute prête.

— N'est-ce pas la traite, capitaine, qui est à l'origine de toutes ces horreurs ?

— Peut-être, mon jeune ami, encore que les Mandingues et autres mangeurs d'hommes n'aient fait que transporter à Saint-Domingue et ailleurs les mœurs de leurs aimables pays. N'empêche que la traite fournit à la colonie les travailleurs dont elle a besoin pour être fructueusement exploitée. Ces travailleurs, assez indolents de nature, il nous appartient de les christianiser, de les civiliser.

— A coups de fouet ?

— La garcette, monsieur le raisonneur, n'a jamais tué personne dans la marine où son emploi est toujours recommandé, et si vous avez pu voir que les matelots de *la Pétulante* n'y sont pas exposés, c'est probablement que leur capitaine est un vieux fou qui, à votre âge, s'indignait avec aussi peu de discernement ou, si vous préférez, autant de générosité que vous.

Il pressa son cheval qui ralentissait l'allure et reprit :

— Mais si nous abordions un sujet plus gracieux ? Il m'a paru, la nuit dernière, que les demoiselles Cazenave avaient fait sur vous, ainsi que sur votre acolyte, le facétieux Sosthène, la plus vive impression ?

Je ne pus me défendre de rougir sottement.

— Oh ! ne vous troublez pas. Votre admiration aurait pu s'adresser à des objets moins dignes d'elle que ceux-là. Laissez-moi seulement vous exhorter à ne pas vous embarquer à la légère dans une aventure que je vous prédis sans issue. La famille Cazenave est une des plus en vue de Saint-Domingue. Le père ouvre l'œil; la mère, de sang espagnol, est femme à arracher les yeux de galants trop entreprenants. J'ajoute que, dans une quinzaine, nous lèverons l'ancre. Alors, croyez-moi, n'allez pas au-delà des soupirs. Contentez-vous d'une cour discrète, gardez vos distances. Les soupirs font de beaux souvenirs. Les passions couronnées, quand elles ne le sont pas par un lien légitime, ne laissent souvent après elles qu'amertume et rancœur.

Monsieur Fulminet n'avait pas fini de me surprendre. Cet intrépide marin, que j'avais vu, toujours maître de soi, commander la manœuvre sur son navire avec la sûreté du vieux loup de mer, payer de sa personne contre les corsaires d'Alger, imposer à l'affreux roi Lolo, punir Sosthène de son escapade en forêt sans l'humilier, mater la révolte des esclaves sans faire pendre ses instigateurs, cet homme de tête enfin était un homme de cœur. Satisfaisant de son mieux aux exigences d'un métier qu'il avait choisi mais dont ne lui échappaient ni les servitudes ni les injustices, il n'était pas davantage aveugle aux témérités de la passion qui refuse de se contraindre. Dans ce moment même, il s'efforçait de me détourner d'une entreprise dont il redoutait pour moi les conséquences. On pouvait lui faire crédit, et je résolus de m'ouvrir à lui. Afin toutefois de ne pas le mettre en alerte, j'adoptai un ton dégagé.

— Et si, capitaine, Sosthène et moi étions animés des meilleures intentions du monde ? Ces deux sœurs ne sont-elles pas d'une beauté à justifier toutes les folies, y compris celle qui consisterait à les épouser ?

Monsieur Fulminet se prit à rire.

— Sans doute, mon ami, sans doute. Je vous accorderai volontiers que la chaude beauté créole laisse souvent loin derrière elle la froide beauté d'Europe. Elle a je ne sais quelles grâces pliantes, je ne sais quelle langueur, elle contient enfin je ne sais quelles promesses de volupté dont je me défendrai d'affirmer qu'elles sont obligatoirement tenues, mais qui ont tourné la tête de plus d'un marin débarquant aux Iles. Laissons de côté, si vous voulez bien, le cas de votre camarade, à qui d'ailleurs je ferais les mêmes réserves sur le fond, pour ne considérer que le vôtre. Avez-vous oublié, monsieur l'enseigne, que votre nom véritable — ma fidèle mémoire a même retenu tous vos prénoms — est Fortunat-Richard-Félix de la Prée de la Fleur, que votre père est marquis et qu'il verrait d'un mauvais œil, je le crains, une mésalliance de son héritier avec une demoiselle de Saint-Lary dont la particule n'est qu'un attrape-nigaud ?

— Je lui répondrais que l'amour a ses raisons.

— Je ne suis pas sûr qu'il entre dans ces raisons-là. Passons. Vous êtes inscrit sur le rôle de mon équipage, monsieur Lafortune. A ce titre, vous avez obligation de faire retour à Nantes avec le navire que j'ai l'honneur de commander et où vous me permettrez d'ajouter que j'ai su vous apprécier et que j'ai besoin de vous.

— Merci, monsieur, lui dis-je. Pardonnez-moi d'insister sur ce qui, en l'occurrence, n'est de ma part que curiosité pure. Supposons que, passant outre à toute objection, je demande la main d'une demoiselle Cazenaze, que je l'obtienne, que je me mette la corde au cou. Ne pourrais-je alors ramener avec moi, sur *la Pétulante*, ma légitime épouse ?

Le capitaine secoua la tête.

— Vous pouvez toujours laisser vagabonder votre imagination. Dans quinze jours nous serons en mer. Mieux vaut pourtant, à votre âge, ne pas trop s'attarder à caresser des chimères. Elles finissent par vous dévorer.

Et, changeant de registre :

— Revenons aux choses sérieuses. Demain notre navire sera complètement espalmé. Monsieur Pigache, qui est resté à bord depuis notre arrivée pour surveiller les opérations, a le droit, lui aussi, de se donner un peu de bon temps. A compter d'après-demain, vous coucherez donc à bord, ainsi que l'enseigne Goujet, ce qui ne vous empêchera pas, bien entendu, de descendre à terre de jour, sous condition que l'un de vous deux assure le service.

— A vos ordres, monsieur.

Nos routes divergeant, nous nous séparâmes à un croisement de chemins, et à peine le capitaine avait-il disparu derrière un bouquet de manguiers que je fis prendre le galop à mon cheval.

Il était deux heures tout juste quand je sautai en bas de ma selle devant l'auberge du *Joyeux Marinier*. A la palpitation d'un rideau, je reconnus que Sosthène faisait le guet à sa fenêtre. J'allai aussitôt le rejoindre et lui fis part de ma conversation avec Monsieur Fulminet, en m'abstenant de lui rapporter les considérations du capitaine relatives à ma naissance. Il leva les épaules.

— Le *boss* exagère, sais-tu ? Passe encore pour le service de nuit à bord, bien que je me demande s'il n'y a pas là quelque sournoiserie pour faire obstacle à tout rendez-vous nocturne. Mais quant à sa mise en garde contre le mariage créole, là, je proteste. Cet hypocrite a seulement omis de t'informer qu'il y a une dizaine d'années, il a épousé, lui, une créole, parfaitement, la fille d'un planteur de la Martinique, et qu'il l'a emmenée à Nantes, et qu'il lui fait un enfant chaque fois qu'il revient des Iles, de crainte qu'elle ne lui en plante pendant son absence. A cinq bambins qu'il en est, le père la Vertu. Avec toute cette marmaille, tu penses que la dame Fulminet n'a guère le temps de songer à la bagatelle. Je la connais. Mes parents fréquentent chez elle. Belle créature, quoique un peu trop étoffée pour mon goût, avec probablement quelques gouttes de sang noir. Des yeux, surtout, à réveiller un mort. Evidemment, ce n'est ni Valérie, ni Eponine.

Suivit un échange de propos de plus en plus montés de ton sur ces déesses. Il ne s'est pas vu de beautés plus accomplies sur la calotte terrestre depuis la première femme. Si elles se ressemblent, trait pour trait, c'est que leur perfection une fois atteinte ne pouvait être dépassée. *Nec plus ultra !* Question : accepteront-elles, après le mariage, de quitter leur île ? Sosthène jure sur la tête de son père que, pour l'amour d'Eponine, il est prêt à se faire planteur. Je n'ai pas de peine à me persuader que, si je reviens à Paris, Stéphanie de Valbert aura pour premier soin de me faire embastiller. C'est dit. Je me ferai planteur aussi. Le métier nourrit son homme, surtout lorsque votre beau-père s'appelle Augustin Cazenave de Saint-Lary. La fortune et l'amour ! La vie est belle. Nous planons au milieu des sphères éthérées où règne une éternelle félicité.

Sosthène, tout en divaguant de la sorte, continue d'observer la rue. Brusquement il consulte sa montre, un gros œuf d'argent émaillé, et change de couleur.

— Quatre heures. Et si elles ne venaient pas ?

— Ne broie pas du noir.

— Réfléchis. Elles sont riches, très riches, courtisées, adulées par la société la plus huppée, financièrement parlant. Il est vrai que la fortune de mon père ne le cède en rien à celle de ces marchands de sucre. J'aurais dû le dire tout de suite à Eponine pour lui prouver que je n'étais pas un coureur de dot. Ces demoiselles, à qui tous font des mamours, ne voient peut-être dans les petits officiers de passage que l'occasion d'un divertissement sans conséquence. Par exemple, on leur donne rendez-vous et on s'abstient de paraître.

Il est devenu blafard. Je lui tapote amicalement l'épaule.

— Tu n'as rien compris.

— J'ai compris que nous sommes des imbéciles.

— Nullement. Nous avons peut-être seulement erré sur l'interprétation. Ecoute-moi bien. Ces filles des Iles ont la réputation d'avoir le sang chaud. Peut-être les nôtres ne sont-elles pas aussi prudes qu'elles ont d'abord voulu nous le faire croire. Peut-être n'est-ce pas le mariage qu'elles attendent de nous, mais l'aventure, l'aventure avec ces marionnettes que nous sommes à leurs yeux et qui s'en vont après avoir fait leurs trois petits tours. Ni vu ni connu !

Il hoche la tête.

— Et cette histoire d'ongles ?

— Signe de tempérament, mais aussi poudre aux yeux. Une fille de dix-huit ans, si ardente soit-elle, ne va pas te tomber dans les bras à l'instant même où tu en as envie. Dès le premier soir, elles ont fait en sorte de s'isoler avec nous et nous ont donné rendez-vous pour aujourd'hui en nous recommandant la discrétion. Je te conseille de te plaindre.

— En attendant, pas d'Eponine à l'horizon.

— Laisse-moi t'expliquer, car je crois bien maintenant avoir éventé la mèche. Reprenons les événements dans l'ordre. Dans la soirée d'hier, elles ont disparu à plusieurs reprises.

— Pour changer de robe.

— Dans le bois ? Gros naïf, elles ont passé la soirée à nous échanger entre elles, passant de toi à moi qui étions incapables de savoir à laquelle nous avions affaire. N'oublie pas qu'entre jumelles la partie doit toujours être égale. Eh bien, imagine qu'elles aient été incapables de choisir entre Félix Lafortune et Sosthène Goujet. Alors, elles décident de nous accorder leurs faveurs indistinctement à l'un et à l'autre, ce qui exclut évidemment le mariage, mais non le plaisir.

Sosthène en demeurait béant.

— Voilà de l'imagination ! dit-il. Ce sont des choses qu'on ne voit pas à Nantes.

Et avançant une moue de découragement :

— Et si nous nous étions attaqués à des coquettes qui ne nous accorderont rien de rien ?

— En ce cas, nous aurons soupiré en vain, mais les soupirs font de beaux souvenirs, m'a dit Monsieur Fulminet.

Sosthène désemparé, la mine longue, avait abandonné son poste de guet, quand un hennissement vint de la rue. Je me précipitai à la fenêtre et, levant vivement le rideau, aperçus Eponine et Valérie Cazenave, tête haute, montées sur de fringantes pouliches isabelle. Elles ne s'arrêtaient pas, bien entendu, et regardaient droit devant elles. Quant au hennissement avertisseur, il n'était guère difficile d'en deviner le motif. Une des cavalières avait dû blesser la bouche de sa pouliche qui se cabrait encore avant de repartir à un trot soutenu.

Je retins Sosthène qui voulait se pencher à la fenêtre et lui rappelai que la discrétion nous avait été recommandée. Ces demoiselles nous voulaient visiblement du bien. Il nous appartenait de ne pas les compromettre et de les rejoindre après un laps de temps convenable, au lieu du rendez-vous. Pauvre Sosthène ! Il ne se connaissait plus. Les yeux étincelants, le front buté, il était l'image même du désarroi.

Du sommet de l'enthousiasme, mon compagnon était tombé dans une sombre humeur qui l'accompagna durant tout le trajet du Cap Français à la Pointe de la Trompeuse. Il avait commencé par me faire observer que la dénomination même du lieu laissait à penser qu'Eponine et Valérie se moquaient de nous. Mieux informé que lui de la topographie de l'île, je lui appris que ladite pointe était ainsi nommée parce qu'elle était environnée de récifs et que la mer ne pouvait briser dessus que par gros temps. Il ne paraissait pas convaincu, il m'inquiétait, et je lui demandai s'il ne couvait pas une mauvaise fièvre. Il ricana.

— J'avais la fièvre. Tu me l'as coupée, et je me demande si tu es un médecin à qui on peut se fier. De toute façon, nous n'allons pas tarder à savoir ce qu'il en est, et je me demande pourquoi, maintenant que nous avons quitté la ville, nous ne prendrions pas le galop.

Il piqua sa rosse qui s'enleva lourdement, sans dépasser un train de mulet.

— Rien à faire avec ce bardot, grommela-t-il, comme, sans presser ma monture, je l'avais rapidement rejoint.

— Regarde donc le paysage, lui dis-je. Il te calmera les nerfs.

— Je ne suis pas l'ami de la nature, me renvoya-t-il avec aigreur.

Il avait tort, car la région que nous traversions, malgré l'exubérance de la végétation, ne présentait pas le caractère oppressant de la terre africaine. Sous le ciel transparent, du même bleu sans fond que les yeux d'Eponine et de Valérie, nous longions d'abord des plantations de canne à sucre. Les cannes étaient hautes et se choquaient dans la brise comme des épées. Des bambous en bouquets craquaient, eux, comme des mâts de navires. Puis défilaient des cacaoyers aux fruits pourprés, des tamariniers, qui répandaient un arôme pénétrant, des figuiers de Barbarie aux raquettes toutes hérissées de piquants hostiles. Enfin, après un monticule, la mer, aussi bleue que le ciel, apparut et, derrière sa large ceinture d'écueils recouverts d'écume, la Pointe de la Trompeuse. A son extrémité, les deux pouliches étaient attachées à un arbre tordu par le vent marin. Tout près éclataient deux vives taches de couleur, qui étaient les robes d'Eponine et de Valérie, des robes coq de roche.

— Elles sont là, me dit Sosthène d'une voix cassée.

Il fallut mettre pied à terre, à cause des éboulis qui auraient pu faire broncher nos mauvais chevaux, et comme nous tenions ceux-ci par la bride, les jeunes filles, en nous voyant arriver, éclatèrent de rire.

— Où avez-vous déniché ces bêtes de labour, messieurs les officiers ? dit l'une d'elles.

Et avec une moue qui n'avait rien de flatteur à notre endroit :

— Il est vrai que vous n'êtes pas dragons mais marins, et que vous n'avez pas mission de sabrer l'infanterie anglaise.

Comment ai-je pu dans le moment laisser passer un tel propos sans protester que j'avais servi aux dragons de Pomponne, que j'avais eu bras et jambe cassés à Fleurus sous le maréchal de Luxembourg, jusqu'à être invité par ce grand homme à toucher sa bosse ? Mais Sosthène savait, sans plus, pour l'avoir appris de la bouche de Monsieur Fulminet, que je m'étais battu à l'armée du roi, et j'entendais ne m'appeler pour lui que Lafortune.

Il semblait d'ailleurs avoir retrouvé soudainement tout son feu, le cher Sosthène, et il répliquait tout à trac que l'arme du marin étant aussi bien le sabre d'abordage, il n'était pas le dernier à l'empoigner, le cas échéant, pour faire sauter des têtes d'un seul revers.

Les demoiselles se récrièrent. Il les avait mises en appétit, elles voulaient tout savoir et réclamaient une chronique circonstanciée de nos exploits. On le pria de s'asseoir entre elles. Etait-ce Eponine ? Je n'avais plus qu'à m'asseoir à côté de l'autre.

Sosthène n'allait pas laisser passer une telle occasion de se faire valoir. Il commença par conter l'histoire du pirate algérois qu'il avait culbuté en l'attrapant par les chevilles pour le transpercer ensuite d'un coup de pointe. Ce fait d'armes appela rire et applaudissement, et je dois convenir que le camarade eut l'honnêteté de signaler que, dans le même temps, j'avais abattu mon païen d'un coup de pistolet. Cette action suscita toutefois moins d'enthousiasme que la sienne, et d'autant que, relatant ma subséquente explication à l'épée avec l'infidèle opportunément assommé par Monsieur Pigache, le narrateur fit appa-

raître qu'en somme j'avais eu besoin du secours de ce
dernier pour être débarrassé de mon agresseur.

Les deux sœurs n'avaient plus d'yeux que pour Sosthène, et il était temps de me manifester. Ne pouvais-
je, après tout, parler de ma campagne de Flandre sans
faire tomber mon masque ? Celle auprès de qui j'étais
assis se décidait enfin à se tourner vers moi.

— A vous le dé, monsieur Lafortune.

— Volontiers, fis-je modestement, et permettez-moi
d'abord de relever le trait que vous avez lancé tout à
l'heure touchant les dragons auxquels vous m'avez
semblé porter plus de considération qu'aux marins.

Elles protestaient d'une seule voix.

— J'ai été dragon, repris-je.

— Oh ! s'écrièrent-elles.

— Dragon de Pomponne.

— Ah !

Je tenais à ménager mes effets et marquai une pause.

— Mais racontez !

— Ne nous cachez rien !

Elles parlaient en même temps, impatientes, exci-
tées. Je laissai tomber comme un oracle :

— J'étais à Fleurus.

C'était moi maintenant qui retenais toute leur
attention. Sosthène, lui-même, stupéfait de ce qu'il
venait d'entendre, me regardait, les sourcils levés.
Assuré de mon audience, j'entrepris sur un ton uni,
presque froid, et qui contrastait avec la fougue du
camarade, le récit de notre première charge sous le
feu de l'artillerie ennemie dont les boulets abattaient
des files entières de dragons et d'où je me tirai avec
une simple égratignure au bras droit.

Eponine et Valérie haletaient. J'entamai la seconde
charge, celle de la victoire où il n'était plus que de
sabrer les fuyards. Je fis ressortir que je m'y étais
appliqué jusqu'au moment où, mon cheval tué sous
moi, je me retrouvai à terre, un bras et une jambe
rompus en plusieurs endroits.

— Seigneur ! fit ma voisine d'une voix remuée. Et
combien aviez-vous sabré d'ennemis ?

— Quelques-uns. Deux, trois, quatre, que sais-je ?
Après la bataille, et quand on a été accommodé comme
je le fus, on préfère oublier. Le seul dont je garde le
souvenir est un grand escogriffe d'Espagnol à qui j'ai
enfoncé mon sabre dans la gorge au moment où il
brandissait le sien en s'écriant : *Hombre !*

— Ne dites jamais cela à notre mère, me coula-t-elle
à l'oreille, comme si la señora Soledad avait pu l'entendre.

— Et pourquoi avez-vous quitté l'armée ? demanda
l'autre.

— Parce qu'il fallait d'abord raccommoder mon
bras et ma jambe, ma toute belle. Et puis, je voulais
voir le monde où je devinais que, très loin de la France,
par-delà les mers, je découvrirais les plus éblouissantes créatures qui aient été créées pour le bonheur
des hommes.

Celle que je croyais être Valérie me dédia un sourire plein de promesses. Je me crus alors autorisé à
lui prendre la main, à la serrer dans la mienne, et elle
ne la retira pas.

Cette privauté mineure n'avait pas échappé à Sosthène qui comprit la nécessité de reprendre la barre
à son compte et se rabattit sur l'Afrique. Puisqu'elles
étaient friandes d'histoires horrifiques, eh bien, le roi
Lolo et consorts lui en fournissaient ample provision.
Et les coups de bâton de pleuvoir jusqu'à ce que mort
s'ensuive, et les têtes de voler sous le sabre du sombre
tyranneau dont il n'avait pas négligé, au préalable, de
brosser un portrait à faire dresser les cheveux sur la
tête. Il n'avait garde d'omettre, bien qu'il n'en eût pas
été le témoin, le supplice des cinq négresses enduites
de miel et dévorées par les moustiques, ni le sacrifice
rituel du danseur au dieu de la barre, avant le départ
des guerriers pour la chasse aux esclaves.

C'était faire bon marché de la chronologie, mais il
avait habilement conduit sa barque, puisqu'il en était
ainsi arrivé à la partie qu'il pensait devoir être déci-
sive, celle de sa folle équipée en forêt sur les traces
du roi Lolo.

Son préambule, dont j'avais admiré l'ordonnance et la couleur, avait été ponctué de petits cris poussés conjointement par Eponine et Valérie, et j'eus lieu d'être fâché que cette dernière, dans son émotion, se cachât le visage dans ses mains, car je perdis celle que j'étreignais avec délices.

Jusqu'à ce moment, ses dires avaient été conformes *grosso modo* à la vérité historique, d'après ce qu'il m'en avait confié. Dès l'instant qu'il se mit lui-même en scène, héros à l'antique isolé dans la grande forêt où les racines apparentes des gigantesques fromagers ressemblent étrangement aux serpents qui rôdent au milieu d'elles, où des plantes, aussi carnivores que les fourmis, digèrent indifféremment le papillon ou l'oiseau-mouche, sa riche imagination pouvait se donner libre cours. C'est ainsi que le gorille décapité devint toute une famille de la même espèce, proprement exécutée en quelques moulinets. Quant à l'inoffensif cynocéphale occupé à l'épouiller pendant son sommeil, il subissait le même traitement, le chef tranché sans merci demeurant entre deux branches d'un flamboyant où son sang avait longuement goutté sur les fleurs écarlates.

Les sœurs Cazenave étaient captivées. Leur poitrine palpitait, leurs ongles crissaient sur les robes coq de roche. Sosthène comprit que, pour achever sa réussite, il devait encore faire parler le sabre. Les deux guerriers du roi Lolo lancés à sa poursuite avaient été, suivant le rapport qu'il m'en avait fait, abattus à coups de pistolet, et les armes à feu, de toute évidence, n'étaient pas du goût de ces demoiselles. Qu'à cela ne tienne ! Le pistolet sera exclu de l'affrontement. Les sagaies expédiées par les sauvages ont sifflé à ses oreilles. Il attend de pied ferme ses furieux adversaires. Mieux, il se porte au-devant d'eux; le moulinet infaillible, par deux fois, remplit son office, les têtes roulent sur le sol où des insectes variés ne tardent pas à s'en nourrir.

Ouf ! Sosthène s'était dépensé à tel point qu'il essuya son front en sueur. Mais le but était atteint. Eponine et Valérie exhalaient de grands soupirs, et je ne sais plus laquelle prononça cette phrase inattendue :

— Quelle belle vie que la vôtre !

La sentence nous mettait à égalité, et elle me rassura, encore que j'eusse le sentiment de m'être montré plus beau joueur par mes réticences que le collègue par sa façon d'appuyer sur la chanterelle. N'importe ! Le résultat était obtenu, et Sosthène, avec une hardiesse dont je ne l'aurais pas cru capable, se hâtait d'exploiter la situation. Il prenait sa voisine de gauche dans ses bras, l'audacieux, et, ô miracle ! elle ne s'insurgeait pas contre cette liberté. Leurs visages se rapprochaient l'un de l'autre, et voilà qu'ils se confondaient dans un long embrassement.

Je ne pouvais, cela s'entend, rester quinaud, et j'enlaçai aussitôt celle dont j'avais déjà pressé la main sans qu'elle s'en offusquât. Elle ne se défendait pas davantage, ô joie ! ô ivresse !

— Ah ! Valérie, soupirai-je.

— Je suis Eponine, dit-elle avec un sourire céleste, mais qu'est-ce que cela fait ?

Baste ! Quelle importance, en effet, cela pouvait-il avoir ?

Combien de temps restâmes-nous ainsi à la Pointe de la Trompeuse, recevant les témoignages les plus tendres de l'intérêt que nous inspirions à nos belles créoles ? Une heure peut-être. Ce fut Valérie, maintenant acquise à Sosthène, qui se leva la première, sa sœur l'imitant sur-le-champ.

— Nous avons une longue route à faire, dit-elle sur un ton affecté.

Puis, une malice dans le regard :

— Rendez-vous demain, même heure, à la Pointe de Limonade.

Elles nous expliquèrent l'itinéraire à suivre pour gagner le lieu de cette nouvelle rencontre et sautèrent prestement sur leurs pouliches.

— Ne partez pas d'ici avant une demi-heure. Quant à nous rejoindre avec vos haridelles, un dragon même n'y parviendrait pas.

Elles rirent de concert, et les pouliches gravirent le monticule au pas.

Lorsqu'elles eurent disparu à nos yeux, je demandai à Sosthène où il en était de ses projets. Il me jeta presque hargneusement :

— Occupe-toi de tes affaires, veux-tu ?

Je ne comprenais rien à cette maussaderie soudaine. Etait-il fâché que son Eponine se fût transformée en Valérie ? Je n'insistai pas et, le temps de grâce assigné par nos belles étant écoulé, comme nous enfourchions nos montures, il me frappa amicalement sur l'épaule.

— Soyons heureux, Félix, dit-il.

Et, jusqu'à notre arrivée à l'auberge, il fredonna presque sans arrêt.

Le lendemain, nous fûmes à la Pointe de Limonade, ainsi nommée parce qu'on traversait, pour y parvenir, plusieurs plantations de citronniers. Eponine et Valérie, vraisemblablement dans un louable souci d'harmonie avec le décor, avaient revêtu le même déshabillé jaune citron que nous leur avions vu l'avant-veille, au bal. Il était d'autant plus à notre goût qu'il découvrait leur belle chair ambrée avec beaucoup plus de générosité que leur robe coq de roche et je pensai d'abord que, ce détail ne pouvant leur avoir échappé, il y avait là quelque préméditation à notre avantage. Il fallut vite déchanter.

Le soleil, ce jour-là, prodiguait ses rayons les plus ardents, et les jeunes filles s'étaient assises dans l'herbette, à l'ombre d'un tamarinier. Pendant tout le trajet, Sosthène avait pressé son cheval du genou et de l'éperon dans un tel emportement que je m'étais vu contraint de l'exhorter à la modération.

— A quoi te servira, bourreau, de crever ce malheureux cheval, et le mien, par surcroît, puisque je suis obligé de te suivre ?

Il ne voulait rien entendre et, après une cavalcade insensée, nous étions arrivés ruisselants de sueur.

Comme la veille, à notre vue, Eponine et Valérie

s'étaient prises à rire, mais par le fait du seul Sosthène. A quelques pas d'elles, en effet, il s'inclinait cérémonieusement, tricorne en main, dans une vraie révérence de cour et, dégainant, plaçait son couvrechef au bout de son épée pour l'accrocher à une branche. Après quoi, il saluait derechef avec son arme. Alors une voix suave s'éleva.

— Votre lame ne nous fait pas peur, monsieur. Nous avons de quoi nous défendre, nous aussi.

Et elle brandit un jonc à pomme d'argent, prolongé par une lanière de cuir.

— Du cuir de lion de mer, pour vous servir, le plus dur qui soit. Voulez-vous en tâter ?

— Si tel est votre bon plaisir.

L'aimable enfant ne se le fit pas répéter. Elle se leva d'un bond, et, de toutes ses forces, cingla le bras qui tenait encore l'épée.

Sosthène avait grimacé sous le coup, mais, formant un sourire de bonne compagnie, il rengaina tranquillement.

— Et l'on parle de l'indolence créole ! dit-il.

La rudesse de l'accueil ne lui avait pas fait perdre le souvenir des douces émotions qu'il avait connues à la Pointe de la Trompeuse. Aussi voulut-il étreindre son amazone. Mais elle se dégagea, recula d'un pas, annonça :

— Ne faisons pas de jaloux.

Et le bras gauche, à son tour, reçut son lot sifflant et contondant.

Le camarade, cette fois, avait lieu d'être un peu décontenancé. Il trouva pourtant le mot qu'il fallait en se jetant à genoux.

— Je me rends, dit-il.

— Je vous pardonne, répondit-elle, le visage tout épanoui de plaisir. Vous pouvez vous relever.

Je m'étais jusque-là tenu à l'écart, réduit à l'état de comparse, et je compris que le moment était venu pour moi de redresser la situation. Nous avions, la veille, gagné la partie par le prestige du courage physique et de l'aventure. Nous avions suscité l'admiration qui va tout naturellement aux actes de bravoure ou de témérité. Nous devions maintenant changer de méthode en recourant à la légèreté des propos qui provoquent le rire et la bonne humeur. Les femmes ont toujours plus volontiers des faiblesses pour ceux qui les amusent, même si elles ne les estiment pas, que pour ceux qu'elles estiment et qui les ennuient. Sosthène semblait lui-même l'avoir compris en imaginant sa facétie du tricorne qui, par malchance, avait tourné à sa confusion. Il fallait venir à son secours. Je le fis en déclarant, sur un ton badin, que, dussent-elles nous rouer de coups à mort, nous demeurerions éternellement leurs obligés. Celle qui avait assisté, sans bouger un cil, à la démonstration de sa sœur repartit alors :

— Désirez-vous que j'imite Valérie ?

C'était donc Eponine ! Je l'avais pressenti; la confirmation m'était donnée.

— A Paris, lui dis-je, on se borne aux coups d'éventail.

— En ce cas, je vous fais grâce.

Et elle se leva d'un bond.

— Laissons ma sœur consommer sa querelle avec votre ami, voulez-vous, et faisons quelques pas ensemble. Vous me parlerez de Paris.

Je lui offris un bras qu'elle prit. J'étais comblé.

— Par quoi commençons-nous ? Chiffons ?

Elle sautilla de joie.

— Chiffonnons.

Nous suivîmes le bord de mer et, de toute ma vie fertile en événements, je n'ai peut-être pas connu de moments plus délicieux. Le temps s'était adouci. Une légère brise nous flattait le visage. La mer, bleue à l'infini, était étale, et de fins réseaux d'écume mouraient à nos pieds.

Durant mes deux années de vie frivole, après mon retour d'Allemagne, je n'avais pas été sans porter attention aux toilettes des belles personnes qui avaient des bontés pour moi. Il sied de faire compliment aux

femmes sur ce qu'elles ont de plus extérieur pour
obtenir la clef de ce qu'elles cachent.

— Vous dirai-je d'abord, chère Eponine, que les
dames de Paris pourraient prendre quelques leçons
aux Iles ?

— Des leçons de quoi, mon Dieu ?

— De couleur, pour vous servir. Vous savez jouer
de la couleur et n'en négliger aucune. Il est vrai que
le soleil vous y invite. A Paris, où le soleil royal est
plus constant que l'autre, la couleur change à chaque
saison, la mode l'impose et interdit les autres. Si vous
arborez en juin la même couleur qu'en avril, toute la
société vous montre du doigt.

— Voilà une méchante mode qui vous empêche
d'être verte le matin, bleue à midi et rose le soir.

— C'est que la mode à Paris jouit d'un pouvoir
absolu, ma très chère. Songez que, chaque mois, deux
poupées de grandeur naturelle, habillées par les couturières de la reine, sont envoyées à Londres, en dépit
même des guerres. On les appelle la Grande Pandore,
qui porte la toilette de la cour, et la Petite Pandore
celle de la ville.

— Parlez-moi de la Grande Pandore.

Là-dessus, je m'embrouillai quelque peu, passant
de la jupe garnie de falbalas et du corsage orné de
brandebourgs aux manches dites *Amadis*, boutonnées
haut et prolongées *d'engageantes* à bouillonnés et à
volants de dentelles, des pretintailles de la jupe de
dessous, un peu passées de mode, au déshabillé d'hiver
avec palatine de fourrure et manchon.

— Nous n'avons pas d'hiver ici, dit mélancolique-
ment Eponine.

— Les vicissitudes du manteau ne vous intéressent
donc que pour la forme, repris-je avec autorité. Le
manteau, quand j'ai quitté Paris, était un vêtement
très ample, généralement fait de satin épais ou de
velours doublé de satin, mais vous mourriez de chaleur là-dessous. Comment d'ailleurs le regretter, lorsqu'on voit découvertes des épaules comme les vôtres ?
N'est-ce pas un crime que de les cacher ?

— Taisez-vous.

Elle était ravie. Ma science, pourtant approximative, du costume féminin, l'éblouissait de toute évidence, et son bras, par moments, pressait doucement le mien. Après avoir dépassé un pli de terrain, je m'avisai que Sosthène et Valérie étaient maintenant hors de vue et que je pouvais en profiter. A ma surprise, Eponine montra moins de libre abandon que la veille et, comme je m'autorisais à poser mes lèvres sur une épaule plus enivrante que tous les parfums d'Arabie, elle me repoussa, non sans un frisson.

— Soyez sage. Ma sœur n'est pas là.

Que signifiait cette phrase étrange ? Alors que l'éloignement de Valérie me semblait devoir favoriser notre intimité, c'était donc tout le contraire qui se produisait ? Sans doute aurait-il fallu, pour éclaircir cette énigme, interroger, par office d'astrologue, la constellation des Gémeaux.

Faisant contre mauvaise fortune bon cœur, je lui demandai s'il lui arrivait de porter un *laisse tout faire*.

— Est-ce une indécence ? dit-elle vivement.

Et je sentis sur mon poignet cinq ongles pointus.

— Qu'allez-vous penser là ? repartis-je du même air. C'est un tout petit, tout mignon tablier qui s'arrête au-dessus du genou et complète le déshabillé d'été. L'an passé, il se portait surtout bleu à petites fleurs rouges.

— Seigneur Dieu ! s'écria-t-elle, j'en ai vu un à la femme du gouverneur, à la messe de la Saint-Louis, et nous avons toutes ri comme des petites folles. Laisse tout faire ! Il faut savoir que cette noble dame est fort laide et que personne ne veut rien lui faire, de quoi elle est très mortifiée.

Cet éclat de gaîté m'incita à renouveler mon baiser sur l'épaule, et elle ne protesta que mollement.

Mes connaissances ès fanfreluches commençaient à s'épuiser quand Eponine me dit en fronçant le sourcil :

— Pour être si parfaitement informé des parures des dames, il faut, monsieur Lafortune, que vous soyez un bien mauvais sujet.

— Il faut seulement, lui répondis-je, que j'aie été reçu dans la société.

Elle dégagea son bras du mien.

— Que me cachez-vous ? Ne seriez-vous pas gentil-homme ?

— Mon père est homme de finance. Les financiers sont reçus partout.

Elle réfléchit un moment et reprit :

— Pourquoi vous êtes-vous fait marin ?

— Je vous l'ai dit hier. J'avais été blessé gravement à l'armée, et je voulais voir le monde.

— A Saint-Domingue aujourd'hui, demain ailleurs. Vous êtes comme l'oiseau sur la branche.

Elle soupira.

— Vous ne vous attachez nulle part. Revenons maintenant. Ma sœur doit s'inquiéter.

Elle pressa le pas, et nous aperçûmes bientôt Sosthène et Valérie qui se portaient à notre rencontre.

— Nous nous demandions si vous n'aviez pas été enlevés par quelque chaloupe, dit Valérie. Savez-vous, monsieur Lafortune, qu'un corsaire français a hier amené au port un navire anglais de trente canons, qu'il avait enlevé près de la Jamaïque ? Il paraît qu'un gros vaisseau battant pavillon goddam croiserait dans les parages, à dessein de recouvrer la prise et de couler le corsaire par-dessus le marché.

Sosthène avait un air transporté qui me frappa.

— J'ai prévenu votre ami, continua Valérie, s'adressant à moi, que nous ne pourrions vous voir ici demain ni après-demain, mais dans trois jours. Il vous dira le lieu et l'heure. Nous sommes en retard. *Adios !*

Eponine posait sur ses lèvres un doigt qu'elle pointait ensuite vers moi. Puis toutes deux se mirent à courir vers leurs pouliches.

X

Pendant les deux jours suivants, Sosthène, qui s'était réinstallé avec moi à bord de *la Pétulante*, ne voulut pas descendre à terre. Dès l'instant qu'il n'y pouvait plus rencontrer Valérie, Saint-Domingue ne présentait plus d'attraits à ses yeux. Selon les instructions de Monsieur Fulminet, le service de jour devait être assuré à tour de rôle par l'un de nous, et dès que nous avions mis le pied sur le navire, j'avais fait observer à mon ami que cette obligation allait rendre problématiques nos rendez-vous avec les demoiselles Cazenave.

— Il n'est pas question que nous manquions le prochain, lequel d'ailleurs aura lieu de nuit, m'avait-il répondu.

Et sur-le-champ, il était allé supplier Monsieur Pigache de nous remplacer pendant quelques heures cette nuit-là, lui représentant qu'il y allait de son honneur et de sa vie.

— Diable ! avait répondu le bonhomme en riant, voilà de grands mots. Allons, jeunes gens, il faut bien faire les choses. A votre âge, on a le droit de brûler la chandelle par les deux bouts. Les filles d'ici ont la nature volcanique, et vous seriez déshonorés en effet si vous ne les honoriez pas jusqu'à l'aube. Je ne vous attendrai pas avant, mes gaillards.

Alors seulement, après avoir remercié le second, Sosthène m'avait révélé que notre rendez-vous était fixé à dix heures du soir au rond-point proche la « grande case », d'où, le soir du bal, après avoir été plantés là par Eponine et Valérie, nous étions partis pour nous égarer sous le couvert. Afin de nous éviter la même déconvenue, Valérie devait accrocher aux branches, de-ci de-là, des morceaux de tissu blanc.

— Bigre ! lui dis-je, tu m'as l'air d'avoir bien avancé tes affaires.

— Et toi ?

Le caractère abrupt de la question ne me démonta pas. Je lui confessai qu'Eponine était, comme sa sœur, la plus gracieuse créature du monde, mais que, réflexion faite, je n'aspirais plus, auprès d'elle, qu'à des faveurs qui n'engageraient pas l'avenir.

— Ah ! fit-il d'un air absent.

Il ne semblait pas disposé à pousser plus avant la confidence, et j'insistai.

— Où en es-tu, Sosthène ? Sommes-nous des amis, oui ou non ?

Ce dialogue avait pour théâtre le tillac, et un matelot fumait sa pipe à deux pas de nous.

— Viens, dit-il.

Et il m'entraîna dans notre chambre commune, où il me rapporta sur un ton passionné son entretien de la veille avec Valérie. Il était éperdument, incurablement épris. Il ne cherchait plus à lutter contre un sentiment aussi fort et avait résolu de pousser l'aventure jusqu'à son terme logique, le mariage.

Voyant que j'allais répliquer, il me pria de ne pas l'interrompre et poursuivit. Sans doute, la beauté des deux sœurs l'avait tout de suite ébloui, et il avait pu déraisonner au point de me déclarer que, si semblables, il était prêt à épouser indifféremment l'une ou l'autre. Erreur ! L'illumination lui était venue la veille, à la Pointe de Limonade, quand Valérie l'avait, par deux fois, cinglé de ce jonc renforcé du cuir d'un monstre marin.

— Et il te plaît à toi d'être battu...

Je n'avais pu me retenir de lâcher mon trait, mais il n'avait pas le cœur à la plaisanterie. Il me jeta un regard de biais et continua comme s'il ne m'avait pas entendu. Lorsque nous nous étions éloignés, Eponine et moi, Valérie s'était rassise, étalant soigneusement autour d'elle, comme une corolle, sa robe jaune citron. De ce fait, s'asseyant à son tour, il ne pouvait se tenir qu'à une certaine distance qui interdisait entre eux toute possibilité de contact, et il était resté muet, bouleversé, un assez long moment, sans savoir par quel bout reprendre le fil de la conversation. C'était Valérie qui avait rompu le silence. Elle espérait ne l'avoir pas fâché, et il ne devait pas lui tenir rigueur d'avoir eu la main un peu lourde. Lorsqu'il lui arrivait de rappeler ainsi à l'ordre quelque serviteur de couleur (« ces esclaves sont si nonchalants, si paresseux, vous ne pouvez pas savoir ! »), elle devait le faire avec une certaine vigueur, afin d'être prise au sérieux. Un rire désinvolte avait suivi, et sa voix s'était adoucie pour déclarer à son prétendant que ses récits de la veille l'avaient beaucoup troublée et qu'elle en avait rêvé.

Il avait alors repris contenance, protesté qu'il était trop heureux d'avoir mérité une place dans ses pensées, alors qu'elle occupait toutes les siennes, et comme elle le regardait dans les yeux avec une expression d'attente et de curiosité, comme si elle voulait lire en lui, il s'était ouvert de ses intentions.

— Je lui ai appris la fortune de ma famille et ma qualité de fils unique. Je lui ai juré que si elle acceptait d'être ma femme, je me soumettrais à toutes ses volontés, selon qu'elle souhaiterait vivre à Saint-Domingue ou en France. Je lui ai demandé, pour terminer, si elle m'autorisait à solliciter un entretien de son père.

— Et elle t'y a autorisé ?

Il soupira.

— Oui et non... Elle m'a pris une main qu'elle a serrée doucement, puis elle m'a interrogé sur tes sentiments pour sa sœur.

— Et que lui as-tu répondu ?

— Que je ne pouvais me prononcer là-dessus, et elle a dit : « Dommage ! » J'ai renouvelé ma demande. Elle paraissait à la fois indécise et ravie. Finalement, elle m'a confié que sa sœur et elle étaient, sinon fian-

cées officiellement, du moins promises depuis l'enfance
aux fils de deux planteurs amis de ses parents. Elle
craignait que la remise en cause d'un accord si ancien
ne créât une situation d'autant plus épineuse que les
familles avaient des intérêts communs. Je me suis
récrié que l'amour primait les basses considérations
matérielles pour tous les cœurs bien nés et que la seule
question qui me tourmentait était de savoir lequel, de
l'ami d'enfance ou de moi, elle préférait. Elle a paru
hésiter un instant. J'ai senti sa main trembler dans
la mienne, et elle s'est jetée dans mes bras.

— Dois-je te féliciter ?

— Pas si vite. Le temps de cette étreinte, j'ai pu
croire que toutes les difficultés étaient vaincues et
que j'étais le plus heureux des hommes. Mais il a fallu
revenir sur terre, et Valérie m'a dit qu'avant toute
chose, elle devait elle-même parler à son père. Elle
plaiderait ma cause, notre cause, en invoquant les
droits de l'amour partagé. A notre prochaine rencontre, je serai fixé.

— Ce qui m'intrigue, dis-je à Sosthène qui avait les
yeux perdus dans le vague, c'est ce « dommage ! » à
propos de mes sentiments pour sa sœur.

— Rien de plus clair. Si tu avais voulu épouser Eponine, elles auraient été deux à plaider, Valérie se serait
sentie épaulée, soutenue. N'oublie pas qu'elles font
toujours front commun.

— Crois bien que je le regrette.

Après cette conversation à cœur ouvert, mon ami
m'avait averti qu'éprouvant un grand besoin de solitude, il ne quitterait pas le navire avant le jour où se
déciderait son destin. Je ne me le fis pas répéter et
résolus de passer les deux journées dont je disposais
à explorer les ressources du Cap Français. Entendons-
nous. Si mes intentions n'allaient plus jusqu'à vouloir
lier ma vie à celle d'Eponine, je n'en aspirais pas
moins auprès d'elle à ces soupirs prônés par Monsieur
Fulminet et qui, s'ils excluaient l'abandon, ne seraient
pourtant pas sans douceur. Je n'en voulais pas gâter

l'heureuse perspective par des déportements grossiers auxquels n'inclinait que trop la mollesse du climat.

Monsieur Dufourneau, quant à lui, ne nourrissait pas de ces scrupules. Je me rappelais sa catégorique profession de foi de l'île Banane sur la Vénus noire, et il n'avait au Cap que l'embarras du choix. Or, le premier de ces deux jours pendant lesquels Sosthène me laissait libre de mes mouvements, il revint à bord pour renouveler son approvisionnement de chocolat, et je pris la chaloupe avec lui. Tandis que nos rameurs pesaient sur les avirons, il me révéla que la gourmandise des négresses passait l'imagination et qu'il redoutait de n'être pas en mesure de satisfaire leur boulimie jusqu'au jour de l'appareillage.

— J'avais emporté vingt livres, comme d'habitude, me dit-il. A la prochaine traite, du train où elles vont, il m'en faudra le double. Néanmoins, si une demi-livre pouvait vous être utile, avec votre frimousse, je pense que vous ne rencontreriez aucune difficulté.

Je déclinai cette offre généreuse, et il continua en clignant de l'œil :

— Je me suis laissé dire que vous étiez insensible aux attraits du bois d'ébène. Question de goût et je crois que vous y viendrez. Notez qu'il y a mieux encore : les mulâtresses. Aspasie, Laïs, les plus grandes courtisanes de l'antiquité, auraient pâli au prix de ces démones. Mais le chocolat ne leur suffit pas. Bracelets, colliers, boucles d'oreilles, et d'or s'il vous plaît, sans parler du nerf de la guerre, leurs prétentions ne connaissent pas de bornes. Il y a bien aussi ces filles que Monsieur de Colbert a fait sortir de l'Hôpital Général pour peupler les Iles et qui ne sont pas des parangons de vertu. De beauté non plus, malheureusement. Vous visez plus haut, je le sais et vous permettrez à un ancien de vous mettre en garde. Vous avez pu vous rendre compte que je n'étais pas invité chez les Cazenave. Un fils de boucanier qui se hausse du col ! Il paraît que je ne suis pas digne d'être reçu par ce haut personnage, à cause de mes mauvaises fréquentations. Sa femme, une matrone cagote, a sans doute peur que je ne lui enlève ses filles. Des merveilles de la nature celles-là, je vous l'accorde, mais aussi de vraies petites pestes, et redoutables avec leurs airs de saintes nitouches. Elles n'ont que dix-huit ans, et quatre mirliflores sont déjà allés sur le pré pour leurs beaux yeux. Résultat : un mort et un estropié. Allez-y, Lafortune, avec une prudence d'Indien.

Nous étions arrivés à quai. Des nègres, allongés de tout leur long, y dormaient comme des bienheureux, découvrant innocemment leur nombril, un chapeau de paille sur les yeux. Des négresses jabotaient, vêtues de légères cotonnades. Plusieurs mouchoirs de couleur, enroulés autour de leurs cheveux crêpus, leur composaient comme des bonnets à la Fontanges accommodés à la sauvage. Elles avaient toutes les pieds nus.

L'une d'elles s'approcha de Monsieur Dufourneau en tortillant de la croupe et jargonnant :

— Missi capitaine blanc, toi gentil zami, toi vas goûter plaisir et moi croquer chocolate.

Le lieutenant lui tapota la joue.

— Un autre jour, Araminte. J'ai affaire.

Elle fit la moue, et il passa outre.

— Une bonne fille, me dit-il, mais qui devrait savoir que le plaisir est dans la variété. Araminte, oui, elle s'appelle Araminte. Leurs maîtres les affublent de ces prénoms charmants. Pour les mâles, l'antiquité grecque ou romaine est largement mise à contribution. Pâris, Ménélas, Achille, Néoptolème, toute l'Iliade y passe. Les femelles reçoivent plutôt des noms d'héroïnes de la scène ou du roman, et nos grands auteurs seraient bien surpris de voir leurs précieuses et leurs princesses passées au cirage.

Il était très détendu et chaleureux, le lieutenant Dufourneau, si froid et si compassé à bord de *la Pétulante*. On le sentait dans son élément, rétabli dans sa dignité d'homme par ces pépiantes créatures qui l'assassinaient de sourires provocants sans s'inquiéter de son visage disgracié.

Il m'emmena à son auberge, baptisée *Au bon colon*, et dont l'enseigne, qui se balançait en crissant au-dessus de la porte, figurait un blanc tendant à un noir agenouillé devant lui un rameau d'olivier. Un orchestre composé de deux tambours frappés de la paume, d'un *banza*, violon à quatre cordes grattées par l'exécutant comme une mandoline, et d'un châssis de bois à clochettes appelé *magoyo*, y faisait un bruit d'enfer. Excités par le tafia, une dizaine de matelots dansaient la *chica* comme des enragés, serrant à la taille des négresses dont les avantages postérieurs roulaient comme des vagues par gros temps. Un mulâtre massif, lippu, aux yeux globuleux et aux oreilles largement écartées, rinçait des gobelets dans un baquet. A notre vue, sa face épaisse se fendit d'un rire gras.

— Monsieur l'officier m'amène un client ?

— Non, Ovide, fit Monsieur Dufourneau. L'enseigne Lafortune est assez joli garçon pour n'avoir que faire de tes bons offices. Donne-nous seulement à boire de ta meilleure guildive. Compris? A côté, naturellement.

A côté, c'était le tripot, car, bien que le jeu fût interdit dans l'île, mon compagnon m'apprit qu'une dizaine d'établissements clandestins sévissaient au Cap. Les autorités fermaient les yeux, tant qu'il n'y avait pas de scandale, rixe ou tapage nocturne.

Après avoir suivi un long couloir obscur, nous pénétrâmes dans le temple du hasard. Autour de quelques tables recouvertes d'un tapis vert tout constellé de taches graisseuses, des planteurs aux grands chapeaux, des gens de condition, ou prétendus tels, portant tricorne, des marins de passage et autres gaillards de mauvaise mine s'affrontaient au pharaon, au biribi, au passe-dix ou aux petits paquets. Ecus de France, doublons d'Espagne, guinées d'Angleterre, gourdes, qui sont la monnaie du pays, se constituaient en piles promptement réduites et faisaient ce plaisant bruit liquide qui ne laisse pas de contribuer à l'ivresse du joueur. Des silences soudains étaient suivis de bordées de jurons, et les perdants se consolaient de leurs coups malheureux en avalant de grandes rasades

d'eau-de-vie, servis par deux jeunes négresses abondamment décolletées.

Ovide avait abandonné son baquet pour venir nous
servir lui-même. Quand il eut rempli nos verres, il se
pencha vers Monsieur Dufourneau et lui parla longuement à l'oreille.

— C'est bien, Ovide, dit le lieutenant. Fais de ton
mieux.

Le mulâtre sortit. Pendant qu'il parlait à mon supérieur hiérarchique, j'avais vu celui-ci changer de couleur.

— Diable ! diable ! murmura-t-il en tambourinant
d'une main sur la table où nous étions assis, à l'écart
des joueurs.

Enfin, il prit le parti de me confier ce qu'il venait
d'apprendre.

— Je vais vous parler très bas, Lafortune. Prêtez
bien l'oreille. Il s'agit d'une histoire grave. La nuit
dernière, un de nos meilleurs matelots, le gabier Lamarche, a tué un planteur qui lui avait raflé tout son
argent et qu'il accusait d'avoir triché. Il l'a guetté à
la sortie de cette spélonque et l'a assommé sur le
port. Il était probablement ivre. Reste qu'il y a eu
meurtre, et le gouverneur de Saint-Domingue ne
badine pas avec les criminels. S'il est pris, il sera
pendu. Notez bien que la victime jouissait de la plus
fâcheuse réputation : un vrai gibier de galère, mi-
escroc, mi-forban, qui, pour des peccadilles, a fait
périr plusieurs de ses esclaves sous le bâton, un aigrefin qui a eu maille à partir avec tous ses voisins, mais
qui a toujours tiré son épingle du jeu parce qu'il savait
graisser la patte aux commis de l'administration. Ce
genre de canaille foisonne aux Iles où l'écume de la
société trouve un terrain idéal pour s'ébattre à son
aise. Donc, le voilà mort. Qu'il ait triché, c'est pro-
bable; il a reçu son salaire, sans parler de celui qui
l'attendait de l'autre côté. Bon ! Mais notre gabier ?
Allons-nous le laisser pendre ? Non, et c'est ici
qu'Ovide intervient. Ce n'est pas un petit saint, lui
non plus. Ancien esclave promu commandeur, son

maître lui avait promis de l'affranchir par testament.
Le maître meurt. Les fonctions d'Ovide lui avaient
permis de constituer un petit pécule avec lequel il a
ouvert son auberge. C'est lui qui a eu l'idée de l'enseigne, et il paraît que « le bon colon » qu'on y voit a
une vague ressemblance avec son ancien maître : touchante marque de gratitude. Ovide est un malin. Non
seulement il n'a pas tardé à adjoindre à son établissement ce que vous voyez, mais il exerce d'autres
activités, dont le recel n'est pas la moindre et...

Monsieur Dufourneau s'interrompit pour promener
un regard tout autour de la salle où le tintement des
pièces continuait d'alterner avec les jurons et les
coups de poing assenés sur les tables. Il reprit plus
bas :

— Avez-vous entendu parler des nègres *marrons* ?
— Oui.
— Eh bien, ce cher Ovide s'intéresse à eux, figurez-
vous. Il trafique avec eux; il les prévient lorsqu'il
apprend qu'une expédition va être montée pour les
traquer. Il est en quelque sorte leur homme de confiance. Oui, vous vous demandez comment il a pu commettre l'imprudence de m'instruire de ses opérations
illicites. Oh ! par hasard, à mon avant-dernière traite,
et dans des conditions similaires à celles d'aujour-
d'hui. Un de nos matelots, naturellement pris de boisson, avait tué un commandeur blanc qu'il avait surpris
fouettant une très appétissante négresse. Il faut dire
que la donzelle ne refusait rien au marin et que le
commandeur était jaloux. Le meurtrier se réfugie chez
Ovide qui m'avertit. Je suis naturellement porté à
l'indulgence pour les crimes inspirés par la passion
amoureuse. Resteriez-vous inerte si l'on fouettait devant vous une femme aimée ? Je demande à Ovide s'il
connaît un moyen de sauver mon homme, en le mettant à l'abri de la justice. Il me répond qu'il peut le
faire passer chez les *marrons* qui, dûment prévenus,
ne manqueront pas, selon lui, de réserver bon accueil
à un blanc qui en a tué un autre à cause d'une noire.
Ainsi fut fait. Qu'est devenu mon matelot chez les

marrons? C'est une autre histoire, mais voilà que l'aventure se renouvelle, et Ovide vient de me prévenir qu'il était disposé à faire pour le second comme pour le premier. Je l'y ai encouragé, vous avez pu m'entendre.

Il leva les épaules, but sa guildive d'un trait et me proposa de tenter ma chance au biribi. Nous prîmes place à une table. En une demi-heure, il perdit vingt pistoles, j'en gagnai quarante, et nous décidâmes de nous en tenir là. Je voulais lui restituer le montant de sa perte. Il me dit que ce serait le désobliger.

— N'insistez pas, mon garçon. Je vous emmène chez Ulysse où vous me payerez à boire.

Ulysse était le tenancier d'un cabaret encore plus mal famé que le *Bon Colon.* Nous fûmes ensuite chez Rosalie, ex-pensionnaire de l'Hôpital Général, où fréquentaient ses pareilles qui se mirent vainement en frais d'agaceries.

— Je ne donnerais pas une seule noire pour dix de ces créatures dégradées, me dit le lieutenant qui, ayant consulté sa montre, observa que c'était justement l'heure d'une certaine Cléomène et me faussa compagnie.

La tête commençait à me tourner par l'effet de la guildive. Je regagnai *la Pétulante,* où je retrouvai un Sosthène accoudé à la lisse, l'œil fixe, et jugeai séant de respecter son humeur taciturne.

Le lendemain, renonçant à courir les décevants lieux dits de plaisir, je fis une longue randonnée à cheval aux environs de la ville; mais j'avais beau m'efforcer d'admirer la luxuriante nature, une compagnie me manquait, et je découvrais, avec une pointe au cœur, que c'était celle d'Eponine. J'aurais été bien surpris si quelque pythie des tropiques m'avait alors prédit que, dans cette île fortunée, je goûtais mes derniers moment heureux.

Vint ce troisième jour, tant attendu de Sosthène. Mon ami ne cessait pas d'arpenter le pont, de la misaine à l'artimon, et comme l'après-midi tirait vers le soir, je ne le vis pas sans stupeur grimper dans la grande hune et y demeurer un bon moment.

— Que diable es-tu allé faire là-haut ? lui demandai-je quand il fut redescendu de son perchoir.

— Je voulais voir si on apercevait la baie de l'Acul, me dit-il, le visage tout illuminé de joyeuse espérance. Je n'ai vu que Monsieur Pigache, qui arrive dans la chaloupe. Nous allons pouvoir partir.

Il était d'excellente humeur, ce bon Monsieur Pigache, par la raison suffisante que son pourvoyeur habituel lui avait livré ce baril d'incomparable eau-de-vie de pure canne réservé à sa consommation personnelle et dont il caressait les cercles comme les seins d'une maîtresse. Il fallut hisser l'objet à bord avec mille précautions qui nous retardèrent, et Sosthène piétinait d'impatience.

Enfin, nous chevauchions sur la route, un soleil écarlate s'enfonçait dans la mer indigo, et une nuit parfumée de précieuses essences nous enveloppait. Nos montures tenaient un train modeste, et nous n'avions pas à les forcer, car nous avions largement calculé notre temps. Sosthène gardait bouche cousue. Pour rien au monde, je n'eusse troublé sa méditation. Quelle réponse Valérie allait-elle lui apporter ? Une anxiété où je refusais de voir une funeste prémonition me serrait le cœur. Si la réponse était négative, comment, dans l'exaltation où il était, le camarade accepterait-il cette épreuve ?

La lune à son plein siégeait déjà haut dans le ciel quand nous arrivâmes au pied du « mornet » que nous avions à gravir pour accéder à la « grande case ». Parvenus à mi-pente, sous la verdure compacte, nous mîmes nos chevaux à l'attache, afin d'éviter qu'un hennissement inopportun ne donnât l'éveil à quelque habitant de la plantation. Les rayons lunaires, filtrant à travers les feuillages, formaient sur le sol rougeâtre de petites flaques d'argent.

Augustin et Soledad Cazenave, hors leurs réceptions, se couchaient-ils comme les poules ? Il était à peine neuf heures et demie, et aucune lumière ne palpitait aux fenêtres de leur demeure. Nous contournâmes la clairière dont elle occupait le centre, en veillant à ne pas faire craquer le sable sous nos semelles. A l'entrée du petit sentier que nous avions emprunté avec Eponine et Valérie le soir du bal, Sosthène découvrit sans peine un lambeau de gaze blanche qui semblait arraché à un voile de mariée. Il voulut y voir à la fois une délicate pensée de Valérie et un heureux présage.

Je recensai une demi-douzaine de ces ingénieux points de repère, judicieusement disposés jusqu'au lieu du rendez-vous, et l'attente commença. Sosthène tournait autour du rond-point comme un lion en cage. Ai-je signalé qu'au milieu du fronton de la « grande case » s'arrondissait le cadran d'une horloge ? Malgré la distance, nous entendîmes dix coups brefs s'égrener dans le grand silence de la nuit. Sosthène arrêta son cheminement de fauve impatient.

— Elles sont en retard, dit-il.

Une minute ne s'était pas écoulée que nos belles apparaissaient dans un froissement soyeux. Autant qu'on en pût juger à la pâle clarté de l'astre, elles portaient des robes gris souris, sur quoi elles avaient passé une mante noire à capuchon plissé. Tout de suite Valérie s'était jetée contre la poitrine de Sosthène, tandis qu'Eponine se bornait à me tendre une main que je couvris de baisers et qu'elle retira vivement.

— Sachez, monsieur, fit-elle d'une voix flûtée, que je ne suis ici que pour accompagner ma sœur et non pour ajouter une victime à la liste des bonnes fortunes annoncées par un nom qui vous peint tout entier. Vous êtes, hélas ! un homme léger, ce qui ne retire rien, je vous l'accorde, à un mérite dont une honnête fille est seulement tenue de se méfier. Votre ami a le cœur plus sensible. Il sait mieux que vous répondre à ses battements. Il ne recule pas devant les grandes décisions pour obtenir le suffrage de ce qu'il aime, et Valérie lui apporte une nouvelle qui... Mais écoutez-la, car vous y êtes intéressé.

Sosthène éleva une voix qui tremblait un peu.

— Valérie, ai-je donc le droit d'espérer ?

La jeune fille soupira.

— Votre sort dépendra de votre vaillance, mon ami.

Il la saisit dans ses bras, la souleva de terre et tournoya avec elle en vrai fou qu'il était.

— En ce cas, vous serez ma femme !

— Commencez par me lâcher, reprit-elle assez sèchement, et laissez-moi m'expliquer. Ce n'est pas si simple.

Elle revint sur le sol et s'expliqua. Elle avait, l'avant-veille, entrepris son père, l'homme le plus ouvert du monde, le plus indulgent, le plus résolu à faire le bonheur de ses filles auxquelles il ne refusait rien. Elle ne lui avait pas caché ses deux rencontres avec Sosthène, le sentiment aussitôt né entre eux, leur commun désir de s'unir devant Dieu. Elle avait enfin mentionné la fortune de l'armateur nantais, laquelle témoignait que son prétendant n'était pas un vulgaire coureur de dot, comme il serait facile d'en obtenir confirmation du capitaine Fulminet.

Elle marqua un temps.

— Valérie, dit Sosthène, vous me faites bouillir. Qu'a répondu votre père ?

Elle secoua la tête, lui posa une main sur l'épaule et le regarda dans les yeux.

— Je vous avais prévenu. Nous avons depuis l'enfance nos *novios*, comme dit ma mère, et je peux même vous dire leurs noms. Ils s'appellent Gilles Dugain et Zacharie Pioux. Mon père m'a écoutée avec une grande bonté et ne m'a fait aucun reproche. Il s'est borné à observer que, si j'avais été libre de tout engagement, il aurait volontiers pris votre demande en considération. Malheureusement, ayant donné sa parole, il estime ne pouvoir la reprendre.

— Tout serait donc perdu ? s'écria Sosthène. Et vous prétendez que votre père n'a souci que du bonheur de ses filles ? Ecoutez-moi. J'affrète un bateau, je vous enlève, nous nous marions à la Guadeloupe, nous gagnons la France, et du diable si le bon Monsieur

Cazenave, apprenant dans son île que sa fille est la plus heureuse des femmes, ne nous envoie pas sa bénédiction !

Valérie lui fit sur la joue une furtive caresse et repartit :

— Vous avez une grande chaleur à l'imaginative, Sosthène, mais elle vous emporte un peu trop. Ne protestez pas ! C'est ce qui me plaît en vous, mais supposons que j'acquiesce à votre beau projet. Un corsaire anglais, hollandais ou pis encore, un forban, prend en chasse votre coquille de noix et vous voilà capturé. On vous met aux fers, on vous rançonne et qu'advient-il de la pauvre Valérie ? Je n'ose y penser. Non, ce n'est pas par ce moyen que vous m'enchaînerez à votre char. Dieu merci ! il y en a un autre plus efficace.

Sosthène lui prit les mains.

— Lequel ?

— Je pensais que vous aviez compris, poursuivit-elle du même ton égal. La meilleure façon de surmonter un obstacle, c'est de le supprimer. Je connais mon père. Inutile de se gendarmer contre n'importe laquelle de ses décisions, une fois qu'il l'a prise. Il est bon mais têtu comme une mule. Or, il m'a clairement laissé entendre qu'il n'avait rien contre vous, le seul obstacle à ses yeux étant Zacharie.

— Zacharie ?

— Oui, Zacharie Pioux, mon *novio*, celui d'Eponine étant Gilles Dugain. Je n'ai jamais aimé Zacharie, qui n'est pour moi qu'un camarade, et je ne ferais avec lui qu'un mariage de convenance. Je suis donc allée le trouver pour lui exposer le nouvel état de mon cœur et lui demander de renoncer à moi.

— Valérie, dit Sosthène, en portant à ses lèvres, l'une après l'autre, les mains de la jeune fille, vous êtes la plus merveilleuse créature qui existe sur terre, et je n'aurai pas trop de toute ma vie pour vous le répéter. Il n'y avait que vous pour trouver une solution aussi radicale que courageuse. Comment le *novio* a-t-il pris la chose ?

— Mal. Zacharie est une tête brûlée. Le père a long-temps opéré dans la flibuste, où il a fait sa fortune, et le fils tient de lui son humeur farouche. Bref, Zacha-rie veut vous tuer.

— Qu'il y vienne ! dit Sosthène en levant les épaules.

— Justement il y vient, reprit Valérie. Il m'a déclaré que l'un de vous — je veux dire vous ou lui — était de trop, qu'il se considérait comme offensé et que votre différend devait se régler par les armes.

— Où et quand, s'il vous plaît ?

— Sur l'heure et ici même. Il attend, à l'orée du sentier, que je lui fasse signe au cas où vous maintien-driez que vous me voulez pour femme.

— Je maintiens, fit Sosthène en dégainant.

Un rire mi-goguenard, mi-sardonique avait accom-pagné cette déclaration, et ma pensée, dans l'instant, s'était reportée à mon duel avec le comte de Valbert, à ses conséquences, désastreuses pour moi, du fait de Line et de Trine. La situation présentait des simili-tudes troublantes, et le malaise que j'en éprouvais me commandait d'intervenir.

— Sosthène, lui dis-je, tu n'es pas de sang-froid, et une affaire comme celle-là ne se traite pas à la légère. Si je comprends bien, voilà une aventure qui doit se terminer par mort d'homme.

— Et comment voudriez-vous, monsieur, qu'elle se terminât ? me renvoya-t-il en bouffonnant.

— J'écarte d'entrée, repris-je, l'hypothèse d'une issue qui te serait défavorable et qui me mettrait dans l'obligation de te venger. Mais, ton rival expédié, com-ment vois-tu la suite ? Te voilà traqué, arrêté, con-damné, et je me suis laissé dire que le gouverneur de l'île, pour tenir en main une population trop remuante, était sans pitié en cas de mort violente.

— Non, monsieur, dit sèchement Valérie. Je témoi-gnerai que votre ami était en état de légitime défense, qu'il a été provoqué, attaqué, et j'ose penser que votre témoignage appuiera le mien.

Eponine, qui jusque-là n'avait pas ouvert la bouche,

ne voulut pas être en reste et prit la parole à son tour
sur le ton le plus dégagé.

— Je comprends, monsieur Lafortune, dit-elle, que
vous ressentiez quelque déception à la pensée d'être
tenu en dehors d'un débat rendu inévitable par les
tendres sentiments que ma sœur a été assez heureuse
pour inspirer à votre ami. Me permettez-vous d'observer qu'il ne tenait qu'à vous d'y être partie prenante,
si j'ose m'exprimer ainsi, mais la passion brûlant
d'être couronnée par un lien légitime ne se commande
pas. D'ailleurs, soyez rassuré. Vous allez être de la
fête. Mon *novio*, Gilles, qui n'est pas moins bouillant
que Zacharie, doit l'assister. Il s'est ému des assiduités que vous avez eues pour moi le soir du bal. Il
sait que nous étions ensemble à la Trompeuse et à
Limonade, et veut, lui aussi, vous en demander raison
avec plus de fureur encore que Zacharie, puisqu'il est
porté à penser que vos intentions à mon égard étaient
moins pures.

La colère me monta au cerveau.

— A merveille ! fis-je. Voilà, mon cher Sosthène, de
dangereuses petites personnes, et je peux maintenant
te faire part d'une intéressante confidence de Monsieur
Dufourneau qui connaît bien ce joli monde exotique.
Nos ingénues ont déjà sur la conscience un mort et un
estropié, qui ont reçu ce funeste traitement pour leurs
beaux yeux en combat singulier. Apparemment, elles
ont prévu pour nous le même sort. Je pense que tu
as compris et que, laissant ta Valérie à son irascible
boucanier, tu vas lui tirer ta révérence et te mettre
en quête avec moi de beautés plus traitables.

Sosthène n'eut pas le loisir de me répondre, car une
voix grasseyante s'élevait dans le dos des mignonnes.

— Messieurs les enseignes, nous sommes à vos
ordres.

Deux gaillards aux larges épaules, et qui avaient
tous deux une bonne tête de plus que moi, venaient
de surgir du sentier au coin duquel pendillait à une
branche la gaze virginale.

— Vous nous faisiez trop attendre, mes toutes

belles, reprenait une voix plus rude, qui était celle du second *novio*. Nous avons pensé que ces messieurs pourraient être pressés.

Deux mauvais rires ponctuèrent cet avis sans détour. Je n'ai pas oublié, dans la poudreuse luminosité de la lune pleine, ces deux visages sournois où se lisaient la haine et la férocité. Chacun de nos adversaires avait à la main un sabre d'abattis à lame large et courte, et je compris tout de suite que nous allions avoir affaire à forte partie.

L'engagement fut plus bref que je n'aurais pu l'imaginer. A peine avais-je eu le temps de dégainer, que déjà le plus massif des deux insulaires était sur moi. J'eus à me louer dans cet instant de mes assauts au sabre d'abordage avec le cher Sosthène sur le pont de *la Pétulante*. Les ruses m'en étaient connues. Après m'avoir porté un terrible coup de taille que je sus parer de ma bonne épée, l'homme exécutait un moulinet dans la meilleure manière du roi Lolo, et qui n'eût pas manqué de me faire voler la tête à plusieurs pas, si je n'avais eu la présence d'esprit de plonger en avant. Je sentis au-dessus de moi le vent de l'acier coupant l'air, mais mon sabreur avait mis dans son attaque une telle impétuosité, qu'il en était déséquilibré. Je n'eus que la peine d'allonger mon épée où il s'embrocha comme un poulet.

Il s'effondra sans un cri. Je dus le repousser du pied pour dégager mon arme et apporter mon aide à Sosthène. Déjà c'était trop tard. J'entendais un râle suivi d'un affreux gargouillement. Hélas ! le camarade était à terre. Il n'avait pas su, comme moi, éviter la charge du tueur et le sang s'échappait à gros bouillons de sa gorge ouverte. Et voilà que son meurtrier se précipitait sur moi, sabre en avant, la bouche déformée par un rictus sauvage, et vociférant :

— Si tu crois, moussaillon de malheur, que tu m'auras comme tu as eu Gilles, abandonne tout de suite tes illusions et fais ta prière. Personne n'a encore pu se vanter d'avoir seulement égratigné Zacharie Pioux, et je te promets que tu ne seras pas le premier.

Je n'avais pas à répondre à cet énergumène. Toute mon attention, décuplée par la froide volonté de venger mon ami, était concentrée sur ses moindres gestes afin de brouiller son jeu et de pousser ma botte. Le rustre était aussi leste que vigoureux. Aussi la brutalité de son action avait-elle failli, dès sa première attaque, me faire lâcher mon arme.

La nuit était lourde. Je vis des gouttes de sueur briller sur le visage grimaçant qui me narguait. La meilleure tactique consistait à rompre pour fatiguer l'adversaire. Je me pris à sautiller de droite et de gauche, à reculer, à tourner autour du rond-point, me bornant à donner la parade, pour faire croire à une impuissance où j'aurais été de prendre l'initiative. J'avais fait un bon calcul, car, peu à peu, avançant constamment sur moi, le sieur Zacharie Pioux prenait confiance et, assuré de m'expédier, m'abreuvait d'injures qui achevaient de lui faire perdre la maîtrise de soi.

Combien de minutes dura cette danse de mort ? Je ne saurais le dire, car j'avais perdu la notion du temps. La sueur piquetait de plus en plus le front du personnage, coulait sur ses joues, gouttait à son menton. A deux ou trois reprises déjà, il s'était découvert, et j'aurais pu saisir l'occasion de le mettre hors de combat. Mais la gorge sanglante de Sosthène me commandait d'infliger à ce misérable le même traitement. Enfin, il commit l'erreur que j'attendais. Il voulut renouveler à sa façon le coup qui avait rendu tristement célèbre le baron de Jarnac devant le seigneur de la Châtaigneraie. Je l'avais provoqué en tenant ostensiblement la garde haute. Il se pencha pour m'assener un coup terrible et qui, si je ne l'avais prévu, m'aurait sans merci tranché le jarret droit. Il me manqua, par le bond que je fis, et mon épée lui traversa le col de part en part.

Son compte était bon, et il gargouillait à son tour. Je courus à Sosthène, m'agenouillai près de lui. Mon ami n'était pas mort, mais il n'en valait guère mieux. Presque tout son sang avait fui par l'affreuse blessure, une écume rosâtre moussait à ses lèvres, et sa pâleur cireuse annonçait la fin. Je posai une main sur son front déjà froid. Il tenta vainement de prononcer quelque chose, mais ses prunelles chavirèrent avant qu'un son ne fût sorti de sa bouche. Il ne me restait plus qu'à lui fermer les paupières, et comme je m'acquittais de ce pieux devoir, un sanglot s'étouffa dans ma gorge.

Un silence effrayant avait succédé aux injures et au choc des armes. Je me relevai. Les deux responsables du drame étaient à deux pas de moi, serrées l'une contre l'autre comme des oiseaux frileux, et me regardaient, les yeux dilatés d'épouvante. Une rage me saisit.

— Eh bien, mesdemoiselles, leur dis-je d'une voix glacée, je pense que vous êtes fières de votre œuvre. Voilà trois hommes morts, victimes de votre cruelle légèreté. Qu'attendez-vous pour danser votre petite ronde de créatures sans cœur ni cervelle sur ces trois cadavres ? Mais non, disparaissez vite, ou je ne répondrais plus de moi.

J'avais toujours en main mon épée sanglante. Elles poussèrent toutes deux le même cri et partirent en courant.

XI

Je restais seul devant trois morts et, alors qu'en face de deux adversaires également résolus à m'occire, je n'avais pas connu un instant de défaillance, je me mis à claquer des dents. Celui qui aurait dû être la victime était, à son corps défendant, devenu le bourreau, mais qui pourrait l'admettre quand toutes les apparences me condamnaient ? Les sœurs Cazenave allaient incontinent donner l'alarme, ameuter la plantation. Pourchassé, traqué comme une bête fauve, capturé, jeté en prison, je comparaîtrais en justice, j'aurais à y répondre d'un double meurtre, et le dénouement était facile à prévoir. Plusieurs lieues me séparaient de *la Pétulante*, et même si je parvenais à gagner le navire, Monsieur Fulminet, en dépit de l'amitié qu'il me portait, serait obligé de me livrer.

Je pensai soudain que j'avais été bien imprudent de laisser prendre le large aux deux misérables coquettes dont le caprice pervers avait causé ma disgrâce. N'aurais-je pas dû les bâillonner avec leurs propres vêtements, les ligoter, les attacher à un arbre sous la menace de mon épée, afin de me donner le temps de fuir ? Ah ! comme elles nous avaient bien bernés, l'infortuné Sosthène et moi ! Mon ami le plus cher, baignant dans son sang, gisait maintenant sur la terre froide. Ma seule chance de salut consistait à mettre le plus de distance possible entre la plantation Cazenave et moi et à me cacher en lieu sûr. Mais quel refuge trouverais-je dans cette île où je n'étais qu'un étranger de passage ?

Une large face lippue et hilare se présenta soudain à mon esprit, celle du mulâtre Ovide, le tenancier du *Bon Colon*. Ne devait-il pas faire passer chez les *marrons* un meurtrier comme moi, le gabier Lamarche, celui-là même qui avait si bellement dépêché ses trois infidèles d'une seule décharge d'espingole, entre Lisbonne et les Desertas ?

Je me jetai à corps perdu dans le sentier par où les sœurs s'étaient engouffrées. Il fallait rattraper ces possédées du démon, les mettre, par un moyen quelconque, hors d'état de nuire, le temps nécessaire à ma fuite. Dans ma folle course, les feuilles me giflaient, des branchettes me cinglaient au passage.

Je n'eus pas à courir longtemps. Je n'avais pas couvert la moitié du chemin que je dus m'arrêter. Eponine et Valérie étaient devant moi, l'une des deux sœurs penchée sur l'autre qui, assise par terre, se palpait un pied en geignant. Celle qui était debout se redressa, se tourna vers moi et recula, les deux mains en avant, dans un geste de défense.

— Ne me touchez pas, dit-elle. Valérie s'est fait une entorse par votre faute. Elle ne peut plus marcher. Si vous étiez un galant homme, vous la transporteriez jusqu'à la maison.

— Pour que vous me dénonciez comme coupable d'avoir tué deux brutes qui voulaient ma mort ?

J'avais encore beaucoup à apprendre sur le compte de ces délicieuses personnes. Eponine, mon Eponine, dont les baisers m'avaient été si doux, reprenait sèchement :

— Ceux qui sont morts ne souffrent plus. Valérie, elle, souffre à cause de vous, et il n'y a pas de temps à perdre pour lui donner les soins que réclame son état. Si vous la transportez, non seulement je vous promets de ne pas ouvrir la bouche sur ce qui s'est passé cette nuit, mais je n'enverrai que demain une de nos esclaves du côté du rond-point, sous couleur de me rechercher un mouchoir de dentelle auquel je tiens et que j'aurais perdu en me promenant par-là. Elle sera censée avoir découvert le résultat de vos exploits.

Pour notre part, nous n'avons rien vu, nous ne savons rien.

Le ton exempt de toute émotion avec lequel ces paroles avaient été prononcées me laissait sans voix. La mort de trois hommes, où sa responsabilité était directement engagée, avait pour la sensible Eponine moins d'importance que l'entorse de sa sœur. Mais je n'avais pas le choix, et mieux valait courir le risque, tout en prenant mes assurances.

— Jurez-moi, lui dis-je, sur la tête de votre mère, que vous tiendrez parole.

Elle leva les épaules.

— Où avez-vous la tête ? Ne comprenez-vous pas que nous avons intérêt à ne pas être mêlées à cette affaire ? On ne nous a pas vues sortir, on ne nous verra pas rentrer. Valérie se sera foulé le pied en faisant un faux-pas dans sa chambre.

— Jurez !

— Puisque vous y tenez, je le jure.

— Sur la tête de votre mère.

— Sur la tête de ma mère.

— Votre sœur aussi doit jurer.

— Je le jure, murmura Valérie, sans cesser de geindre.

J'enlevai l'estropiée dans mes bras, et elle passa aussitôt les siens autour de mon cou. L'étrange histoire ! Si, une heure plus tôt, j'avais tenu, ainsi serrée contre moi, et autant dire à ma merci, cette ravissante créole, je me serais considéré comme le plus fortuné des mortels. Maintenant que je sentais sur ma nuque ses mains fraîches, que son parfum à la fois suave et pénétrant comblait mes narines, je n'éprouvais plus pour elle que mépris et dégoût. Elle continuait de se plaindre doucement. Je marchais à grands pas, tant j'avais hâte d'être délivré de mon fardeau, et Eponine peinait à trottiner sur mes talons.

Enfin la « grande case » apparut, toute blanchoyante sous la lune; je déposai Valérie devant la porte, et elle s'appuya sur sa sœur pour avancer à cloche-pied.

— Merci, monsieur, dit froidement Eponine. Croyez que je regrette ce qui est arrivé.

Telle fut toute l'oraison funèbre de Sosthène Goujet et des deux *novios*.

Quelle réponse faire à cette inconsciente ? Je n'en fis pas et lui tournai le dos, pour dévaler à toute allure la pente du « mornet ». Mon cheval et celui de Sosthène étaient toujours paisiblement à l'attache où nous les avions laissés. Je détachai le mien, puis, à la réflexion, libérai aussi son compagnon. Il pourrait bien aller où il voudrait.

Parvenu au bas de la pente que j'avais prudemment descendue au pas, je forçai ma monture. Est-il besoin de dire les pensées qui s'agitaient en moi ? Il ne s'était guère écoulé plus d'une heure depuis que j'avais parcouru le même chemin en sens inverse avec un Sosthène taciturne mais au cœur tout gonflé d'espoir. Dans ce bref espace de temps, mon destin avait changé de face. A plus d'un an de distance, et dans des circonstances tragiquement analogues, je me trouvais exposé aux mêmes périls et je ne pouvais plus, cette fois, compter sur l'assistance d'un père. Que faisait-il à cette heure, le cher marquis dont j'étais sans nouvelles depuis que je l'avais quitté ? Songeait-il à son fils et à sa descendance compromise par une absence dont la prolongation laissait le champ libre aux plus sombres suppositions ? Qu'était devenue la bonne cousine Apollonie qui, en toute occasion, prenait si vaillamment le parti de son petit cousin ? Je ravalai une larme. Le moment n'était ni à la rêverie ni à l'attendrissement, mais à la lutte pour la vie.

Quand j'arrivai en vue des premières maisons du Cap Français, ayant de nouveau mis mon cheval au pas, j'entendis derrière moi un bruit de galopade. Me rejoignait-on déjà ? Ce n'était que le cheval de Sosthène qui supportait sans doute mal la solitude et qui, parvenu à notre hauteur, adopta l'allure du mien.

L'auberge du *Joyeux Marinier* était aussi obscure que les autres maisons de la ville déserte où, de loin en loin, une mauvaise lanterne éclairait maigrement un coin de rue. Il n'était pas question de réveiller l'esclave commis à l'écurie. Après avoir attaché les chevaux à un anneau fixé dans le mur, je gagnai rapidement l'auberge du *Bon Colon*. Un rai de lumière filtrait sous la porte. Je collai mon oreille à un battant. Les derniers clients devaient être partis, car je n'entendis aucun bruit. Je frappai à deux reprises. La lumière s'éteignit. Je frappai encore, et la porte s'entr'ouvrit en grinçant sur ses gonds. Je reconnus la voix d'Ovide.

— C'est toi, Polydor ?

— Non, l'ami, répondis-je. C'est l'enseigne Lafortune, que vous avez vu avant-hier avec Monsieur Dufourneau. Il faut que je vous parle.

— Entrez, monsieur l'officier.

Il referma la porte dans le noir, puis alluma une chandelle fichée dans une bouteille, et je vis ses dents blanches briller dans sa face camuse.

— A votre service.

— Ovide, j'ai tué deux blancs : Gilles Dugain et Zacharie Pioux, ce dernier ayant occis un de mes amis et tous deux voulant me faire subir le même sort.

Le mulâtre se fendit d'un gros rire.

— Vous avez bien fait, monsieur l'officier. Voilà deux coquins de moins. Tout le monde les détestait au Cap. C'étaient de mauvaises gens qui fouettaient leurs nègres à mort. Alors, vous voulez aussi passer chez les *marrons* ?

— Tu as compris, Ovide. Est-il encore temps ?

— J'attends justement Polydor. C'est un chef de bande de la savane du Trou, un homme qui ne s'en laisse pas conter. Je l'ai fait prévenir pour votre matelot. Vous allez partir avec eux. Il faudra seulement vous tenir à carreau chez les *marrons*, parce qu'ils sont coriaces, autant dire même un peu sauvages. Dame ! la vie n'est pas drôle dans la savane. Le mieux pour vous serait de ne pas y moisir trop longtemps et de vous ensauver le plus tôt possible chez les Espagnols ou les Anglais : Cuba, la Jamaïque, Porto-Rico, à votre choix.

Je lui glissai dans la main quelques pièces d'or.

— Monsieur l'officier est trop généreux.

— Ma vie n'a pas de prix, et tu la sauves. As-tu une écritoire ?

— Je tenais les comptes de la plantation quand j'étais commandeur.

— Apporte-la vite. Je vais te confier un message que tu remettras demain au lieutenant Dufourneau.

— Monsieur le lieutenant est dans sa chambre. Voulez-vous que je le réveille ? Peut-être même qu'il ne dort pas, car il n'est pas seul et ne doit pas perdre son temps.

Il rit encore grassement, m'apporta l'écritoire, et je rédigeai ma lettre. Elle était brève. Après avoir expliqué toute l'affaire, je priais Monsieur Dufourneau de prendre mes intérêts auprès du capitaine Fulminet, que je me déclarais au désespoir d'abandonner, mon seul propos étant de lui éviter, comme à moi-même, toute difficulté avec le gouvernement de l'île.

Tandis que j'écrivais, Ovide était resté debout près de moi, les bras ballants. Je pliai le papier qu'il glissa tout de suite, comme un scapulaire, entre chemise et peau.

— Maintenant, me dit-il, avec la permission de monsieur l'officier, je vais aller chercher le matelot. Polydor ne tardera guère.

Il revint avec mon Normand tout éberlué de me voir.

— Hélas ! monsieur Lafortune, venez-vous me mettre la main au collet ?

— Rassure-toi, Lamarche. Nous sommes dans la même mélasse, toi et moi, et je ne suis ici que pour t'accompagner chez les *marrons*.

— C'est-il Dieu possible ?

— Rien de plus vrai, gabier. Tu sauras tout plus tard.

Ovide remplit trois verres de tafia, et porta ma santé. Je sirotais à petits coups le liquide râpeux quand trois coups espacés furent frappés à la porte. C'était le nègre Polydor qui, à ma vue, fit aussitôt mine de fuir. Ovide le retint en employant cet affreux baragouin créole, fait de français corrompu, d'espagnol francisé et de miettes de dialectes africains, à quoi je ne m'étais pas encore accoutumé.

Polydor, je dois le dire, n'avait, sur l'apparence, rien de ces bons nègres inoffensifs qu'on rencontrerait sans crainte au coin d'un bois. Il appartenait à cette race sanguinaire des Mondongues qui n'ont pu se défaire de l'abominable pratique de dévorer leurs semblables. On les reconnaît à leurs dents, qu'ils scient laborieusement pour les rendre plus pointues. Colosse musculeux, qui mesurait six bons pieds de hauteur, Polydor n'était vêtu que d'une chemise et d'une culotte en lambeaux; un couteau était suspendu à sa ceinture dans une gaine de cuir, et, à mesure qu'Ovide, à grand renfort de gestes, avançait dans ses explications, je voyais un affreux rictus découvrir sa mâchoire. Enfin, il se mit à sautiller sur place, inclina à plusieurs reprises devant moi sa tête crépue et jargonna :

— Moué bon zami senior officier.

Sur quoi le dialogue reprit entre lui et Ovide, et ce dernier ne tarda pas à m'apprendre que Polydor se déclarait aux anges de pouvoir assister deux blancs qui, ayant déjà tué d'autres blancs, auraient certainement à cœur, avec lui, d'améliorer leur tableau de chasse.

Sans vouloir discuter ce point de vue particulier, je frappai amicalement sur l'épaule de l'ogre et lui tendis la bouteille de tafia entamée. Buvant au goulot, il la vida d'un trait, poussa un grand soupir, et je crus que les yeux allaient lui sortir de la tête.

Cependant son observation sur les futurs exploits dont il me croyait capable faisait du chemin dans mon esprit. La société des *marrons*, ses frères, ne devait pas être de tout repos. Je ne pouvais assurément envisager de sang-froid la perspective de rester plus de quelques jours dans la savane au milieu de sauvages qui vivaient de rapines, brûlaient les plantations et se plaisaient à des atrocités qui n'excluaient pas l'anthropophagie. Et voilà que je me revoyais à la Pointe de

Limonade, et j'entendais Valérie me parler de ce corsaire français qui avait capturé et amené au port un navire anglais de trente canons. Mon imagination travaillait sur cette donnée pleine de promesses. Je savais ce qui se passait en pareil cas. Le cher Monsieur Pigache m'en avait assez rebattu les oreilles. Le capitaine corsaire ne laissait qu'un détachement de son équipage à bord de la prise pendant qu'il en négociait la vente. Pourquoi, avec Polydor et ses *marrons*, ne tenterais-je pas de capturer à mon tour le bateau anglais ? J'étais devenu assez bon navigateur, grâce aux leçons de Monsieur Fulminet, pour prendre le commandement d'une frégate. Lamarche, excellent matelot, pourrait apprendre la manœuvre à mes noirs. Je recommanderais à ces derniers de ménager les matelots français restés sur le navire. Ils devraient se borner à les mettre hors d'état de s'opposer à notre entreprise, afin de me permettre d'enrôler ensuite ceux qui accepteraient de suivre ma fortune. Quant aux prisonniers anglais, je ne voyais aucune difficulté à en user de même avec eux, c'est-à-dire comme faisaient les capitaines forbans qui ne demandaient à leurs marins que de savoir manœuvrer, sans se préoccuper du pays où ils avaient vu le jour. Ainsi mon équipage blanc balancerait-il mon équipage noir et, au besoin, lui ferait-il entendre raison si mes *marrons* devenaient trop turbulents.

Toutes ces pensées, qui se bousculaient dans ma tête, en suscitèrent soudain une autre, liée à Monsieur Pigache et au souvenir de la conversation que j'avais eue avec lui sur le pont de *la Pétulante*, peu après avoir quitté le pays du roi Lolo. Il me parlait de sa « négrophilie » et de la république de Libertalia où, les noirs vivant sur un pied de parfaite égalité avec les blancs, les équipages des bateaux étaient bicolores. Je lui avais alors demandé si, à son jugement, la traite ne devait pas être abolie, et il m'avait répondu avec un accent de conviction qui m'avait troublé : « J'y compte bien ». Ce noble propos passait de très haut par-dessus la tête d'un enseigne de fraîche date, même promu en imagination au commandement d'un navire de trente canons. Il relevait des souverains, des rois et des princes commis au gouvernement des empires. Mais ne pouvais-je pas être en quelque sorte le précurseur, celui qui, donnant le branle au grand mouvement de libération des noirs, serait élevé par la race future au rang des hommes qui honorent l'espèce pour s'être insurgés contre l'oppression ? J'avais assisté à la vente de nos captifs. Les affiches l'annonçaient comme faite *au nom du Roi, de la Loi et de la Justice.* Eh bien, au nom de la Justice tout court, qui devait prendre le pas sur le Roi et la Loi et faire abroger celle-ci par celui-là, pourquoi n'opposerais-je pas à la traite l'anti-traite, aux négriers le chasseur de négriers ? Devenu maître à bord du premier navire justicier, j'enlèverais à l'abordage les instruments d'un trafic infâme, je délivrerais les esclaves que je ramènerais sur la terre africaine. A l'image de Libertalia, ils constitueraient une libre république d'Afrique. Une nouvelle Athènes s'instaurerait sous les cocotiers.

J'étais encore à l'âge où l'on bat allégrement la campagne et je faisais bon marché des obstacles qu'un monde au service de l'iniquité ne se priverait pas de dresser contre moi. Mais ma liberté, ma vie même étaient liées à la réussite de ma téméraire entreprise. Je ne pouvais plus reculer.

Restait à convaincre les étranges auxiliaires que le destin m'avait assignés. J'exposai aussitôt mon plan à Ovide en lui faisant d'abord ressortir qu'ami des noirs, j'avais toujours rêvé de leur émancipation. Le premier pas à franchir était la prise du navire où Polydor serait mon fidèle lieutenant, avant que de commander lui-même un autre vaisseau dont nous aurions à nous saisir par la suite. Ces deux succès en prépareraient d'autres. Dans un proche avenir, je voyais déjà toute une escadre, toute une flotte, dont les équipages noirs, par leur vaillance triomphante, imposeraient aux orgueilleuses nations d'Europe l'abolition de l'esclavage.

Les nègres sont de grands imaginatifs, et il fallait

m'employer à frapper leur imagination. Polydor m'avait écouté bouche bée, ses gros yeux ronds roulant dans leurs orbites, et sans bien comprendre, à en juger par son attitude, la moitié de ce que je disais. Je comptais sur Ovide pour l'éclairer. Le mulâtre ne devait pas tromper mon attente. Pendant tout mon discours, je l'avais vu, à plusieurs reprises, se frapper sur les cuisses, le visage tout illuminé d'un plaisir croissant, puis sautiller sur place comme un gros babouin.

— Qu'en penses-tu, Ovide ? lui dis-je quand j'eus terminé.

Il me prit les mains et les baisa avec transport.

— Ah ! monsieur l'officier, s'écria-t-il, vous serez le sauveur des noirs. On vous mettra sur les autels.

— Je n'en demande pas tant, repartis-je. Je ne veux, comme je te l'ai dit, que servir la justice, et tu peux dire à Polydor que, s'il accepte ma proposition, il sera peut-être, un jour, roi en Afrique.

— Roi ! répéta Ovide d'un air extasié.

Je compris qu'avec lui j'avais gagné la partie. Il lui revenait de la gagner à son tour avec Polydor, et il s'y employa sur-le-champ avec une étourdissante volubilité, agitant ses mains, et son torrentueux débit coupé de fous rires.

Tandis qu'il s'évertuait ainsi, j'observais le *marron*. Il avait commencé par écouter dans une sorte de stupeur, le visage figé, dépourvu de toute expression. Puis il s'anima peu à peu, une lueur brilla dans ses yeux, ses lèvres épaisses tremblèrent, et il fut pris, lui aussi, de rires convulsifs. Enfin, il prononça quelques paroles inintelligibles, et Ovide tourna vers moi un regard satisfait.

— Il accepte, dit-il.

L'agitation de Polydor me l'avait déjà fait comprendre. L'ogre, continuant d'exhiber ses dents sciées dans un rictus féroce, me regardait fixement, comme si, prêt à me dévorer, il avait choisi par quelle partie de mon corps commencer son festin. Cependant il se

bornait à protester de son dévouement à ma cause
en ces termes singuliers :

— Moué roué ! moué roué ! hi ! hi ! Moué zami
senior officier. Moué grand roué couper beaucoup
cabezas.

Ainsi la royauté, dont il se voyait déjà investi, avait-
elle à ses yeux pour privilège fondamental de pouvoir
vendanger les têtes à discrétion, et je me demandais
si une profession de foi aussi catégorique n'eût pas
découragé le bon Monsieur Pigache lui-même, si sensible qu'il fût à l'iniquité dont pâtissait la race noire.
Mais, à son tour, imitant Ovide, le *marron* me baisait
les mains, sautait de joie, ricanait de plus belle. Il était
conquis.

— Maintenant, dit le tenancier du *Bon Colon*, je crois
qu'il ne faudrait pas vous attarder davantage. Vous
avez dans les sept lieues à couvrir d'ici au Trou.

— Encore un mot, Ovide, repris-je, tandis que le
« roué » en puissance poursuivait sa gigue barbare.
Nous devons agir vite et ne rien laisser au hasard, si
nous voulons emporter le morceau. Le temps d'aller
au Trou, de mettre nos hommes en condition et de
revenir, je compte trois jours. Avant l'abordage, il faut
que nous sachions combien de matelots occupent le
navire anglais. Tu vas te renseigner.

— Oui, monsieur l'officier. Le navire s'appelle le
Victorious. Drôle de nom pour une prise ! Je l'ai vu
à son arrivée au port avec le corsaire qui l'amenait,
un Malouin, même que ce Malouin-là est un noble, un
nommé du Fresne ou du Chesne.

— Bon ! Ecoute-moi, nous opérerons de nuit, disons
à une heure du matin. C'est le moment le plus favorable, celui où l'officier de quart résiste le moins à la
somnolence. De combien d'hommes dispose Polydor ?

— D'une cinquantaine.

— Tu vas réunir, sans te faire remarquer, le nombre
de barques nécessaires pour transporter tout ce
monde-là à bord du *Victorious*. Les pales des avirons
devront être entourées de chiffons pour éviter le
moindre bruit en attaquant l'eau. Les barques seront

amarrées à l'endroit le plus propice, que tu choisiras de façon qu'elles ne puissent être découvertes avant notre action. Nous arriverons à l'heure dite devant ton auberge; tu nous auras guettés derrière ta porte et tu nous conduiras au port.

— A vos ordres, monsieur l'officier. Un conseil : vous feriez bien d'avoir des chevaux pour gagner le Trou. Polydor vient toujours à pied, il est dur à la peine, mais sept lieues, c'est long.

— J'ai laissé deux chevaux devant le *Joyeux Marinier*. Nous allons les reprendre, l'un pour Lamarche et moi, l'autre pour Polydor.

— Qui, lui, aura le diable en croupe, dit Ovide en ricanant. Ils font très bon ménage.

Quelle nuit que celle-là, de plus en plus moite et épaisse, et où l'on sentait couver l'orage ! Il faisait noir comme dans un four. Polydor ouvrait la route, sombre archange des enfers, à peine perceptible dans l'ombre compacte. Derrière moi, mon matelot, qui n'avait probablement de sa vie enfourché un cheval, me tenait à deux bras par la taille, et devait regretter sa grand-hune. De fois à autre, il plaçait son mot à mi-voix.

— Pensez-vous, *boss*, que nous allons nous tirer de là ?

— Prie ton saint patron, gabier.

— Entre nous, ce moricaud-là vous inspire-t-il confiance ? Il n'a pas des dents de chrétien.

— Comment veux-tu ? Un mangeur d'hommes !

— Merci pour la compagnie.

— Nous n'avions pas le choix. Les autres de sa bande sont peut-être pires. Souviens-toi que tu ne dois pas avoir l'air de les craindre, mais au contraire leur faire peur.

— Compris. J'avais emporté mon sabre d'abordage, l'autre jour, quand j'ai démoli mon tricheur. Je l'ai encore et je sais m'en servir.

— Pas toujours à bon escient, malheureusement pour toi.

— Mettez-vous à ma place. J'avais vu ce filou extraire une carte de sa manche. Un as de pique. Tout mon quibus raflé d'un coup. J'ai vu rouge. Et puis leur tafia vous rend fou.

— Tu aurais pu te borner à lui flanquer une bonne raclée et à lui reprendre ton argent. Passons. Quand nous serons chez les *marrons*, ne me quitte pas d'une semelle. Je ne crois pas qu'il soit dans les intentions de Polydor de nous mettre à la broche, mais on doit tout prévoir et on se défend mieux à deux.

Le chemin n'était qu'une mauvaise piste toute bosselée, ravinée, où les chevaux bronchaient, et il avait fallu les mettre au pas. Après un parcours de plusieurs heures en plaine, dans le grand silence de la nuit, je me rappelle que nous avons longé une rivière avant de la traverser à gué. L'eau nous montait jusqu'aux genoux. A peine en étions-nous sortis et comme nous nous engagions entre les hauts alignements d'une plantation de café dénoncée par l'odeur, l'orage éclata avec violence. Presque sans interruption, de furieux grondements ébranlaient la nue. Dans le même temps, la pluie s'abattait en cataracte, et quelques instants suffirent pour nous tremper jusqu'aux os.

Au premier coup de tonnerre, Polydor avait arrêté son cheval. Je savais que les nègres ont une peur panique de la foudre, et le nôtre n'échappait pas à la règle. Je mis pied à terre et le vis, claquant des dents, blotti sous le ventre de sa monture ruisselante. En vain m'efforçai-je de lui faire entendre qu'il n'avait là qu'une protection illusoire et que mieux valait poursuivre notre route jusqu'à ce que nous eussions trouvé un abri sûr : l'ogre à la carrure terrifiante n'était plus qu'un petit Poucet craintif, dont, à la faveur d'un chapelet d'éclairs, je découvrais le visage grisâtre et les yeux épouvantés.

Il ne consentit pas à quitter son refuge précaire avant que, le vacarme céleste ayant cessé, ne régnât plus dans l'air rafraîchi que le menu grignotement d'une pluie obstinée. Peu après, le terrain devenait plus accidenté, des mornes s'enflaient devant nous, et nous entrâmes dans une gorge encaissée comme le jour commençait à poindre. Nous ne pouvions plus avancer qu'à pied, tenant nos chevaux par la bride, en raison de la végétation touffue où abondaient les genévriers et les figuiers de Barbarie. Tout à coup, deux grands diables noirs, efflanqués dans leurs guenilles, surgirent devant nous, l'un armé d'un vieux mousquet, l'autre d'un sabre d'abattis. Ils faisaient mine de se précipiter sur nous dans les intentions les plus hostiles, quand Polydor leva les bras en s'écriant :

— Eux bons blancs, zamis *marrons*.

Les deux hommes s'immobilisèrent, leur visage figé brusquement, puis, comme mus par un ressort, se détendirent, se trémoussèrent d'allégresse, brandissant leurs armes et proférant des sons inarticulés.

Tout près de là, à demi cachée par un fouillis d'arbustes, s'ouvrait une grotte naturelle qui servait de repaire à la bande. Un feu de bois, sur lequel fumait un chaudron, flambait devant l'entrée. La pluie avait cessé. Le ciel balayé par l'orage nocturne était d'un bleu de gentiane. Un à un, les nègres, sortant de la grotte, faisaient fête à leur chef. Ovide ne m'avait pas trompé. Ils furent bientôt une cinquantaine autour de nous, et Polydor entama dans son jargon une harangue à leur adresse. Ils l'écoutaient dévotement, et à l'expression ingénument ahurie dont les avait dotés la nature succéda une excitation qui confinait à la frénésie. Ils ricanaient, se tortillaient, échangeaient des coups de coude dans les côtes et me jetaient à la dérobée des regards dont j'aurais pu me demander s'ils ne traduisaient pas un appétit mal contenu d'anthropophages affamés.

Lamarche, à côté de moi, semblait acquis à cette interprétation et gardait la main sur la poignée de son sabre d'abordage, tout prêt à défendre chèrement sa vie. Mais Polydor me posa sur l'épaule une main amicale et prononça avec solennité :

— Li zami moué roué !

Là-dessus, tous les *marrons* s'écrièrent :

— Vive li roué !

Puis deux d'entre eux enlevèrent le futur souverain sur leurs épaules, deux autres me firent le même honneur, et ce ne fut plus, durant plusieurs minutes, que battements de mains, chants sauvages et clameurs, tandis que nos porteurs tournaient en courant autour du foyer.

Je passai deux jours avec les *marrons* qui m'entourèrent de toutes les prévenances dues à un hôte de choix, et je n'eus guère à me plaindre que des piqûres dont me lardèrent maringouins et racadeaux bourdonnant sur les marais d'alentour. Dans la matinée du premier jour, une équipe de chasseurs ramena un sanglier. Après l'avoir fendu en deux pour lui ôter les entrailles, ils le firent rôtir à la façon des boucaniers, percé d'une broche soutenue par deux petites fourches. La bête devait peser dans les deux cents livres. On m'en servit, dans une calebasse, un énorme quartier arrosé de pimentade, qui est une sauce faite d'un mélange de graisse, de piment et de jus de limon. J'en eus le palais emporté jusqu'au soir.

La journée du lendemain fut consacrée aux préparatifs de l'expédition. L'armement de la bande était hétéroclite. Une douzaine d'hommes paradaient avec des mousquets antiques et des espingoles portatives plus ou moins utilisables, faute de munitions. D'autres aiguisaient patiemment sur des pierres leurs sabres d'abattis ou de simples coutelas. Les moins favorisés ne disposaient que de gourdins en bois de fer. Je fis observer à Polydor que ces derniers seraient les plus indiqués pour mettre à la raison les occupants du *Victorious*, parce qu'ils pourraient les assommer sans les tuer. Il parut surpris de cette clémence et j'eus grand-peine à lui faire admettre l'obligation d'épargner des matelots expérimentés qui assureraient la manœuvre du navire et l'enseigneraient à ses *marrons*.

Avant de nous mettre en route, dans l'après-midi du deuxième jour, nous tînmes un conseil de guerre auquel participèrent les deux lieutenants de Polydor. L'un s'applait Canga et l'autre Yaya. Canga, d'un noir tirant sur le jaune, était de plus haute stature encore que son chef, et son visage aplati, entaillé de longues cicatrices parallèles des tempes jusqu'au cou, respirait la férocité. Celui de Yaya, noir comme de l'encre, et coupé d'entailles obliques, annonçait plutôt la ruse. Le premier venait du cap Mesurade, terre d'élection de l'anthropophagie, tandis que le second appartenait à la race des Aradas mangeurs de chiens.

Lamarche qui, suivant ma recommandation, demeurait toujours sur mes talons, assistait également à notre colloque, alors que le gros de la bande avait reçu l'ordre de rester à l'écart. Une certaine émotion l'attendait. Polydor avait en effet commencé d'expliquer de quelle manière devait se dérouler l'attaque du *Victorious*. Canga et Yaya, portés par tempérament aux solutions radicales, ne pouvaient envisager qu'un massacre de l'équipage entier. C'était une rude tâche pour Polydor de les amener à comprendre, comme il l'avait si difficilement compris lui-même, que des blancs pussent échapper à la mort, fût-ce pour les raisons les plus convaincantes. Or, les nègres de Saint-Domingue n'ont pas perdu l'habitude africaine de renforcer leur langage de ce que les linguistes appellent des mots imitatifs. Ainsi faisait Polydor, qui à un coup de fusil accolait de toute nécessité un *poum*, à un coup de bâton un *bimme*, à un coup de fouet un *v'lap v'lap*, sans parler du *bap* qui accompagne une chute, ni du *blou coutoum* inséparable d'une dégringolade.

Cette cascade d'onomatopées, ponctuées d'une gesticulation délirante, fit que le gabier prit peur. Comme il n'entendait goutte au jargon créole, il se mit en tête que ces *poum* et ces *bimme* figuraient autant de menaces pour sa précieuse existence.

— Je ne me laisserai pas faire, *boss*, me coula-t-il à l'oreille.

Et il tira son sabre du fourreau.

Polydor, qui en avait terminé, le regarda avec stupeur. Sans doute l'affaire eût-elle pris un mauvais tour si je n'avais enjoint à mon gabier de rentrer son arme en ajoutant pour les *marrons* :

— Lui brave matelot, lui aussi savoir faire *bimme bimme*.

Les trois nègres pouffèrent de rire, tandis que mon gabier honteux rengainait, le feu aux joues.

Peu après, notre colonne s'ébranlait, Polydor en tête chevauchant orgueilleusement avec moi, et Canga et Yaya fermant la marche.

J'avais bien calculé le temps qu'il nous faudrait pour arriver au Cap Français. La nuit claire, où naviguait une énorme lune rougeâtre, favorisait notre entreprise, et nous fûmes devant le *Bon Colon* à environ minuit et demi. Ovide, comme convenu, faisait le guet. Il m'informa tout de suite que le détachement à bord du *Victorious* ne comprenait que douze matelots.

— Ils ne vous donneront pas grand mal, monsieur l'officier, d'autant que le navire mouille à bonne distance du corsaire, mais il était temps. Il allait être remis demain à un groupe de planteurs qui l'ont acheté pour leur commerce, et au nombre desquels j'ai appris qu'il y avait votre bon ami, M. Cazenave.

Cette nouvelle me remit du cœur au ventre. Je tenais ma revanche.

Je frappai sur l'épaule de Polydor.

— En avant, mon zami !

Ne fallait-il pas m'habituer à parler aux *marrons* leur langage ?

XII

L'affaire fut rondement menée. Ovide avait bien travaillé. Six barques étaient dissimulées par les racines torses des palétuviers qui bordaient une crique sise à proximité du port. Les *marrons*, au nombre de cinquante-deux, plus Lamarche et moi-même y prirent place en silence. Etrange spectacle, en vérité, sous la lune poudroyante, que celui de tous ces noirs se poussant et s'entassant neuf par neuf dans des barques étroites, sans prononcer une parole ! L'un d'eux, ayant fait un faux pas, plongea dans l'eau, dont il resurgit aussitôt, et le gourdin de Canga rappela vigoureusement à l'ordre les rieurs.

Ovide n'avait pas omis d'envelopper de chiffons les pales des avirons, comme je le lui avais prescrit. Elles entraient dans l'eau calme comme dans un bain d'huile. Ma seule inquiétude venait des barques trop chargées et qui, aux mains de rameurs inexpérimentés, risquaient de chavirer.

J'avais pris la tête de la flottille avec Polydor, Lamarche qui ne voulait pas se séparer de moi, et sept des meilleurs *marrons*. Canga et Yaya étaient au commandement des deux barques suivantes. Trois, dont la nôtre, devaient attaquer le *Victorious* à bâbord, et les trois autres, avec les deux lieutenants, à tribord.

Je ne voulais plus songer à la témérité de l'opération, ni surtout à ses suites, en cas d'un succès que je refusais de mettre en doute. J'étais de sang-froid, tendu tout entier vers l'action. Pour la première fois, je faisais acte de chef. J'avais la pleine conscience d'une responsabilité qui me portait au-dessus de moi-même. Il fallait agir vite et sans bruit. On distinguait nettement le *Victorious,* affourché à deux ancres hors de portée de canon du corsaire, un capre de Dunkerque bien reconnaissable à son gréement et à sa tenue sur l'eau, bien que son capitaine fût Malouin, selon Ovide. Un peu plus loin, j'apercevais la fine mâture de *la Pétulante,* qui allait bientôt, hélas ! sans moi, forcer de voiles vers Nantes. Ma pensée en revint à Monsieur Dufourneau. Ovide lui avait-il bien remis mon message ? Le mulâtre ne m'en avait touché mot. J'avais moi-même négligé de le questionner sur ce point, qui me tenait à cœur. Que penserait de ma conduite le capitaine de *la Pétulante ?* Mais les dés étaient jetés. A la grâce de Dieu !

Hors la grosse lanterne de poupe qui brillait faiblement, aucune lumière ne dénonçait la vie sur la haute masse noire du *Victorious.* Je ne pus me défendre d'un frémissement quand notre barque heurta sa coque ventrue. Je lançai moi-même le premier grappin, Lamarche suivit mon exemple, et nos *marrons* se hissèrent après nous sur le pont.

Je n'eusse jamais imaginé qu'il fût aussi facile de s'emparer d'un navire. Deux hommes seulement veillaient, ou plutôt ne dormaient que d'un œil, l'un à la barre du gouvernail, l'autre sur le gaillard d'avant. J'étourdis le premier en lui assenant la poignée de mon épée sur la nuque, et Canga fit tournoyer son gourdin pour infliger le même sort au second. Neuf matelots s'abandonnaient au sommeil de l'innocence dans leur dortoir. Il suffit de les jeter à bas des hamacs pour leur apprendre que, de geôliers, ils étaient devenus captifs. Neuf et deux onze. Où était le douzième ? Cet amateur de boissons fortes avait eu la malencontreuse idée de forcer la porte de la dépense pour y faire main basse sur une bouteille de tafia. Il remontait sur le pont et émergeait d'une écoutille, apparemment pour déguster en paix, sous les étoiles, le fruit de son larcin, quand il rencontra Yaya. Celui-ci prétendit, après coup, qu'il avait pris pour une arme la fatale bouteille. Toujours est-il que son sabre d'abattis partit comme l'éclair pour trancher la tête de l'infortuné douzième, seule victime de notre abordage.

Il ne nous restait alors guère plus de quatre heures de nuit pour gagner le large, et il s'en fallait de beaucoup que tout péril fût conjuré. Si, avant l'aube, nous n'avions pas mis quelques lieues entre nous et le Cap Français, le corsaire, très probablement renforcé par *la Pétulante,* nous prendrait en chasse, et nos chances de lui échapper ne pèseraient pas lourd avec un équipage comme le mien. Déjà les *marrons* couraient à travers le navire en poussant des cris gutturaux. Faute de les prendre en main sur-le-champ, la partie était perdue d'avance.

Je parvins à persuader Polydor de la nécessité de rassembler tous ses hommes, tandis que j'allais préparer l'appareillage. Mais comment appareiller ? Le vent était presque nul, et pour mettre à la voile il me fallait de vrais matelots. Une seule solution s'offrait à moi : nos onze captifs devaient accepter de servir sous mon commandement.

Les équipages des bateaux corsaires, comme ceux des négriers, n'ont jamais été constitués de petits saints. Il n'est guère de ces navigateurs qui n'aient sur la conscience quelque rixe terminée par mort d'homme ou autres infractions à la loi et à la morale vulgaire.

Ayant demandé à Lamarche de me suivre, sabre en main, Polydor, Canga et Yaya en arrière-plan, prêts à réprimer toute velléité de mutinerie, je déverrouillai la porte de la chambre où étaient enfermés les onze, et entrai, pistolet au poing. Un falot fumeux, suspendu au plafond, répandait une clarté douteuse dans ce réduit, où j'eus au premier regard l'extrême surprise de n'apercevoir personne. Ah ! c'étaient de fameux lapins que nos corsaires, et qui avaient peut-être plus de philosophie dans leur dure caboche que toute la cabale d'Aristote. Ils ne se laissaient pas abattre par les revers de l'existence, connaissant l'instabilité de la

fortune et qu'après la pluie vient le beau temps. Je
ne les voyais donc pas et, pourtant, ils étaient bien
là. J'avais pris la désobligeante initiative de les réveiller en sursaut; ils n'avaient pas leur compte de sommeil. Une saine appréciation de l'événement les avait
conduits à reprendre dans le hamac la position cou-
chée. Certains d'entre eux, même, formaient déjà un
puissant chœur de ronflements.

J'éclatai de rire. Derrière moi, les chefs *marrons*
se mirent à l'unisson. Il ne me restait plus qu'à rappeler mes intrépides dormeurs au sentiment de la
discipline.

— Debout là-dedans ! m'écriai-je selon la vieille
formule de toutes les armées de terre et de mer.

J'avais accompagné cette injonction d'un coup de
pistolet en direction du plafond.

Les braves gens ! Dans l'instant, ils étaient debout,
ahuris, se frottant les yeux et jurant comme des pos-
sédés.

— Silence ! poursuivis-je, mon pistolet braqué sur
eux.

Et j'entamai mon exhortation en ces termes :

— Vous avez très bien compris, messieurs, que nous
aurions pu vous tuer. Nous sommes à cinq contre un.
Si vous respirez encore, c'est que j'ai besoin de vous,
et j'espère que nous allons nous entendre. Il ne dépend
que de votre bonne volonté de continuer votre service
à bord de ce navire. Vous aurez seulement changé de
capitaine. Quant à ceux qui refuseraient, je les préviens honnêtement qu'ils seront illico offerts en pâture
aux requins, un boulet aux pieds. Quel est parmi vous
le plus élevé en grade ?

— Moi, dit un grand diable à la tignasse rouge feu,
en avançant d'un pas.

— Comment t'appelles-tu, et quel est ton rôle à
bord ?

— Mathieu Grosbois, maître d'équipage.

— Y a-t-il avec toi d'autres hommes de la maistrance ?

— Deux, capitaine : Jacques Dufour, pilotin, dit la

Manille, parce qu'il a ramé deux ans sur les galères du roi avant d'escamper.

Il désignait du doigt un petit homme blondasse, trapu, chafouin, aux minuscules yeux de porcelet enfouis sous les paupières.

— Et voici Onésime Caille, maître voilier, dit Tord-clous, parce qu'il tord, sans se forcer, un rivet entre ses dents.

Celui-là était un colosse basané, à moitié chauve, et dont les muscles bossuaient le tricot rayé.

J'appris avec satisfaction que le reste du détachement comprenait trois gabiers, deux canonniers, un timonier. un cuisinier et un calfat. Je leur annonçai que leur solde à tous était doublée et qu'ils auraient droit, en outre, à leurs parts de prises. Ma conclusion fut que ceux qui préféraient nourrir les poissons de la baie avaient à le dire tout de suite.

— Ma foi, monsieur, dit Grosbois, si vous ne nous faites pas de promesses de Gascon et si, conséquemment, nous ne devons pas être payés en monnaie de singe, vous pouvez compter sur moi et mes gars, sauf erreur.

Un grognement approbateur ayant couru, je déclarai aussitôt :

— Vous n'aurez pas à le regretter, les amis, et pour sceller notre accord, je vais remettre à chacun de vous cinq pistoles.

— Hourra ! s'écrièrent les onze.

Je procédai aussitôt à la distribution, bénissant dans mon cœur l'excellent Monsieur Dufourneau qui me rendait la générosité plus facile, grâce aux quarante pistoles gagnées chez Ovide.

— Et maintenant, fis-je quand j'eus terminé, nous allons appareiller. Si le vent veut bien souffler dans les voiles, nous serons avant l'aube assez loin pour ne pouvoir être rejoints.

Je posai une main sur l'épaule de Lamarche.

— Je vous présente un fin gabier. Vous le jugerez à l'épreuve. Il n'a pas froid aux yeux, lui non plus, et nous allons tous ensemble faire de grandes choses.

Vous en saurez davantage demain. Pour l'instant, tous
à la manœuvre !

Pendant que les hommes attrapaient qui une veste,
qui une ceinture, Grosbois s'approcha de moi pour
me dire à l'oreille :

— Un mot, capitaine. Me direz-vous ce que fabri-
quent à bord tous ces nègres qui nous sont tombés
dessus ?

— Je les ai engagés pour faire partie de l'équipage,
maître Grosbois. Préviens tes hommes qu'ils auront,
sous ton contrôle, à leur apprendre le métier.

Mon interlocuteur roula des yeux stupéfaits.

— Vous croyez que des nègres...

— Ne me pose pas de questions. Tu comprendras,
le moment venu.

— A vos ordres, capitaine, mais il faut encore vous
prévenir que nous avons vingt-cinq goddams prisonniers dans la cale, tout ce qui reste d'un équipage de
quatre-vingt-dix hommes. On peut dire que nous les
avons étrillés !

— Ils ne nous seront pas inutiles. Je m'occuperai
d'eux demain.

Grosbois comprenait évidemment de moins en moins
l'étrange capitaine que le sort venait de lui imposer.
Je me tournai vers Polydor et, lui montrant les onze
d'un geste large :

— Tous matelots zamis, lui dis-je, faire partir bateau. Toi, Canga et Yaya le dire à *marrons*.

Exhibant dans un nouveau rire leurs mâchoires
éclatantes, les trois nègres obtempérèrent. Déjà Grosbois criait ses ordres, et les hommes escaladaient les
agrès.

Il était environ deux heures du matin quand la brise
de terre se leva. Je fis désaffourcher et nous cou-
rûmes la bordée du nord-nord-ouest avec toutes voiles
dehors, en direction des îles Lucayes. Quand le jour se
leva, le Cap Français était loin derrière nous. Environ
midi, nous passions l'île de la Tortue, et un grain
coupé d'embellies nous faisait changer de cap pour
prendre le Canal au Vent situé entre les îles de Saint-

Domingue et de Cuba. J'envoyai alors chercher dans la cale les vingt-cinq Anglais captifs. Par chance, je parlais assez couramment leur langue et je commençai par leur tenir le même discours qui, dans la nuit, avait si promptement reçu l'agrément de mes Français. Tous leurs officiers avaient été tués dans l'affrontement avec le corsaire, à la seule exception du capitaine retenu à bord du navire vainqueur.

Après un bref conciliabule entre eux, un grand diable aussi roux que Grosbois me donna leur accord. Il s'appelait David, il était maître canonnier et m'apprit que le *Victorious* enfermait dans ses flancs assez de boulets et de tonneaux de poudre pour envoyer par le fond toute une escadre. J'observai alors vivement que le *Victorious* avait cessé d'exister et que le navire à mon commandement s'appelait désormais *le Fulminant*. (Ce nom de baptême, en hommage à celui qui m'avait appris le rudiment de la navigation, venait de me traverser l'esprit.)

— *The scheme promises well !* repartit flegmatiquement l'Anglais.

Oui, l'affaire s'annonçait bien. Le ralliement des sujets du damné Guillaume d'Orange ne mettait-il pas à mes ordres un équipage de trente-sept blancs qui me permettraient de tenir en respect mes cinquante-deux noirs ?

Restait à révéler à mes Franco-Anglais mon grand projet de libération des hommes de couleur et la mission assignée par ma seule volonté au *Fulminant*, premier chasseur de négriers. Un langage fondé sur de simples principes d'humanité n'était évidemment pas fait pour ces durs-à-cuire. Matelots sur des vaisseaux de haut bord au service de leurs souverains respectifs avant-hier, sur des bateaux de commerce hier, forbans peut-être demain, comment leur faire comprendre que le noir valant le blanc, je voulais mettre la traite au ban des nations civilisées ?

Je pensai que le plus sage était de les amener eux-mêmes, peu à peu, à cette idée. Le gabier Lamarche et le maître canonnier David, avisés par mes soins, représentèrent donc à leurs compatriotes que, les noirs se trouvant à bord en majorité et fermes dans leur résolution qui était aussi la mienne, notre fonction consisterait essentiellement à donner la chasse aux navires de traite, qu'ils vinssent d'Afrique avec leur bois d'ébène ou reprissent la direction de l'Europe avec leurs marchandises des Iles. Dans le premier cas, nous libérerions les captifs en les débarquant sur les lieux les plus propices, et singulièrement à la Jamaïque où les *marrons* étaient nombreux dans les montagnes; dans le second, nous mettrions la main sur les cargaisons dont le produit en bonne monnaie serait équitablement réparti entre les membres de l'équipage.

L'indifférence avec laquelle furent accueillies ces explications n'aurait pas dû me surprendre. Français comme Anglais se souciaient infiniment moins de la qualité des adversaires que du profit à retirer des prises. Peut-être aussi ne prenaient-ils pas au sérieux l'annonce de la limitation de nos attaques aux négriers. N'était-il pas chimérique de prétendre distinguer un bateau de la traite armé en course d'un navire de commerce au fret innocent, mais néanmoins percé de canons, voire d'un flibustier ?

Quoi qu'il en fût, ma tâche primordiale, et dont la réussite commandait tout le reste, consistait à faire en sorte que blancs et noirs vécussent en bonne intelligence. A cet effet, après en avoir discuté avec Polydor, j'avais attribué l'instruction des *marrons* aux blancs les plus aptes à leur enseigner la manœuvre.

Ces hors-la-loi qui, depuis des mois, sinon des années, vivaient en forêt comme des bêtes sauvages, montrèrent tout de suite beaucoup de bonne volonté dans l'exercice d'une activité nouvelle pour eux. Je les voyais courir sur les vergues, se hisser dans la mâture avec une allégresse contagieuse. La dépense étant largement pourvue en vivres : viande salée, riz, épis de maïs, cocos, régimes de bananes, les rations étaient distribuées sans parcimonie, et je pouvais établir un réconfortant parallèle entre la voracité toujours insatisfaite des captifs de *la Pétulante* et l'heureux appétit des noirs libres.

Nous naviguâmes pendant une semaine dans la mer Caraïbe sans que se produisît aucun incident. Je ne voulais pas tenter le diable. Avant de me lancer dans la grande aventure, il me fallait tenir mes hommes bien en main, pour n'agir qu'à coup sûr.

L'occasion se présenta deux jours après que nous eûmes doublé le cap Carcasse, à la pointe ouest de Saint-Domingue. Lamarche, de son poste de vigie, me signala sous le vent un navire arborant pavillon espagnol. Il y avait, selon mon gabier, toute apparence que ce fût un négrier. Je décidai aussitôt de courir le risque.

Il s'agissait, comme je ne devais pas tarder à l'apprendre, du *Santo Francisco de Asis*, en provenance de La Corogne et se rendant à Nombre de Dios, et, de toute ma carrière de marin, je n'ai fait sur mer de rencontre aussi marquée d'imprévu.

En l'observant à la lunette, j'avais tout de suite constaté qu'il ne tentait aucune manœuvre pour nous échapper. Aussi gagnions-nous rapidement sur lui. Je fis tirer un coup de canon, tout en virant de bord pour lui couper le chemin, car il était au vent à nous.

A mesure que je voyais son gréement grandir dans ma lunette, je prenais ses mesures. Moins avantageux de toile que *le Fulminant*, mais portant, à en juger par le nombre de ses sabords, à peu près la même artillerie, il disposait d'assez de moyens pour lutter à armes égales avec nous. Aussi, dès que nous fûmes arrivés à bonne portée, commandai-je de lui expédier une bordée. Son petit mât de hune fut coupé, son mât d'artimon abattu. Il y avait là de quoi me faire concevoir une haute idée de la capacité de mes canonniers anglais aux ordres de *master* David.

Je m'attendais à la riposte, et mes hommes s'empressaient de recharger leurs pièces, quand j'eus la surprise de voir l'Espagnol amener ses couleurs. Etait-il possible qu'il se rendît sans combattre ? Par prudence, je fis passer l'ordre à blancs et noirs de se tenir dissimulés, armes en main, jusqu'au moment de l'abordage, afin d'être à l'abri des salves de mousqueterie.

Le grand problème pour moi était de savoir comment allaient se comporter mes *marrons*. J'avais pris soin de leur rappeler, par l'organe de Polydor, qu'ils devaient épargner tout adversaire qui lèverait les bras en l'air, mais sauraient-ils, devant des blancs livrés à leur discrétion, réprimer leurs instincts sanguinaires ?

Nous vînmes à l'abordage, et ma surprise devint de la stupeur. Non seulement nous n'étions accueillis par aucun coup de feu, mais sur le pont du *Santo Francisco de Asis*, il n'y avait pas plus d'une douzaine d'hommes aux mines ravagées, et qui nous regardaient, les yeux égarés, immobiles comme des statues, tout pareils à des condamnés à mort qui s'offrent, sans ciller, à la hache du bourreau.

L'importance du moment m'était présente à l'esprit. De ce qui allait se passer dépendait que mon autorité fût ou non affermie sur mon équipage. Aussi voulais-je être le premier sur le pont de l'étrange bâtiment, espérant par là éviter toute effusion de sang.

En dépit de ma promptitude, je n'y fus que le second. Canga, le gigantesque *marron*, m'avait devancé et, d'un seul coup de gourdin, fendait le crâne du premier Espagnol à se trouver devant lui. Mal lui en prit, car un second empoignait aussitôt le pistolet engagé dans sa ceinture et le lui déchargeait en pleine figure. Le colosse s'écroula. Ce fut le signal du massacre. En quelques instants, mes *marrons* avaient exterminé tous les sujets de Sa Majesté Catholique, à l'exception d'un seul adossé au grand mât et que je protégeais de mon corps. Déjà, ils se ruaient dans les écoutilles, à la recherche de nouvelles victimes.

— *Muchas gracias, señor*, dit celui que j'avais sauvé, en soulevant son large chapeau orné d'une plume d'ara jaune et rouge. *Soy el cirujano.*

Si faibles que fussent mes notions d'espagnol, je compris que j'avais affaire au chirurgien du bord, le Taillebois du *Santo Francisco de Asis*, et m'excusai aussitôt de ne pouvoir lui parler qu'en français. Il me répondit courtoisement que, de père castillan et de mère catalane, il était né à Gérone et avait étudié pendant trois années à l'illustre Université de Montpellier. Aussi pouvait-il s'exprimer sans difficulté dans ma langue maternelle. Il ajouta qu'il avait nom Antonio Montemor de Oca.

Des cris aigus, qui pouvaient tenir aussi bien de la colère que des gémissements, montaient des profondeurs de la cale où mes nègres s'étaient engouffrés, tandis que mes blancs exploraient le tillac et les autres parties du navire.

— Si j'ai à vous rendre grâces de m'avoir conservé la lumière du jour, monsieur, poursuivait le chirurgien, pousserez-vous la bienveillance à mon endroit jusqu'à me dire pourquoi vos nègres ont si sauvagement massacré des hommes qui avaient clairement marqué leur intention de n'opposer aucune résistance ?

Je repartis que ce massacre avait eu lieu contre ma volonté et que j'en étais aussi ulcéré que lui.

Il me remercia encore et m'apprit que ses onze compatriotes occis sous mes yeux étaient, avec lui, tout ce qui restait d'un équipage de quatre-vingts hommes décimé par le scorbut et la fièvre putride. Quant aux captifs que le *Santo Francisco de Asis* devait débarquer en Nouvelle-Grenade, leur nombre, de deux cents au départ d'Afrique, était tombé à une cinquantaine par les mêmes affections, renforcées du pian, du ver ruban et de la maladie de Siam, que les Espagnols appellent *vomito negro*. Il en mourait d'ailleurs encore tous les jours et, chaque matin, de nouveaux cadavres étaient jetés à la mer.

— C'est le navire de la mort, monsieur.

Et le chirurgien, soulevant son chapeau de la main gauche, se signa gravement de la droite.

Cependant, les vociférations venues de la cale allaient s'amplifiant. D'une écoutille soudain surgit Polydor, la bouche tordue dans un rictus qui découvrait ses dents sciées, tenant sous le bras un cadavre, qu'il jeta à mes pieds comme un ballot. Tout aussitôt, il me signifiait dans son jargon que plusieurs autres captifs avaient rendu l'âme et qu'il convenait, pour les venger, de pendre le dernier Espagnol. Ce disant, il désignait du doigt l'infortuné chirurgien. J'eus grand-peine à lui faire entendre que, la peste régnant sur le navire, le *señor*, grand sorcier blanc, était le seul capable de le sauver, lui et ses frères, d'un mal qui ne frappait que les noirs. Quand il eut compris, il changea de couleur et, s'arrachant les cheveux, mêlant prières et supplications, se jeta aux pieds de celui dont il venait de réclamer la mort.

Les *marrons*, qui remontaient, l'un après l'autre, avec de nouveaux cadavres, restaient béants et stupides à ce spectacle du chef redouté à genoux devant un blanc. Polydor se releva et se lança dans un discours qui fit naître la terreur dans leurs yeux.

Quelques instants après, les morts de la cale étaient expédiés par-dessus bord, et les captifs survivants, tout nus, hâves, hébétés, la peau grisâtre et écailleuse, titubaient sur le pont. Le chirurgien hocha la tête.

— Vous seriez bien inspiré en les jetant à l'eau, eux aussi.

Je me bornai à les faire transporter dans la cale du *Fulminant*. Cale pour cale, du moins n'étaient-ils plus enchaînés. Comme, d'autre part, les vivres plus ou moins avariés du *Santo Francisco de Asis* semblaient plutôt de nature à couper l'appétit, je décidai de les laisser à bord, et deux tonneaux de vin d'Alicante, dix de poudre et une centaine de fusils et de mousquets constituèrent tout notre butin. Il ne me restait plus qu'à suivre le conseil de mon *hidalgo*, qui me pressait de mettre le feu au navire maudit.

Antonio Montemor de Oca se tenait près de moi sur la dunette du *Fulminant*, quand toutes les batteries de bâbord tirèrent à boulets rouges sur le négrier abandonné. La nuit tombait, et il flamba longtemps sur la mer comme une torche géante avant de sombrer par l'arrière. Mes *marrons*, transportés par ce spectacle, rirent en sautillant et battant des mains jusqu'à ce qu'il eût disparu.

Je passai une partie de la nuit suivante à converser avec le *señor* Montemor de Oca, que j'appelai presque tout de suite, avec son agrément, « señor Antonio ». C'était un homme d'une quarantaine d'années, long et maigre, au teint olivâtre et aux yeux charbonneux. Il portait moustache et barbiche à l'espagnole, avait les manières les plus civiles, et je m'étais d'emblée senti en sympathie avec lui.

J'avais commencé par lui expliquer par quelles traverses bien indépendantes de ma volonté j'étais devenu le capitaine du *Fulminant*, et je l'avais à plusieurs reprises entendu proférer des « Hombre ! » que je ne savais comment interpréter. Je désirais l'amener à mes vues, car, d'une part, un chirurgien nous manquait à bord, et, d'autre part, s'il acceptait de remplir cet office, j'aurais en lui un interlocuteur à ma mesure.

Quand j'eus terminé mon récit, après un dernier « Hombre ! », le *señor* Antonio fit la moue et me dit :

— Je vous vois mal parti, monsieur. Vous voilà en somme condamné à la piraterie, et vous savez aussi bien que moi que les pirates finissent leur carrière au bout d'une corde. Pouvez-vous accepter d'un cœur léger un destin aussi fâcheux ?

Je me récriai aussitôt qu'il était loin de compte avec moi et passai à la seconde partie de mon propos. Y avait-il deux justices au regard de Dieu, d'après la couleur de la peau ? De quel droit l'homme blanc réduisait-il l'homme noir en esclavage et le traitait-il comme une bête ? Qui pouvait affirmer enfin que Dieu n'était pas noir ?

— Oh ! oh ! fit *señor* Antonio.

Je poursuivis :

— Je ne suis ni ne serai un forban. Je veux seulement arracher les noirs à la servitude et je ne m'attaquerai jamais qu'aux négriers.

Je vois encore mon Espagnol froncer le sourcil, me

regarder un instant en silence, puis se frapper sur la cuisse.

— Si je vous ai bien compris, capitaine, vous avez décidé d'inverser les termes. Ce sont les noirs qui, selon vos idées généreuses, auraient maintenant le droit de capturer les blancs, voire de les massacrer, comme ne se sont pas privés de le faire ceux de votre équipage sur le *Santo Francisco* ?

— *Señor* Antonio, repris-je calmement, je vous répète que ce massacre s'est accompli contre mes ordres formels. Les colons n'ont jamais fait grand cas, que je sache, de la vie des nègres qu'ils considèrent comme des êtres inférieurs. Pourquoi voulez-vous que la cruauté des maîtres n'inspire pas aux esclaves le goût de la vengeance ? Je ne désespère pas de rendre mes *marrons* plus humains, de les convertir, si je puis dire, à la religion de l'humanité.

— Par saint Jacques, dit le chirurgien, voilà une religion à qui les saints, sinon les martyrs, font diablement défaut, et laissez-moi vous dire que vous ne me paraissez pas du bois dont on fait les papes.

— Vous vous moquez, je crois, monsieur le docteur, et vous avez tort. Je n'aspire qu'à hâter le règne de la justice. Plus de tyrans ni d'esclaves. Tous égaux sous l'œil de Dieu !

— *Bueno !* Je croyais avoir affaire à un forban et je découvre un songe-creux. Vous êtes jeune, capitaine, et le propre de la jeunesse est de s'insurger contre les idées reçues, comme si rien de bon ne s'était accompli avant elle. Je l'ai fait et n'ai guère eu à m'en louer, non. Dès le temps de mes études, à Montpellier, j'étais passionné pour la recherche, je remettais en question toutes les matières de l'enseignement. Bref, exerçant ma profession en conscience, j'étais notamment arrivé à la conviction que la saignée pratiquée sans discernement était funeste à la plupart des patients, qu'elle faisait entrer en faiblesse. Mes confrères en Hippocrate me prenaient pour un fou d'autant plus dangereux que mes malades guérissaient plus souvent que les leurs. Vint un jour où,

dans une conférence avec plusieurs d'entre eux sur
le cas d'un haut personnage à toute extrémité, seul
de mon avis, je me prononçai contre la saignée. La
famille abonda dans mon sens et le malade mourut le
lendemain. Aussitôt, les bons confrères, conjurés
contre moi, publièrent que j'étais responsable de cette
mort. Le plus grand médecin du monde est impuis-
sant à guérir un incurable. N'empêche que ma réputation a été ruinée. Un seul malade passé de vie à
trépas a fait oublier tous ceux que j'avais sauvés.
J'étais sur le point d'épouser la fille d'un corregidor.
Nos fiançailles ont été rompues, et je n'ai plus eu
que la ressource de m'embarquer comme chirurgien
à bord d'un bateau marchand, le *Santa Cruz*, qui a été
coulé par un corsaire anglais au large de Curaçao. Je
m'en suis tiré par miracle et j'ai repris la mer sur
l'*Ave Maria* qui a sombré sur des récifs devant Puerto
Rico. Le *Santo Francisco*, négrier d'occasion, car la
traite espagnole est rare, n'a guère été plus heureux.
Dix ans de navigation, trois navires au fond de l'eau,
mais je suis toujours vivant.

— Et vous avez persisté à ne pas saigner ?

— Je n'ai pas changé d'avis.

— Vous n'étiez donc pas un songe-creux, mais un
précurseur. Je n'ai pas d'autre ambition et j'aimerais
vous garder avec moi. Sachez pourtant que je ne vous
retiendrai pas contre votre gré et que je n'ai pas
davantage l'intention de vous rançonner. Les esclaves
que nous avons arrachés à votre hôpital flottant vont
être débarqués à la Jamaïque. Si vous désirez y débarquer avec eux, libre à vous.

— J'y réfléchirai, *amigo*.

A quelques jours de là, les esclaves libérés du *Santo
Francisco de Asis* abordaient en chaloupe la côte est
de la Jamaïque. Bien que les meilleurs soins leur
eussent été prodigués, dix d'entre eux avaient encore
succombé à bord du *Fulminant*, et ils n'étaient plus
qu'une vingtaine, tous assez mal en point. Le chirurgien les avait accompagnés à terre, et je lui avais
souhaité bonne chance. Je ne fus cependant pas sur-

pris outre mesure de le voir revenir avec les deux
matelots français qui ramenaient l'embarcation.

— Vous aurais-je convaincu ? lui dis-je en l'accueillant sur le pont.

— Vous m'avez intéressé, me dit-il en souriant. Je
crois aussi avoir compris que vous aviez besoin d'un
chirurgien. Et puis j'aime l'aventure.

XIII

Pendant cinq années de rang, des îles Lucayes et de Saint-Domingue à la Trinité, du golfe du Mexique au golfe de Campêche et aux petites îles sous le Vent, le *Fulminant* devait sans trêve accomplir sa mission pour la justice. Il n'était pas une côte de la mer Caraïbe au large de laquelle les négriers, pressés de livrer leur bois d'ébène, ne redoutassent d'apercevoir, flottant à notre corne d'artimon, le pavillon bleu traversé d'une croix blanche, où j'avais substitué à l'écu des armes royales l'image symbolique d'un homme blanc serrant la main d'un noir.

Ce n'est pas que mes débuts dans le métier de corsaire, au service d'une cause que je tenais pour légitime s'il en fut devant Dieu et devant les hommes, n'aient connu des difficultés. Je n'avais pas un équipage, mais trois, entre lesquels, pour bien conduire mes entreprises, il m'était indispensable de faire régner une certaine harmonie, et ce résultat était d'autant plus malaisé à obtenir que mes hommes ne parlaient pas tous la même langue.

Si anormale que pût paraître la chose, ceux que j'avais tout de suite apprivoisés le plus facilement étaient les Anglais. Pourvu que la ration de tafia ne leur fût pas trop mesurée, ils trouvaient la vie belle. J'avais, d'autre part, fait savoir au maître canonnier David, que l'usage de la garcette, toujours répandu sur les navires de leur nation, devait être rigoureusement proscrit sur *le Fulminant*, où il eût risqué de susciter quelque agitation chez les noirs.

— Annoncez-le vous-même à mes *boys,* avait grommelé le géant roux entre ses dents.

Je le leur avais annoncé. Un « hurrah ! captain ! » unanime avait salué ma proclamation, et pour un peu ils m'eussent porté en triomphe.

Mes onze Français, mis à part le fidèle Lamarche qui m'était dévoué à la vie et à la mort, me donnaient un peu plus de tablature. Habitués à la guerre de course, qui les avaient maintes fois opposés aux *goddams,* ils avaient commencé par faire grise mine à ces nouveaux compagnons forcés.

Je compris vite que leur sourde hostilité menacerait, le tafia aidant, de dégénérer en bagarre. Or, par manière de distraction et aussi par besoin de dépenser une force qui ne trouvait pas assez à s'employer, quand le vent se refusait trop longtemps à la voile, mes corsaires avaient accoutumé de se livrer des assauts de lutte. Les Anglais s'étaient bornés d'abord à suivre le spectacle dans une indifférence plus ou moins feinte; puis, s'excitant peu à peu, ils se mirent à encourager les combattants; enfin ils engagèrent des paris.

L'idée me vint alors d'organiser ce divertissement. Je proposai aux Anglais de participer aux rencontres, chacun demeurant libre de combattre ou non et celui qui aurait triomphé de tous ses adversaires devant recevoir cinq pistoles sur ma cassette personnelle. Tous acceptèrent d'enthousiasme. J'avais seulement spécifié que les membres de la maistrance, savoir le maître d'équipage Grosbois, le maître canonnier David, le pilotin la Manille, et le maître voilier Tordclous, ne pourraient entrer en lice, afin de ne pas compromettre leur autorité sur les hommes.

Le premier à l'emporter fut un grand Gallois blond, velu comme un ours, et qui, après avoir éliminé deux Français et trois Anglais, triompha finalement d'un Bayonnais noiraud et râblé, après plus d'une heure d'étranglements, d'enfourchements, de torsions et de crocs-en-jambe. Quand le concurrent malheureux, au terme de tant de péripéties, eut touché terre des deux épaules sans pouvoir se dégager, une grande acclamation s'éleva; je remis solennellement ses cinq pistoles au vainqueur et, pour rendre hommage à la vaillance du vaincu, je m'allégeai encore de deux pistoles. De nouveaux « Hurrah ! captain ! » retentirent, et à compter de ce jour-là, pour mes Français comme pour mes Anglais et mes *marrons*, je ne devais plus être que le « captain Lafortune ».

Tenus à l'écart du jeu, les *marrons* y avaient en effet assisté néanmoins, perchés de toutes parts sur les agrès, et poussant des cris frénétiques chaque fois qu'un des hommes aux prises paraissait prendre le dessus. Je compris à ce moment que je ne pouvais faire deux poids deux mesures et déclarai à Polydor, aussitôt après la remise des récompenses, que ceux de ses hommes qui en auraient le goût pourraient s'affronter, dès le lendemain, dans les mêmes conditions. La nouvelle souleva du délire chez les *marrons*, dont j'eus toutefois à refréner l'ardeur, les deux premiers combats s'étant terminés par un nez raccourci et une oreille arrachée à coups de dent.

Après cette double série d'épreuves de force, je fis savoir à l'ensemble de l'équipage qu'un semblable concours aurait lieu après chaque prise de négrier, le blanc et le noir vainqueurs devant bénéficier d'une double part de butin. La proclamation fut bien accueillie, et c'est ainsi que, par la camaraderie du muscle, s'établit entre usagers du « yes » et du « oui » une fraternité durable, fondée sur l'estime réciproque. Quant aux noirs, il fallut maintes palabres pour les faire renoncer à l'utilisation de leur mâchoire, et il y eut toujours, peut-être par mégarde, une narine entamée, un doigt amputé, voire un quartier de cuisse férocement mordu, détaché, avalé, la victime d'ailleurs ne s'en portant pas plus mal et ne gardant nulle rancune à l'amateur de chair fraîche.

Après notre engagement sans gloire avec le *Santo Francisco de Asis*, nous fûmes plus d'un mois à louvoyer au long des côtes de Nouvelle-Grenade, sans apercevoir d'autres bâtiments qu'un senau battant

pavillon français et un brigantin espagnol. Ce ne pouvaient être des négriers, et un grain, du reste, chaque
fois, les éloigna de nous. L'impatience gagnait l'équipage et, comme dans la cale, nos tierçons commençaient à sonner creux, je résolus de faire de l'eau à
l'île Aruba. C'était une possession des Provinces Unies
et un centre réputé important de la traite. Ayant fait
mettre la chaloupe à la mer, je débarquai avec une
trentaine d'hommes, dont tous mes Français et quelques Anglais, dans une crique déserte, bordée d'une
cocoteraie. Polydor était aussi de la fête, flanqué d'une
dizaine de noirs, dont bien me prit d'avoir limité le
nombre. Derrière la cocoteraie, nous découvrîmes en
effet une plantation, et la première personne à sortir
d'un de ses bâtiments fut une femme blanche. Polydor
se jeta sur elle. Nous dûmes nous mettre à trois pour
l'empêcher de lui faire un mauvais parti.

— Toi seulement pour négresses, dis-je en lui
caressant le nez de mon pistolet.

Il s'inclina, mais les cris de la femme avaient donné
l'éveil. Un Hollandais, paraissant à son tour avec un
fusil, abattit un de nos *marrons*. Polydor le décapita
d'un coup de sabre, et une demi-douzaine d'autres
colons, pour avoir eu la malencontreuse idée de vouloir se défendre, connurent le même sort.

Pourquoi faut-il que les meilleures intentions soient
si souvent mal comprises ? Il ne vint pas en tête de
quelques esclaves, occupés à couper des cannes dans
un champ voisin, que nous pouvions leur apporter la
liberté. Au premier coup de feu, ils s'étaient enfuis à
toutes jambes, et aucun de nous ne se donna la peine
de les poursuivre. Seul Polydor, prenant à la lettre
mon observation concernant les négresses, rattrapa
l'une d'elles qui détalait avec ses frères de couleur.
Tous deux disparurent dans le champ de cannes, et le
diable sait ce qu'ils y firent. Quelques minutes après,
le Mondongue revint, l'air réjoui comme s'il venait
d'accomplir un grand exploit.

Pour laisser un souvenir durable de notre passage,
nous incendiâmes les divers bâtiments de la planta-

tion. Comme ils étaient construits en bois, ils flambèrent joyeusement, à la gloire du roi de France qui, pour lors, faisait la guerre à la Hollande. L'opération était fructueuse. Nous seulement nous avions rempli tous nos tierçons d'eau, mais nous avions pu transporter à notre bord quantité de vivres : sacs de maïs et de cacao, barriques de sucre brut, régimes de bananes, plus une dizaine de porcs et autant de cabris sur pied, une centaine de poules, sans oublier les barils de tafia et un plein boucaut de tabac de Maracaïbo.

Il ne nous restait plus que d'amurer les voiles pour prendre le meilleur du vent. A coup sûr, notre descente allait être promptement signalée dans l'île entière, et il était prudent de prendre du champ, pour éviter que, de chasseurs, nous devinssions gibier. Les Hollandais sont de fameux marins, ils savent se battre, et mieux vaut ne pas se frotter à eux quand on leur est inférieur en nombre.

Le lendemain soir, comme un vent contraire nous drossait à la côte, la vigie signala un gros vaisseau qui, à deux ou trois lieues de nous, cherchait à nous approcher. J'aurais voulu le distancer, mais nous eûmes beau serrer le vent à toutes boulines, nous perdions sur lui à vue d'œil. A sa forme épatée, je ne tardai pas à distinguer dans ma lunette, que c'était un Hollandais percé à cinquante canons. La partie était dangereuse à jouer, et je pris aussitôt toutes dispositions utiles. La première consista à faire verser à tous mes hommes un plein gobelet de tafia pour leur donner du cœur; puis, de la dunette où je levais le mien à leur santé, je donnai de la voix afin de leur représenter que ce n'était pas les canons qui se battaient, mais les hommes courageux et que, pour mieux nous défendre, nous allions attaquer.

Un « hurrah ! captain ! » ayant suivi, je fis armer vent arrière sur l'ennemi. Quand nous fûmes presque à sa portée, j'observai qu'il allait tribord au vent et, s'imaginant apparemment que j'allais arriver de ce côté, il y avait déplacé plusieurs canons. J'eus la chance de déjouer sa manœuvre en arrivant par la

poupe et tirai le premier ma volée qui le prit en enfi-
lade. La drisse de son grand hunier fut coupée; sa
vergue et sa voile churent sur le pont. On nous rendit
la politesse en abattant notre vergue de misaine, et un
feu de mousqueterie fort nourri me tua trois *marrons*.

Je n'étais pas assez fou pour tenter l'abordage d'un
navire beaucoup plus haut sur l'eau que le mien, et
dont l'équipage était au moins deux fois plus nombreux. Je me bornai donc à redoubler nos décharges
qui causèrent de nouveaux dommages à sa mâture,
tandis qu'un de ses boulets jetait ma lanterne à la mer.

L'important pour moi était de tenir jusqu'à la nuit,
et je me demande encore pourquoi ce Hollandais de
malheur ne chercha pas à nous aborder et à faire
descendre ses hommes à notre bord en profitant de
son avantage numérique. Sans doute voulait-il ménager son équipage et espérait-il me couler avec ses
gros canons. J'étais, par chance, meilleur manœuvrier
que lui, je m'efforçais de prévoir ses bordées, et la
nuit tomba, une nuit poisseuse et sans étoiles, qui
arrêta le combat.

L'orage éclata au milieu de la nuit et nous déporta
vers la côte d'Amérique. Lorsque le jour se leva, le
Hollandais avait disparu et, sous le ciel dégagé, je pus
dresser le bilan de nos pertes. Elles étaient plus
sérieuses que je ne les avais évaluées de prime abord.
Si les œuvres vives du *Fulminant* n'avaient pas souf-
fert, le gréement était assez mal en point et allait
donner de la besogne à nos charpentiers. Aux trois
marrons tués à la première salve de mousqueterie,
quatre autres devaient être ajoutés. Deux de mes
canonniers anglais avaient succombé au service de
leur pièce, un boulet à mitraille ayant fracassé le
sabord devant lequel ils se tenaient. Neuf morts et
huit blessés : la note était lourde. Notre chirurgien,
pansant les plaies à grand renfort de charpie et d'onguents, reboutant bras et jambes, confectionnant des
gouttières de fortune au milieu des gémissements et
des jurons, ne savait plus où donner de la tête avec
ses estropiés. Quand la nuit revint, il était rompu de

fatigue, et je le réconfortai d'un bon coup de vin d'Alicante. Ayant bu, il tirailla sa barbiche, exhala un soupir et me demanda si j'avais lu les merveilleuses aventures de l'ingénieux hidalgo Don Quichotte de la Manche. Je lui répondis que je n'en avais qu'une connaissance imparfaite...

— Voilà qui est regrettable, fit-il en riant, car vous auriez retiré grand profit d'une lecture complète. Un des chapitres du livre où l'auteur — je le cite de mémoire — *traite de ce que verra celui qui le lira ou entendra celui qui l'écoutera lire* s'applique, me semble-t-il, particulièrement à votre cas. A bord du *Santo Francisco*, je faisais mon miel quotidien de ce sublime ouvrage où les bons frères inquisiteurs puiseraient de meilleures inspirations que dans leur bréviaire. J'en ai retenu des passages entiers par cœur. Venons à celui qui vous coiffe comme un turban une tête de maugrabin. Le Quichotte, à la sortie de Barcelone, converse avec son fidèle valet Sancho, lequel tient que *la fortune est une femme volage, fantasque, et surtout aveugle, de sorte qu'elle ne sait ce qu'elle fait, ni ce qu'elle ravale, ni ce qu'elle élève*. Sur quoi, son maître lui répond *qu'il n'y a pas de hasard au monde, et que les choses qui y arrivent, bonnes ou mauvaises, n'y arrivent point par hasard, mais par une providence particulière du ciel : c'est pourquoi l'on dit communément que chacun est l'artisan de sa fortune*. Et le fameux chevalier d'ajouter que c'est la prudence nécessaire qui lui a manqué. Je crois que la prudence n'est pas votre qualité maîtresse à vous non plus, captain, et plus que lui vous pourriez avoir lieu de vous en repentir, car un vaisseau de haut bord et monté par quelque deux cents hommes résolus, comme votre Hollandais d'hier, est plus dangereux que le géant Briarée converti en moulin à vent.

— *Señor* Antonio, repartis-je en remplissant son gobelet, pardonnez-moi de vous dire que votre raisonnement pèche par la base. Les grandes entreprises de votre Quichotte étaient bâties sur les chimères d'un esprit dérangé, maquillé en héros de l'absurde par un auteur de beaucoup d'esprit. Je veux, quant à moi, faire reconnaître au monde que les noirs ont droit à la liberté autant que les blancs. Je ne m'égare pas dans les nuées. Je bataille pour la chair vivante et souffrante de toute une race soumise à l'oppression, et prudence chez moi serait synonyme de lâcheté. Vous avez lutté contre le préjugé de la saignée en médecine, parce que vous le jugiez funeste. Je veux lutter, moi, contre la saignée mortelle d'innombrables êtres malheureux.

— Ne vous fâchez pas, fit doucement l'Espagnol. Loin de moi l'idée de mettre en doute l'excellence de vos intentions. J'accepte même de bon cœur de vous faire crédit, mais je doute qu'un homme, si vaillant et bien intentionné qu'il soit, puisse prétendre battre en brèche de puissants royaumes. L'esclavage est, pour nos souverains et les traitants qui les servent moins qu'ils ne se servent eux-mêmes, une source inépuisable d'enrichissement. Pourquoi voulez-vous qu'ils y renoncent, et que pouvez-vous espérer faire contre eux ?

— Ce que font les petits ruisseaux qui finissent par devenir de grandes rivières. Je me contente d'être un petit ruisseau sur lequel vogue un bateau de papier, en attendant que la grande rivière porte toute une flotte de gros navires... Mais présentement, le plus pressé me paraît être de radouber notre *Fulminant*.

— Ouais, dit le chirurgien, je vois que votre cas est désespéré, et je suis aussi fou que vous de n'avoir pas débarqué à la Jamaïque. Mon incurable curiosité des personnages et des événements singuliers causera ma perte, j'en ai peur. Mais baste ! Je tombe de sommeil. Que Dieu vous bénisse !

Nous mouillâmes, le surlendemain, devant un îlot ignoré des cartes marines et nommé San Benito. C'était un repaire de forbans, mais nous n'avions pas le choix. Je m'étais borné à faire descendre à terre un détachement franco-anglais d'une vingtaine d'hommes triés sur le volet. En dépit de mes recommandations, le tafia montant à la tête de mes gaillards, une partie de cartes un peu trop animée avec des Portugais se termina par une rixe qui, par miracle, ne fit pas de blessés graves. L'incorrigible Lamarche avait été à l'origine de la dispute envenimée par ses assiduités auprès d'une Indienne. Avant la bagarre, j'avais heureusement pu faire l'acquisition de voiles, de vergues de rechange et même d'une magnifique lanterne de poupe arraché à l'épave d'une frégate espagnole et destinée à remplacer la nôtre, jetée à la mer avec tant de désinvolture par le Hollandais. Nos charpentiers se mirent aussitôt à l'ouvrage et, deux jours plus tard, j'étais en mesure d'appareiller.

La fortune des gens de mer est fluctuante comme l'élément sur lequel ils vivent, mais tous les abordages se ressemblent. Aussi serais-je monotone en rapportant par le menu toutes les prises que je fis au long de cinq années, et qui furent au nombre de trente-cinq appartenant aux nations anglaise, française, hollandaise, portugaise et espagnole. Pas une seule fois je ne m'écartai de la ligne de conduite que je m'étais tracée à mon départ de Saint-Domingue et qui m'imposait de ne donner la chasse qu'aux navires de la traite. En plus d'une occasion, allant à l'aiguade ou relâchant dans quelque rade quand je n'avais pas à craindre d'y essuyer le feu des batteries côtières, il m'arriva d'être requis par des capitaines de flibuste pour participer à des expéditions de piraterie. J'atteste le Très-Haut que je repoussai toujours avec indignation les propositions de ces scélérats.

J'avais assez rapidement mis au point la tactique de combat dont je ne devais pas me départir. Dès qu'un navire m'était signalé, j'employais la méthode en pratique dans toutes les marines du monde, par temps de guerre : selon la nation à laquelle ma lunette m'apprenait qu'il était censé appartenir, j'arborais ses couleurs, je m'approchais de lui en toute innocence, mais sans cesser de l'observer jusqu'au moment d'être assuré ou non qu'il avait des captifs à son bord. Dès que le négrier était identifié, quelle que fût la nation à laquelle il appartînt, j'amenais mon fallacieux pavillon et hissais le mien, celui de la libération des noirs. Le reste n'était que routine.

Je ne fus pas exempt, bien entendu, de connaître de mauvaises surprises, à défaut de graves revers. Je savais d'expérience que les équipages de la traite ne sont pas recrutés dans les couvents. Sur les bateaux français, ils étaient même composés en majorité d'individus sans aveu : ceux qu'on englobait sous la dénomination de Flamands, et qui pouvaient être aussi bien natifs de Danemark, de Suède ou de Norvège, ceux qui se disaient Portugais, Espagnols ou Italiens et qui, ayant en réalité vu le jour en Provence, avaient servi dans les galères du roi avant de déserter. Il n'était pas jusqu'à des Barbaresques, enlevés à des corsaires d'Alger ou de Salé, qu'il ne fût pas moins aisé de démasquer à leurs moustaches en croc et à leur crâne poncé qu'à leur façon bien personnelle de faire tournoyer le sabre courbe qu'ils appellent cimeterre ou alfange. Tous ces personnages savaient vendre chèrement leur peau, et avec de tels adversaires nos victoires n'allaient pas sans pertes. Yaya, le second de Polydor, fut tué comme l'avait été Canga, dès notre première année de course, et quand la cinquième fut révolue, des quatre-vingt-dix hommes de mon équipage initial, plus de cinquante avaient péri soit au combat, soit de maladie. Le problème était de les remplacer. Je ne pouvais y pourvoir qu'en choisissant, parmi les captifs délivrés par nos soins, les plus dégourdis et les plus robustes qui acceptaient de n'être pas débarqués à la Jamaïque ou ailleurs. Pourquoi les survivants des équipages, sur les navires que nous enlevions, refusaient-ils systématiquement les offres que je leur faisais, de servir sous mon commandement ? Peut-être parce que mes *marrons* les inquiétaient; peut-être aussi parce que, ma réputation de chasseur de négriers étant venue jusqu'à eux, ils voyaient en moi un monstre suscité par l'enfer. Toujours est-il que, le vingt-deuxième jour d'août 1699, le rôle du *Fulminant* ne comprenait plus que dix Anglais et huit Français, plus moi-même, contre soixante-dix noirs aux ordres de l'inébranlable Polydor, qui se comportait avec eux en véritable tyranneau africain, à cela près qu'il n'allait pas jusqu'à les décapiter.

Je ne mesurais pas le danger d'une telle situation. Après tant de périls surmontés en commun, tant de butin conquis sur les bourreaux de sa race, mon équipage noir avait les meilleures raisons de m'obéir au doigt et à l'œil. J'avais tenu mes promesses. Le produit des prises était partagé sans aucun passe-droit, et, à l'exception de périodes creuses, généralement brèves, où le négrier se faisait rare, la vie à bord du *Fulminant* était facile pour tous. Je me croyais autorisé à penser que Polydor, dont le jargon m'était devenu familier et avec lequel je m'entretenais désormais sans difficulté, n'aspirait plus à devenir capitaine d'un navire que, faute de connaissances nautiques, il eût d'ailleurs été incapable de diriger. Sans doute lui avais-je fait miroiter, chez l'astucieux Ovide, que, grâce à moi, il pourrait un jour régner en Afrique. Mais il y avait si longtemps ! Comment aurais-je pu imaginer que, malgré sa crédulité de primitif, il se berçât encore de cette rêverie ?

Je me fourvoyais, hélas ! J'avais tort de A jusqu'à Z, et ce vingt-deuxième jour d'août devait me faire vider jusqu'à la lie la coupe de fiel et de vinaigre.

Il était environ midi, un bon vent nous assistait, et nous gouvernions nord-nord-est, toutes voiles dehors. Je venais de prendre la hauteur quand, de son nid-de-pie, Lamarche cria qu'il apercevait une voile sous le vent. Je donnai aussitôt l'ordre de parer à toutes fins. Or, huit jours plus tôt, devant l'île d'Antigua, nous avions enlevé un négrier anglais qui revenait en Europe avec une riche cargaison. Celle-ci comprenait notamment de nombreuses barriques de guildive, et j'avais recommandé à Polydor de surveiller ses hommes trop enclins, dans des cas semblables, à lamper sans modération. Il n'en avait tenu aucun compte et depuis, du matin au soir, mon bord retentissait des chants et des vociférations de soixante-dix ivrognes, dont il n'était pas le moins déterminé.

Aucun nuage ne voguait dans le ciel indigo, le soleil était brûlant, et je me rappelle que je suais à grosses gouttes lorsque, après deux heures de poursuite, je puis observer à loisir dans ma lunette le navire auquel nous donnions la chasse. Presque aussitôt, une singulière émotion s'empara de moi. Plus en effet je m'appliquais à détailler le gréement de ce navire, son gaillard d'avant, ses vingt-quatre sabords, son pavillon bleu traversé d'une croix blanche, sa tenue sur l'eau enfin, plus je me persuadais que nul bâtiment au monde, après *le Fulminant*, ne m'était aussi familier que celui-là.

Quand nous fûmes à moins d'un quart de lieue de lui, mon impression devint une certitude. J'avais devant moi *la Pétulante*, et, l'œil collé à l'oculaire, il me parut bientôt que l'officier que j'apercevais à son poste, et braquant lui-même sa lunette dans ma direction, n'était autre que mon ami, mon maître, celui enfin à qui je devais toute mon expérience de marin, le cher capitaine Fulminet.

Sur-le-champ, ma décision fut prise. Il ne pouvait être question pour moi de m'attaquer à *la Pétulante*. Je commandai de virer de bord, en déclarant que nous n'avions pas affaire à un négrier.

Les dieux, ce jour-là, étaient contre moi. Sur le tillac, adossé au mât de misaine, Polydor, aux trois quarts ivre, était en observation. Lui aussi disposait d'une de ces lunettes d'approche dont il avait toute une collection dérobée à nos prises, et voilà qu'il balançait les épaules et que je l'entendais ricaner, puis hurler soudain avec un accent de joie sauvage :

— Lui négrier, captain. Lui *Pétulante* avoir amené moi à Saint-Domingue. Sept ans y a. Nous les tuer tous.

Et il se mit à danser sur place.

L'étrange, la désastreuse rencontre ! Je n'avais pas à me dissimuler qu'avec un énergumène de cet acabit, toute explication était vaine. Mon seul recours consistait à affirmer mon autorité. Je déclarai donc sèchement :

— Tu te trompes, Polydor.

Et je renouvelai l'ordre de virer vent devant.

— Moi bons yeux, se récria alors le Mondongue avec fureur. Nous aller tout « dret ». Nous les tuer tous.

Le chirurgien était près de moi. Il me dit à l'oreille :

— Votre nègre est ivre, vous le voyez bien. Tous vos blancs sont aux batteries. Ne le montez pas contre vous, ou alors tuez-le. Sinon, je ne donne pas cher de votre peau, ni peut-être de la mienne, à laquelle j'ai la faiblesse de tenir.

Je hochai la tête.

— Je crois que vous avez raison, *señor* Antonio.

Je descendis sur le tillac, m'approchai du *marron* et, pistolet au poing, lui dis d'une voix ferme :

— Je suis le capitaine, Polydor, et j'ai toujours été loyal avec toi. Je te répète que nous n'enlèverons pas ce navire.

Ah ! la lippe méprisante de la brute, le mauvais rire qui découvrait ses dents sciées ! Son poing partit, m'atteignit à la pointe du menton. Je m'écroulai en lâchant mon arme. Deux nègres aussitôt furent sur moi. Dans un brouillard, j'entendis encore :

— Captain Lafortune traître. Bateau pris, lui pendu. Enfermer lui. Moué, Polydor, captain.

Quelques instants après, j'étais enchaîné à fond de cale.

XIV

De la condition de capitaine commandant un navire redouté sur toutes les mers chaudes entre l'ancien et le nouveau continent comme un impitoyable chasseur de négriers, j'étais soudainement tombé à celle de captif promis à la corde. Il avait suffi du poing d'un ivrogne pour que, réduit à l'impuissance, confiné dans un espace obscur entre deux tierçons d'eau, le fameux captain Lafortune fût, en agitant ses chaînes, tout juste capable de chasser les rats qui sautillaient autour de lui en poussant de petits cris pareils à des crissements de scie.

L'Espagnol avait bien jugé : il eût fallu tuer Polydor à son premier éclat. Pour avoir flotté un instant de trop, j'avais tout perdu.

Au point où j'en étais, que pouvais-je espérer ? Je refusais de m'avouer battu. Cinq années d'aventures ininterrompues, depuis la prise du *Victorious* au Cap Français, n'avaient appris que le découragement signe la défaite. A l'envisager froidement, la situation se présentait sans ambiguïté. Polydor allait tenter l'abordage de *la Pétulante*. David, flanqué de ses neuf Anglais, Grosbois avec sept Français ne pourraient, supposé que la tentation leur en vînt, s'opposer à soixante-dix noirs doublement surexcités par l'alcool et la pensée qu'ils étaient désormais seuls maîtres du navire. Fût-ce à leur corps défendant, ils seraient contraints de participer à l'action. J'étais cependant porté à considérer que l'abusive consommation de guildive faite par

mes mutins depuis une semaine ne constituait pas
une préparation idéale pour assaillir un équipage
aussi éprouvé que celui de *la Pétulante*. A ce désavan-
tage il convenait d'ajouter non seulement que je ne
serais pas là pour les commander, mais que Polydor
n'entendait rien à la navigation et que le capitaine
Fulminet, lui, n'était pas un novice.

Quoi qu'il advînt, j'étais enfermé dans un cruel
dilemme. En admettant que le choix m'en fût laissé,
j'avais à me prononcer entre la perte du *Fulminant*
et la mienne. Je n'avais pas atteint la trentaine et, bien
que j'eusse vu autour de moi tant de morts violentes
dont il m'était arrivé plus d'une fois d'être l'instrument, j'aimais la vie. J'aspirais à la conserver le plus
longtemps possible. Mais, à la pensée que mes cinq
années de lutte pour le triomphe d'une idée généreuse
n'auraient servi de rien, que mon grand dessein de
libération des noirs par l'abolition de l'esclavage n'aurait eu pour résultat que la dispersion dans les îles
d'Amérique de quelques milliers de captifs qui, peut-
être, allaient retomber dans leurs fers, une amertume
affreuse m'envahissait.

Un quart d'heure à peine dut s'écouler entre le
moment où j'avais été enchaîné dans la cale et le début
de l'engagement. Jamais pourtant aussi brève attente
ne me parut aussi longue. Toutes portes et écoutilles
closes, aucun bruit distinct ne parvenait jusqu'à moi,
hormis le sourd bruissement de l'eau contre la coque,
et le tonnerre du canon ébranlant soudain toute la
membrure du navire me fut un véritable soulagement.
Qu'allait faire l'avisé capitaine Fulminet ? L'évocation
de son rude visage, en dépit du sort peu enviable qui
m'attendait, quelle que fût l'issue du combat, m'apportait, comme une lumière dans la nuit, une confiance
irraisonnée dans les caprices du destin.

La réponse ne tarda pas à venir. *La Pétulante* tirait
sa première bordée, et j'eus aussitôt tout lieu de penser
qu'elle avait été bien dirigée, car j'entendis au-dessus
de ma tête un long craquement, suivi de la chute retentissante d'une lourde pièce de bois. A la façon dont le

bâtiment fut secoué, il ne pouvait s'agir que du grand mât. La partie commençait mal pour le présomptueux Polydor, et, dans l'instant même, toute mon incertitude s'évanouit. Qu'avais-je à balancer entre une pendaison certaine et un emprisonnement que l'amitié de mon ancien chef, pesant les raisons de ma conduite, s'ingénierait peut-être à rendre supportable ? J'avais jusqu'au bout rempli ma mission et joué mon jeu. J'avais ouvert la voie. D'autres, après moi, pourraient reprendre le flambeau échappé de mes mains débiles et obtenir, non plus par la violence, mais par la persuasion, cette émancipation d'une race opprimée dont j'aurais été le premier défenseur.

L'affrontement continuait. Les bordées succédaient aux bordées. J'entendis encore des bruits de voiles abattues, et de boulets frappant les œuvres mortes. Combien de temps dura la bataille d'artillerie ? Je devais apprendre plus tard que moins d'une heure s'était écoulée entre la première décharge et l'abordage. Des salves de mousqueterie avaient succédé au canon. Enfin le heurt des deux navires l'un contre l'autre me renversa sur le côté. L'affaire entrait dans sa dernière phase. L'oreille aux aguets, je percevais le grincement des grappins, le hurlement furieux des *marrons*, les piétinements, les coups de feu.

Suivit un temps de silence relatif et que je n'avais nulle peine à interpréter. Mes hommes avaient sauté sur *la Pétulante* et en venaient aux mains avec l'adversaire. Je m'appliquais à définir les bruits plus ou moins confus qui traversaient mes murailles de bois : des chutes de corps dans l'eau, le cri, vite bloqué dans la gorge, d'un homme frappé à mort, le frottement des coques, les sèches détonations des fusils et des pistolets.

Tout se tut enfin. J'allais savoir ce que le sort avait décidé pour moi, et cette dernière attente fut peut-être pour moi la plus pénible. Des images défilaient dans ma tête : Polydor ricanant avant de me frapper, le judicieux Antonio Montemor de Oca, tiraillant sa barbiche, le teint cuit de l'Anglais David, la tignasse rouge feu du maître d'équipage Grosbois, mon fidèle Lamarche; puis leur succédaient, témoins d'une autre vie qui présentait sa note, le capitaine Fulminet me frappant sur l'épaule et déclarant . « Vous me plaisez, enseigne Lafortune ! », les lieutenants Pigache et Dufourneau, le chirurgien Taillebois, Sosthène aussi, hélas ! le cher Sosthène à qui j'avais fermé les yeux sur la terre dominicaine et que j'étais trop sûr de ne revoir jamais.

Des pas marquant des allées et venues, des voix venaient maintenant à mes oreilles, où je ne reconnaissais pas le timbre à la fois rauque et chantant de mes *marrons*. On piétinait dans l'entrepont, juste au-dessus de moi. Devais-je crier pour signaler ma présence ? Et si, au lieu de mes anciens compagnons de *la Pétulante*, j'allais voir surgir les têtes grimaçantes de ceux qui voulaient me pendre ? A Dieu vat ! Je criai à pleine gorge. Quelqu'un dégringola aussitôt les marches qui conduisaient à la cale. La porte de celle-ci était verrouillée. On l'enfonça, et une voix dont je n'avais pas oublié les intonations familières s'éleva dans l'ombre chargée de puanteurs :

— Il y a un prisonnier ici ?

— Enseigne Félix Lafortune, monsieur Dufourneau.

— Tonnerre de Brest ! Que diable faites-vous dans ce trou à rats, mon garçon ?

— Je vous espérais, lieutenant.

— Depuis cinq ans ! reprit-il d'un air goguenard. Mais il fait noir ici comme dans un four. Ohé, de l'entrepont !

Un matelot descendit avec un fanal. Déferré, j'émergeai derrière Monsieur Dufourneau sur le pont du *Fulminant*, tout encombré de mâts et d'agrès abattus. Les deux navires étant restés bord à bord, je pouvais voir, sur le pont de *la Pétulante*, des matelots jetant des cadavres de noirs à la mer. Je demandai combien les assaillants avaient eu de tués.

— Peuh ! fit le lieutenant, une bonne quarantaine. Les survivants sont déjà aux fers. Drôles de sauvages ! Ils nous auraient probablement donné plus de fil à

retordre s'ils n'avaient tous été saouls comme des
grives. Mais parlez-moi de vous. Aux dernières nouvelles, qui remontent à Hérode, vous étiez amoureux
à périr d'une des jumelles Cazenave. Je vous emmène
chez Ovide, vous y gagnez quarante pistoles et, le
surlendemain, on découvre dans un petit bois proche
l'habitation des demoiselles, trois cadavres, dont ceux
de deux jolis cœurs du cru et celui de votre inséparable, le regretté enseigne Goujet. Pour votre part,
vous avez disparu et ne donnez plus signe de vie. On
a pensé, bien entendu, que vous aviez trempé dans cette
affaire, mais les jumelles ont juré qu'elles ne savaient
rien et le mystère n'a pu être éclairci.

J'apprenais ainsi que l'hypocrite Ovide s'était abste-
nu de remettre à Monsieur Dufourneau le billet que je
lui avais confié. J'aurais dû le deviner. Le lieutenant ne
paraissait pas trop surpris de la conduite du mulâtre.

— Que voulez-vous, mon cher ? Pour gagner sur les
deux tableaux, il lui faut jouer tantôt blanc, tantôt
noir. Vous avez fait les frais de son double jeu. Pas
de chance ! Comment pouviez-vous douter du capitaine Fulminet ? Jamais il ne vous aurait livré au
gouverneur de l'île. Un capitaine est seul maître à son
bord, et vous en auriez été quitte pour vous voir
bouclé sur *la Pétulante* jusqu'à l'appareillage. Maintenant, me direz-vous à quelle ténébreuse activité vous
avez pu vous employer pour en être réduit à vous mor-
fondre à fond de cale sous la coupe d'une bande de
nègres ?

Ignorait-il vraiment les campagnes du *Fulminant*,
ou feignait-il l'ignorance ?

— Souffrez, lui dis-je, que je m'en ouvre d'abord au
capitaine.

Il me frappa sur l'épaule et se prit à rire.

— A votre guise, jeune homme.

Le capitaine Fulminet, de la dunette, examinait sa
prise. Je m'attendais de sa part à de grandes démonstrations, sans m'imaginer toutefois qu'elles pussent
tourner à mon avantage. Mais je ne voyais que des
yeux perçants, fixés sur moi avec plus de curiosité

que d'irritation. J'entendais une voix aux inflexions ironiques.

— Vous avouerais-je, monsieur, disait-il, que je désespérais de remettre la main sur un enseigne qui me semblait s'être octroyé lui-même un congé illimité ?

D'un geste, il pria Monsieur Dufourneau de s'éloigner et reprit sur un ton moins dégagé :

— Vous êtes là. Inutile d'épiloguer. Passons aux choses sérieuses. J'ai, monsieur, à vous faire part de circonstances que vous ne connaissez pas, par quoi toute votre vie aurait pu prendre un autre tour, et qui intéressent votre avenir. Mais vous allez d'abord me vider votre sac à malice. Je veux savoir toutes les folies que vous avez pu consommer depuis que vous vous êtes donné de l'air. Dufourneau vous a trouvé dans les fers. C'est donc que vous étiez hostile au dessein de ces enragés de mal blanchis que nous avons tirés comme des lapins, et voilà pour moi tout ce qui compte. Je vous écoute.

Il n'avait pas changé : toujours aussi résolu, tranquille, sûr de son autorité. Je le soupçonnais d'être plus instruit sur mon compte qu'il ne le faisait paraître, mais j'étais décidé à ne lui rien cacher. Aussi lui débitai-je d'une traite toute mon odyssée, depuis la funeste soirée où Sosthène avait trouvé la mort jusqu'à ma querelle terminale avec Polydor, sans omettre aucune de mes trente-cinq prises, dont la première avait été celle du *Santo Francisco de Asis*.

A mesure que j'avançais dans mon récit, les yeux de Monsieur Fulminet brillaient davantage, et j'étais de plus en plus pénétré du sentiment qu'il ne me trouvait pas si coupable.

— Bon Dieu ! fit-il quand j'eus terminé, vous avez su occuper vos belles années et vous êtes un gaillard. Pour un peu, je vous envierais, comte de la Prée de la Fleur.

Et comme je n'avais pas réprimé un sursaut à l'entendre décliner mes titre et nom véritables :

— Ne vous tracassez pas si je vous rends votre nom devant la loi. Je n'étais pas moins informé qu'un chacun des exploits du fameux captain Lafortune. Sachez qu'il s'est perdu quelque part dans la mer des Antilles, par 25 degrés *grosso modo* de latitude nord, qu'il a cessé d'exister tout comme l'enseigne du même nom, que j'ai bien été obligé de porter disparu à mon premier retour à Nantes. Nous ne sommes que deux à savoir que ce pittoresque personnage, terreur des capitaines de la traite, a été miraculeusement sauvé des flots et des boulets de *la Pétulante* : Monsieur Dufourneau et moi. Eh oui, mon ami, car notre pauvre Pigache, victime d'un pian récidivant, compliqué de dysenterie, a dû être immergé entre les îles du Cap Vert et le Cap des Palmes, et toute la science de l'honnête Monsieur Taillebois ne l'a pas empêché de subir le même sort au large de l'île du Prince. Quant à notre équipage, il a été entièrement renouvelé depuis que vous serviez sous mon commandement. Ainsi, Monsieur Dufourneau et moi étant muets comme la tombe, vous n'avez aucune indiscrétion à redouter. Plus un mot là-dessus. *Ego te absolvo.*

Ayant dit, il me fit passer avec lui sur *la Pétulante*, où je vis sur le tillac le docte Antonio Montemor de Oca occupé à panser un matelot.

— *Como esta Vd, señor ?* lui demanda Monsieur Fulminet.

— *Regular, capitán,* répondit l'Espagnol en me coulant au passage un clin d'œil malicieux.

Et Monsieur Fulminet m'expliqua :

— Nous n'avons plus de chirurgien depuis la mort du bon Taillebois. Celui-ci est tombé à pic, et je pense le garder s'il accepte mon offre, car je lui dois une fière chandelle.

— Comment cela ?

— Apprenez qu'après vous avoir mis aux fers, le chef de vos mutins a commandé l'attaque. Alors votre hidalgo est tranquillement descendu aux batteries et a recommandé aux canonniers blancs de tirer assez mal pour éviter toute avarie à *la Pétulante*.

— Et ils ont obéi ?

— Comme un seul homme. Aucun d'eux ne se sen-

tait d'humeur à lécher les pieds d'un *marron*. Ainsi
les miens ont-ils pu, comme à l'exercice, démâter votre
Fulminant (merci, soit dit en passant, pour le par-
rainage), si bien que, l'assaillant devenu incapable de
manœuvrer, c'est l'assailli qui, au lieu de s'enfuir,
s'est rapproché de lui. Ces pauvres ahuris de nègres
n'en ont pas moins jeté leurs grappins. J'avais fait
poster mes meilleurs tireurs dans les hunes et sur les
gaillards, d'où ils pouvaient posément canarder leurs
cibles. L'affaire n'a pas traîné. Un vrai jeu de massacre ! Il y en a même qui, agrippés au cordage grâce
auquel ils pensaient sauter sur cette vieille *Pétulante*,
ont péri en l'air, entre les deux navires, de sorte qu'ils
ont fait directement un beau « plouf ». Pour ma part,
j'ai abattu d'un coup de pistolet une espèce de géant
qui hurlait à la mort sans prévoir qu'il pouvait s'agir
de la sienne. Tenez, justement, on le jette à l'eau.

Deux matelots balançaient le corps que je reconnus; c'était celui de Polydor.

— Maintenant, mon ami, faites-moi la grâce d'entrer chez moi, car pour apprendre ce que j'ai à vous
dire, mieux vaut que vous soyez assis.

J'entrai dans le réduit où je reconnus la peau de
tigre, la boussole, la projection de Mercator clouée à
la cloison. J'aurais pu me croire revenu quelque sept
ans en arrière, à Nantes, sur le bras de la Madeleine
où *la Pétulante* était au mouillage. Comme alors,
Monsieur Fulminet tira de son coffre de fer une bouteille et deux gobelets qu'il remplit d'une guildive
incendiaire. Mais j'avais le gosier plus aguerri qu'à mes
lointains débuts dans la navigation, et j'avalai ma pinte
sans sourciller. Alors mon hôte remplit de nouveau les
gobelets, me fit asseoir sur la peau de tigre et reprit :

— Revenons-en, s'il vous plaît, aux circonstances
dans lesquelles vous prîtes la fâcheuse résolution
d'associer votre fortune à celle d'une bande d'esclaves
rebelles. Vous aviez très légitimement envoyé *ad patres*
deux créoles qui, après avoir assassiné votre malheureux camarade Sosthène Goujet, prétendaient faire
coup double en vous supprimant. Ici commence l'er-

reur dans laquelle vous avez eu la mauvaise inspiration de persévérer. Inutile de vous répéter que, si vous
aviez sagement regagné votre bord, comme c'était
votre devoir d'enseigne, je vous aurais couvert, défendu contre toute revendication émanant d'une autorité
extra-maritime, comme c'était mon devoir de capitaine. J'ai vainement tenté de découvrir où vous vous
cachiez. De vrai, la coïncidence de votre disparition
avec le mystérieux enlèvement du *Victorious* m'avait
mis la puce à l'oreille, mais je ne pouvais m'attarder
au Cap Français. Quinze jours après, je dus donner
l'ordre d'appareiller... Jugez de mon embarras lors de
mon retour à Nantes. Votre père vous avait confié à
moi. J'étais à ses yeux responsable de toute mésaventure dont vous pouviez être victime. Sitôt dans mon
cabinet, je lui couchai une lettre de ma meilleure
encre, quoique passablement ambiguë, par laquelle je
lui faisais savoir que la vie toute vouée au plaisir et
à la volupté qu'on mène aux Iles vous avait donné un
coup au cœur et fait oublier le reste. Je laissais entendre
qu'une beauté locale aurait joué un rôle dans l'affaire.
J'ajoutais que, malgré toute mon éloquence, je n'avais
pas réussi à vous convaincre de rembarquer. Mon
explication, je vous l'accorde, était tirée par les cheveux, mais savais-je seulement si vous étiez mort ou
vif ? Pouvais-je, dans cette incertitude, mettre votre
père au désespoir ? J'aurais bien dû prévoir, d'ailleurs,
qu'il ne se laisserait pas endormir par un rapport
aussi entortillé. Il vous est tendrement affectionné. Il
était sans nouvelles de vous depuis près de deux
années. Aussi n'a-t-il pas lanterné. Quelques jours plus
tard, il arrivait à Nantes dans un superbe carrosse à
ses armes et frappait à ma porte. Une personne du
sexe, une parente, je crois, l'accompagnait.

— Dame Apollonie de Belœil, notre cousine.

Monsieur Fulminet but un trait de guildive et poursuivit :

— Ah ! mon ami, le fichu quart d'heure que j'ai
passé là ! Votre digne père me harcelait, me persécutait de questions auxquelles j'étais bien empêché de

pouvoir apporter les réponses qu'il attendait. Et quelle
était l'artificieuse créature qui vous avait pris dans ses
rets ? Avait-elle au moins de la naissance, de la fortune ? Et pourquoi, fils ingrat, ne m'aviez-vous pas
remis une lettre à son adresse pour vous expliquer
vous-même ? Je louvoyais piteusement, je lui donnais
l'assurance que vous m'aviez toujours parlé de lui
avec autant de tendresse que de respect. Mais il refusait de lâcher pied, bien au contraire, il s'échauffait
de plus en plus et finit par s'écrier : « Mais avouez-le
donc, monsieur, que le dernier rejeton des La Prée la
Fleur s'est accointé avec une négresse ! » Je lui affir-
mai qu'il se trompait du tout au tout. « En ce cas, fit-
il, dites-moi la vérité. Si détestable qu'elle puisse apparaître à mes yeux, j'ai le droit de la connaître et vous
avez le devoir de me la dire. » Et le diable d'homme
d'ajouter : « Il ne dépend plus que de votre franchise
d'être maintenu dans votre commandement par la
Compagnie de Guinée ou de recevoir votre congé. »
In cauda venenum. Mettez-vous à ma place. Ne plus
naviguer ! Autant me loger tout de suite une balle
dans la tête ! Il ne me restait plus qu'à manger le
morceau.

— Et vous avez tout dit ?

— Tout ce que je savais, et qui se réduisait à peu
de chose : votre empressement auprès des demoiselles
Saint-Lary — le Cazenave, qui sentait trop sa roture,
étant escamoté par prudence — votre querelle avec
les prétendants insulaires, le duel à quatre, les trois
occis, votre fuite, mes vains efforts pour vous retrouver. Là-dessus, votre cousine a fondu en larmes, tandis que votre père se bornait à soupirer : « C'est moins
grave que je ne le craignais. » Il n'a d'ailleurs pas
tardé à se reprendre et m'a déclaré tout net qu'il vous
avait confié à moi sur ma bonne réputation, qu'à moins
que je ne fusse un imposteur, il ne me tenait pas quitte
et qu'en conséquence je devais lui jurer sur ma tête
de vous ramener, au besoin pieds et poings liés. J'ai
juré. « C'est bien, monsieur, m'a-t-il dit, j'ai tout lieu
de penser que vous êtes un homme d'honneur et que

vous tiendrez parole. Le comte Fortunat est mon unique héritier. Quand vous aurez remis la main sur lui, ne le lâchez pas pour un empire. Dites-lui que, s'il tardait trop à me revenir, il risquerait de ne plus me revoir en ce bas monde, car les années commencent à peser lourd sur ma vieille carcasse. Dites-lui aussi qu'on ne gagne jamais rien à prendre des décisions trop précipitées et qu'il s'est exilé sans nécessité, sa malheureuse affaire avec le feu comte de Valbert n'ayant pas eu de suites. La comtesse ne l'a pas dénoncé comme meurtrier de son mari, dont elle était assez contente de se voir débarrassée. Il n'a aucun compte à rendre à la justice. Il est blanc comme neige et peut rentrer la tête haute. »

Comment n'aurais-je pas changé de couleur à cette nouvelle ? Je dus même vider d'un trait mon gobelet de guildive pour reprendre mes esprits. Monsieur Fulminet avait remarqué mon émotion et me frappa cordialement sur l'épaule.

— Je comprends votre trouble, monsieur. On serait secoué à moins. Mais ce n'est pas tout. Votre père repartit avec ma promesse, et *la Pétulante*, après être passée au grand carénage, fut de nouveau à la voile six mois après. Il y avait beau temps que vous écumiez la mer Caraïbe. Le nom du fameux captain Lafortune vint à mes oreilles comme je venais de commencer mes opérations de routine sur la Côte des Esclaves. J'ai tout de suite fait le rapprochement. Mon honneur était engagé. Il me fallait à tout prix rendre à votre père le fils que j'avais laissé se dérober à son affection. Dès mon arrivée à Saint-Domingue, je m'informai sur ce qu'on appelait vos méfaits. Vous veniez, avec une audace incroyable, d'enlever, à quelques lieues à peine du Cap Français, un houcre de trois cents tonneaux, percé à vingt-six canons, et qui, pour comble, s'appelait le *Saint-Louis*. Toute la gentilhommerie de l'île se répandait en malédictions sur l'exécrable forban, sauf respect, qui avait eu le front de s'attaquer à un navire placé sous l'invocation de notre souverain bien-aimé. Je hâtai le départ de *la Pétulante*.

Au risque de retarder mon retour en France, j'étais résolu à faire tout ce qui était en mon pouvoir pour vous joindre et à employer la force afin de vous amener à composition et de vous capturer. Dans ma volonté d'y parvenir, je ne m'étais pas borné à porter le nombre de mes bouches à feu de vingt-quatre à trente, les six pièces supplémentaires étant postées en proue et en poupe; j'avais, en outre, engagé des matelots d'élite qui avaient longtemps servi sur un bateau corsaire désarmé et dont le capitaine de mes amis venait de prendre ses invalides.

« La fortune, malheureusement, me refusa ses sourires. Ce fut en vain qu'au lieu de gouverner nord-nord-est, je virai lof pour lof par le Canal au Vent, pour croiser au large de la Jamaïque où j'espérais vous tomber dessus, en vain que, contre toute prudence, j'allai me risquer par le travers de Puerto Rico et des Petites Antilles. Après deux mois de circuit sans résultat, je me résignai, la mort dans l'âme, à reprendre le chemin de l'Europe. J'étais médiocrement rassuré sur l'accueil qu'allait me faire votre père. Comment prendrait-il la nouvelle que, malgré ma promesse, je n'avais pu vous ramener auprès de lui ? J'étais d'autant plus marri de mon échec qu'ayant pris langue, sur la Côte des Dents, avec le capitaine d'un bateau marchand au fait de vos premières prises, j'avais remis à ce dernier, qui revenait en France, un message par lequel j'annonçais au marquis de La Prée de la Fleur que j'étais sur vos traces.

« De Nantes, je me rendis en droiture à Paris, où votre père, loin de m'accabler de reproches, me reçut avec bonté. Il faut dire qu'il ne me parut plus tout à fait le même. Il marchait avec difficulté, cramponné à sa canne. Son visage émacié était devenu cireux, et si le regard restait vif, je ne retrouvais plus dans sa voix les éclats qui m'avaient inquiété pour la suite de ma carrière à la Compagnie. Il ne me parut pas surpris à l'excès de votre hargne anti-négrière. Quand je lui eus narré vos principaux exploits, il se prit même à rire.

« — Ah ! l'étourneau ! disait-il. L'idée ne lui est
même pas venue qu'en ruinant le commerce de la
traite, il écornait son patrimoine. A dire vrai, je n'aurais jamais cru qu'un goût si prononcé lui vînt pour la
bagarre. Sa campagne de Flandre semblait l'avoir
échaudé. Mais à cet âge, autant le sang est chaud,
autant la tête est légère. Vous m'avez juré de me le
rendre, monsieur Fulminet. Je compte que vous ne
faillirez pas à votre serment, mais je vous conjure de
faire vite, si vous ne voulez pas qu'il me retrouve au
monument. Veillez bien aussi à ne pas m'abîmer ce
cher enfant. »

« Je suis reparti quatre mois plus tard, après avoir
encore renforcé mon équipage. Les événements ont
fini par tourner à mon avantage et au-delà même de
ce que je pouvais espérer, puisque je vous ai arraché
au sort funeste qui vous semblait promis. Vous allez
revoir votre père. Dites-moi maintenant ce que je puis
faire pour que vous ne me gardiez pas trop rancune
d'avoir mis fin à votre carrière de forban sentimental ? »

Cher capitaine Fulminet ! Je l'aurais embrassé. Il
bourra tranquillement sa pipe, en tira quelques bouffées et m'écouta sans impatience présenter de mes
actes une justification qu'il ne chercha même pas à
réfuter. Il n'avait rien contre les nègres à qui Dieu
n'avait pas donné une peau noire pour les humilier.
Il voulait bien admettre que le principe même de la
traite était inhumain et s'était toujours efforcé, pour
sa part, d'adoucir la condition des captifs. Il pensait
seulement que toutes les sociétés sont imparfaites et
qu'il n'avait pas qualité pour réformer un système
social accepté par le vicaire du Christ en personne,
Sa Sainteté le pape Innocent.

— Si je vous ai bien compris, acheva-t-il, il y a en
vous l'étoffe d'un apôtre, et l'histoire a dû vous
apprendre que les héros de la foi finissaient généralement avec la palme du martyre. Ne m'en veuillez pas
d'avoir voulu vous épargner cette glorieuse extrémité.

Il parlait le même langage que mon chirurgien espagnol. Je le remerciai de sa générosité, et lui demandai quel sort il comptait réserver aux survivants de mon équipage.

— Je m'attendais à cette question, répondit-il sans sourciller. Quant aux blancs, Français ou Anglais, pas de difficulté. Ils m'ont fait l'amitié de ne pas érafler un seul de mes haubans avec leurs boulets, et un tel prodige de maladresse volontaire peut bien leur valoir l'indulgence plénière. Je les ai laissés à leurs batteries. Mon intention est de leur proposer maintenant de remplacer mes matelots tués par vos diables noirs. Quant à ceux-là...

— Monsieur, lui dis-je, si vous ne voulez pas mesurer vos bienfaits, je vous prierai d'user envers eux de la même charité. Grâce à eux et à leurs congénères disparus au cours d'engagements qui ne furent point des parties de plaisir, j'ai libéré en cinq années près de cinq mille captifs. Ne les rendez pas, eux, à l'humiliante condition d'esclave dont ils se croyaient à jamais affranchis. Débarquez-les, libres, sur la côte africaine.

Monsieur Fulminet hocha la tête.

— Voilà qui va singulièrement allonger notre voyage et retarder la joie qu'aura votre père de vous revoir. Mais soit !

Une heure après, hommes et vivres passaient du *Fulminant* sur *la Pétulante*. J'avais moi-même surveillé le transbordement, et je fus le dernier, selon la règle, à quitter mon bord, pistolet à la ceinture, sabre au côté, mon journal de navigation sous le bras.

Car le seul point sur lequel M. Fulminet se montra intraitable fut le sort de ce *Fulminant* qui avait fait trembler tant de capitaines de la traite. Je lui avais proposé de le ramener à Nantes. Il objecta que sa mâture détruite et un équipage trop réduit ne lui permettraient pas de suivre *la Pétulante*. Quelques bordées suffirent à l'envoyer par le fond, et je ne vis pas sans mélancolie s'enfoncer dans les flots ce témoin d'une entreprise par laquelle j'avais ambitionné de faire régner un peu plus de justice dans un monde qui la bafouait.

La suite de notre voyage devait être sans histoire. Trois mois plus tard, mes vingt-sept *marrons* survivants étaient, à leur stupéfaction, débarqués sur la côte de Sierra Leone. Je les avais accompagnés à terre pour être bien assuré de leur libération. Comme j'allais reprendre la chaloupe, je les vis se précipiter vers moi, se prosterner, me baiser les pieds et les mains. C'était ma récompense.

Le deuxième jour de janvier 1700, toutes voiles dehors, comme elle en était partie il y avait sept ans, six mois et trois jours, emportant dans ses flancs un jeune enseigne fraîchement baptisé Félix Lafortune, *la Pétulante* entrait dans la rivière de Nantes.

XV

Il neigeait. Les heures de nuit exceptées, j'avais ga-
lopé presque sans arrêt depuis Nantes et crevé trois
chevaux. Un quatrième, trompé par le verglas, s'était
rompu deux jambes. Je m'étais retrouvé au milieu
d'un étang gelé qui, par miracle, tant la glace était
épaisse, n'avait pas cédé sous mon poids. Les flocons
légers et frais m'entraient dans le nez, la bouche, les
oreilles, et me brouillaient la vue. J'avais l'impression
de chevaucher en songe. Des deux côtés de la route,
des fantômes d'arbres étiraient des squelettes de
branches. Pas âme qui vive dans les villages que je
traversais et où des fumées bleues se dissipaient au-
dessus des chaumières encapuchonnées comme des
ermites. Malgré mes gants de cuir, je ne sentais plus
mes doigts gourds. Une vapeur s'élevait des flancs de
ma bête fourbue.

Cinq jours m'avaient suffi, sept ans plus tôt, pour
couvrir la route de Paris à Nantes. Il m'en fallut sept,
par ce temps inhumain, pour parcourir le même chemin en sens contraire. A Nogent-le-Rotrou, comme je
m'arrêtais, sur le midi, devant une auberge à l'enseigne
des *Trois Rois Mages*, mon cinquième cheval fléchit
doucement sous moi et s'abattit. Le sixième dura jusqu'à Limours, un jarret coupé dans une fondrière par
une arête de glace. Le septième, un barbe nerveux,
aussi blanc que la neige qui nous enveloppait, partit
d'un bon train comme celle-ci cessait de tomber.

Comment, dans cet environnement presque incolore

dans sa blancheur, de cristal et de nuée, de sel gemme
et de sucre candi, dans ce froid coupant qui tarit la
sève et gèle le sang, comment mon esprit ne se fût-il
pas reporté vers ces mers du Tropique semées d'îles
heureuses, où je venais de passer des années dans le
triomphe de la lumière et de la chaleur ? Mais l'ange
au glaive de feu, sous les traits de Monsieur Fulminet,
m'avait exilé de ce paradis, et les visages des créoles
Eponine et Valérie s'enfonçaient dans un passé presque
aussi lointain que ceux de Line et de Trine. Il fallait me
faire une raison. J'allais revoir mon père; je renoue-
rais avec les douceurs de la vie de société, je rega-
gnerais la faveur des belles. Je n'avais pas encore
trente ans. Pour moi, tout était encore possible.

Je pénétrai dans Paris par le chemin d'Issy et, passé
la muraille, retrouvai l'occasion de pester contre les
embarras de la ville. Malgré le froid, charrettes et carrosses, chaises et coches, porteurs d'eau, crocheteurs
chargés de cordes de bois avançaient dans la neige
souillée, au milieu des jurons et des grincements
d'essieux. La Seine était entièrement prise. Je ne fus
pas sans ressentir un pincement au cœur en traversant
l'île Notre-Dame par la rue des Deux-Ponts. C'était là
que le comte de Valbert, aveuglé par la foudre, n'avait
pas su parer cette botte qui, en lui coûtant la vie,
m'avait expédié au bout du monde.

Je trouvai mon père dans sa chambre, enfoui dans
un monumental fauteuil de tapisserie, devant la cheminée où flambait un édifice de bûches. Il était enveloppé dans une vaste houppelande vert olive fourrée
d'écureuil et avait sur la tête un bonnet en peau de
renard rabattu sur les oreilles.

J'étais entré sans frapper.

— Bonjour, père. C'est moi, Fortunat, annonçai-je
d'une voix joyeuse.

Le marquis Bénigne-Auguste leva les yeux et m'aper-
çut dans la glace qui dominait la cheminée. Je me
précipitai vers lui. Il m'étreignit sans quitter son siège,
et des larmes, qui étaient les siennes, mouillèrent
mon visage. Mais il se reprit vite.

— Voilà donc mon pirate. Par Dieu ! il était temps, car la Dame à la faux m'a déjà plus d'une fois tiré par la manche, j'ai dû prendre mes arrangements avec elle pour t'embrasser au moins encore une fois, et c'est une personne assez peu accommodante avec les égrotants... Mais comme te voilà fait, garçon, crotté, hirsute, le jabot déchiré, le menton bleu !

J'expliquai ma longue traite depuis Nantes, toute une semaine passée sans débotter, couchant dans les écuries à côté de mon cheval pour repartir dès patron jaquet, et puis la neige à longueur de journée, l'onglée, la route disparue sous la couche craquante, la gadoue du faubourg.

Il puisa une prise de tabac, renifla, éternua.

— Voilà qui forme la jeunesse. Tu es arrivé à bon port, je n'en demandais pas davantage. Dieu est miséricordieux. Je pourrai retourner en paix au sein d'Abraham.

Et se redressant tout à coup, l'œil étincelant :

— N'empêche que tu t'es conduit en scélérat fieffé. Ainsi donc, c'était toi, le fameux captain Lafortune ? Dieu me damne ! tu en as fait de belles ! Ouais ! dix forbans comme toi, et la traite était morte. Quelle mouche t'a piqué de jouer les Spartacus, à seule fin de ruiner un commerce où ton père avait des intérêts qui sont les tiens ? La Terreur des Caraïbes, tel était le surnom par lequel on te désignait aux conseils de la Compagnie. La Terreur des Caraïbes ! Fortunat-Richard-Félix de la Prée de la Fleur ! Tant de prénoms bénéfiques pour coiffer un écumeur des mers ! Par chance, aucun de mes amis n'était au fait et, dans les réunions de l'administration, quand un de tes méfaits venait à être évoqué, je me demandais si je ne devais pas rire sous cape, te maudire ou m'enorgueillir d'une vaillance si perversement employée. Tantôt je me disais : *Ma jeunesse revit en cette ardeur si prompte,* et tantôt : *Plus l'offenseur est cher et plus grande est l'offense.*

Il n'avait pas oublié son Corneille, et je retrouvais mon père. Il reprit :

— J'ai fini par conclure qu'il n'y avait pas offense, ni cas pendable, encore que tu eusses cent fois mérité en justice d'être pendu, mais étourderie, égarement passager d'un esprit trop prompt à s'exalter, péché de jeunesse enfin...

Je le remerciai avec effusion et le priai de me dire comment avaient coulé toutes ces années que j'avais dû passer loin de lui.

— Mais c'est justement que *tu n'aurais pas dû* les passer dans cet éloignement, mon fils, et voilà bien ce qui me fait sortir des gonds, quand j'y pense. Fulminet t'a prévenu qu'après ton affaire avec ce comte de malheur, aucune plainte n'avait été portée contre toi. Le lendemain, j'attendais l'exempt de police. Vaine attente. Je m'informe discrètement et j'apprends que les obsèques de la victime vont être célébrées en l'église Notre-Dame. Je m'y rends, je présente mes condoléances à une veuve bien touchante dans ses voiles gris. Elle agrée mon propos en battant de la paupière et me confie à mi-voix qu'elle ne tardera pas à me rendre visite. Je n'étais pas tout à fait tranquille. Je me rappelais la tentative d'extorsion qui s'était terminée par un coup d'épée, et je me demandais si la comtesse n'allait pas renouveler la manœuvre. Eh bien, je me trompais. Quinze jours après — le délai déjà était rassurant — la belle Stéphanie se fait annoncer. Tout de suite, elle me tire d'inquiétude. Elle ne saurait te faire grief d'avoir expédié son mari, parce que les meilleures raisons du monde militent en ta faveur : la première qu'ayant été provoqué, tu n'as fait que te défendre; la seconde que son défunt abusait odieusement de l'autorité maritale, allant même jusqu'à la menace, pour la compromettre dans ses opérations illicites; la troisième, enfin, qu'il se disposait à faire entrer ses innocentes filles dans ses louches trafics, ce qu'elle n'aurait pu supporter. En conséquence, monsieur le bretteur, elle ne se résolvait pas à voir en toi le Rodrigue de ses Chimène, et si tu avais toujours des vues honnêtes sur sa Line ou sa Trine, elle était prête à te crier : « Dans mes bras, mon gendre ! ».

« Cette interprétation des faits, bien différente de ta version personnelle, ne m'avait pas convaincu. Mais qui sait ? Peut-être Valbert inspirait-il à sa Stéphanie une crainte si forte qu'elle se sentait incapable de lui résister, et dans ce cas il fallait reconnaître qu'elle était plus à plaindre qu'à blâmer.

« Vérité ou mensonge, tu naviguais sur *la Pétulante* depuis une bonne dizaine de jours, et je lui appris que, dans la meilleure hypothèse, tu ne serais pas de retour avant dix-huit mois.

« — Quel dommage ! soupira-t-elle.

« Pourtant, je suis enclin à penser qu'elle n'avait pas l'âme aussi blanche qu'elle aurait voulu m'en persuader. Ses visites se renouvelèrent. A l'en croire, elle venait seulement prendre de tes nouvelles, bien que je lui eusse représenté, dès le premier jour, que je n'avais qu'une infime chance d'en recevoir. Ses coquetteries étudiées ne tardèrent pas à m'éclairer sur ses véritables intentions. Oui, mon cher, Stéphanie de Valbert jouait le grand jeu avec ton vieux père. Elle voyait en lui un éventuel second mari à sa convenance.

« Si flatteuses que fussent les avances d'une femme comme elle, encore pleine d'attraits pour un précoce vieillard valétudinaire et peu ragoûtant tel que moi, je n'étais pas assez fou pour m'y laisser prendre. Un jour, enfin, elle se résolut à découvrir ses batteries. A son entrée, elle avait porté la main à son front, puis insisté, d'un air dolent, sur les vapeurs qui, depuis quelque temps, lui rendaient la vie insupportable. J'avais fait apporter un flacon de marasquin. Comme je portais sa santé, laissant choir son verre qui se brisa sur le parquet, elle fit mine de perdre le sens. Je me doutais bien que c'était pure comédie. Aussi ne me privai-je pas de lui délivrer deux ou trois soufflets de bonne facture qui lui rendirent aussitôt vie et couleur. Alors elle saisit la main qui l'avait frappée et, la serrant, me dit d'une voix défaillante : « Ah ! mon ami, je sais bien ce qui me manque pour retrouver ma belle santé : c'est un homme, un vrai, comme vous. » Je ne perdis pas l'occasion de lui répondre qu'elle s'abusait sur mon compte, que mes forces m'abandonnaient de jour en jour, que je ne songeais plus qu'à Dieu et que, dès ton retour, j'avais dessein de faire retraite dans un couvent. Elle me regarda avec colère et prit congé. Ma foi ! je ne l'ai pas revue. Un an après, elle s'est remariée avec un fermier général, M. de Corneville, dont elle s'emploie à justifier le nom en lui en plantant avec entrain. Ses filles, qui avaient toutes deux trouvé chaussure à leur pied quelques mois avant elle, ne l'en ont pas moins rendue mère-grand. Si tu songeais encore à elles, Fortunat, ce ne saurait donc plus être pour le bon motif. »

Je répliquai à mon père que Line et Trine m'étaient depuis longtemps sorties de l'esprit et que n'importe quelle demoiselle de bon lieu ferait mieux mon affaire, pourvu qu'elle eût son agrément.

— A la bonne heure, fils ! s'écria-t-il. Me voilà tantôt cacochyme, et il me faut sans tarder mettre de l'ordre dans mon hoirie. Je présume que tu as perdu le goût de l'état militaire, sur terre comme sur mer. Louis nous laisse présentement jouir de la paix. Profitons-en. Tu as fait beaucoup de tort à la Compagnie de Guinée, dont le privilège court encore pour cinq ans; tu lui as causé de grandes pertes. Le moment est venu de réparer. J'ai pensé que tu pourrais y prendre place, y surveiller nos intérêts.

C'était trop fort, et j'éclatai.

— Peux-tu penser de sang-froid, père, que le captain Lafortune accepte, du jour au lendemain, de se transformer en négrier.

Le marquis sourcilla.

— Il n'y a plus de captain Lafortune, enragé que tu es, mais le comte Fortunat de la Prée de la Fleur, à qui je veux bien accorder le temps de la réflexion.

— C'est tout réfléchi.

— Bon ! Nous en discuterons à tête reposée, bouillant jeune homme. L'enfant prodigue, de retour au bercail, a droit à toutes les indulgences. Parlons plutôt maintenant de celle grâce à qui le nom des la Prée la Fleur sera perpétué. J'avais retenu pour toi un certain nombre de fiancées possibles. Plusieurs ont disparu de ma liste pour s'être mariées ou avoir dépassé les vingt ans. Cinq demeurent, qui me paraissent remplir toutes les conditions requises : charme, santé, fortune...

— Leurs noms ?

— Il y a deux blondes : Catherine d'Aubigny et Antoinette de Saint-Aignan, une châtain clair : Elodie de Janzé, deux brunes, des merveilles celles-là, l'œil bleu, une peau de lait, un port de déesses : les sœurs Emmanuelle et Bernadette de Rosnay-Charente.

Je sursautai.

— Des jumelles ?

Mon père pouffa de rire.

— Rassure-toi. Des orphelines seulement, et richement dotées. Il y a un an de différence entre elles.

— Ah ! je respire.

Fallait-il admettre que ma vie d'aventures était finie ?

DEUXIEME PARTIE

I

Le mardi 9 novembre 1700 fut marqué par deux événements dont l'un devait compter dans l'histoire des nations et l'autre dans la mienne : tandis que le roi de France apprenait que son petit-fils, le duc d'Anjou, allait monter sur le trône d'Espagne, je recevais la bénédiction nuptiale des mains d'un père jésuite.

L'histoire des nations, si tourmentée soit-elle, n'a pas la même conséquence pour tous les hommes. Il ne me faisait ni chaud ni froid qu'après tant de querelles et de batailles rangées entre les maisons de France et d'Autriche, la descendance de Louis le Grand ceignît la couronne des rois catholiques. Le goût de la guerre m'avait quitté. Mes dix-sept ans étaient loin, qui m'avaient vu servir aux dragons de Pomponne. Sept années de périlleuse navigation sur des mers chaudes infestées de corsaires et le flibustiers, trente-cinq navires enlevés à l'abordage et la menace, détournée *in extremis,* d'être pendu haut et court au bout d'une vergue, m'avaient guéri de l'aventure maritime. Deux hommes seulement, Aubert Fulminet, qui m'avait appris à gouverner sur sa *Pétulante,* et Monsieur Dufourneau, son second, savaient, avec mon père, que le dernier surgeon des la Prée la Fleur — moi-même — travesti en captain Lafortune à bord du *Fulminant,* avait furieusement donné la chasse aux bateaux négriers et bravé toutes les marines du monde chrétien, au point d'être surnommé la Terreur des Caraïbes.

J'avais maintenant tourné la page. Aux yeux de la société, je ne figurais plus que le comte Fortunat-Richard-Félix de la Prée de la Fleur, embarqué à dix-neuf ans pour les Amériques, revenu à vingt-sept après avoir été capturé sur la côte de Saint-Domingue par la course anglais pour subir les mille avanies résultant de cette malefortune. Je gardais bouche cousue, et pour cause, sur mes misères de ce temps-là. On me savait gré d'une discrétion dont les motifs réels eussent bien surpris les bonnes gens. On n'en admirait que davantage mon teint hâlé par le tropique, et je me taillais de faciles succès de coterie en émaillant mes propos d'expressions empruntées au jargon des Iles.

Depuis mon retour, le marquis Bénigne-Auguste-Urbain ne dissimulait plus son impatience de me voir contracter mariage. Quelle raison aurais-je pu alléguer pour me dérober à un vœu aussi légitime ? Je m'étais borné à lui demander un délai de grâce. Nous subissions l'hiver dans sa rigueur. Pourquoi ne pas différer jusqu'au printemps ? La vie agitée qui avait été la mienne, durant mon éloignement de France, m'avait fait perdre les façons du bel air. J'éprouvais le besoin de reprendre l'usage du rond de jambes et des propos de bonne compagnie.

— Au demeurant, avais-je ajouté, on ne prend pas femme en carême.

Mon père avait levé les épaules, moitié figue et moitié raisin.

— Si tu ne te mets pas la corde au cou avant Noël, garnement, je lègue tout mon bien au couvent de la Madeleine.

Le temps du carême n'en avait pas été pour moi celui de la pénitence et des macérations. Les maisons de jeu, où le pharaon et la bassette avaient supplanté le lansquenet de mes jeunes années, florissaient comme jamais. Elles ne ressemblaient guère aux tripots de Saint-Domingue. Avant de prendre place, les pontes, par mesure de prudence, ne se croyaient pas obligés de déposer devant eux un pistolet chargé; les joueurs décavés, dans un débordement d'humeur, ne s'avisaient pas de vous jeter à la figure un verre de mauvais tafia. Les tricheurs même avaient de l'honneur à leur façon et, pris en flagrant délit, se laissaient embrocher sur le pré avec honnêteté. Je me donnais le divertissement de la courte paume, où j'étais d'une assez jolie force dans le jeu carré. Quand le ciel était maussade, je coquetais dans les ruelles. Quand il se faisait plus clément, je chevauchais sur le cours où, derrière les vitres de leurs carrosses armoriés, des dames de la meilleure naissance, ou qui voulaient le faire accroire, me signifiaient par des mines l'ouverture de leurs sentiments.

Il ne fallut pas plus de quelques mois pour que cette oisiveté dorée commençât à me peser. Tranchons le mot, je m'ennuyais à périr. On n'a pas, huit années durant, mené une vie constamment menacée par la fureur des éléments et la frénésie des hommes, pour se tenir satisfait d'une existence dont les grands mouvements se résument, dans les bons jours, au gain de quelques centaines de louis ou à la culbute d'une femme sans mœurs.

Mon père me guettait à ce tournant. Depuis mon retour, je n'avais eu qu'à me louer de son comportement à mon endroit. Il ne me laissait jamais la bourse plate et se bornait à me recommander de ne pas forcer mes mises à la bassette qu'il réputait une invention du diable pour y avoir lui-même perdu cent mille francs en une nuit. Le jeu m'était un passe-temps plutôt qu'une passion. Aussi bien pontais-je sans exagération, et mes gains généralement équilibraient-ils mes pertes. Pourquoi me départis-je un jour de cette sagesse pour flamber mille louis en une heure ? J'avais gagné cinq cents louis en trois coups. Un seul suffit pour m'en escamoter le double sur parole.

Quand je fis au marquis l'aveu de ma déconfiture, il fronça le sourcil, toussa à plusieurs reprises pour s'éclaircir la voix, puis, me regardant bien en face, n'y put tenir davantage et éclata de rire. Comme, surpris de sa bénignité, je me décidais à l'imiter timidement, il reprit un visage sévère.

— Comment oses-tu rire, mon garçon ? J'en ai le droit, moi que ta légèreté conduirait à la ruine si je continuais à te laisser faire, mais tu devrais, toi, te couvrir la tête de cendres.

Je restais debout près de lui, tout quinaud et ne sachant quelle contenance prendre. Un mouchoir rouge noué autour de sa tête, il était assis dans son fauteuil devant un grand feu de bûches qu'il tisonna avant de poursuivre :

— J'ose au moins espérer que tu as maintenant compris qu'il est temps de songer non plus à jeter l'argent par les fenêtres comme un godelureau sans cervelle, mais à faire fructifier un capital qui n'est pas seulement le mien, ni subsidiairement le tien, mais celui de toute cette lignée de la Prée la Fleur futurs dont ta dissipation compromettrait gravement la carrière terrestre.

Le terrible captain Lafortune qui, à bord de son *Fulminant*, avait fait trembler tant d'équipages de la traite, de la Côte des Esclaves à la mer Caraïbe, n'était plus qu'un petit garçon à la merci d'un fragile vieillard qui plantait de nouveau sur lui des yeux chargés de reproche.

— Oui, monsieur, dit le captain d'une voix blanche.

— C'est bon, reprit le marquis. Je payerai ses mille louis, sans rechigner, au chevalier d'industrie par qui tu t'es laissé gruger. A deux conditions toutefois : d'abord que tu ne touches plus à une carte jusqu'à ton mariage, ensuite que ce mariage soit célébré avant la Noël, comme j'ai déjà eu l'honneur de te le signifier. Je ne te demande pas de le jurer sur ma tête, parce que je ne veux pas prendre de risque. Je requiers seulement ta parole de gentilhomme.

— Vous l'avez, père.

— Je te ferai donc confiance.

Il soupira, et un éclair de malice brilla dans son œil.

— Pauvre Fortunat ! Te doutes-tu seulement des terribles dangers que tu vas courir ? Sais-tu bien qu'il

peut être plus facile de commander à tout un équipage
de forbans qu'à une seule femme ?

Il rit encore, se hissa sur ses jambes en s'aidant de
sa canne, et se mit à marcher de long en large, dans
une excitation soudaine.

— Puisque je te vois si docile, nous allons incontinent tirer nos plans, ou plutôt étudier le terrain.

Il s'approcha d'un cabinet d'ébène incrusté de nacre
et d'écaille, y prit dans un tiroir un coffret de laque
de Chine, me le promena sous le nez.

— Me croiras-tu, beau sire, si je te dis que cet objet
représente pour toi la boîte de Pandore, en sorte que
d'elle peut te venir tout le bonheur ou le malheur ?

Je demeurais court. Il se rassit et ouvrit le coffret
pour en extraire triomphalement quelques feuilles de
papier où je reconnus sa grande écriture aux jambages
pointus.

— *Hic jacet lepus*, mons Fortunat. Mais je devrais
plutôt dire *lepos*. Oui, *lepos*, c'est-à-dire, si tu n'as pas
oublié ton rudiment, la grâce, le charme, la beauté,
mieux encore, *fons leporum*, la source des plaisirs,
pour autant que ceux-ci puissent s'épanouir dans
l'union bénie par Dieu d'un homme et d'une femme.
Ouais, garçon, et cesse d'arborer cet air emprunté où je
ne reconnais plus mon pirate. Je lâche ma pédanterie
et je viens au fait. Tu ne contesteras pas que, depuis
ton retour, je t'aie laissé les coudées franches. Tu as
folâtré comme un jeune faon, tu as donné libre cours
à tes appétits les moins louables sans que jamais je
m'inscrivisse là-contre. Bref, j'ai été un père indulgent
jusqu'à la faiblesse. N'y revenons pas. Je passe l'éponge.
Mais que faisais-je, moi, pendant que tu courais la
guenipe et que tu abattais l'atout ? Je me préoccupais
de ton avenir, de ta fortune. Je cherchais la femme
idéale, j'entends celle que j'aurais les meilleures raisons de juger digne de notre alliance pour la mettre
dans ton lit.

— Et vous l'avez trouvée ?

— Doucement ! Tu n'es pas sans te rappeler que, le
jour même où tu m'es revenu avec une figure de bou-

canier, l'air aussi sauvage que ton fumet, je t'avais
cité cinq noms de demoiselles du meilleur parage, cinq
perruches triées sur le volet, heureux coquin, deux
de plus qu'à Pâris qui, pour l'attribution de sa pomme,
n'eut le choix qu'entre trois déesses. J'ai dû, depuis,
en biffer une de la liste, Antoinette de Saint-Aignan
qui a commis la sottise de se faire engrosser par un
valet de chiens et qui expie présentement son péché
au couvent des Filles anglaises. Une autre qui la vaut
bien, sinon par la naissance, du moins par le volume
de sa dot, y a pris sa place. Elle s'appelle Yolande
Farinacci d'Ognissanti. J'ai pris de discrètes informa-
tions sur chacune de ces nymphes et couché le résultat
de mon enquête sur ces feuillets dont je vais te donner lecture.

Je le reconnaissais bien là. Mon père, homme de
finance, ne se laissait pas prendre sans vert. Il n'aban-
donnait rien au hasard et ne jugeait que sur pièces.

— Je vous écoute, lui dis-je avec un intérêt nuancé
d'affectation.

Le premier feuillet craqua dans sa main, et il lut :

— *Catherine d'Aubigny, vingt ans. De la blondeur
nuance épi de seigle. L'œil bleu du type myosotis. Une
peau de lait. Bien proportionnée. Avantageuse du
corsage. Le nez légèrement retroussé ajoute du piquant
au visage. Voix haut perchée. S'habille sans une faute
de goût. Pince de la harpe.*

« *Descend en ligne directe des rois d'Ecosse par
Robert Stuart, seigneur d'Aubigny, qui combattit en
Italie sous Louis XII, reçut le bâton de maréchal de
France en 1514, participa sous François Ier à la victoire
de Marignan et non moins au désastre de Pavie.*

« *Signe particulier : légère claudication du pied
droit.*

Je me récriai :

— Une boiteuse !

Le marquis leva les épaules.

— Ne sais-tu pas, jeune hurluberlu, que le roi
Charles VII s'éprit d'Agnès Sorel, la Dame de Beauté,
pour l'avoir vue boiter la première fois qu'il la vit.

Elle avait tout simplement un caillou dans son soulier. Peut-être, si elle avait marché droit comme la première harengère venue, ne l'eût-il même pas remarquée. C'était le caillou de Cupidon. Catherine d'Aubigny est belle comme le jour, et je tiens que sa boiterie, en appelant l'attention sur elle, ajoute au charme que lui confèrent sa grâce naturelle, son sang royal, sans parler d'une dot de cent mille écus... Passons à la suivante.

Il reprit son souffle et attaqua la lecture du second feuillet.

— *Elodie de Janzé, dix-neuf ans. Cheveu châtain de nuance « auburn », comme disent les Anglais.*

Je ne pus me contenir.

— Vous vous moquez, père ! Une rousse !

Il gronda.

— Quel mal y aurait-il à cela, monsieur l'écervelé ? Les rousses ne sont-elles pas aussi propres à engendrer que les blondes ? Ai-je dit d'ailleurs que l'aimable Élodie était rousse ? Nullement. Sa capiteuse chevelure, qui dégage tous les parfums de l'Arabie, tire sur ce qu'on appelle le blond vénitien, lequel fut obtenu dès le xv⁰ siècle par les artistes capillaires de la Sérénissime République. Ils avaient baptisé leur méthode *l'arte biondeggiante*, qui coiffait leurs patientes... dirai-je de flammes de velours ?

Il cligna de l'œil.

— Je repars sur Elodie. *L'œil doré, chargé de langueur. La peau ambrée. Longue, serpentine, la hanche ondulante, lèvres charnues. Goût marqué pour les fanfreluches et colifichets. Touche du clavecin en y mettant de l'âme.*

« *Parmi ses ancêtres, de la main gauche, il est vrai, François II, dernier duc souverain de Bretagne. Ce duc de complexion galante n'avait pu donner qu'une fille, la future duchesse Anne, deux fois reine de France, à son épouse légitime Marguerite de Foix. Il ne se consola pas de n'avoir pu légitimer son unique bâtard, fils putatif de son écuyer Alain de Janzé, qu'une couronne de comte dédommagea de sa complaisance.*

— Un soupçon de rousseur et une once de bâtardise...

— Fortunat, ne m'échauffe pas davantage les oreilles. Le sang des ducs de Bretagne coule dans les veines d'Elodie de Janzé, il n'y a pas de barre dans son blason, et deux cent mille écus seront dans sa corbeille de mariage. Sur quoi j'arrive aux troisième et quatrième candidates à notre alliance. Je les ai couplées parce qu'elles sont sœurs et présentent beaucoup de traits communs. Il s'agit d'Emmanuelle et de Bernadette de Rosnay-Charente, dix-neuf et dix-huit ans. Ecoute bien :

« *Emmanuelle a les mêmes cheveux aile de corbeau que Bernadette, les mêmes yeux bleu de nuit, la même peau blanche comme l'amande, les mêmes formes bien indiquées. Fort gaies de leur naturel, les deux sœurs ne manquent pas une pièce des Comédiens Français, pas un ballet de l'Opéra. Chantent avec un joli filet de voix et se font applaudir dans la comédie de salon. Seule différence entre elles : la taille. Emmanuelle domine sa sœur d'une bonne tête.*

— Une girafe !

— Tu as décidément l'esprit mal tourné. En fait, Emmanuelle a plus de noblesse dans le port et Bernadette plus de vénusté. Je vois en elles deux jeunes filles accomplies. Toute la question est de savoir à quelle altitude tu situes ta préférence.

— A celle qui ne me rendra pas ridicule.

— Tu en jugeras donc. Je poursuis. *La famille de Rosnay-Charente fournit huit quartiers de noblesse. On y compte de nombreux marins, ce qui ne saurait déplaire à un pirate. Il y avait un Rosnay-Charente dans la flotte de Leone Strozzi quand il défit sous Marseille l'amiral génois Andrea Doria; un autre secondait Durand de Villegagnon, capitaine général des galères, quand il fonda au Nouveau Monde Henryville, aujourd'hui Saint-Sébastien de Rio de Janeiro; un autre encore était aux ordres de Duquesne devant Augusta où périt le fameux Ruyter.*

Mon père releva la tête.

— Et je ne parle pas des corsaires de tout poil qui ont plus ou moins enrichi leur maison en enlevant galions et bateaux de commerce, et qui auraient donné bien de la tablature à un certain captain Lafortune en personne. D'où la dot : deux cent mille livres à chacune. Dommage que tu ne puisses faire acte de bigamie... Passons à la cinquième, dont le blason a moins d'illustration que celui des quatre autres, mais qui peut faire sonner d'autres titres appelant considération.

Il parcourut du regard son dernier feuillet, hocha la tête à plusieurs reprises et annonça :

— *Yolande Farinacci d'Ognissanti, dix-neuf ans. Brune incandescente, la Clorinde du Tasse, l'amazone sarrasine. Le feu vert des yeux. L'éclat des dents. La bouche ventouse et fruit. Une voix de gorge qui vous prend aux entrailles. Par la cambrure du buste, l'harmonie du geste, la jambe qui avance sous la robe, chacun de ses mouvements frappe au cœur. Elle se donne dans un regard, elle se refuse dans une moue. Au couvent d'où elle sort, ses compagnes l'appelaient tour à tour la houri, comme si elle s'était enfuie du paradis de Mahomet, ou Lilith, nom de la deuxième épouse d'Adam qui, de l'approche du premier homme, engendra mille démons.*

« Famille de banquiers florentins venus en France dans les bagages de Marie de Médicis. Prétend compter dans son ascendance Prospero Farinacci, fameux jurisconsulte romain, auteur de Praxis et Theoria criminalis (1616), *qui fait toujours autorité outre-monts ; mais si réputé soit-il, un robin n'est qu'un robin. Titre de comte d'Ognissanti* (de Tous-les-Saints) *délivré par le pape, contestable et contesté, mais baste ! La dot, en revanche, a du poids : cinq cent mille livres au bas mot, peut-être le double.*

— Une diablesse chevauchant un sac d'or. Aurais-je là, père, une femme de tout repos, et l'or, même allant au million, peut-il balancer une diablerie roturière ?

— A partir du million, fils, la roture est savonnée

et, vu les attraits et renom de la personne, mes craintes s'adresseraient plutôt à ton front menacé d'une plantation attentatoire à l'honneur. Cette Yolande, il faut que tu le saches, ferait damner un saint, et ma vieille carcasse elle-même, pourtant devenue difficile à émouvoir, en a été toute remuée. Cela dit, tu manies assez bien l'épée pour qu'on t'épargne des affronts téméraires, et le choix t'appartient entre les cinq jouvencelles dont j'ai croqué le portrait. J'ajoute qu'une raison supplémentaire de faire figurer la Farinacci dans le lot, c'est qu'elle est fille unique et, à ce titre, héritière d'une des plus grosses fortunes du royaume. A noter aussi qu'on lui prête un caractère assez ombrageux. Malgré son âge encore tendre, elle a déjà évincé trois soupirants : un duc, s'il te plaît, et deux marquis. Polexandre, Artaban, le grand Cyrus, voilà les héros qui meublent ses rêves. A toi de les éclipser, pirate.

Il avait beau dire, il penchait pour l'Italienne, et sa manière d'en parler confinait à la provocation. Pour ma part, si je m'efforçais de garder la tête froide, mon imagination ne laissait pas de travailler. Je me faisais l'effet du Grand Turc à l'heure de jeter le mouchoir à la favorite du jour.

Nous étions en avril. Mon père décida de donner une grande fête — la première depuis mon retour — où seraient conviées, avec leurs parents, les cinq demoiselles jugées dignes par lui d'assurer sa descendance. Quel déchirant sentiment de la fuite du temps j'éprouvai en entendant, sur les sept heures de relevée, s'arrêter en crissant devant notre hôtel les premiers carrosses ! Malgré moi, je me reportais à cette autre fête donnée pour la victoire de Steinkerque et qui avait provoqué mon départ pour les îles d'Amérique. Je devais, ce soir-là, connaître Emmeline et Catherine de Valbert du Coudray, Line et Trine, les délicieuses et redoutables jumelles, flanquées de leur mère, Stéphanie, dans l'épanouissement d'une maturité plus redoutable encore. Deux jours plus tard, j'estoquais le mari de la dame, le funèbre comte Athanase. Dans ce temps-là, j'étais encore un freluquet, malgré ma campagne de Flandre et mes blessures. Huit ans avaient passé, qui m'avaient tanné le cuir, appris la perversité de l'espèce, et je me retrouvais au même point : il me fallait céder au vœu d'un père impatient de me voir pris dans les rets de mariage.

En quoi le monde avait-il changé depuis ces huit années ? Les glaces des salons et des galeries, dans leurs cadres dorés, reflétaient les flammes tremblantes des mêmes girandoles et des mêmes bras de lumière. Les femmes se coiffaient toujours de bonnets tuyautés à la Fontanges, qui avaient seulement gagné en hauteur, et les gros volants des *engageantes* moussaient plus amples à leurs coudes nus. Les perruques des hommes avaient perdu de leur caractère monumental pour se partager en trois touffes dont deux sur les côtés. On les appelait *binettes*, du nom de leur inventeur Binet, coiffeur du roi. Ce n'étaient pas toutefois les mêmes femmes engoncées dans leurs robes à falbalas qui, cette saison, étaient mauves, grenat ou bouton d'or, sous ces petits tabliers, ou *laisse tout faire*, parés de mouches, dont la mode persistante avait tellement surpris Eponine Cazenave de Saint-Lary, ma belle créole de Saint-Domingue. Ce n'étaient pas non plus les mêmes hommes dans leurs justaucorps cramoisis ou puce, dont les manches portaient des revers de brocart d'or ou d'argent. Entre les traitants dont, avant mon équipée aux Iles, le marquis de la Prée de la Fleur faisait son habituelle compagnie, certains avaient émigré chez les ombres, d'autres étaient embastillés, d'autres enfin, exilés sur leurs terres, dans les provinces.

Mon père, mon cher père lui-même n'était plus ce digne gentilhomme au visage fleuri, à l'œil matois, et qui semblait ne s'appuyer sur sa haute canne à pomme d'ivoire, comme un suisse à l'église, que pour imprimer plus de solennité à sa démarche. Je ne voyais plus en lui qu'un vieillard fragile, incertain sur ses jambes, et pour qui l'usage de la canne représentait une nécessité.

Et les différences avec cette lointaine soirée d'après

Steinkerque s'inscrivaient aussi dans le ciel. Le soir
où, pour ma disgrâce, j'avais connu Line et Trine,
était lourd, chargé de toutes les menaces d'un orage
annonciateur des épreuves qui m'attendaient. Ce soir,
où j'allais devoir porter mon choix sur une femme qui
serait indissolublement la mienne, tombait sur Paris
avec une douceur acide qui contenait toutes les promesses du printemps. Pourtant, j'avais beau me sentir
jeune comme jamais, trois années seulement me séparaient de ce cap fatal de la trentaine, où la légèreté
de la jeunesse doit céder le pas aux froides raisons de
la maturité.

J'allais oublier de noter qu'après mon père, la cousine Apollonie, qui, un peu plus ridée mais toujours
ingambe et bien disante, continuait de gouverner notre
maison, ne s'était pas privée de me faire connaître
son sentiment sur les cinq demoiselles dont mon père
l'avait entretenue. Ses jugements étaient aussi som-
maires que péremptoires. Catherine d'Aubigny, selon
elle, devait clocher de l'esprit comme du pied droit,
pour ce que le physique retentit obligatoirement sur
le moral; Elodie de Janzé n'était qu'une coquette dont
les cheveux teints et les roulements de hanches étaient
pour inspirer des inquiétudes à un mari; Emmanuelle
de Rosnay-Charente, vu sa taille, ne pouvait que
regarder les hommes de haut; Yolande Farinacci,
enfin, ajoutait à la bassesse de la naissance la morgue
d'une créature gâtée par l'or paternel et l'esprit d'intrigue de ces Italiennes qui ont la galanterie dans le
sang.

Après cette quadruple exécution, seule subsistait,
aux yeux d'Apollonie de Belœil, comme digne d'être
prise en considération, Bernadette de Rosnay-Charente
qui, plus brève de taille que sa sœur et se trouvant
d'autre part sa cadette, devait en être portée à la
modestie.

J'avais répondu à la cousine que la modestie ne tra-
duit souvent que le défaut de caractère, en conséquence de quoi je ne jugerais, comme mon père, que
sur pièces. Et la fine mouche — à bon entendeur salut

— de repartir que toute pièce comportait avers et revers.

Avant de rapporter les péripéties de cette soirée, je dois encore dire que l'invitation collective des cinq victimes proposées à mon jeune appétit m'avait d'abord paru choquante. Ces demoiselles, tout comme leurs parents, ne s'aviseraient-elles pas qu'elles étaient ainsi comme mises en loterie ? N'auraient-elles pas le droit de s'en montrer offensées ? Mon père avait balayé cette objection en me représentant que je ne serais pas le seul jeune seigneur en quête d'union honorable au milieu de nos quelque cinquante invités, car il avait pris soin de comprendre parmi ceux-ci une demi-douzaine de muguets dont les âges variaient de vingt à vingt-cinq ans.

Quand je les vis arriver l'un après l'autre, ces glorieux garçons tout bouffis de leur mérite, la malice de mon père m'apparut. Sans vouloir trancher de l'important, je confesserai qu'aucun d'eux ne me semblait un rival bien redoutable. Je les avais tous rencontrés peu ou prou dans les maisons de jeu où, comme moi-même, ils s'obstinaient à manger leur blé en herbe. Ainsi en était-il du chevalier Achille d'Essé, des vicomtes Alexandre de Beaupréau et Augustin de Saint-Saulge, du comte Henri d'Argentière et du marquis Fabrice de Septsorts. Le plus jeune, Augustin de Saint-Saulge, un blondin fade, aux manières étudiées, avait vingt ans, le plus âgé, Fabrice de Septsorts, un lourdaud dont les épaules de crocheteur et la figure de palefrenier s'associaient bizarrement avec une voix de fausset, vingt-cinq. Les trois autres, dont j'aurai à reparler et qui avoisinaient la vingt-troisième année, ne tardèrent pas à révéler le fond de leur nature. Après avoir accordé quelques danses de politesse aux dames et demoiselles de la société, ils coururent se faire échauder autour des tapis verts par des hommes d'âge rompus dans l'art de donner la leçon à des étourneaux.

Environ neuf heures, la fête battait son plein. Les six musiciens, qui raclaient leurs instruments avec entrain, faisaient succéder le menuet à la gavotte et le cotillon au rigaudon. Ce fut sur un menuet de Lully, si j'ai bonne mémoire, que j'entrepris Catherine d'Aubigny. Cette danse à trois temps, dont le mouvement n'était plus aussi vif qu'à l'origine, convenait particulièrement à une demoiselle dont la boiterie était plus accentuée qu'on ne me l'avait dit.

La lointaine descendante des rois d'Ecosse avait, à vrai dire, beaucoup de grâce. Ses yeux bleus, ses cheveux d'une irréelle blondeur, la finesse de sa peau et de ses traits donnaient, de prime abord, le sentiment de la beauté parfaite. Pourquoi, tandis que je dansais avec elle, me laissais-je peu à peu envahir par la conviction que cette beauté ne pouvait que me laisser de glace ? Non à cause de sa claudication, dont elle triomphait en voulant l'ignorer. Pas davantage ne pouvait-on prétendre que son nez légèrement retroussé l'enlaidît : elle en devenait, au contraire, plus humaine. Mais le raffinement de sa toilette accusait en elle une incurable frivolité. Elle était trop occupée de sa personne pour s'inquiéter de celle des autres. On avait certes plaisir à la regarder. Sa jupe de moire blanche, comme son corsage à brandebourgs, était ornée de broderies d'or et d'incrustations de dentelle. On ne pouvait relever sur elle aucune défaillance du goût. Elle faisait penser à un blanc biscuit de porcelaine, comme lui fragile et comme lui intouchable. Sa voix aiguë était proche de l'aigre. Comme je lui demandais ce qu'elle attendait de la vie, elle leva le sourcil d'un air ahuri avant de répondre :

— On m'a dit au couvent que ce serait à mon mari de me l'apprendre.

Boiteuse et nigaude, la coupe était pleine et je pensai que je n'avais pas besoin d'en savoir davantage sur son compte.

Elodie de Janzé ne répondait pas moins fidèlement au portrait qui m'avait été fait d'elle. Je dansai avec cette intéressante personne, sauf erreur, sur un air de gavotte de François Couperin, et je fus tout de suite enveloppé dans le parfum capiteux qui se dégageait de sa chevelure calamistrée. J'y crus reconnaître le néroli, qui est tiré des fleurs du bigaradier. Il couvrait la senteur plus amère d'une peau de rousse. *Auburn,* disait mon père par une complaisance contre laquelle s'insurgeait mon odorat. Il avait ajouté que la demoiselle touchait du clavecin avec âme. Elle en mettait aussi dans la danse. La gavotte s'exécute sur un air à deux temps. On s'y enlève de terre, un pied tendant sa pointe vers le sol, tandis que le menuet ne comporte que des pas glissés ou marchés, au gré d'une lenteur qui inclut la noblesse. Elodie de Janzé s'en accommodait à merveille. Elle virevoltait avec aisance dans sa longue robe vert olive d'où dépassait un fin soulier de même couleur; elle exhalait des soupirs très étudiés; elle me coulait des regards en coin. Bref, elle en faisait trop. Comment s'y prit-elle, de surcroît, pour que, feignant de trébucher sur un sautillement, tout son corps vînt à s'appuyer contre le mien dans un long froissement de satin ? Cette provocation ingénue acheva de me convaincre que le sang de Bretagne ne pouvait s'allier à celui des la Prée la Fleur...

Les sœurs de Rosnay-Charente, en dépit de leurs huit quartiers et de tous les marins de leur lignage, ne me parurent pas mieux convenir à mon établissement. Il n'était nullement excessif de prétendre qu'Emmanuelle tenait de la girafe, car elle avait une demi-tête de plus que moi. En outre, un soupçon de duvet, ombrageant sa lèvre supérieure, annonçait la virago. Quant à Bernadette, elle ne figurait que le diminutif de sa sœur aînée. Et enfin, les femmes portées à jouer la comédie, fût-ce dans un salon, peuvent prendre le goût de la jouer dans la vie, au grand dam de leurs seigneurs et maîtres.

Restait Yolande Farinacci d'Ognissanti, l'Italienne, et le rapport de mon père m'avait armé à son endroit d'une impatiente curiosité.

Je l'avais vue arriver entre ses parents, alors que je venais de quitter Bernadette de Rosnay-Charente. Son père, le banquier Girolamo Farinacci, était un petit homme sec au teint basané, aux yeux en vrille, portant moustache et barbiche pointues à la Mazarin, quoique la mode en fût de longtemps passée. Sur son justau-corps de velours noir se développait un collier qui ressemblait à celui de la Toison d'Or, mais où le bélier de Bourgogne était remplacé par un éléphant d'ivoire. Il avait fait une immense fortune dans l'ombre du pape Innocent XII, pour s'être entremis auprès du roi de France afin d'obtenir la restitution d'Avignon, et on le disait en affaire avec tous les princes d'Asie. C'est du moins ce qu'avait appris de sa bonne oreille la cousine Apollonie, qui réputait hérésie et commerce avec le prince des démons qu'un chrétien pût servir avec le même zèle et la Sainte Eglise romaine et les suppôts du paganisme.

Quant à l'épouse de Girolamo Farinacci, Raffaëlla de son prénom, vêtue de taffetas gris souris, elle était surtout remarquable par son extraordinaire embon-point difficilement contenu par un corset lacé à l'étouf-fer. Sa chair généreuse semblait vouloir s'évader de toutes parts de sa prison d'étoffe. Cependant, au-dessus d'un majestueux triple menton s'élevait un visage rond, poli, doré, presque sans rides. Ses yeux sombres brillaient d'un doux éclat, et le sourire où étincelaient des dents pures ajoutait à l'impression de bonté sereine qui se dégageait de son abondante personne.

Comment ces deux êtres bizarrement appariés avaient-ils pu mettre au monde une fille qui leur res-semblait aussi peu ? Le maigre Girolamo n'était que ruse et astuce ; l'opulente Raffaëlla ne respirait que franchise et bénignité. Placée entre eux, Yolande les effaçait; on ne voyait plus qu'elle. Mon père me l'avait dépeinte dans sa vérité. Il n'était nullement excessif de l'imaginer en Lilith. La diabolique rivale de la première femme ne pouvait avoir eu l'œil plus ardent, la chair plus pulpeuse, l'ourlet sanglant de la bouche d'une sensualité plus exigeante. En outre, la Lilith que j'avais sous les yeux était étroitement moulée dans un velours écarlate qui faisait ressortir la noir-ceur brillante du cheveu, la chaude couleur de la peau.

Mon père me présenta. Les époux Farinacci se répan-dirent en mines entendues et en salamalecs. On n'en contait pas à l'homme de confiance d'Innocent XII, et bien qu'aucune ouverture, en principe, n'eût été faite aux familles des demoiselles mises dans la balance, d'entrée le Florentin m'évaluait en clignant ses petits yeux de rat. La signora Raffaëlla, quant à elle, hochait complaisamment sa tête angélique sur sa montagne de chair.

Yolande, lorsque je m'étais incliné devant elle, m'avait gratifié non d'un sourire ni, à proprement parler, d'une grimace, mais d'une moue impérieuse où la hauteur se tempérait d'une ironie discrète qui, pouvais-je croire, n'excluait pas l'intérêt. Que le bouillant captain Lafortune, fameux par toute la mer Caraïbe, fût resté sans voix, fût-ce le temps d'un éclair, devant une demoiselle de dix-neuf ans présumée pucelle, voilà qui n'eût pas manqué de susciter des rires énormes chez mes loups de mer blancs et noirs du *Fulminant*, mais qu'y faire ? Un frisson m'avait parcouru l'échine, et je n'avais pas encore recouvré mon sang-froid que déjà toute une cour s'empressait auprès des Farinacci et qu'au premier rang Augustin de Saint-Saulge et Fabrice de Septsorts rivalisaient de gracieusetés. La belle Yolande, à dire le vrai, ne traitait pas ces deux galants mieux que moi. Il semblait que chacun n'eût droit auprès d'elle qu'à une marque d'attention de pure convenance, mais ni le blondin ni le lourdaud n'acceptaient la défaite; ils ne la quittaient pas d'une semelle; ils poussaient leur pointe à tour de rôle. Ainsi, cloué sur place, les vis-je s'éloigner, la serrant de près, ajoutant le geste à la parole, petits paons avantageux exercés à faire la roue devant la paonne.

Je ne parvins à reprendre mes esprits que lorsque, les musiciens entamant un rigaudon de Philidor, je vis le petit Saint-Saulge s'élancer avec la demoiselle de mes pensées sur le parquet ciré. Une voix alors me souffla à l'oreille :

— Petit cousin, je te croyais d'humeur plus conquérante.

C'était ma bonne cousine, Apollonie de Belœil, mé-

10

connaissable dans un vaste *manteau*, comme on disait alors, de teinte ardoise, avec un bonnet à la Fontanges dont la double bride lui pendait dans le cou, tandis que deux longues anglaises poivre et sel étaient ramenées en avant sur ses épaules.

— Quelle élégance, ma mie ! lui renvoyai-je pour couper court au débat que je la voyais déterminée à engager.

— Ouais, vil flatteur, fit-elle. Je voulais te faire honneur et j'ai passé trois heures à ma toilette.

De fait, elle avait, avec une relative modération, mis de la poudre et du rouge. Une mouche assassine ornait sa pommette gauche. C'était la première fois que je la voyais recourir à ces artifices, et, pour comble de coquetterie, elle avait rasé sa ténébreuse moustache.

Je me fendis dans une révérence du meilleur air.

— M'accorderez-vous ce rigaudon, madame ?

Elle éclata de rire.

— La fée Carabosse et le Prince Charmant ! Le beau couple que voilà ! Veux-tu que toute la compagnie se gausse de toi, grand serin ?

— Je pourfends sur l'heure qui l'oserait, repris-je en l'entraînant.

Elle était encore leste, la veuve du capitaine du Royal-Champagne. Elle levait vivement la jambe et continuait de rire tout son soûl en formant le pas assemblé. Puis elle poursuivit son admonestation.

— Je sais bien où le bât te blesse, joli cœur. Crois-tu que je n'aie pas vu ton nez s'allonger quand ce freluquet de vicomte a enlevé la Farinacci ? Tu devrais pourtant le remercier. Ces garces d'Italie ont le vice dans le sang, et celui qui se coiffera de la donzelle peut déjà se gratter le front. Je te répète que la petite Rosnay-Charente ferait bien mieux ton affaire.

— Mais, si elle ne m'inspire pas, cousine ?

— Baste ! Se marie-t-on pour roucouler ? Est-ce que j'aimais mon capitaine de mari quand je suis entrée dans son lit ? Je l'avais vu tout juste une fois, ce qui ne m'a pas empêchée, le lendemain de nos épousailles, d'être folle de lui. Trois mois plus tard, pour mon malheur, un boulet lui arrachait la tête. Prends garde qu'un boulet ne soit même pas nécessaire pour te faire perdre la tienne.

Le rigaudon se terminait.

— Merci pour la sauterie, petit, et choisis pour la prochaine une meilleure pouliche.

Elle s'éloigna sur ce trait. Sa moquerie, par la nécessité d'y faire face, m'avait quelque peu tiré de l'engourdissement où m'avait plongé la vue de la Farinacci. A quelques pas de moi, je vis cette dernière entreprise par Septsorts dont me parvint la voix de fausset.

— Me permettrez-vous, disait le lourdaud, d'être éternellement votre esclave ?

Avant la reprise de l'orchestre, je pouvais entendre la tranquille réponse de la belle :

— Le temps d'une gavotte suffira, monsieur.

Il me parut que, dans cet instant, elle avait tourné la tête de mon côté et qu'elle me dédiait un regard favorable. J'en étais tout transporté quand je vis se planter devant moi le père de celle qui me troublait si fort.

— Monsieur, me disait-il sans plus de préambule, je suis bien aise de vous connaître. Ce n'est pas d'hier que j'ai entendu parler de vous. Je me suis laissé dire qu'après avoir servi à l'armée du roi avec vaillance, vous aviez navigué durant de longues années. Quelle surprise de vous voir la mine d'un cadet à ses débuts dans la carrière ! Vous avez surmonté des traverses qui eussent abattu un cœur moins ferme. Votre modestie s'est toujours abstenue de faire sonner vos exploits. C'est à mes yeux la marque d'un esprit, que dis-je ? d'une âme très au-dessus du commun.

Je ne m'attendais pas à une entrée en matière aussi flatteuse. Le petit homme, qui parlait avec une pointe d'accent italien, tenait ses yeux perçants fixés sur moi avec une insistance singulière, et j'en étais enclin à me demander si, par une enquête subreptice, il n'avait pas réussi à percer la véritable identité du captain Lafortune.

— C'est bien de l'honnêteté à vous, monsieur, repartis-je prudemment.

Il palpa le petit éléphant d'ivoire suspendu à son collier d'or et secoua la tête.

— Ce n'est que justice. Trop de jeunes têtes, par le temps qui court, n'ont souci que de hanter les brelans et autres lieux plus funestes encore, de coqueter, de dissiper leur bien au lieu de le faire fructifier. Vous n'appartenez pas, Dieu merci, à cette engeance. Vous avez usé vos belles années à éprouver votre courage, à connaître les hommes. C'est ainsi qu'on apprend à les vaincre.

— Mon Dieu, monsieur...

— Ne protestez pas. Vous avez du caractère. Il en faut.

Il eut un sourire pointu.

— Sans doute, depuis votre retour des Iles, pensant avoir acquis le droit de souffler un peu, vous vous êtes donné du bon temps. Ce n'est pas moi qui vous en blâmerai. Il vous fallait reprendre l'air du monde, même dans ce qu'il a de plus vain. Mais le passé, chez vous, répond de l'avenir, et je tiens de votre père que vous marquez les meilleures dispositions pour gouverner habilement au milieu des écueils.

Je n'étais pas dupe de ce verbiage. Mon père lui avait tracé de moi le portrait le mieux fait pour lui plaire. Girolamo Farinacci, en forçant la note, cherchait à se faire une opinion fondée sur son propre jugement.

— Monsieur, lui dis-je, c'est une chose que de s'aller battre avec des corsaires, des flibustiers, des pirates anglais, espagnols, hollandais ou portugais, des Barbaresques d'Alger ou de Salé, et une autre que de disputer, comme traitant, de la remise *en dedans* du sixième du capital engagé et de la remise *en dehors* de deux sols par livre, sans parler de la clause des quarante jours ni du droit de la paulette payable tous les neuf ans ou du huitième denier.

Mon interlocuteur produisit un léger sifflement.

— Peste ! monsieur. Nourri dans le sérail, on en connaît les détours, et je suis tenté de penser que l'agio n'a pas plus de secrets pour vous que la traite du bois d'ébène.

— N'exagérons rien, fis-je modestement. Je me suis borné à écouter mon père et ne suis qu'un écolier au prix de lui.

— *Benissimo !* murmura le financier. Vous aviez là un bon maître.

A ce moment, comme les musiciens continuaient de moudre leur gavotte, se produisit l'événement qui devait décider de mon sort. Le couple formé par Yolande Farinacci et Fabrice de Septsorts passait devant nous. M'illusionnai-je en croyant distinguer un clin d'yeux du père s'adressant à la fille ? Toujours est-il que, sans attendre la fin de la danse, avec une désinvolture souveraine, la danseuse lâchait son cavalier sur une révérence trop ambiguë pour n'être pas taxée d'impertinence.

— Monsieur, je suis votre servante.

Et, se tournant vers son père, et me gratifiant au passage d'un sourire éblouissant, elle posait cette étrange question :

— A danser avec monsieur que voici, père, après monsieur que voilà, tomberais-je de Charybde en Scylla ?

— C'est un risque à courir, répliqua, imperturbable, Girolamo Farinacci.

II

— Nous nous retrouverons, monsieur, m'avait jeté
Fabrice de Septsorts, le torse avantageux et l'œil flamboyant.

— Quand il vous plaira, monsieur, avais-je répondu
en prenant la main que me tendait Yolande Farinacci.

— Ce gentilhomme, qui sent si fort l'écurie, doit
avoir appris la gavotte chez les sauvages d'Amérique,
disait-elle en s'enlevant avec grâce. Il danse comme
un ours.

Elle continuait de sourire. Mon père l'avait bien
jugée. Ses yeux, ses dents, son corps long et flexible
étaient à faire perdre la tête. Le parfum qui émanait
d'elle m'étourdissait. Elle poursuivit :

— Je croyais que ces animaux-là ne dansaient
qu'avec un anneau dans le nez. Si le personnage est
aussi impropre à l'épée qu'au rigaudon, vous ne seriez
guère empêché à croiser le fer avec lui.

Je levai le sourcil.

— Pensez-vous que nous ayons sujet d'en découdre ?

— Selon qu'il vous plaira et seulement si vous esti-
mez que l'honneur vous l'impose... Personne ne s'est
encore battu pour mes couleurs. Je commence à
craindre de ne pouvoir susciter une vraie passion. Je
ne suis ni Armide ni Cléopâtre. N'est-ce pas humiliant
à mon âge ?

Parlait-elle sérieusement ? Je me rappelai ce que
mon père m'avait dit de sa cervelle farcie d'extrava-
gances romanesques, et des souvenirs déprimants

affluèrent dans mon esprit : le cadavre du comte de Valbert étendu sous la pluie orageuse dans l'île Notre-Dame, ceux des *novios* Gilles Dugain et Zacharie Pioux, pareillement occis dans la chaude nuit d'une autre île lointaine, et la gorge ouverte de mon cher Sosthène, hélas ! à qui j'avais fermé les yeux. Huit années de la vie la plus dangereuse avaient été la conséquence de ces duels où m'avaient entraîné des transports irréfléchis. Allais-je, une fois de plus, donner tête baissée dans le traquenard ? La justice du roi était de plus en plus rigoureuse pour les ferrailleurs. Le temps n'était-il pas venu pour moi d'accrocher l'épée à la panoplie ?

— On m'a dit que vous étiez un fameux bretteur, un véritable spadassin, reprenait ma cavalière, les cils battants.

Je compris qu'il fallait calmer cette excitée.

— Croyez que je suis au regret, madame. Spadassin s'entend pour tueur à gages, et je n'ai pas de goût pour l'assassinat.

— Ne chipotons pas sur les mots, fit-elle dans une moue. Dites-moi seulement combien d'adversaires vous avez expédiés.

L'étrange goût que manifestaient les belles personnes pour le sang répandu ! Car ce n'était pas la première fois que j'entendais de telles paroles. Je me revoyais sous le soleil du tropique, à la Pointe de la Trompeuse. Eponine, à moins que ce ne fût Valérie, voulait savoir combien j'avais sabré d'ennemis à Fleurus. Trois jours après, Sosthène occis, je devenais un hors-la-loi.

— Je tiens de bonne source, reprit Yolande, que vous êtes fort discret sur vos exploits. Il ne faut pas l'être trop si vous voulez qu'on vous aime. Allons nous asseoir, et vous vous confesserez sans omettre un iota.

La diablesse ! « Si vous voulez qu'on vous aime. » Comment résister à cela ?

Nous fûmes prendre place sur une banquette, et le passé, derechef, m'assaillit. Sur cette même banquette, n'avais-je pas engagé avec la redoutable Stéphanie de Valbert le fatal entretien qui devait bouleverser le

cours de ma vie ? J'en venais à me demander s'il
n'avait pas eu lieu la veille, comme si la persistance
du décor avait réduit à l'état de songe la suite d'extraordinaires aventures que j'avais dû subir. Cependant,
Line et Trine étaient, depuis des années, en puissance
de maris. Peut-être, muées en opulentes matrones, ne
les reconnaîtrais-je même plus. A six pas de moi, la
haute glace qui reflétait mon image me faisait découvrir un solide gaillard carré d'épaules, le teint encore
hâlé du coureur d'océans sous la perruque bouclée, la
lèvre gourmande.

A côté de lui, cette Yolande m'apparaissait encore
plus intimidante qu'au naturel. Ses yeux impérieux
dardaient des flammes vertes. Ses dents bien rangées
étincelaient. La houri du paradis de Mahomet, la diabolique Lilith, avait dit mon père. Elle se fût voulue
elle-même Armide ou Cléopâtre. Le velours écarlate
qui épousait ses belles formes évoquait le sang et la
flamme. Elle incarnait la tentation, le défi, le danger.
Line et Trine, malgré leurs gracieux attraits, Eponine
et Valérie, avec leur langueur insulaire, ne figuraient
plus dans mon souvenir que les aimables ébauches
d'une perfection qu'elle amenait à son terme.

— Eh bien, monsieur, dit-elle, avez-vous perdu la
langue ?

Fallait-il lui avouer que sa seule voix me coupait le
souffle ? Mon père m'avait tracé d'elle un portrait
fidèle. « Une voix de gorge qui vous prend aux entrailles. » Il y avait pourtant davantage dans cette voix
chaude, prenante, qui achevait ma défaite : des sono-
rités graves qui fondaient en suavité, en mollesse
enveloppante, comme un coup de poing dans l'estomac
qui se terminerait en caresse.

Je serrai les dents, puis me pris à rire, ce qui décon-
certa sans doute assez la belle pour me faire regagner
un peu de considération à ses yeux. Il importait surtout de ne pas se laisser imposer. Aussi adoptai-je le
ton dégagé du marin pour qui les circonstances les
plus dramatiques de la vie entre le ciel et les flots ne
sont qu'incidents de tous les jours. Vu dans cette

perspective, le double assaut par lequel j'avais eu raison successivement du créole Gilles Dugain, en lui traversant la poitrine, et de son acolyte Zacharie Pioux, en lui trouant la gorge, pouvait être conté comme un jeu dont un homme digne de ce nom n'avait pas à se soucier qu'il fût mortel. L'affaire du *Victorious* enlevé de nuit, et dont je me gardais seulement de révéler que l'équipage anglais était aux fers, prenait les proportions d'un exploit d'autant plus remarquable qu'il n'avait fait qu'une victime. Je ne tuais pas pour tuer mais pour vaincre. J'obtins nombre de « ah ! » et de soupirs, qui produisaient moins d'émotion que d'émerveillement, à rapporter la capture du *Santo Francisco de Asis*, le navire de la mort. On battit des mains en apprenant que j'avais généreusement sauvé la vie du *señor* Antonio Montemor de Oca, le chirurgien au grand cœur. Quel dommage qu'une indispensable prudence m'interdît de faire état que Fortunat-Richard-Félix de la Prée de la Fleur et le fameux captain Lafortune ne constituaient qu'une seule et même personne ! Je ne pouvais oublier que le *signor* Girolamo Farinacci avait, lui aussi, des intérêts dans cette Compagnie de Guinée à laquelle mon *Fulminant* avait causé de si grands dommages, mais de quel atout je me privais là !

— Racontez encore, me disait Yolande, les yeux tout brillants de plaisir, la poitrine oppressée.

Il me restait à expliquer par quelle traîtrise du sort des nègres *marrons*, se livrant à la piraterie pour s'être rendus maîtres d'un navire de la traite, avaient pu me faire prisonnier. Ce fut ma seule entorse à la vérité. Je représentai que notre équipage, décimé par la maladie, s'était battu à un contre dix et que j'allais être hissé au bout d'une corde, quand l'arrivée de *la Pétulante* m'avait arraché à un destin ignominieux.

— Continuez ! reprenait la demoiselle haletante.

— Mon Dieu, fis-je en levant les épaules, toutes ces histoires se ressemblent. On se défend quand on est attaqué. On tue pour n'être pas tué.

Elle exhala un nouveau soupir.

— Quelle chance vous avez d'être un homme !

A ce moment, un cotillon s'organisait, et le petit Saint-Saulge, s'inclinant devant elle, susurra d'un air évaporé :

— Me ferez-vous la grâce... ?

Sans lui laisser le temps d'achever, elle répliquait froidement :

— Mon choix est arrêté, monsieur.

Je crus que le blondin allait suffoquer. Ayant repris sa respiration, il me jeta un regard noir et grommela à mon adresse :

— Compliments, mais...

Yolande le coupa pour la seconde fois et, dans un sourire chargé d'ironie :

— Mais vous pouvez chercher fortune ailleurs.

Il recula de deux pas, trébucha et faillit choir. Il avait difficilement rétabli son équilibre quand je l'entendis gronder entre ses dents, tout comme Fabrice de Septsorts :

— Nous nous retrouverons, monsieur.

La provocatrice distilla un petit rire insultant, et je ne pus me retenir d'observer, comme l'infortuné s'éloignait :

— Avez-vous juré de me chercher des querelles d'Allemand avec tous nos invités de ce soir ?

Elle m'enveloppa d'un regard qui me défiait.

— Vous plaindriez-vous d'être préféré à tous ? Ne serais-je pas fondée à vous éprouver ? Ou devrais-je croire que tous vos beaux récits ne sont que vaines paroles ? Vous voilà avec deux affaires sur les bras. J'ose espérer que vous vous en tirerez de façon à justifier ma faiblesse.

Elle se leva.

— Dansons, voulez-vous ?

Elle m'accorda toutes les danses jusqu'à l'heure avancée où son père vint lui signifier, non sans politesses à mon endroit, que le temps était venu de prendre congé. Depuis un bon moment, j'étais déjà sorti de mon assiette. Durant les pauses entre deux danses, j'avais multiplié des déclarations sans détour, à quoi elle ne répondait que par des sourires d'accommodement ou des « Que me dites-vous là ? » prononcés d'une voix défaillante.

A l'instant du départ, elle me coula enfin à l'oreille :

— Débarrassez-vous de ces deux godelureaux qui ont eu le front de vous disputer ma faveur, et votre père pourra prendre ses convenances avec le mien.

Puis elle me tourna le dos sur un dernier sourire.

J'étais transporté dans l'empyrée. Mes rivaux malheureux ne tardèrent pas à me ramener sur terre. L'affront avait été public, et je leur devais réparation. Le comique de l'aventure fut que, l'un prétendant me délivrer son cartel avant l'autre, ils commencèrent par se jeter à la tête des propos offensants. Chacun voulait me faire l'honneur de croiser le fer avec moi le premier pour être plus sûr de m'égorger. Septsorts avança que le vrai moyen de trancher le litige était qu'une rencontre préliminaire entre Saint-Saulge et lui-même éliminât le vaincu. J'observai honnêtement que le premier à s'être vu éconduit par la Farinacci avait été ledit Septsorts et qu'en conséquence il avait priorité.

— C'est bien, messieurs, s'écria le blondin tout rouge de colère. J'aurai donc le privilège d'égorger l'égorgeur.

Car ces cerveaux brûlés ne doutaient nullement que, par leurs bons offices, mon trépas ne fût plus qu'une formalité.

— Je vous suis obligé, messieurs, leur dis-je, de votre généreuse émulation à me ravir la lumière du jour, mais vous jugerez, comme moi, j'espère, qu'une partie aussi prometteuse ne peut, pour notre bonne renommée, se dérouler sans témoins. A raison d'un par tête, il nous en faut trois. Allons les quérir au pharaon.

En dépit de leur humeur irascible, ils m'emboîtèrent docilement le pas.

On taillait ferme dans le petit salon où une vingtaine d'enragés, assis autour d'une grande table, voyaient croître ou décroître, avec des mines accordées à l'événement, les piles de pièces d'or disposées devant eux sur le tapis vert. Comme nous arrivions, le banquier ratissa la partie du tableau correspondant à la lettre G. C'était la plus jouée et deux pontes quittèrent leur place en jurant. Aussitôt, à ma surprise, Saint-Saulge et Septsorts occupèrent les sièges vacants et misèrent, l'un sur le G, l'autre sur le D. Au pharaon, lorsque le banquier tire deux cartes de la même valeur pour chaque tableau, les enjeux sont perdus par tous les pontes. Comme mes deux tueurs en puissance venaient de ponter sur des tableaux différents, le banquier tira un sept de cœur et un sept de pique, et rafla les mises. Puis les mêmes couleurs sortirent quatre fois de suite avec des paires d'as, de rois, de dames et de valets.

— Comte, tu as fait un pacte avec le diable. J'abandonne, cria un joueur au banquier devant qui s'amoncelaient les louis.

Il était trois heures du matin. Tous les autres joueurs se levèrent comme un seul homme.

— J'en suis de cent pistoles, fit le petit Saint-Saulge en me jetant un regard meurtrier.

— Et moi de deux cents, dit Septsorts dans une grimace qui démasqua de vilaines dents. Mais à quelque chose malheur est bon. Malheureux au jeu, n'est-ce pas... ? Monsieur de la Prée de la Fleur, je ne donnerais pas cher de votre peau. Avec votre agrément, nous allons, sur l'heure, vider notre querelle.

Il fut parler à l'oreille du chevalier d'Essé qui s'inclina avec empressement, tandis que le vicomte de Beaupréau, sollicité par Saint-Saulge, hochait gravement la tête.

— Et vous, cher comte, demandai-je à M. d'Argentière, accepterez-vous de m'assister ?

— Que ne ferais-je pas pour vous servir ? répondit-il d'un air satisfait.

Ce gros garçon joufflu et rougeaud avait tenu la banque et venait de gagner au moins cinq mille pistoles. Il formait un curieux contraste avec Achille d'Essé, nabot noirâtre à la figure bourgeonnante, et avec Alexandre de Beaupréau, jaune comme un sujet du Grand Mogol et si haut sur de longues jambes maigres qu'on l'eût dit perché sur des échasses.

— Monsieur, reprit Septsorts, je vous propose, pour notre assaut, la place Royale. C'est à deux pas, et nous ne risquons pas, à cette heure, d'y être dérangés.

J'acquiesçai, je fus dire à mon père que le marquis de Septsorts m'emmenait avec quelques amis finir la nuit *inter pocula*, et nous sortîmes.

La lune pleine occupait le zénith et effaçait les pâles flammes des lanternes. Longeant la grille aux piques dorées, nous fîmes halte devant la porte sud que dominait un écusson monumental au chiffre du roi Louis.

— Monsieur, en garde, et que Dieu vous ait en la sienne ! glapit Fabrice de Septsorts en dégainant.

La première qualité d'un duelliste est le sang-froid. Le mien avait été mis à l'épreuve dans des circonstances autrement périlleuses, et je me sentais fort calme. De quoi s'agissait-il, sinon de mettre hors de combat, sans leur infliger la moindre égratignure, deux marmousets que le captain Lafortune pouvait difficilement prendre au sérieux ? Ces béjaunes, qui, ni l'un ni l'autre, n'avaient porté les armes devant l'ennemi et qui ne devaient avoir eu vent de la guerre de course que par de vagues propos d'après boire, avaient imbécilement pris la mouche pour un caprice de demoiselle. Cela valait-il de s'entretuer ? Allais-je les dépêcher l'un après l'autre, pour me voir encore contraint de fuir Paris, et cette fois sans espoir de retour ? Je n'étais pas si fou.

A la vérité, si, de prime abord, le petit Saint-Saulge, avec ses membres grêles, sa poitrine étroite et sa peau de fille, semblait peu redoutable — encore me suis-je toujours méfié de ces gringalets qui peuvent avoir le poignet preste — Septsorts, plus solidement bâti, bien que ses façons de rustaud fussent démenties par sa voix de castrat, avait une carrure faite pour inspirer la prudence. Il était homme à tenter de me surprendre en attaquant à corps perdu; il chercherait à brouiller mon jeu sans soupçonner que je pusse percer le sien.

Ainsi en fut-il, et je connus d'entrée une vive jubilation intérieure à le voir se jeter sur moi qui me bornais à parer et à rire en prodiguant les conseils de l'aîné d'esprit rassis au cadet téméraire.

— Doucement, l'ami !... Modérez votre pétulance, messer Fabrice !... Ne me croyez pas si pressé d'aller rejoindre mes glorieux ancêtres... Entre sept sorts, ne me laisserez-vous pas choisir le plus doux ?

Ce dernier jeu de mots ne parut pas de son goût. Il redoubla de hargne, et je dus admettre qu'à le ménager trop longtemps, je risquais de m'attirer un de ces mauvais coups auxquels sont exposés les plus habiles face aux maladroits ignorants des règles. A plusieurs reprises, j'avais rompu et baissé mon arme, ce qui avait eu chaque fois pour effet de rendre mon adversaire enragé.

— Alors, sifflait-il entre ses dents, vous ne voulez pas vous battre ?

Je prononçais alors une attaque dont il se dégageait difficilement, je rompais de nouveau et, peu à peu, mon homme perdait le contrôle de son action. Mais il fallait en finir. Comme il se précipitait sur moi, je le reçus de pied ferme, les gardes de nos épées se heurtèrent et, comme nos deux visages se touchaient presque, je le repoussai avec une telle violence qu'il recula, perdit l'équilibre, tomba. Il n'avait pourtant pas lâché son arme et, sitôt remis sur pied, repartait à l'assaut. C'était le moment d'achever mon travail. Agacé par une série de feintes qui se succédaient sans conclusion, Septsorts, reprenant confiance, se fendait à fond et je parais si durement que son épée lui échappa de la main et que la pointe de la mienne toucha sa poitrine. Je vis ses yeux s'exorbiter.

— Monsieur, lui dis-je alors, vous auriez pu mourir dans l'instant, si je l'avais voulu. Je ne suis pas un assassin. Vous vous êtes bien battu, et j'estime que, pour vous, l'honneur est sauf. Je préfère vous laisser la vie et que nous soyons amis.

Reprenant son souffle, il se tourna vers le chevalier d'Essé.

— Votre décision sera la mienne, lui dit-il.

Le petit homme boutonneux haussa le menton et déclara, s'adressant aux autres témoins :

— Si ces messieurs partagent mon sentiment, je tiens l'affaire pour réglée à la satisfaction des parties.

— Soit, dit Septsorts.

— A merveille, fit à son tour Augustin de Saint-Saulge en me saluant du meilleur air, son tricorne à bout de bras. Serviteur, monsieur ! C'est donc à moi qu'il appartiendra de venger la galanterie outragée. Vous y êtes ?

Il dégainait et poussait d'entrée son attaque.

A la louange de ce freluquet d'apparence débile, je dois dire qu'il n'y allait pas de main morte et qu'il fallait avec lui se garder à carreau. C'était un élève appliqué, auquel manquait seulement, avec l'expérience des rencontres, la flamme du génie.

Je l'amusai par quelques passes rapides, puis, l'ayant laissé d'engager, fis voler son épée à quelques pas de lui et abaissai mon arme. Le garçon restait pétrifié devant moi, les bras ballants, s'attendant au pire.

— Eh bien, monsieur, lui dis-je en rengainant, vous tiendriez-vous également pour satisfait ? Vous n'avez pas à vous sentir mortifié plus que ne l'a été M. de Septsorts. Doués comme vous l'êtes tous deux, vous ferez aussi bien que moi à mon âge.

Le comte d'Argentière s'avança entre nous et prononça d'un air bonasse :

— Messieurs, m'est avis que cette soirée ne pouvait mieux se terminer. A défaut de sang, c'est le vin que je vous propose maintenant de faire couler. J'ai chez moi quelques flacons de malvoisie dignes de considération, et nous allons, s'il vous plaît, les mettre à mal afin de sceller notre amitié.

— De la baptiser, monsieur, fit Septsorts.

— Sans eau, ajouta Saint-Saulge.

— Croyez bien, messieurs, dis-je à mon tour, que la pensée ne me serait jamais venue de vous faire offense. Si j'avais à tirer la morale de cette soirée, je dirais que la beauté fait trop souvent le lit du caprice

et que nous ne sommes pas seulement ses esclaves
mais ses victimes. Je m'engage, pour ma part, à ne
toucher mot à quiconque de ce qui vient de se passer
sur cette place, et si quelque bruit venait à en filtrer,
je le démentirais aussitôt.

— Je vous en serai éternellement obligé, monsieur,
s'écria Septsorts.

La nuit s'acheva dans des libations qui, aux premières lueurs de l'aube, rendirent à la rue cinq gentilshommes vacillant sur des jambes molles et braillant
des refrains de corps de garde. Je ne sais trop comment je regagnai la demeure paternelle. Ce fut seulement sur les quatre heures de relevée que la digne
cousin Apollonie me tira d'un sommeil boueux en me
secouant sans ménagement. J'étais allongé tout habillé
en travers de mon lit, le nez piqué sur la couverture.

— Le beau galant que voilà ! fit-elle comme je me
frottais les yeux. Où es-tu allé galvauder pour nous
revenir dans cet état ?... Fi ! monsieur, vous sentez la
vinasse.

Je me dressais sur mon séant, je bâillais, je plon-
geais mes doigts dans mes cheveux hérissés. La raison
me revint.

— Apprenez, madame, proférai-je gravement, que
je vais épouser la plus belle fille du monde.

Elle leva les bras au ciel, loucha outrageusement,
éclata.

— Il faudra qu'elle soit folle pour se coiffer d'un
pareil pilier de taverne.

Je sautai sur mes jambes et fis claquer sur ses joues
sèches deux baisers de nourrice. Elle grommela :

— Oui, tu n'es qu'un vaurien et chattemite de surcroît, ce qui aggrave ton cas. Sais-tu bien que ton
pauvre père est aux cent coups depuis ton réveil ? Son
rhumatisme l'a repris; il ne peut plus remuer pied ni
patte. C'est ta faute. Il t'a fait demander à trois reprises
par ce bon Germain qui est venu tambouriner à grands
coups de poing contre ta porte. Pourquoi diable en
avais-tu poussé le verrou ? En désespoir de cause, j'ai
pris le parti de la faire enfoncer. Germain en a l'épaule

tout endolorie, et le bruit ne t'a même pas réveillé, sac à vin !

Elle avait peine à garder son quant-à-soi. Je mis un genou en terre, lui baisai les mains, et, après être allé à la cuisine me rafraîchir les idées, en plongeant ma tête dans une bassine d'eau, gagnai la chambre de mon père. Le cher homme disparaissait dans un vaste fauteuil à oreilles, dont le dossier recouvert de tapisserie encadrait un visage amaigri.

— Te voilà, pirate ! dit-il en soupirant. De vrai, je me demandais si on n'allait pas te ramener sur une civière. Je ne me suis pas trompé à ta mine quand tu t'es esquivé la nuit dernière. J'ai bien compris que tu allais encore compromettre l'avenir de ma descendance. Il n'y a pas de ferrailleur qui ne trouve un jour plus fort que soi, mon fils, et tu devrais bien m'épargner ce genre d'émotions.

Je pensai que, pour le rasséréner, je pouvais enfreindre en sa faveur l'engagement que j'avais pris de me taire sur mon équipée nocturne. Il agréa le conte avec de nouveaux soupirs, redoubla ses recommandations de ne pas exposer à la légère la vie de son unique héritier, puis son regard s'illumina.

— Passons, Fortunat, aux choses sérieuses. Si j'ai bien compris, ta décision est arrêtée. La *signorina* Farinacci l'emporte, et je te comprends : c'est si excitant de jouer avec le feu ! Autre nouvelle d'importance : je peux t'annoncer que, si la fille t'a ensorcelé, tu as conquis le père. C'est pourtant un vieux renard. Me diras-tu de quelles fables tu l'as régalé pour qu'il voie déjà en toi un futur contrôleur général des finances ?

Je rapportai mon couplet sur la remise *en dedans* et *en dehors*, la clause des quarante jours, le droit de la paulette et autres fariboles.

Mon père s'épanouit.

— Bravo, garçon. Il faut savoir tenir le loup par les oreilles, comme disait le vieux Térence. Sache toutefois que du propos tu devras passer aux actes. Girolamo Farinacci n'est pas un enfant de chœur. Bah ! Je te ferai la leçon et je compte sur ta malice naturelle pour ne pas ânonner.

Il voulut se redresser, réprima une grimace qui se résolut en sourire forcé.

— Damné rhumatisme ! Mais vive Dieu ! Il va pourtant falloir que je retrouve l'usage de mes jambes pour aller demander en grand arroi la main de ta Dulcinée.

III

Pour un beau mariage, ce fut un beau mariage : solennel, pompeux, ostentatoire. J'userais les épithètes exprimant le luxe et le faste à décrire les vives couleurs des habits, l'or des carrosses et des chaises, pourtant interdit par ordonnance du roi, les perles et les diamants qui brillaient sur les décolletés, et les tricornes frangés de plumes feu ou mouchetées de blanc, les boucles de chaussures décorées de pierreries et d'émail. Il y avait des gentilshommes caducs, vieux amis de mon père, courbés tout à fois par l'âge et la lourdeur des perruques, des traitants de noblesse incertaine qui, par la magnificence du costume, cherchaient à faire oublier leur basse mine; mais il n'est pas si rare qu'un duc ait figure de palefrenier. Il y avait des cousins de province, presque tous gentilshommes à lièvre, dont mon père s'était charitablement rappelé l'existence et qui, évadés pour la circonstance de leurs tourelles à rats, clignaient des yeux devant tant de merveilles qui insultaient à leur gueuserie. Il y avait la fleur des pois en la personne de petits maîtres musqués et pommadés, qui se flattaient d'avoir leurs entrées partout, et des familiers du brelan que j'avais connus dans les tripots. Il y avait aussi des intimes de fraîche date comme Fabrice de Septsorts et Augustin de Saint-Saulge qui n'en pouvaient plus de démonstrations de tendresse pour ne m'avoir pas égorgé. (Leur mérite n'était pas mince, car dès le lendemain de nos démêlés, la cour et la ville étaient au fait. J'avais, il est vrai, aussitôt publié un démenti dont on avait sujet de me savoir gré. N'empêche que la nouvelle, arrivée aux oreilles de la *famiglia* Farinacci, avait sur-le-champ fait brûler de mille feux la brune Yolande, et quand mon père était venu demander la main de la *signorina*, il avait été reçu dans les transports.)

Bref, ce 9 novembre 1700 vit une cérémonie nuptiale qui, de l'avis unanime, passa par son éclat toutes celles de la saison. Je n'aurai garde d'omettre que mon père avait eu la malice d'y convier, avec leurs pères et mères, les quatre jeunes personnes en lesquelles il avait pu voir des brus possibles, comme pour me convaincre, par une suprême revue de leurs charmes, que mon choix ne s'était pas égaré. Ainsi fus-je à même de m'assurer définitivement que le sang des rois écossais ne pouvait balancer la boiterie et le papotage aigrelet de la blonde Catherine d'Aubigny, que la bâtardise ducale d'Elodie de Janzé n'eût pas conjuré à mes chatouilleuses narines son fumet de rousse, que des deux sœurs Rosnay-Charente, l'une, Emmanuelle, moustachue et me dépassant par la taille, ne m'eût pas épargné le ridicule d'enfourcher un grand cheval, tandis que l'autre, Bernadette, figurant un modèle réduit de son aînée, ne présentait aucune caractère spécifique de nature à troubler mes humeurs.

Pour rendre pleine justice à ces prétendantes dédaignées, je dois convenir qu'elles ne se montrèrent pas chiches de minauderies, de battements de paupières, voire d'une mélancolie qui leur embuait l'œil. Chères créatures ! Peut-être aussi pensaient-elles, prenant leurs assurances sur l'avenir, me laisser entendre que, faute de m'avoir pour époux, elles pourraient s'accommoder, une fois mariées, d'assiduités illégitimes.

Dans cette effervescence où la belle société s'ébattait comme grenouilles dans la mare, le grand triomphateur était incontestablement mon père. Il était arrivé à ses fins : je prenais femme. Girolamo Farinacci n'avait pas lésiné sur la dot qui atteignait les huit cent mille livres. A l'énoncé du chiffre, mon marquis avait failli prendre un coup de sang et, de retour à notre hôtel, j'avais entendu de sa bouche ce commentaire propre à faire se retourner dans leur tombe cinq générations d'ancêtres dont la valeur s'était prodiguée sur vingt champs de bataille au service du roi :

— Les quartiers de rente, mon fils, quand ils planent à ces hauteurs, valent bien les quartiers de noblesse.

Dans la sacristie de Saint-Louis-des-Jésuites, il m'avait étreint sur son cœur en marmottant, la larme à l'œil :

— Maintenant, je peux rendre mon âme à Dieu.

En attendant ce terme fatal, il donnait l'impression d'avoir, comme par miracle, recouvré sa verdeur première. Il avait l'œil émerillonné; il ne sentait plus son rhumatisme et semblait ne s'appuyer sur sa haute canne que pour satisfaire à un rite.

Le *signor* Farinacci de Tous-les-Saints souhaitait que mon union avec sa fille fût bénie par un évêque. Mon père avait observé que, la cérémonie devant avoir lieu dans une église desservie par ces messieurs de la Compagnie, le provincial de l'ordre était le plus désigné pour y présider. Il avait nom Onésime Bainvel, et je n'ai pas oublié le sermon prononcé par ce fantôme dont la fluette apparence corporelle flottait dans la soutane et le surplis. Ses yeux, profondément enfoncés dans les orbites ombragées de sourcils touffus, lançaient des foudres, tandis qu'il attaquait son propos par cette citation du *Cantique : Quae est ista, quae ascendit de deserto, deliciis affluens, innixa super dilectum suum ?* aussitôt traduite en ces termes : « Quelle est celle-là qui monte du désert, ruisselant de délices, appuyée sur son bien-aimé ? » Et, de s'écrier aussitôt, en agitant ses manches de dentelle : « De telles paroles, mes frères, seraient équivoques, voire criminelles, encore que je les emprunte à l'Ecriture, si elles se rapportaient tout uniment à ce que la doctrine des Pères et la tradition de l'Eglise n'ont pas cessé d'appeler la concupiscence de la chair. »

Etrange exorde pour l'instruction d'époux chrétiens, mais le révérend père, argumentant avec une subtilité digne de l'illustre Bellarmin, s'étendait complaisamment sur les honteux plaisirs des sens, avant de les déclarer « identiques de nature dans les transports légitimés par le sacrement et dans les fornications interdites ». Qu'ils fussent bénis par Dieu dans le premier cas, inspirés par Belzébuth et damnables dans le second, la voix stridente du jésuite s'appliquait à le démontrer, passant des imprécations et vitupérations furieuses pour le compte des pécheurs endurcis, à de molles et caressantes inflexions voltigeant sur la tête d'un jeune couple disposé à respecter la grande loi du *Crescite et multiplicamini*.

Pendant cette singulière exhortation, je ne laissais pas de couler des regards furtifs vers mon épousée quasiment invisible et impalpable dans ses voiles blancs. Elle allait être à moi, et je parvenais mal à me persuader de ma fortune. Le célébrant, achevant son homélie, énumérait les devoirs des époux; il devenait ennuyeux, et Yolande, apparemment en communion de pensée avec moi, écarta légèrement la gaze qui l'enveloppait pour me dédier un sourire qui fit briller ses dents et flamber ses yeux verts. Un trouble profond m'envahit.

Aux grandes orgues, le fameux Michel Delalande, organiste du roi, se dépensait à corps perdu sur tous les registres, et les éclatants accords renvoyés par les voûtes et le gouffre de la coupole étaient à l'unisson de mon désir et de mon impatience.

Car cette cérémonie n'en finissait pas. Dans les pauses de l'orgue, des chaises grinçaient sur les dalles; les falbalas des dames faisaient des froissements confus. On entendait aussi des chuchotements, des éternuements et des quintes de toux plus ou moins réprimées dans les paumes ou les mouchoirs, des gloussements, des bâillements, le heurt d'une épée contre un prie-Dieu. Comme grelottait la sonnette de l'élévation, un des assistants, probablement libertin, ne sut pas contenir un indécent hoquet.

Après l'office, les compliments du père provincial, qui faisait succéder à ses terribles pronostications sur le sort funeste réservé à l'âme pécheresse un langage de chambre bleue, les baisements de mains, les révérences, les congratulations et autres simagrées de bonne compagnie continuèrent d'éprouver mon endurance.

A la sortie de l'église, du menu peuple s'était assemblé, à qui mon père, selon l'usage, fit jeter des pièces de monnaie. Quelque bousculade en résulta et, malgré les six laquais commis à nous frayer passage, la mariée fut heurtée par un grand escogriffe qui s'excusa en ricanant niaisement. Yolande, sitôt assise dans le carrosse, en marqua de l'humeur.

— Pour un peu, monsieur, cette canaille, qui pue comme le diable, m'aurait renversée. Puis-je espérer que vous ne souffrirez plus à l'avenir de me voir subir un tel traitement ?

Je mis la main à la portière qu'un laquais venait de refermer.

— Souhaitez-vous, madame, que j'aille donner du plat de l'épée à ce manant ?

Elle se dégagea de ses voiles et m'accorda un sourire ambigu.

— Fi ! monsieur. En toute autre occasion, il aurait suffi de le faire bâtonner par nos gens; mais je me sens aujourd'hui confite en mansuétude.

Ce disant, elle m'avait pincé le bras jusqu'au sang avant de se laisser aller dans le fond du carrosse avec un petit rire étouffé.

Un cri m'avait échappé. Elle leva le sourcil.

— Douillet ?

Des vers du vieux Corneille, que j'avais souvent entendus dans la bouche de mon père, me revinrent opportunément à l'esprit. Je les détaillai posément :

Jamais nous ne goûtons de parfaite allégresse;
Nos plus heureux succès sont mêlés de tristesse;
Toujours quelques soucis en ces événements
Troublent la pureté de nos contentements.

La réplique fut immédiate.

— *Le Cid*, don Diègue, acte III. J'ai appris cela au couvent, monsieur. Dois-je comprendre que votre félicité ne serait pas entière ?

— Si c'est n'être pas heureux que de ne pouvoir l'être davantage, comtesse.

Elle me prit une main qu'elle serra de toutes ses forces :

— Tu le seras, Fortunat, vertu de ma vie ! ou que je sois maudite ! Tu effaceras, pour ma gloire, les exploits des héros les plus fameux et tu en recevras de mes mains la récompense. Je serai ton Andromède, ton Eurydice, ton Ariane.

Je lui représentai que les exemples ne me semblaient pas très bien choisis, puisque je n'aurais pas à l'arracher à un monstre marin comme la première, aux Enfers, comme la seconde, au Minotaure comme la troisième.

— Tu feras mieux, fit-elle sourdement. Tu m'arracheras à l'ennui.

Je sentis ses ongles s'enfoncer dans la paume de ma main qu'elle ne cessait pas de presser. Les redoutables jumelles de Saint-Domingue n'auraient pas fait mieux.

Le carrosse s'arrêta devant la fastueuse demeure où une plaque de marbre blanc portait en lettres d'or, au-dessus de la haute porte cochère : *Hôtel d'Ognissanti*.

Je ne me laisserai pas aller ici à décrire tout au long le tapis rouge déployé à terre depuis la rue jusqu'au sommet du perron, ni les douze laquais pareillement emperruqués et empaquetés dans leur livrée cerise et qui formaient la haie, ni le festin de Trimalcion qui suivit, avec ses huit services couronnés par une monumentale pièce de pâtisserie, laquelle figurait deux vaisseaux de haut bord affrontés sur une mer de pâte d'amandes piquetée de vagues d'angélique. Le maître de céans, portant la santé des mariés, observa que ce chef-d'œuvre avait été confectionné pour commémorer mes exploits sur mer, et, avant de se rasseoir, m'adressa un sourire d'intelligence où je crus démêler une arrière-pensée ironique.

Les seuls membres, proches ou lointains de la

famille, qui faisaient nombre surtout de mon côté, avaient été conviés à table. Ils étaient environ une trentaine. Sur les cinq heures de relevée, les salons illuminés accueillirent quelque deux cents invités, tous de la meilleure naissance, et qui ne s'élancèrent pas moins avec un bel entrain vers les nourritures et les boissons que les valets, circulant à travers les salons, leur présentaient sur des plateaux d'argent. Il se trouva, dans cette presse, que je fus, sans trop savoir comme, séparé de ma Yolande et cerné d'un essaim de belles dames qui me harcelèrent de flatteries insidieuses, de remarques piquantes et de questions indiscrètes. On me félicitait, avec un peu d'insistance, d'être un homme comblé, comme pour me laisser entendre qu'il devait bien me manquer quelque chose. On me suggérait que si, pour certains, le mariage était une fin, pour d'autres, mieux avertis des ouvertures que vous fait la fortune, elle pouvait être un commencement.

— N'allez-vous pas acheter un régiment ?

— Quant à moi, mon cher comte, je vous vois très bien en fermier général.

— Avec votre tournure et le reste, vous pouvez ambitionner d'entrer au conseil du roi.

Ces dames papillonnaient autour de moi, me décochaient des œillades assassines, soupiraient à l'envi derrière leurs éventails.

— Ah ! monsieur, me dit avec un accent passionné la rousse Elodie de Janzé, me croirez-vous si je vous déclare que, dégoûtée du monde et tournée vers le seul nécessaire, je songe à entrer en religion ?

— Tant de grâces qui brillent en vous me semblent faites pour vous déconseiller de prendre un parti aussi rigoureux, repartis-je galamment.

— Il est bien temps de vous en apercevoir, répliqua-t-elle en me jetant un regard meurtrier.

Elle me tourna le dos, et je quittai le cercle de mes babillardes pour tenter de rejoindre celle qui, depuis quelques heures, était ma femme. Comme j'avais été assiégé par le sexe faible, elle l'était par le sexe fort

en la personne d'une demi-douzaine de gentilshommes
où je pouvais reconnaître plusieurs de mes rivaux
malheureux. J'allais l'atteindre quand une main se posa
sur mon épaule et une voix teintée d'accent italien se
fit entendre. C'était mon beau-père, le seigneur Girolamo Farinacci d'Ognissanti. Comme j'avais déjà été
à même d'en juger, cet homme rond en affaires n'aimait pas à perdre son temps.

— Çà, mon gendre, disait-il, puis-je vous dire deux
mots ?

— Je suis à vos ordres, monsieur.

— En ce cas, faites-moi l'amitié de passer avec moi
dans mon cabinet. Il y a temps pour tout et, de la
nature dont vous êtes, et si je ne m'abuse sur votre
compte, vous n'aurez pas à regretter l'entretien que
je crois utile d'avoir dès maintenant avec vous.

Je le suivis par un corridor étroit, puis par un escalier dérobé assez raide, qui nous achemina jusqu'à
une pièce éclairée par deux hautes fenêtres. Des livres,
reliés en veau et en basane, des cartons au dos desquels on lisait des noms de villes comme Brest, Nantes,
Bordeaux, Saint-Malo, garnissaient des tablettes et des
armoires-bibliothèques ornées de treillis en fil d'ar-
chal. Sur la cheminée, une horloge de bronze doré
représentait le Temps sous l'apparence d'un vieillard
à longue barbe, armé de sa faux et accoudé au cadran.
Sur un vaste bureau de chêne à pieds de biche et mar-
queté de cuivre, un encrier de corne, un bouquet de
plumes d'oie, une boîte de poudre à sécher l'encre et
un portefeuille de maroquin rouge à filets d'or, étaient
disposés comme une troupe rangée en ordre de bataille.
Girolamo Farinacci s'assit derrière son bureau, dans
un fauteuil à manchettes, me désigna un siège semblable et me dit abruptement :

— Asseyez-vous, captain Lafortune.

La foudre serait tombée à côté de moi que je n'en
aurais pas eu davantage le souffle coupé. J'avalai
péniblement ma salive, incapable de prononcer une
parole.

— Voyons, repartit le financier d'un air bonasse,

remettez-vous, mon garçon. Je ne vais pas aller dénoncer mon gendre à l'amirauté comme pirate et rebelle à la loi et au roi. Apprenez que je n'ai commencé à concevoir de l'estime pour vous que du jour où j'ai su que ce fameux captain Lafortune, qui tailla tant de croupières à notre Compagnie de Guinée, ne faisait avec vous qu'une seule et même personne. Réfléchissez. Le meilleur moyen, et pratique, de rendre un adversaire inoffensif, plutôt que de risquer qu'il vous mette les tripes à l'air, n'est-il pas de composer avec lui ? En vous donnant ma fille, je vous désarme. A dire vrai, je ne vous crois pas en humeur de reprendre votre carrière de prophète libérateur de la race noire. A votre âge, vous êtes en droit d'aspirer à une vie moins rude que celle qui vous avait été imposée par des circonstances fortuites.

J'avais repris assez d'empire sur moi-même pour lui demander comme il avait pu être si bien renseigné sur mes activités. Il effila sa barbiche et sourit.

— Rien de plus simple. Votre père m'avait pressenti à mots couverts sur une possible alliance entre nos familles. N'avais-je pas le devoir de m'assurer que, le cas échéant, je n'allais pas mettre ma fille dans le lit d'un aventurier brutal et perdu de mœurs ? A certaines questions que je lui posais, le marquis m'avait paru marquer quelque embarras. Selon lui, vous étiez un petit saint. Son panégyrique m'a semblé un peu trop poussé, s'agissant d'un gaillard de votre carrure qui, durant sept années, avait roulé sa bosse par les mers chaudes. J'ai dépêché un homme de confiance auprès du capitaine Fulminet qui allait tout justement repartir pour les Iles.

— Et le capitaine a lâché le morceau ?

— Hum ! non sans hargne et grincements de dents. J'avais bien recommandé à mon homme de lui jurer que je garderais bouche cousue sur toutes les révélations qu'il pourrait faire. Pour délier la langue à ce bon Fulminet, il n'a pas pourtant fallu moins que la menace de lui retirer le commandement de sa *Pétulante*. Au vu d'une lettre de ma main et par laquelle je lui donnais l'assurance que vous ne seriez pas inquiété, maugréant et maudissant toute la négraille, il a fini par se décider, après avoir prévenu l'infortuné messager qu'au cas où la moindre indiscrétion serait de nature à vous nuire, il s'en irait à Paris lui couper les oreilles. Voilà un ami.

— La conclusion de tout cela, monsieur ?

— La cérémonie d'aujourd'hui, n'est-ce pas ? J'ai pensé que vous étiez le mari qui convenait à ma fille. Elle n'a pas la goutte à l'imaginative; elle professe le culte des héros, et j'accorde que vous en avez été un à votre manière, à laquelle je ne vous cache pas que j'eusse préféré une autre, moins onéreuse pour les actionnaires de la Compagnie de Guinée. Naturellement, Yolande sait toute la vérité sur vos prouesses, bien qu'à ma requête, elle se soit gardée, jusqu'à présent, de vous le laisser entendre. Héros ou forban, pour la plupart des femmes, c'est tout un, ce qui suffirait à témoigner, s'il en était besoin, qu'elles n'ont pas la tête faite comme la nôtre. Vous avez encore le temps d'apprendre, jeune homme, que les femmes n'ont pas de morale et que toutes leurs actions sont déterminées par leurs vapeurs du moment. Passons aux choses sérieuses. Que lisez-vous au dos des cartons alignés sur ces tablettes ? Des noms de ports. C'est que je crois de plus en plus à l'avenir du commerce par la voie maritime. Vous me direz qu'il est en pleine décadence. Notre Compagnie de Guinée ne bat plus que d'une aile, en partie par votre faute, monsieur le forban. La Compagnie des Indes agonise, et la Compagnie des Mers du Sud pourrait bientôt connaître le même sort. La guerre est à l'origine de ce déplorable état de choses. Or le roi a eu la bonne idée de faire la paix. Supposé même qu'elle ne dure que le temps d'une éclaircie, le duc d'Anjou va monter sur le trône d'Espagne, et un traité sera passé avec lui pour le monopole de la traite. Je sais de bonne source que des pourparlers secrets sont en cours. Et ce n'est pas tout. Il y a des fortunes à gagner avec le commerce des piastres et des lingots d'argent. J'ai donc décidé d'armer pour mon compte, et je sentais le besoin à mes côtés d'un marin expérimenté. Pouvais-je rêver mieux qu'un gendre ? Du même coup, vous voilà définitivement à l'abri de toute surprise. Qui s'aviserait d'identifier mon gendre avec le terrible captain Lafortune ?

Il se renversa dans son fauteuil et se frotta les mains. Une flamme bizarre dansait dans ses yeux. Singulier beau-père ! Il se flattait ouvertement d'avoir barre sur moi; il m'annexait; je n'étais qu'un pion dans son jeu. Il me croyait son prisonnier. Pourtant, ne serait-il pas dangereusement compromis si l'on apprenait qu'il avait, en toute connaissance de cause, donné sa fille à un homme qu'il traitait de forban ?

Un bruit de violons, traversant murs et planchers, parvint dans la pièce.

— Le bal commence, dit-il en se levant. J'ai bien prévenu ma fille que j'allais avoir un entretien avec vous, mais elle doit trouver que j'abuse. Il est temps de la rejoindre. Allez, heureux mortel ! La beauté, l'amour, la fortune. Ah ! vous allez avoir une vie bien intéressante. Je vous y aiderai.

Je ne me sentais pas très désinvolte en descendant les marches de l'escalier dérobé sur les talons du *signor* Girolamo Farinacci. Vu de dos, ce petit homme étroit d'épaules, son flambeau d'argent à la main, ne semblait qu'une mazette au prix d'un certain captain qui avait pu être surnommé la Terreur des Caraïbes. D'où venait, sinon cette crainte, du moins cette gêne que j'éprouvais devant lui ? Je pouvais la rapporter, je crois, à ses yeux percés en vrille, des yeux d'oiseau rapace, ou mieux, des yeux de rat qui ne clignaient jamais et semblaient tour à tour mesurer l'interlocuteur et le défier. Je devais comprendre plus tard que c'était là le regard froid de l'homme d'argent, pour qui seuls comptent les bien de la fortune calculée en bons louis d'or et pistoles bien trébuchantes.

Le retour au bruit et à la lumière des salons me rendit cœur. Les violons enlevaient une gavotte. Les centaines de bougies des girandoles et des bras d'appliques étaient reflétées à l'infini dans les hautes glaces en vis-à-vis. Les couples virevoltaient et multipliaient les révérences étudiées avec une gravité tempérée de sourires à bouche close.

Ma femme — cette merveilleuse créature était décidément ma femme ! — avait dû décourager vertement les galants trop empressés pour son goût. Elle était assise sur une banquette entre sa mère, la bonne dame Raffaëlla plus que jamais menacée d'étouffement dans sa robe de velours grenat serrée à craquer, et cousine Apollonie, toute menue dans sa stricte robe bleu nuit et que la jubilation de se trouver à pareille fête faisait loucher avec volupté. Elle n'avait pas voulu que sa jupe de soie blanche toute incrustée de fine dentelle des Flandres, fût brodée d'or, pour répondre à l'usage de la cour où Madame de Maintenon prêchait l'austérité par l'exemple. Un seul rang de diamants de la plus belle eau étincelait à son cou.

Quand je l'aperçus, ses yeux étaient baissés. Elle les leva; ils rencontrèrent les miens, et tandis que son visage se colorait doucement, mon cœur battait à grands coups sourds. Je me dirigeai vers elle comme un automate. La cousine se prit à rire.

— Auriez-vous la berlue, monsieur mon petit cousin ? Ou, par ma sainte patronne, à qui les païens d'Alexandrie brisèrent la mâchoire, souffrirais-tu d'une dent de sagesse poussée sur le tard et qui expliquerait ton mariage ? J'ai le sentiment que tu ne marches pas droit et tu ne me sembles pas dans ton assiette.

J'allais protester quand dame Raffaëlla, formant un sourire angélique qui élargissait encore les sphères de ses joues, intervint benoîtement.

— Il est bien naturel qu'*il conte* Fortunat soit troublé. Il me rappelle mon Girolamo le jour de ses noces. Bien qu'il soit né en France, où son grand-père était venu avec la reine Marie, il avait résolu de ne conduire à l'autel qu'une Italienne. Un de ses cousins de Firenze était en rapport d'affaires avec mon père, le très honoré Salvatore Cresti, podestat d'Arezzo. Après m'avoir vue à Siena, où j'étais venue assister à la course du *pallio*, le cousin s'est procuré, je ne sais comme, mon portrait en miniature. Il l'a envoyé à Girolamo qui s'est enflammé *subito*. Ce *diavolo* selle un cheval, en crève dix autres pour se jeter plus vite aux pieds de *mio padre*. Il jure, sur son salut éternel, que si ma main lui est refusée, il s'enfoncera un poignard dans le cœur. *Il mio babbo* me fait venir et me dit : « *Carissima*, tu vois ce gentil cavalier, il se tuera si tu ne l'épouses. » J'ai failli pâmer. A peine si je l'ai regardé, mon Girolamo. J'ai seulement vu qu'il avait une main, ce tigre, sur la poignée de sa dague. « Je l'épouserai donc, père », ai-je répondu, les yeux chastement baissés. Le mariage a eu lieu quinze jours après, et à l'église, ç'a été le tour du *sposo* d'être le plus ému. Il tremblait en me passant au doigt l'anneau nuptial. Le tigre était apprivoisé.

Les paupières de dame Raffaëlla battirent, et elle ajouta en soupirant :

— *Ha un poco cambiato dopo ! Ma chè ! il uomo è l'uomo.*

— Ouais ! susurra cousine Apollonie, et nous serions bien marries qu'il fût autrement.

Sur cette réflexion de bon sens, Yolande se leva et me dit en faisant peser sur moi un regard dominateur :

— Daignerez-vous m'accorder la faveur d'une danse, monsieur mon époux ? Il paraît que vous me la faites attendre.

Je la pris dans mes bras pour m'engager dans un rigaudon. Durant tout le temps de cette première danse, elle ne prononça pas une parole. Je serrais étroitement son corps parfait; ses yeux se perdaient dans les miens; je sentais son souffle sur ma joue. J'avais l'impression de me dissoudre, de n'être plus qu'un avec elle.

Quand les musiciens firent la pause, elle m'entraîna dans un recoin masqué par des orangers en caisse. Elle me fit asseoir près d'elle et me prit les mains.

— Fortunat, dit-elle, je viens de manquer à toutes les règles de la civilité en refusant de danser avec une demi-douzaine de gentilshommes de bon lieu, qui m'en priaient honnêtement.

— Pourquoi cette rigueur, madame ? lui demandai-
je en pressant ses mains dans les miennes.

— Belle question, monsieur ! Parce que je ne suis
qu'à vous, ne veux être qu'à vous, que tous les autres
hommes m'ennuient à mourir, et qu'à mes yeux quiconque prétend empiéter sur vos droits vous offense
et m'offense.

— Je vous rends grâces, ma mie.

— Attendez ! De même que je suis à vous, je tiens
que vous êtes à moi. Pour cette raison, j'ai lieu d'être
jalouse de mon père qui vous a gardé un si long
moment dans son cabinet, de ma mère qui a eu le
vain propos de vous diminuer à mes yeux sous couleur que vous ne m'avez pas menacée de vous percer
le cœur si vous ne m'obteniez en légitime mariage. Je
consens que mon père ait été un tigre. N'êtes-vous pas
un lion ?

Ses mains étaient brûlantes. Sa poitrine haletait. Je
lui représentai que sa mère, en faisant état de l'amour
passionné que son époux lui avait porté dès le premier jour, avait seulement eu le louable dessein de
me le donner en exemple. J'ajoutai que son père, en
voulant me faire entrer dans ses affaires pour assurer
ma fortune, me manifestait une confiance dont je
devais lui savoir gré. Alors elle éclata.

— C'est moi que vous avez épousée, Fortunat, et
je ne souffrirai pas que personne me dispute à vous !
N'avez-vous pas mieux à faire que de prendre exemple
sur Pierre, Paul ou Jacques ? Le beau mérite que de
spéculer sur des billets au porteur ! Si vous voulez
me rendre heureuse, il faudra trouver autre chose.
J'accepterais, quant à moi, de vivre sur un bateau de
pirates comme le dernier des mousses, si c'était avec
l'homme que j'aime !

L'allusion était claire. Je ne la relevai pas et me
bornai à observer :

— La vie du matelot est pénible et dangereuse,
Yolande. Je serais un bien mauvais mari si j'envisa-
geais seulement de vous la faire mener.

Elle bondit.

— Me prenez-vous pour une de ces pécores qui ne savent parler que chiffons et préséances ? De grâce, Fortunat, redevenez vous-même. Vous n'avez plus rien à cacher à votre femme. Contez-moi encore de vos aventures de mer.

Son père m'avait prévenu : elle n'avait décidément pas la goutte à l'imaginative, Yolande Farinacci d'Ognissanti, désormais comtesse de la Prée de la Fleur. J'allais lui répondre que je lui avais révélé le plus attachant de ma vie aventureuse, quitte à me faire reprendre sur mon esprit de dissimulation, quand le bruit familier d'une canne heurtant les lames du parquet me fit dresser l'oreille, et le visage épanoui de mon père s'encadra entre les feuilles vernies des orangers.

— Petits cachottiers, dit-il d'un air goguenard, est-ce ainsi que l'on se dérobe à l'admiration des foules ? Vous avez toute la vie pour vous cajoler. En attendant, la société vous requiert de la laisser contempler encore pendant quelques minutes un couple assorti à ravir.

Yolande se leva d'un bond et lui planta sur les joues deux baisers retentissants. Il souffla, toussa et se prit à rire.

— Là ! Là ! voilà bien de l'émotion pour un homme de mon âge, et je vous proclame, ma toute belle, la meilleure bru du monde.

— Je sais ce que je vous dois, père, répliqua-t-elle vivement, et ne vous aurai jamais assez d'obligation d'avoir mis au monde un fils comme votre Fortunat, mais sachez que désormais il est à moi. Vous me l'avez donné; vous ne pouvez me le reprendre. Il est mon bien, ma chose, mon dieu, mon mari enfin.

Mon père rit encore et lui baisa la main.

— Ce n'est pas moi qui m'inscrirai là-contre. La mer me l'avait pris pendant près de huit années. Elle ne me l'a rendu que pour que je le remette entre vos blanches mains, où je présume qu'il connaîtra moins de dangers.

— En êtes-vous bien sûr ? fit-elle avec une expression dont je n'aurais su dire si elle était mutine ou provocante.

Il leva les épaules.

— Tudieu ! mon enfant, je le crois de taille à se défendre aussi bien contre une femme d'esprit que contre toute une escadre anglaise. En attendant, venez vous faire admirer encore de nos invités, soit que, vous portant une réelle amitié, ils se réjouissent, soit que, vous enviant, ils enragent. Après avoir accompli vos trois petits tours, vous aurez le droit de vous évader en catimini.

Il porta une main à son front, et sa canne crissa sur le parquet.

— Je ne tarderai guère, pour ma part, à prendre le large. Trop de joie vous use son homme, et j'en ai eu aujourd'hui plus que mon compte. Je vous bénis tous les deux. Vivez heureux sans vous priver des plaisirs de votre âge.

Il s'éloigna, le dos courbé.

IV

Je n'aurais pu raisonnablement avancer que j'avais
été pris sans vert. Les avantages corporels de ma femme
annonçaient une nature excessive. Ses yeux me faisaient penser aux gouffres marins, sa bouche à la pulpe
de la grenade ; ses cheveux sombres et brillants semblaient jeter des étincelles. Je me défends d'exagérer.
Mon père avait bien vu tout cela que, pour mon instruction, il avait mis noir sur blanc. Dans le carrosse qui
nous ramenait à notre hôtel, j'avais pris les mains de
ma captive, des mains longues et fines, gantées de
peau d'Espagne. Elle avait violemment serré les
miennes, puis s'était dégagée aussitôt en murmurant :
— Vous me ferez devenir folle.
La nuit était épaisse. Le carrosse cahotait dans le
crissement des ressorts, et les sabots des chevaux
martelaient le mauvais pavé des rues au milieu desquelles, de loin en loin, à vingt pieds au-dessus du sol,
les lanternes répandaient leurs maigres clartés. Je
devinais Yolande plus que je ne la voyais, si étourdi
par son parfum, mêlé d'eau d'ange et de lait virginal,
que j'en demeurais court. D'elle-même, elle déganta sa
main droite, me prit un poignet qu'elle pétrit furieusement, porta à ses lèvres et mordit. Je pensais répondre à cette attaque brusquée en l'étreignant, quand
le carrosse s'arrêta.
Yolande s'était aussitôt redressée et renfilait son
gant. Le laquais assis auprès du cocher avait sauté à
terre et ouvrait la portière.

Mon père n'avait pas fait les choses à demi. Le rez-de-chaussée et le premier étage de l'hôtel m'étaient abandonnés. Je disposais de toutes les pièces de réception, de la bibliothèque aux deux mille volumes, de la salle de billard, du salon de musique et du cabinet de curiosités qui comprenait des miniatures de maîtres, des figurines de Tanagra, des laques, des jades et des ivoires de Chine, des cristaux de Venise et une collection de camées et de monnaies anciennes. Comme je m'insurgeais contre une générosité qui le dépouillait, il avait haussé les épaules.

— Ce n'est qu'une avance d'hoirie, mon fils. Un peu plus tôt, un peu plus tard... Mieux vaut que tu en jouisses tout de suite.

Il m'avait seulement prié de conserver à cousine Apollonie l'usage de sa chambre au premier étage.

— Elle serait trop chagrine d'avoir à changer ses habitudes. Les femmes, par leur puérilité naturelle, sont plus sensibles que nous aux petits détails de la vie. Quant à moi, le second étage me convient tout à fait. Il me rapproche du ciel auquel il est temps que je songe.

Le domestique, chez mon père, était limité à cinq serviteurs : outre le fidèle Germain, deux laquais, un valet de chambre et un cuisinier. Yolande avait décidé d'y ajouter ses deux chambrières, des Italiennes, Lauretta et Giuseppina, qui nous attendaient, ce soir-là, à l'entrée des salons, portant chacune un flambeau à la main.

Je pénétrai dans le premier salon, tout illuminé pour la circonstance, tenant la dextre de ma jeune épousée. La solennité du moment me rendait peut-être grave malgré moi. Ma componction ne tint guère, car les deux *ragazze*, à notre vue, se récriaient d'émerveillement; des paroles italiennes coulaient de leurs bouches avec une extraordinaire volubilité; elles riaient enfin à perdre haleine, échangeant des réflexions incongrues sur telle ou telle pièce de l'ajustement de leur maîtresse, qu'elles désignaient du doigt. Il advint même que l'une d'elles, pliée en deux, fit couler des larmes de rire sur le parquet, à telle enseigne que Yolande se fâcha.

— *Basta, Giuseppina*, si tu ne veux pas être fouettée jusqu'au sang.

Les pétulantes créatures s'immobilisèrent comme des soldats au port d'armes.

— Elles sont bavardes comme des pies et criardes comme toutes les Napolitaines, me dit Yolande. Je leur pardonne leur caquetage, parce qu'il n'y a pas plus adroites qu'elles pour enrouler les boucles et les tortillons, mais elles en abusent parfois, et il faut alors leur clouer le bec.

Ses paupières battirent.

— Maintenant il faut me laisser avec elles, mon ami.

Il me parut que sa voix avait tremblé légèrement. Lauretta ouvrit la porte du cabinet attenant à notre chambre et s'effaça devant sa maîtresse. Les trois femmes disparurent, et j'entendis encore, derrière la porte, jaillir le rire espiègle des chambrières.

Je n'avais, moi, nulle envie de rire. Yolande allait être mienne, et le désir qu'elle m'inspirait ne devait pas me faire illusion : il me fallait bien admettre que j'allais lier ma vie à un être que je ne connaissais pas. Son goût pour les héros de roman, (« tu effaceras, pour ma gloire, les exploits des héros les plus fameux »), sa déclaration catégorique à mon père (« il est mon bien, ma chose »...), ses subits mouvements d'humeur (« vous me ferez devenir folle »), la marque de ses dents imprimée sur mon poignet, la rendaient à mes yeux aussi attirante qu'énigmatique. Serait-elle la plus délicieuse, la plus ensorcelante, ou la plus odieuse, la plus tyrannique des femmes ?

J'optais sans hésiter pour les délices, puisqu'il est, après tout, de tradition de commencer par là, tandis que mon attente se prolongeait dans la chambre nuptiale, que j'arpentais en tenue de fantôme. Des tapis de Perse y étouffaient les pas. Mon père avait eu la galante attention de faire suspendre aux cloisons des tableaux figurant des scènes mythologiques : l'enlèvement d'Europe par le taureau divin, Hercule filant aux pieds d'Omphale, Séléné amoureusement penchée sur Endymion. Comme on était au 9 novembre et que le froid extérieur était assez vif, une pyramide de bûches flambait dans la haute cheminée. J'avais eu le temps d'en voir deux ou trois s'effondrer dans des gerbes d'étincelles lorsque, dans le cabinet voisin, j'entendis un piétinement et de nouveaux rires. Une porte claqua, une autre s'ouvrit. Yolande parut, un candélabre de girandoles à quatre bougies en main. Une longue chemise de nuit blanche, serrée au cou par un cordonnet à glands de soie rose, lui descendait jusqu'aux chevilles. Ses cheveux de jais lui retombaient dans le dos et sur les épaules, et les pendeloques du candélabre accrochaient dans leurs facettes de cristal de vives lueurs qui, par éclairs, se reflétaient dans ses yeux.

Elle avança sans un mot, posa le candélabre sur un guéridon et, tournée vers moi, demeura immobile. Trois pas me suffirent pour tomber à ses genoux et entourer de mes bras cette statue de chair. Je la sentais frémir sous le léger tissu. Elle mit une main sur ma tête qu'elle caressa doucement, et j'entendis ces mots que j'étais préparé à entendre :

— Captain Lafortune, est-ce bien vous ?

Je me bornai à resserrer mon étreinte sans répondre. Alors elle me saisit une oreille entre deux doigts et la pinça.

— Voulez-vous que je la torde, *captain* ? Je vous ai posé une question. Est-ce bien vous qui avez de haute lutte enlevé le navire anglais *Victorious* à un corsaire français qui s'en était emparé ?

Je n'avais plus de raisons de lui rien cacher. Aussi repartis-je d'une voix enfantine et quasi ânonnante :

— Ne vous l'avais-je pas dit déjà, madame ?

Elle poussa un soupir d'aise.

— Sans doute, captain, mais en omettant l'essentiel, c'est-à-dire que vous étiez ce fameux pirate qui, après avoir rebaptisé sa prise *le Fulminant,* a écumé la mer Caraïbe à la tête d'un équipage de féroces nègres *marrons*. Maintenant, je veux tout savoir.

Je me permis de rire.

— Vous saurez tout, madame. Lâchez seulement mon oreille. Mais notre position présente est fort incommode, et je crains que vous ne preniez froid.

— Soit ! dit-elle avec une belle hauteur. Allons devant le feu.

Elle fut s'y asseoir dans un fauteuil mis à la mode depuis peu et que l'on appelait confessionnal, puis reprit :

— Voilà qui sied non pas aux confidences, captain, mais à la confession que vous allez me faire. N'oubliez pas qu'il serait indigne de mentir, le soir de ses noces, à votre épouse devant Dieu, votre épouse à qui vous avez, jusqu'à ce jour, effrontément fardé la vérité. Allons ! à genoux !

J'obéis, et elle arrêta deux mains tentées de s'égarer. Son parfum, la tiédeur de sa chair m'affolaient, mais pouvais-je me rebeller, quand le bonheur auquel j'aspirais et dont j'étais si proche ne dépendait que de son caprice ?

— Eh bien ! je vous écoute.

Je n'avais plus qu'à reprendre, en rétablissant les faits dans leur exactitude, le récit que je lui avais fait lors de notre première rencontre. Je m'y efforçai en protestant que je n'avais pas été un vulgaire pirate, mais une sorte de messie de la race noire, le premier libérateur des esclaves opprimés.

— Qui vous reproche d'avoir été pirate ? s'exclama-t-elle, comme si ma protestation passait à côté du sujet. Ce sont les exploits du héros qui comptent, quels que soient les motifs de son action. Quant au reste, vous ne prétendez pourtant pas me faire accroire que les noirs sont des hommes comme les blancs ?

Je la surpris beaucoup en lui affirmant que, si l'on s'en rapportait aux Livres Saints, le Créateur n'avait fait, à l'origine, aucune différence entre Sem, Cham et Japhet. Il en résultait qu'un noir né au fond de l'Afrique était doté d'un corps et d'une âme aussi bien qu'un paroissien de Notre-Dame. Elle voulut alors me démontrer que le nègre Polydor, en affichant le dessein de pendre le bienfaiteur de sa race, témoignait d'une ingratitude doublement noire et qui le mettait au ban du monde chrétien. A quoi je ripostai que l'ingratitude était inhérente à la nature humaine, quelle que fût la couleur de la peau, et qu'aux îles d'Amérique, toute la reconnaissance des maîtres pour leurs serviteurs fidèles consistait le plus souvent à les rouer de coups de bâton.

C'était un bien étrange entretien pour une nuit de noces, et Yolande elle-même dut en prendre conscience, car elle me caressa de nouveau la tête et me dit d'une voix changée :

— Si ami du genre humain, sans distinction de couleur, que vous soyez, Fortunat, vous n'avez pas moins, avec vos nègres, occis non seulement bon nombre d'hérétiques anglais et hollandais, ce qui serait œuvre pie, mais aussi quantité de catholiques portugais et espagnols.

Je répondis que la loi de nature voulait que le fort triomphât du faible, et que, la ruse parfois l'emportant sur la force, j'avais généralement fait en sorte de conjuguer l'une et l'autre pour parvenir à mes fins. Ce lieu commun dut faire impression sur elle, car une bouche chaude alors s'appliqua sur mon front. Je me dressai d'un bond; j'enlevai dans mes bras ma belle proie qui se mit à balbutier :

— Ah ! captain, mon captain Lafortune !...

Un jour gris filtrait derrière les lourdes tentures de tapisserie quand j'entendis tinter onze heures. La monumentale horloge de bronze doré qui trônait sur la cheminée avait été offerte par mon beau-père. Elle représentait un vaisseau de haut bord sur le pont duquel un officier levait son sabre à chaque coup, tandis que trois matelots, devant lui, présentaient les armes. Girolamo Farinacci, dont toutes les actions étaient concertées, avait évidemment voulu marquer par là ce qu'il attendait de moi.

J'allai tirer les tentures et, levant un rideau, aperçus la cour d'honneur noyée dans une brume laiteuse. Audessus de la loge du portier, la sonnette s'agita; j'entendis son grelottement étouffé. Le portier sortit pour ouvrir, et deux hommes entrèrent. C'était le brave Germain, précédé d'un personnage vêtu d'une robe noire à rabat et coiffé d'un chapeau pointu. Je reconnus le médecin de la famille.

On ne le voyait pas souvent dans nos murs, le brave docteur Célestin Bouffandeau, dont l'élocution sentencieuse ne prêtait pas moins à rire que les ordonnances. Mon père ne le faisait venir que dans des circonstances exceptionnelles, qualifiées par lui d'hypocondriaques et hypogastriques, soit que son rhumatisme devînt trop aigu ou qu'une inquiétante rétention des matières l'obligeât de recourir à la seringue bénéfique. Il l'avait choisi entre tous ses confrères en *us* depuis un bon quart de siècle, pour l'avoir vu soutenir devant la Faculté de Paris une thèse intitulée *De pluribus modis curandi*. L'impétrant y exposait fort brillamment que toutes les maladies ne sont pas traitables par la médecine d'Hippocrate et de Galien, et que la nature fait ses caprices en infligeant à l'humaine nature des maux qui suivent leur cours et guérissent d'eux-mêmes, après avoir purgé les organes de leurs humeurs peccantes.

Son diplôme obtenu, le docteur Bouffandeau était allé plus loin encore, et jusqu'à prétendre, contre tous les oracles, que l'huile de fourmi ne pouvait rien contre la surdité, que la fiente de paon était impuissante contre l'épilepsie, qu'il était grotesque et dégoûtant de broyer conjointement cloportes et lombrics pour soigner la goutte, et que la semence de crapaud n'avait jamais fait dégonfler un hydropique. Ces propos subversifs, si on les avait pris au sérieux, eussent immanquablement provoqué la ruine de l'honorable corporation des apothicaires. Menacé d'être appelé en justice, Célestin Bouffandeau avait sagement mis de l'eau dans son vin. Il avait solennellement reconnu que le bouillon de vipère, où a été écrasé un cœur de grenouille, donne à la femme froide le goût du plaisir vénérien, et son ralliement à la bannière des partisans de l'émétique avait achevé de l'absoudre.

A l'apercevoir, je pensai dans le moment que mon

père ayant, la veille, fait quelques excès de table, avait mandé son médecin ordinaire pour se dégager la tripe. Sur la pointe des pieds, je revins au lit nuptial, lequel était juché sur une petite estrade et surmonté d'un baldaquin de satin feuille-morte. Yolande dormait encore, ses cheveux sombres éparpillés autour d'elle comme un panache de fumée. Sa bouche légèrement entrouverte faisait paraître le vif éclat des dents. Je m'étais assis au bord du lit et j'admirais la ligne pure des épaules lisses comme l'ambre, le doux gonflement de la gorge. Ma contemplation dura peu, car plusieurs coups frappés précipitamment contre la porte réveillèrent la dormeuse. Ses paupières palpitèrent; elle se dressa sur son séant et, comme elle me voyait penché sur elle, un sourire éclaira son visage. Les coups redoublèrent. Une ombre passa sur son front.

— Qu'est-ce, Fortunat ?

Elle se jeta contre ma poitrine et sourit de nouveau.

— Avec toi, je n'ai pas peur !

Je la serrais dans mes bras; j'étais le plus favorisé des hommes. Le sursis fut bref. Derrière la porte, une voix s'élevait, où je reconnus le timbre de cousine Apollonie.

— Fortunat, mon garçon, viens en diligence. Ton père est au plus mal.

— *Dio mio !* fit Yolande en resserrant son étreinte.

Apollonie continuait de tambouriner contre la porte. J'enfilai hâtivement une robe de chambre de velours groseille, qui était un cadeau de la cousine, et, sur un dernier baiser jeté du bout des doigts, quittai la place. Yolande, à genoux sur le lit, en bonne Italienne, mulpliait les signes de croix.

Derrière la porte, la cousine avait la figure défaite. Elle me prit par le bras et m'entraîna vers l'escalier pour gagner l'étage supérieur.

— Misère de nous ! Fortunat, le marquis me l'avait toujours dit : « Quand mon fils aura pris femme, je pourrai aller là-haut retrouver ma défunte. » On a bien raison de le dire : tel qui rit vendredi dimanche pleurera. Le pauvre était si content de vivre hier, et voilà que, sur le coup de dix heures et quart, Germain l'a trouvé râlant, la figure toute tordue. J'ai aussitôt envoyé querir ce bon M. Bouffandeau qui vient de lui tirer deux grandes pintes de sang.

Je trouvai mon père dans son lit, le bonnet de nuit enfoncé jusqu'aux sourcils, un œil mi-clos et la bouche de travers. Du regard j'interrogeai l'homme de l'art qui hocha la tête et me dit à mi-voix :

— On ne sait ni qui vit ni qui meurt, monsieur. Mais le cas est sérieux. L'apoplexie ne pardonne guère.

Les mains de mon père, cireuses, tavelées et où saillaient de grosses veines bleues, étaient allongées sur le drap. J'en pris une dans les miennes et sentis une légère pression.

— Père, lui dis-je, m'entendez-vous ?

Ses lèvres remuèrent, mais il n'en sortit qu'une bouillie de sons inintelligibles. Cependant, il me parut que ses yeux roulaient dans leurs orbites, avec insistance, en direction de la cousine. Celle-ci s'approcha du lit, et la main de mon père accentua nettement sa pression, tandis que ses lèvres remuaient de nouveau sans que, cette fois, il pût former le moindre son.

— Rassurez-vous, mon cousin, dit alors Apollonie de Belœil d'une voix tranquille, votre message sera remis à Fortunat, comme vous me l'avez demandé.

Aussitôt, une expression de contentement, assez surprenante chez un moribond, se répandit sur le visage ravagé du marquis Bénigne-Augustin-Urbain de la Prée de la Fleur, onzième du nom; puis sa main mollit dans la mienne et son regard devint fixe. Le médecin posa l'oreille sur sa poitrine, et, s'étant relevé, lui ferma les yeux.

— *Requiescat in pace !* dit-il.

— Seigneur Jésus ! s'écria la cousine en se signant, et moi qui ai oublié le curé !

La même église Saint-Louis-des-Jésuites qui, le 9 novembre 1700, avait vu mon père exultant et, me semblait-il — fallacieusement, hélas ! — rajeuni par miracle, fut, le 13 du même mois, le théâtre de ses funérailles. L'assistance était sensiblement la même et son comportement aussi convenu, à cela près que les mines épanouies s'étaient allongées, qu'aux congratulations succédaient les condoléances, et que le révérend père Bainvel ayant pris pour thème de son homélie la résurrection de Lazare, n'avait pas pour autant le moindre espoir de ressusciter le défunt calfeutré dans sa bière de chêne.

Ce deuil inopiné, outre qu'il me faisait marquis, devait avoir sur ma vie conjugale une incidence que j'étais bien éloigné de prévoir. La nuit qui suivit la mort de mon père, je l'avais veillé, suivant l'usage, avec cousine Apollonie, et, la deuxième nuit, Yolande avait à son tour assuré la veillée funèbre.

Je ne voudrais pas qu'on pût me taxer ici d'indécence et de désinvolture à l'égard de la mort, cette commune maîtresse de tous les hommes. Je n'ai pas d'autre dessein que de rapporter les faits de mon existence tels qu'ils se sont produits, et je suis bien obligé de marquer ici qu'après ma nuit de noces, deux nuits s'étaient écoulées sans que je pusse renouveler à ma jeune femme les témoignages d'une flamme légitime. Or, le soir des obsèques, comme nous achevions de souper tête à tête, — la chère cousine se refusant à troubler notre intimité — Yolande me dit :

— Nous allons souffrir tous deux, Fortunat, mais la volonté de Dieu est souveraine. Ma mère m'a souvent répété que le deuil ne devait pas seulement être marqué par la couleur des habits et la privation, pendant le temps requis, des agréments de la vie de société : il doit aussi régner dans les cœurs et s'étendre à l'abstention des plaisirs licites. C'est pourquoi j'ai fait préparer votre lit dans la chambre où votre regretté père a quitté ce monde. Il vous sera ainsi loisible de prier pour le repos de son âme sans en être distrait par des divertissements profanes.

Cette déclaration me fit l'effet d'un pavé tombant sur ma tête à l'improviste. Que les justes épanchements d'un amour béni par le respectable père provincial des jésuites fussent assimilés tout d'un train à un divertissement profane passait mon entendement. Mais Yolande ne parlait pas à la légère; une vraie tristesse assombrissait son visage, et je compris que, tout au moins dans l'instant, je ne parviendrais pas à la convaincre que mon défunt père se fût à coup sûr insurgé contre sa proposition. Elle se levait avec une dignité de matrone romaine et, les yeux baissés, me tendait le front. Je la pris dans mes bras. Elle détourna la tête et dit :

— N'abusez pas de ma faiblesse, Fortunat. A demain.

Elle se dégagea, s'esquiva. J'étais encore cloué sur place par la surprise quand elle referma la porte derrière elle.

En dépit de la fatigue des veillées, j'eus peine à m'endormir cette nuit-là. Quel allait être mon avenir d'homme avec cette femme qui m'inspirait un si violent désir et qui, dès la première nuit, m'avait accablé de questions sur ma vie passée avant de répondre à mes transports avec une ardeur égale à la mienne ? Je me perdais en conjectures, m'irritant et m'attendrissant tour à tour. Qu'elle se dérobât le soir du jour où mon père avait été mis en terre, pouvait se comprendre, venant d'une nature comme la sienne, superstitieuse et entière, et compte non tenu des termes étranges qu'elle avait employés pour justifier sa décision. Que son refus de la chambre commune se prolongeât pendant un laps de temps indéterminé m'inquiétait davantage. Le temps du deuil officiel, pour la mort d'un père ou d'une mère, étant d'un an, devrais-je, durant une aussi longue période, soupirer sans rémission à la porte d'une chambre condamnée ?

Mon insomnie se prolongea jusqu'à l'aube, et ce fut encore la cousine Apollonie qui me réveilla. Je n'avais pas verrouillé ma porte, et il lui fallut me secouer pour m'arracher à ma torpeur.

— Eh ! l'ami, me disait-elle, tandis que je bâillais et me frottais les yeux, vas-tu enfin sortir du royaume des ombres ? La petite marquise est à fureter par toute la maison depuis tantôt une heure, et elle com-

mence à trouver le temps long et ton empressement
court. Dame ! Je ne me suis pas privée de lui dire
qu'elle ne se serait pas attiré ce souci-là si elle avait
passé la nuit sur la même couchette que toi, comme
faire se doit entre jeunes mariés, et figure-toi qu'elle
n'a pas trop bien pris la semonce. Elle a même commencé par me tirer une grande vilaine langue longue
d'une aune. Ouais ! Et puis elle s'est reprise, m'expli-
quant que si vous aviez fait chambre à part, c'était, à
sa suggestion, par piété pour la mémoire du défunt
marquis. Pfft ! Je lui ai renvoyé comme balle que cette
piété-là, aussi sûr que deux et deux font quatre, le
marquis l'eût mise dans sa poche, vu que, dans ses
belles années, il avait été un fameux polisson. Et si
elle avait tenu pareil langage à feu mon mari, donc,
le capitaine de Belœil ! Ah ! le gaillard n'eût pas souf-
fert que je lui fisse grâce d'une seule heure de nuit.
A dire le vrai, je te croyais taillé à sa mesure. Faudra-
t-il que je déchante ? Enfin, c'est ton affaire à toi et
à la Farinacci. Ces Italiennes ne sont pas des femmes
comme les autres, il faut croire. Ce qui me chiffonne,
vois-tu, c'est que ta Yolande ne soit pas venue elle-
même te tirer de ton lit, puisque tu n'étais pas allé,
grand serin, la tirer du sien. Je sais bien que tout le
monde ne voit pas son père rendre l'âme le lendemain de ses noces et qu'il y a là un cas d'espèce,
comme disent les hommes de loi. N'empêche ! Laisse-
moi te dire que si tu n'y mets pas le holà, cette fûtée-là
ne tardera pas à te mener par le bout du nez.

Dame Apollonie renifla. Je m'étais levé pendant son
discours, et j'avais passé ma robe de chambre. Elle
reprit :

— Maintenant, fils, je te laisse, et ne fais pas trop
languir ton Italienne, quoiqu'elle mérite une leçon.

— Vous ne l'aimez pas, cousine.

— J'aime tout le monde, fit-elle en s'enfuyant.

Mais sa loucherie obstinée pouvait inspirer quelques
doutes sur la sincérité de cette profession de foi.

V

Je fis sauter les cinq cachets où étaient imprimés dans la cire les armes de notre maison, et je lus :

Mon cher fils,
Quand tu prendras connaissance de cette lettre, je serai parti les pieds devant, et ce n'est foutre pas, si j'ose dire, une pensée agréable, mais quoi ! nous y passons tous. Tu vas, toi, te marier, la perspective est plus folâtre, et c'est ce qui m'engage aujourd'hui à te soumettre quelques réflexions qui me sont venues, avec les années, sur les rapports de l'homme et de la femme, et dont tu pourras, dans les occasions, faire ton profit.

Le révérend père Bainvel, S.J., à qui j'ai rendu visite la semaine dernière, pour lui demander de bénir ton mariage, m'a, dès les premiers mots, déclaré : Optime ! *puis a opiné gravement :*

— Naturae ordo exigit ut ad generandum perveniant per coïtum masculus et femina.

Et comme je marquais quelque surprise d'un langage aussi cru, quoique artificieusement édulcoré par l'emploi du latin, dans la bouche d'un homme d'église, il a ajouté :

— *Ne souriez pas, monsieur. C'est l'Ange de l'Ecole en personne qui a énoncé cette formule limpide dans son immortelle* Summa theologica, *pars prima, quaestio tertia nonagesima, et ce grand homme savait ce que parler veut dire. Il avait beau appartenir à l'ordre* turbulent fondé par saint Dominique : tous les frères prêcheurs ne sont pas des moutons bêlants, et l'Aquinate avait le génie des définitions.

Passons. Le bon François Rabelais nous a enseigné par la bouche de Panurge : « L'homme seul n'a jamais tel soulas qu'on voit entre gens mariés. » Tu seras, dans quelques tours d'horloge, un homme marié. Que peux-tu attendre de ta nouvelle condition ?

Succinctement et brutalement, comme l'a sans ambages exprimé saint Thomas, tu accointes une femme en légitime mariage pour engendrer. Grâce à ton union avec l'appétissante et bellissime Yolande Farinacci d'Ognissanti, la lignée des la Prée la Fleur sera perpétuée. Je t'en rends grâces, mon fils. La pensée que, dans deux, trois cents ans ou plus, pourra respirer sous le soleil un enfant qui portera mon nom, et qui sera le fruit lointain de mes lombes en poussière, est douce au vieil homme que je suis. Non moriar. Par ton canal, je ne serai pas mort tout entier. Dieu te bénisse !

Je puis te confesser maintenant qu'entre toutes les femmes que j'ai connues, toutes ces créatures aussi incompréhensibles pour l'homme que les myriades d'étoiles peuplant le ciel nocturne, je n'eus à me louer que d'une seule, et ce fut ta mère. Elle est morte, tu le sais, un an après ta naissance. Elle m'était restée immuablement fidèle et j'offenserais sa mémoire en donnant à entendre que, si le temps lui en avait été laissé, elle aurait, comme les autres, sauté le pas. Qui sait pourtant ?

Je me repens déjà de ce que je viens d'écrire et ne me ferai pas meilleur que je ne suis. Le seul être humain qui aurait pu sauver Sodome et Gomorrhe était peut-être une femme sans tache et je n'ai pas été, moi, un mari sans reproche. Je n'ai jamais su résister à une œillade provocante, à un sourire prometteur. Du moins, tant que je fus en puissance d'épouse, mes incartades furent-elles rares et discrètes. Ma femme n'en sut jamais rien et n'eut pas à en souffrir. Je n'avais jamais non plus, malgré mes égarements, cessé de lui être *attaché. La grande folie de l'homme de plaisir, mon fils, c'est qu'il trouverait naturel d'être l'amant de toutes les femmes et qu'il refuse un seul amant à la sienne.*

Veuf, j'aurais pu me remarier. Jeune encore, suffisamment bien fait de ma personne, à la tête d'une jolie fortune, autant de bonnes raisons de ne pas connaître de cruelles. Je n'en connus guère et ne me montrai pas sourd aux avances qu'on avait la bonté de me prodiguer. Aux yeux de certaines, qui étaient du meilleur monde, et accommodées de maris libertins à qui elles rendaient la monnaie de leur pièce, je ne figurais qu'un numéro dans une liste d'autant plus flatteuse qu'elle s'allongeait avec les années, pour n'être close qu'aux premières rides, par la nécessité qu'auraient ces Messalines délabrées de songer à leur salut.

Après quelques années de ce régime, vint la satiété. Je finissais par éprouver de la répugnance de me voir condamné à la monotonie des étreintes sans tendresse et du plaisir sans amour. Les demoiselles bien tournées et de bonne naissance n'étaient pas rares qui, faute de dot, ne trouvaient pas chaussure à leur pied. C'est ainsi que, dans tes jeunes ans, tu as pu voir défiler dans notre maison d'aimables personnes qui présentaient le double avantage d'assurer l'office de gouvernantes pendant le jour et l'équilibre de mes humeurs pendant la nuit. Ne vois pas là, Fortunat, le simple et peu honorable calcul d'un débauché avaricieux. Je n'ai pas cessé de nourrir l'espoir qu'une de ces nymphes mériterait un jour de succéder à celle que j'aurai regrettée toute ma vie. Ouiche ! toutes ces péronnelles n'avaient en tête que le douaire qu'elles gagneraient si, ayant réussi à se faire épouser, elles survivaient à celui qui aurait eu la naïveté de se laisser prendre à leurs mines. Elles ne voyaient en moi qu'un barbon proche du monument et, dans l'attente de cette heureuse issue, ne se privaient pas de me faire porter du bois avec tous les muguets de rencontre. Il faut dire qu'elles avaient en moyenne de dix à quinze ans de moins que moi. Pauvre mignonnes ! Dès que j'avais acquis la preuve de leurs dérèglements, je les invitais à aller chercher fortune ailleurs, non sans les avoir assorties d'un petit pécule.

Tu sais, fils, mon goût des comptes, mémoires et inventaires. Ainsi me suis-je appliqué à rédiger sur toutes ces dames et demoiselles une suite de petits rapports circonstanciés que tu trouveras, si le cœur t'en dit, dans le coffret chinois de mon cabinet de curiosités, celui-là même où j'avais placé mes petites notes sur tes épouses possibles. Si tu t'en souviens, c'est un laque rouge et or d'époque Ming, dont le cou-vercle représente la décapitation d'une femme à genoux par un monstre cornu au groin de sanglier, et tu aurais le droit d'y voir un symbole. Au cas où tu ne voudrais pas souffler sur tes illusions, brûle ces vieux papiers sans les lire. Si, un jour, en revanche, l'objet de ton amour t'inspire quelque soupçon, parcours-en au hasard quelques-unes. Tu y liras en bref l'histoire sans complaisance de la plupart des passions humaines qui se consument d'autant plus totalement qu'elles ont brûlé plus haut.

Car toutes, sauf une, entends-moi bien, Fortunat, une seule, ta mère, toutes les femmes qui se sont données à moi, les blondes aux yeux bleus comme les brunes aux yeux dorés ou les rousses aux yeux verts, que leur peau soit blanche, rose, cuivrée, ambrée, que leurs formes soient opulentes ou graciles, qu'elles soient froides ou chaudes, qu'elles sentent l'épi de blé, le sable au soleil, que leur bouche soit une grotte fraîche ou un nid tiède, qu'elles fleurent l'amande, l'iris ou la fleur de bourrache, que leur voix soit grave ou aiguë, sonore ou sourde, qu'elles aient commencé par se faire prier avec de grands airs ou qu'elles se soient jetées à ma tête comme des louves, toutes, sache-le, garçon, avec le premier chien coiffé venu, toutes m'ont inva-riablement trompé.

Ouf ! Je me demandais comment j'allais sortir de cette période à la Bourdaloue, quoique d'une veine différente. La question serait maintenant de savoir pourquoi j'ai été, tranchons le mot, si assidûment, si positivement cocu. Serait-ce qu'au pied du mur, je me sois montré non pas sans génie — non licet omnibus ! — mais piètre abatteur de bois ? Je refuse de l'admettre. Ne me suffit-il pas, d'ailleurs, de regarder autour de moi pour reconnaître que mon sort ne fut guère différent de celui de la plupart de mes contemporains ? Notre monde est ainsi fait, voilà tout. On dit ordinairement d'une femme volage qu'elle a « des aventures ». Toute femme est une aventure, fils, une aventure bonne ou mauvaise, agréable ou pénible, exaltante ou pitoyable. L'important est qu'elle ne soit pas fastidieuse, et le dénouement appartient à l'aventurier, selon ses œuvres.

Tu as bravé bien des périls, Fortunat. Il te restait à courir celui de la femme par la vie conjugale. Avant que tu ne t'engages sur cette mer orageuse, plus hérissée d'écueils que toutes celles dont tu as surmonté les tempêtes, j'ai tenu à te mettre en garde, car tu y seras environné de bateaux pirates qu'il te faudra envoyer par le fond si tu ne veux pas qu'ils te fassent subir le sort réservé à ceux qui ne savent pas se défendre.

Maintenant, déploie les voiles ! Bon voyage et bon vent !

La lettre, d'une grande écriture pointue et appuyée, était difficile à déchiffrer, et j'avais dû m'y reprendre à plusieurs fois pour venir à bout de certains passages; mais mon père avait signé de sa plus belle main : *Bénigne-Auguste-Urbain, marquis de la Prée de la Fleur,* et ajouté ce post-scriptum d'une autre encre :

Quant à ma succession, maître Rigobert Grosbois, notaire, t'apportera tous éclaircissements. Tu es mon unique héritier et n'as aucune surprise à craindre. Je te laisse un joli magot, que j'ai fait fructifier de mon mieux. J'ai seulement assigné à notre dévouée cousine, Apollonie de Belœil, une petite rente viagère, en reconnaissance de son zèle et de son désintéressement, et à notre fidèle Germain une modeste somme pour l'aider

à s'établir. Ton beau-père, Farinacci, lui, roule sur l'or.
Je ne saurais trop te recommander pourtant, de te
garder à carreau avec lui. Ces grands financiers sont
accoutumés à prendre des risques qui parfois les con-
duisent à la Bastille. Ainsi donc, ménage tes arrières,
et prends soin, en toute circonstance, de garder une
poire pour la soif.

Beaucoup mieux que dans le reste de sa lettre, je
reconnaissais le style de mon père dans ce post-
scriptum. Je n'aurais jamais imaginé que cet homme,
si proche de moi, en qui j'avais toujours vu un épi-
curien doublé d'un sceptique sans illusions, eût connu
les tourments du cœur. Que la pensée lui fût venue, si
peu de jours avant sa mort, de s'ouvrir à moi de ses
amertumes passées, de me communiquer une expérience acquise au prix de si nombreuses déceptions,
lui faisait à mes yeux une figure plus humaine.

Ce qui, d'autre part, ne laissait pas de me surprendre, c'était que, m'instruisant de ses propres
déboires pour m'éclairer sur la versatilité des femmes,
il s'interdît toute remarque sur celle que je venais
d'épouser. Il se bornait à en dire qu'elle était « appétissante et bellissime », ce qui n'ajoutait rien, en
somme, au premier jugement qu'il avait porté sur elle.
Sans doute estimait-il la connaître encore trop peu
pour se prononcer à son sujet. Il préférait se canton-
ner dans le domaine des généralités pour m'exhorter à
la prudence. A moi de subodorer la menace, de mettre
en œuvre les moyens de prévenir l'attaque ou de l'en-
rayer.

Il était près de onze heures et j'en étais encore à
rêvasser sur la lettre qui palpitait dans ma main
comme oiseau blessé, quand Yolande m'attendait.
Fortunat, on ne vit pas avec les morts, et le rêve n'est
pas la vie !

Ma chemise de nuit vola à travers la pièce; je fus
plonger ma tête dans l'eau, me savonnai au pain
d'amande, puis, m'étant oint de vinaigre de toilette,
enfilai culotte, veste et justaucorps comme si le feu

était à la maison, avant d'ajuster avec un soin jaloux ma plus seyante perruque aux boucles étagées.

Dans le grand salon désert, Yolande était assise devant le clavecin, le regard figé, noire statue vouée au silence et à l'immobilité dans ses vêtements de deuil.

A ma vue, la statue s'anima, ses yeux étincelèrent. Elle se leva, courut à moi, m'étreignit passionnément.

— Fortunat, que je suis malheureuse, abandonnée de Dieu et des hommes ! Je n'ai pas pu fermer l'œil de la nuit. Et tu as pu dormir jusqu'à cette heure, misérable ingrat !

Avec elle, toutes choses manquaient rarement à prendre, fût-ce pour un oui ou pour un non, une couleur dramatique. J'avais dormi après une longue insomnie : j'étais donc coupable, j'aurais dû m'en douter. Cependant, j'enfouissais ma bouche dans son cou, ses cheveux; je lui mordillais l'oreille; elle gémissait. J'avais perdu la notion du jour, de l'heure, du lieu. Nos lèvres s'unirent, et je sombrai dans un abîme de douceur et de langueur, où rien ne comptait plus que l'obscure conscience de vivre.

Le bruit d'un trousseau de clefs, qu'on aurait pu croire intentionnellement agitées, me rendit à la réalité. Yolande me repoussa. J'étais étourdi, haletant. Une voix goguenarde s'éleva :

— Eh bien, j'aime mieux vous voir ainsi. Ne vous dérangez pas pour moi, mes petits. Continuez.

Un rire en cascade suivit. C'était Apollonie qui traversait la pièce à pas menus et déjà refermait une porte derrière elle. Yolande, à deux pas de moi, formait une moue indécise et ravissante.

— Ne devrais-je pas avoir honte ? dit-elle.

Et comme je voulais la reprendre dans mes bras, elle poursuivit d'une voix enfantine :

— Non, monsieur l'ogre, ce n'est pas encore aujourd'hui que vous dévorerez le petit chaperon rouge. Il va être bientôt midi. Avez-vous oublié que mon père nous traite chez lui et qu'il n'aime pas attendre ?

Je ne savais que penser. Je ne le sus pas davantage de toute une semaine. Notre deuil, que Yolande ne cessait d'invoquer, nous défendait de paraître dans la société, où je n'eusse, en tout état de cause, guère eu le goût de me montrer par ce temps de lune de miel si étrangement privé pour moi de ses délices. L'hiver s'était subitement établi dans sa rigueur. Une bise glacée soufflait dans les rues de la ville, où à la boue et à la neige souillée succédait le verglas, et il ne faisait pas bon mettre le nez dehors. Ma principale occupation, dans la journée, consistait à rendre visite à maître Grosbois, pour le règlement de la succession, tandis que Yolande, recevant sa mère ou se rendant chez elle, faisait de la dentelle aux fuseaux.

Venait le soir qui nous restituait à une intimité lourde pour moi d'un espoir impatient. Après le souper, nos gens disparaissaient. Yolande s'appuyait sur mon bras pour passer au salon où elle s'installait au clavecin qu'elle touchait avec beaucoup de sentiment. Les bûches craquaient dans la cheminée; la flamme des bougies vacillait dans les vents coulis qui se glissaient par les interstices d'une fenêtre. Soudain Yolande disait :

— Brr ! Que j'ai froid !

Je lui tendais les bras. Elle venait à moi. Nous nous asseyions tous deux dans le même fauteuil à oreilles, devant le feu. Nous nous serrions l'un contre l'autre, et elle se laissait prodiguer les caresses les plus tendres, qu'elle me rendait avec usure. Une bûche croulait dans une gerbe d'étincelles. Au bout d'une demi-heure, ni elle ni moi n'y pouvions plus tenir. Elle s'arrachait à moi en soupirant, courait tirer un cordon de tapisserie. Lauretta et Giuseppina jaillissaient de je ne sais quel recoin. Elles s'empressaient, sautillant de droite et de gauche comme des feux follets, répandant force locutions napolitaines où j'enrageais de n'entendre goutte. Je m'emportais contre elles.

— Vous ne pourriez pas, diablesses, employer un langage chrétien ?

Elles me regardaient avec effarement, puis éclataient de rire et reprenaient leur caquet. Excédé, je leur mettais mon poing sous le nez en les traitant de carognes.

Elles poussaient alors des cris, feignant la terreur et s'abritaient derrière leur maîtresse qui se décidait à me traduire leurs propos. Les pauvrettes étaient scandalisées, outrées, ulcérées que de bonnes catholiques placées sous la protection de saint Janvier, sans parler de la madone de Piedigrotta, pussent être taxées de paganisme. Elles ne comprenaient pas qu'un gentilhomme de vieille roche (*galantuomo all'antica*), un *marchese*, dont le mariage avec un ange du ciel avait été béni par un révérendissime père jésuite (ici un triple signe de croix), le légitime époux enfin de cette merveille de la nature, pour qui elles avaient des entrailles de mère, eût la malignité, la cruauté (*crudeltà*) — ah! elles en perdaient la respiration! — eût la barbarie, la férocité de vouer d'humbles et fidèles servantes à la flamme éternelle. Et de se resigner dévotement, et de joindre les mains pour prendre à témoins tous les saints du paradis que leurs intentions étaient pures. *Finita la commedia!* Yolande, à son tour, ne pouvait se défendre de s'esclaffer avant de s'enfuir, avec les coquines, dans la chambre conjugale dont elle poussait le verrou.

Une semaine, ce manège éprouvant pour un jeune mari aussi épris que je l'étais, dura toute une semaine, et aucun signe ne laissait présumer qu'il fût sur le point de cesser quand s'acheva le huitième jour de ma pénitence.

J'avais passé tout l'après-midi dans le cabinet de mon père à dépouiller des dossiers tenus par lui, je dois le dire, avec le soin le plus minutieux. J'avais découvert qu'il s'était porté adjudicataire de diverses fournitures de fourrage, de munitions et de vivres à l'armée en se couvrant par nombre de sous-traitants, qu'il possédait plusieurs liasses dodues de billets au porteur sur l'Extraordinaire des guerres, et qu'il n'hésitait pas à prêter dix mille livres à trois mois pour s'en faire rendre douze sur nantissement en bonnes terres ou en vaisselle d'argent. Ma tête était toute bourdonnante de chiffres lorsque je rejoignis ma femme à table. Elle montrait l'humeur la plus gracieuse et m'investit de sourires pendant tout le repas. Je lui demandai si elle avait avancé son travail de dentelle et fus surpris de la voir secouer la tête. J'insistai. Ne m'avait-elle pas annoncé qu'elle passerait l'après-midi chez sa mère ?

— Sans doute, me répondit-elle d'un air chargé de sous-entendus, et j'y fus, mais ailleurs aussi.

— Où cela, madame, s'il n'y a pas indiscrétion ?

— Vous le saurez en temps voulu, monsieur.

Et, souriant encore le plus joliment du monde, elle détourna la conversation. Elle avait réussi à piquer ma curiosité, mais je commençais à la connaître assez bien pour m'abstenir de la questionner davantage. Elle touchait à peine au contenu de son assiette. Sa hâte d'en avoir fini était visible, et il fallait qu'elle ne fût pas moins pressée de me faire sa confidence que moi de l'entendre.

Vint le moment de quitter la table. Elle ne s'appuya pas sur mon bras, comme à l'accoutumée, mais me prit par le cou. Pour n'être pas en reste avec elle, je la pris par la taille et, à notre entrée dans le salon, elle ne se dirigea pas vers le clavecin, mais tout droit vers le fauteuil, devant le feu. Nous y tombâmes étroitement enlacés, puis, appliquant une main sur mes lèvres, elle me dit :

— Fortunat, je suis allée aujourd'hui à confesse.

Muet par force, je me bornai à lever le sourcil. Elle continua :

— Comme je t'en avais prévenu, je me suis rendue tantôt chez ma mère. C'est une femme selon l'Evangile et qui a toujours porté à mon père un amour exclusif. Elle m'a demandé si je te rendais heureux. Je lui ai répondu qu'avec l'aide de Dieu, tu pourrais l'être un jour autant que tu le méritais. — « Pourquoi pas maintenant ? » m'a-t-elle dit d'un air surpris. Je lui ai expliqué l'abstention que je t'avais imposée en raison de ton deuil. Sur quoi elle a levé les bras au ciel en s'écriant : « *Dio mio !* et ton mari a accepté d'être chassé du *letto matrimoniale* ? Est-ce que je rêve ? Ou bien ma fille est folle, ou cet homme-là est un saint ! »

Yolande libéra ma bouche, me livra la sienne et reprit :

— Un saint, Fortunat, voilà ce qu'a dit ma mère.

— Et c'est tout ce qu'elle a dit ?

— Non pas. Elle a ajouté que je n'étais pas seulement une folle, mais en plus une criminelle, parce que le devoir conjugal est un acte sacré auquel aucune femme n'a le droit de se dérober. Elle m'a aussi ordonné d'aller *subito* implorer mon confesseur de me donner l'absolution, parce que j'étais indubitablement en état de péché mortel.

— Et qu'a dit le confesseur ?

— Il m'a d'abord demandé si, cette semaine, j'avais été une épouse adultère.

Je sursautai :

— Le nom de ce gredin, que j'aille le saigner comme un porc !

— Eh là, monsieur mon mari, égorge-t-on un ministre de Dieu parce qu'il vous pose des questions à quoi l'oblige son état ? Je lui ai répondu que sa demande m'offensait. Il m'a répliqué de fort mauvaise humeur qu'il ne pouvait y avoir d'offense au tribunal de la pénitence, et non plus de péché mortel où il n'y avait pas de cornes, que, dans ces conditions, il ne voyait pas pourquoi je l'avais interrompu dans la lecture de son bréviaire, que je n'étais qu'une écervelée à qui une infusion d'ellébore ferait le plus grand bien, et que je n'avais qu'à rentrer chez moi en diligence et à... à te faire oublier mes duretés.

Elle battit des paupières.

— Ce que je suis prête à faire, Fortunat.

VI

Elle le fit, et j'eus en elle, pendant la première année
de mon mariage, la plus dévouée, la plus aimante, la
plus ensorcelante des épouses. Le bruit de notre parfaite harmonie, dans le même temps qu'il suscitait les
brocards des envieux, vint jusqu'à la cour. Si mon
père, au déclin de sa vie, ne paraissait plus guère à
Versailles en raison de ses mauvaises jambes et par
une certaine misanthropie qui lui était venue de mon
éloignement prolongé, mon beau-père, lui, ami et subsidiairement associé du célèbre banquier Samuel Bernard dans l'importation des grains, y avait ses entrées.
Un jour qu'ayant eu la faveur d'être admis au jeu du
roi, il venait de se laisser rafler au lansquenet quelques
piles de louis, le souverain, qui suivait la partie, l'inter-
pella :

— Monsieur d'Ognissanti, j'ai ouï dire que non seulement vous aviez bien marié votre fille, dont chacun
publie les grâces, avec le marquis de la Prée de la
Fleur, mais que ce jeune couple, par la mutuelle tendresse qu'il se témoigne, va passer dans la légende.
Madame de Maintenon affectionne les héros vertueux.
Elle aurait plaisir à complimenter la petite marquise.
Nous avons bien connu le feu père du marquis. C'était
un habile homme mais qui, à en croire les on-dit,
menait une vie assez peu édifiante. Votre gendre n'en
a que plus de mérite à s'être engagé dans une voie
plus conforme aux préceptes de la morale.

La marquise de Maintenon, sur les talons du roi,

toute bouffie et blême dans ses vêtements noirs, avait détendu son visage austère pour approuver du chef, tandis que le roi ajoutait :

— Ayez donc l'obligeance, monsieur, de prévenir votre Daphnis et sa Chloé que nous les souhaitons à notre prochain « appartement ».

Cet entretien avait lieu un samedi, et les jours d' « appartement » étaient, outre celui-là, le lundi et le mercredi. Eperdu de confusion et se voyant déjà décoré de l'ordre de Saint-Michel, le sieur d'Ognissanti avait bredouillé dans une profonde révérence :

— C'est trop d'honneur, Sire, que leur fait Votre Majesté.

Je n'avais figuré que deux ou trois fois à la cour avec mon père, avant mon embarquement sur *la Pétulante*. Madame de Maintenon régnait déjà sur l'esprit du roi, et le temps des fêtes galantes et autres *Plaisirs de l'île enchantée* était bien passé. Je n'avais pas encore vingt ans : cette assemblée de personnes gourmées, soucieuses avant toute chose de l'ordre des préséances, m'avait paru bien morne. Ma longue absence, le rhumatisme de mon père, une certaine appréhension aussi, dont je me défendais mal, que le captain Lafortune fût identifié sous mes traits, tous ces motifs s'étaient conjurés pour me tenir éloigné d'un palais où chacun voyait le nombril du monde.

Cette fois, le maître avait parlé, et il ne pouvait être question de se dérober. Pour Yolande et pour moi, les jours filés d'or et de soie duraient depuis une année. Le temps de notre deuil expiré, peu à peu nous avions reparu dans les salons qui jamais ne nous voyaient l'un sans l'autre : d'où la réputation qui nous avait été faite et qui, malgré l'hypocrisie cagote de rigueur à la cour, était tenue pour scandaleuse par les petits maîtres et autres libertins honteux. J'en avais prévenu Yolande qui en riait de tout son cœur.

— Va, mon Fortunat, tous ces gens-là ne sont que des impuissants et des jaloux qui ne savent pas aimer.

Elle marquait dans les salons une telle indifférence aux civilités des meilleurs gentilshommes que je dus la prier de témoigner pour le moins un semblant de considération aux représentants du sexe fort autres que moi-même.

— J'essaierai, monsieur, me répondit-elle, visiblement à regret, comme si je lui demandais un sacrifice au-dessus de ses forces.

Nous fûmes, quelques jours plus tard, chez le comte d'Argentière, celui-là même qui m'avait assisté dans mon affaire avec le marquis de Septsorts et le vicomte de Saint-Saulge. Il avait, depuis quelques mois, épousé cette Elodie de Janzé, la rousse en qui mon père avait pu voir une épouse possible pour moi. Le petit Saint-Saulge, à qui j'avais fait grâce après l'avoir désarmé, était de la compagnie et, présomptueux ou mal informé, crut apparemment que l'heure avait sonné pour lui de tenter sa chance. Il vint prier Yolande pour un rigaudon. Elle tourna vers moi un regard excédé. Je battis des paupières en signe d'acquiescement, comme la nouvelle comtesse d'Argentière m'abordait, et je vis s'éloigner, avec le triomphant Saint-Saulge, mon épouse infortunée, portant sur son visage une résignation de martyre dans l'arène païenne.

— Enfin, me disait la rousse en attaquant la danse avec moi, on vous retrouve.

A quoi je repartis froidement :

— M'auriez-vous perdu ?

— Hélas ! fit-elle en soupirant, vous le savez bien, cruel... Si vous aviez voulu...

— Le comte d'Argentière est un galant homme, repris-je du même air, et qui a tout ce qu'il faut pour rendre une femme heureuse.

Une colère soudaine brilla dans ses yeux.

— Vous croyez cela, marquis, ou vous moquez-vous ? Comment serait-on heureuse avec un ivrogne doublé d'un coureur de brelans, et qui, un mois après notre mariage, me trompait déjà avec une guenuche ?

— En ce cas, madame, il faut lui rendre la monnaie de sa pièce.

— Ah ! mon ami, voilà les mots que j'espérais entendre. Quand ?

Elle multipliait les éloquentes pressions de main.
Il me souvint que mon père m'avait dit, quand il
l'avait portée sur sa liste, que sa chevelure dégageait
tous les parfums de l'Arabie. Plus simplement, j'avais
cru y discerner la senteur du néroli, que je ne reconnaissais plus.

— N'avez-vous pas changé de parfum ? lui demandai-je tout à trac.

— En effet, dit-elle, et pour vous en être aperçu, il
faut que vous ne m'ayez pas oubliée. Merci. J'emploie
maintenant l'eau de Cordoue, que je me procure, bien
entendu, chez Guilleri, vous savez, rue de la Tablette-
rie. C'est la seule véritable.

Et, baissant la voix :

— Alors, quand ?

Je lus dans ses yeux un désarroi mêlé d'espérance.
Il fallait tout de suite décourager cette Ménade.

— Quand je n'aimerai plus ma femme, répondis-je
doucement.

Le rigaudon s'achevait. Sa main rejeta la mienne
avec violence.

— Allez au diable ! murmura-t-elle entre ses dents.

La haine de la femme humiliée décomposait son
beau visage. Elle me tourna le dos, et je vis Yolande
s'approcher de moi, toujours escortée de Saint-Saulge
qui ne m'avait jamais paru aussi gringalet.

— Le vicomte est un excellent danseur, dit-elle.

Le blondin ravi s'inclina.

— Dommage, reprit-elle du même ton égal, que la
nature se soit montrée pour lui aussi chiche. Voyez
plutôt mon mari, monsieur de Saint-Saulge : la largeur
des épaules, l'ampleur du torse, la noblesse du front,
la flamme du regard. Et ce teint bronzé par le soleil
et la mer ! En vérité, je le regrette pour vous, mais il
faut convenir que vous souffrez de la comparaison :
une poitrine maigrelette, un teint blafard, voisin du
navet, des yeux, sauf respect, de poisson frit. Si je ne
m'abuse, vous avez aussi éprouvé la vigueur de son
bras. Conclusion : ne me serez-vous pas obligé si je
vous déclare que je n'ai pas un instant pris au sérieux

vos déshonnêtes propos sur les ivresses de l'amour coupable ?

Le petit Saint-Saulge, qui pourtant ne manquait pas de courage et qui me l'avait prouvé, l'épée au poing, en claquait des dents. Il se cassa dans une révérence un peu roide, proféra d'une voix blanche : « Serviteur, madame ! » et s'éloigna en titubant légèrement.

— Etes-vous content, mon ami ? fit Yolande en m'enveloppant d'un regard énamouré.

— Non, lui dis-je, vous avez été trop dure avec ce garçon.

Elle rit.

— Ainsi ferai-je avec tous ceux qui me tiendront le même langage que lui.

Et, engageant un bras sous le mien :

— Maintenant, monsieur, vous allez me rapporter par le menu les horreurs que vous a débitées la cynique Elodie. Savez-vous bien ce que m'a conté à son sujet cet apprenti séducteur de Saint-Saulge, qui aura au moins servi à éclairer ma religion ? Qu'après trois mois de mariage, elle en est à son troisième amant. Et vous voudriez que j'eusse l'esprit tranquille ? Il faut tout me dire si vous voulez être absous, Fortunat.

Telle était la femme que Madame de Maintenon désirait connaître et qu'aurait assurément pu prendre pour modèle en son temps l'épouse du podagre Scarron, laquelle ne se privait pas de rôtir le balai.

Avant d'en venir à cette soirée de Versailles qui devait être d'une telle conséquence dans ma vie, j'ai à remettre en scène mon beau-père. Il n'avait nullement renoncé à me voir entrer dans ses affaires, encore que, depuis un an, après m'avoir utilement conseillé dans l'apurement de mes comptes de succession, il ne me rappelât que de loin en loin ses desseins sur moi. Or, voici que l'heure semblait venue. Un contrat signé en août avec le roi d'Espagne avait accordé à une Compagnie française dite de *l'Assiente*, le privilège de la traite des noirs africains aux îles françaises d'Amérique et dans les ports espagnols de l'Atlantique.

Samuel Bernard était, bien entendu, de l'opération et y avait agrégé son compère Farinacci. La réunion constitutive de *l'Assiente* avait eu lieu et, mon beau-père m'ayant prié d'y assister, j'avais appris de sa bouche, au moment d'entrer en séance, qu'il m'avait inscrit sur la liste des actionnaires pour une participation de cent mille livres versées par ses soins et de ses deniers.

Eprouvante séance ! J'y avais entendu, comme dans un rêve, le sieur Antoine Crozat, fameux traitant, nommé directeur de *l'Assiente*, énoncer d'une voix sans timbre, *recto tono*, que la part du roi de France était de trois millions de livres, que Sa Majesté Catholique détenait le quart des actions, le premier prêtant à la Compagnie vaisseaux et canons, et le second assurant une mise de fonds de sept cent cinquante mille livres, à défaut de laquelle sa dette serait grossie de huit pour cent d'intérêt par année de retard dans le versement. Le même personnage avait fait ressortir que si la Compagnie s'engageait à payer trente-trois écus par tête de noir exporté, chaque « pièce d'Inde » était revendue trois cents. Selon lui, un rapide calcul permettait d'établir qu'un chargement de nègres produisait trois fois plus qu'un chargement de sucre, compte tenu du déchet, c'est-à-dire d'une mortalité évaluée « largement » à vingt-cinq pour cent par voyage.

J'avais écouté dans une indignation croissante ce trafiquant de chair humaine. Etait-ce moi, le captain Lafortune, surnommé la Terreur des Caraïbes, qui, pendant cinq années de rang, à bord du *Fulminant*, avait délivré tant d'esclaves enchaînés dans la puanteur des cales, était-ce bien moi qui maintenant acceptais par mon silence de me faire le complice de leurs bourreaux ?

Mon beau-père ne m'avait pas sans intention placé en face de lui. Il me surveillait du coin de l'œil, tandis que, serrant les dents et m'enfonçant les ongles dans les paumes, je m'efforçais de garder un visage impassible. Il eut le tort de vouloir pousser l'épreuve plus loin. Crozat ayant demandé si quelque membre de l'honorable assistance avait une observation à présenter, le *signor* Farinacci demanda la parole et dit :

— Nous avons ici un associé qui connaît parfaitement toutes les questions concernant la traite. C'est le marquis de la Prée de la Fleur, mon gendre, qui a fait le voyage des Antilles comme officier à bord du négrier *la Pétulante*. Nul n'est mieux que lui en mesure de vous confirmer l'exactitude des chiffres avancés par notre collègue.

C'en était trop, et je décidai de relever le défi. La difficulté consistait à mettre en mauvaise posture le porte-parole de la Compagnie sans toutefois me découvrir. Je ne pouvais me bercer de l'espoir de faire en sorte que *l'Assiente* cessât d'exister. Elle disposait de puissants moyens; que je le voulusse ou non, elle les mettrait en œuvre pour mener à chef sa criminelle entreprise. Mais ne m'appartenait-il pas, situé comme je l'étais, au cœur de la place, de la miner en quelque sorte de l'intérieur et, pour commencer, d'ébranler la confiance de ceux qui la dirigeaient dans l'intérêt de leur spéculation ?

— Nous vous écoutons, monsieur, dit Crozat en s'adressant à moi avec une déférence affectée.

— Soit ! fis-je en adoptant tout de suite un ton de hauteur désinvolte qui me semblait convenir au rôle que je voulais jouer.

En même temps, je regardais Crozat bien dans les yeux, autant pour lui imposer que pour éviter le regard du beau-père.

Et j'attaquai :

— Croyez, monsieur, que je me serais gardé d'intervenir dans un débat comme celui-ci, où d'illustres monarques ont donné leur caution, si je n'y avais été invité. Ainsi que vous l'a dit le comte d'Ognissanti (flatterie peut-être un peu appuyée, mais destinée à prévenir le coup que j'allais porter), j'ai longtemps navigué à bord d'un navire de la traite, et les tribulations ne m'ont pas été épargnées. Je ne voudrais pourtant pas exagérer mon importance. Embarqué comme enseigne, mon grade devait rester modeste. Du moins me suis-je trouvé à même d'observer comment y vivaient ceux que l'on range communément sous la dénomination de bois d'ébène, encore qu'ils soient faits, comme nous autres, messieurs, d'os, de chair et de sang. J'ai même pu voir comment ils mouraient.

Crozat, gros homme rougeaud et court sur jambes, battit des paupières et crut devoir donner une précision.

— Ce n'est pas tant de savoir comment ils meurent qui nous intéresse, monsieur, mais dans quelle proportion.

— J'y viens, monsieur, repartis-je courtoisement, et comme il s'agit présentement de la défense de nos intérêts solidaires, je crois honnête de vous déclarer d'entrée que votre information reflète une vue un peu superficielle de la réalité.

— Que voulez-vous dire ?

— A vous parler franc, monsieur, la mortalité dont vous faites état, si largement, selon votre expression, que vous pensez l'avoir calculée, peut atteindre une proportion sensiblement plus élevée que vingt-cinq pour cent... Ne m'interrompez pas... Elle peut aller jusqu'à... Mais, avant de vous citer un chiffre, je devrais vous énumérer toutes les maladies endémiques ou épidémiques, toutes les fièvres intermittentes ou tierces ou quartes, et les dysenteries, les dysuries, les dyscrasies, et le pian qui pourrit la peau, et la maladie du sommeil, sans parler de la pétéchie ou peste noire, ni du choléra morbus, qui vous enlèvent leur homme en moins de temps qu'il ne faut pour seller un cheval. Ajoutez à cela, presque aussi fréquentes, les morts volontaires, je dis bien les meurtres commis sur soi-même, assez explicables par les conditions de vie faites à ces hommes, ou plutôt à cette marchandise entassée dans des cales sans air et sans lumière et dont l'odeur fétide suffirait, messieurs qui m'écoutez, à faire tomber raide mort le plus résistant d'entre vous.

Plusieurs d'entre eux toussèrent, sans doute pour se

donner une contenance. Crozat, lui, restait imperturbable et dit calmement :

— Voilà qui assurément noircit le tableau, s'il en
était besoin.

Il eut le front de sourire de son misérable jeu de
mots et poursuivit :

— Mais ne croyez-vous pas que vous vous écartez
du sujet ? Nous voudrions savoir si, comme vous nous
l'avez laissé entendre, la mortalité du chargement
dépasse vingt-cinq pour cent, et, dans l'affirmative,
quel chiffre elle pourrait atteindre.

Je feignis d'entrer dans de profondes réflexions
avant de me prononcer. On aurait entendu voler une
mouche, et je profitai de la pause pour risquer un œil
du côté de mon beau-père. Il semblait littéralement
pétrifié, le regard fixe et froid, tendu tout entier
comme une bête qui s'apprête à fondre sur sa proie.
Il s'attendait visiblement au pire et se préparait à
la riposte. J'avançai une moue dubitative.

— Mon Dieu ! fis-je enfin, je ne voudrais pas jouer
les Cassandre, mais nous sommes entre nous, n'est-ce
pas, et vous m'avez demandé de vous éclairer. Laissez-
moi donc vous dire d'abord que tout mal implique un
remède, et ensuite que, dans certains cas extrêmes, la
mortalité du bois d'ébène peut aller jusqu'à cent pour
cent.

Des exclamations jaillirent. Il y eut même des rires
pour témoigner qu'on ne me prenait pas au sérieux.
Girolamo Farinacci jugea le moment d'intervenir.

— L'inconvénient des hommes d'esprit, dit-il, c'est
leur goût du paradoxe. Si mon gendre jugeait une
entreprise comme celle de *l'Assiente* aussi désespérée
que son rapport tendrait à nous le faire croire, pensez-
vous qu'il y aurait engagé cent mille livres ?

La réplique était habile, et j'adressai au beau-père
un sourire qui équivalait à un compliment avant de
reprendre :

— Je vous ai parlé de cas extrêmes parce qu'il me
souvient de la rencontre dans la mer Caraïbe, d'un
certain bateau de la traite dont les seuls survivants

en bonne santé étaient le médecin et quelques hommes d'équipage. (Il s'agissait du *Santo Francisco de Asis*.) Sans exagération, et sauf bénédiction particulière du Ciel, on peut cependant estimer la mortalité moyenne, sur les navires négriers, à quarante ou cinquante pour cent.

— C'est beaucoup, dit un des actionnaires.

— C'est trop, dit un autre.

Crozat demanda le silence. Il avait trempé une plume dans l'encrier placé devant lui et faisait un rapide calcul. Il releva la tête et annonça :

— Dans ce cas, le bénéfice par pièce d'Inde serait encore de cinquante écus au bas mot. Le capital resterait donc productif, sans même faire entrer en ligne de compte le bénéfice produit par le fret de retour. Je remercie le marquis de la Prée de la Fleur de s'être refusé à nous dorer la pilule. Il nous a dit que tout mal implique un remède. C'est donc qu'il en connaît un, et je lui demanderai maintenant de nous indiquer comment il estimerait pouvoir remédier à une mortalité aussi intempestive.

J'admirai l'épithète. La mort de milliers de créatures humaines, dont le seul crime avait été de naître sur le continent africain, n'était pour lui qu'un événement intempestif, un simple contretemps dont l'effet le plus digne d'être pris en considération consistait à diminuer le revenu d'une vingtaine de financiers.

— Je n'irai pas par quatre chemins, monsieur, repartis-je en masquant mon indignation sous un air faussement détaché. A ne vous rien celer, je ne connais qu'un remède radical à une situation si préjudiciable à vos intérêts, et je vous prie de ne pas y voir une plaisanterie aussi intempestive que la mortalité en question : ce serait l'abolition de la traite.

Crozat sourcilla et il me parut qu'il était prêt à se fâcher. Je levai la main au milieu d'un silence réprobateur.

— Bien entendu, je ne vous proposerai pas de le mettre aux voix. Je préfère vous en suggérer un autre, moins efficace, moins souverain, je vous le concède, mais qui, tout en donnant à la traite un aspect plus humain, réduirait le déchet, selon votre forte expression, monsieur, à dix ou vingt pour cent.

— Bravo, dit mon beau-père en promenant autour de lui un regard triomphant.

— N'interrompez pas le marquis, reprit Crozat.

Et à mon adresse, avec un sourire chargé de cordialité :

— Croyez, monsieur, que si le remède à envisager peut nous permettre d'obtenir des résultats aussi concluants, s'il abaisse à une proportion aussi raisonnable l'effrayante mortalité que nous sommes unanimes à déplorer, je me déclare par avance acquis à votre projet.

Son arsenal d'épithètes était décidément bien fourni; mais s'il pensait m'amadouer en qualifiant *d'effrayante* la mortalité qu'il n'avait d'abord jugée *qu'intempestive*, le fait d'espérer sa proportion *raisonnable* détruisait chez lui la pureté de l'intention. De son propos même, il ressortait que, pour rabattre sa superbe, il fallait tout à la fois l'inquiéter et l'appâter. Je m'y employai sur-le-champ.

— Votre bienveillance m'est précieuse, dis-je, et je ne révoque pas en doute que votre parfaite intelligence de la situation n'entraîne l'assentiment de tous. J'ai tout à l'heure fait un tableau sommaire des conditions de vie auxquelles étaient soumis les noirs à bord des navires de la traite. Il est clair qu'une sensible amélioration de celles-ci aurait pour conséquence un meilleur état de santé des intéressés, partant une vie plus longue. L'expérience nous enseigne que, selon que les capitaines négriers traitent plus ou moins bien leurs noirs, qu'ils les nourrissent mieux, qu'ils les laissent plus souvent à l'air libre, qu'ils veillent avec plus ou moins de zèle à la propreté des cales, ils en amènent davantage à bon port.

Je sentis dans mon auditoire une certaine déception. On attendait de moi une panacée; je ne proposais à ces messieurs que d'administrer leur entreprise en bons pères de famille.

Au rebours de ses collègues, Crozat, lui, semblait plutôt soulagé. Il pensa pouvoir conclure :

— Voilà un excellent avis, et nous donnerons toutes instructions nécessaires pour qu'il en soit tenu compte.

Puis, comme se ravisant soudain, il gratta son nez où s'enflait une petite verrue grumeleuse, et dirigea vers moi un regard dont je n'aurais su dire s'il était paterne ou provocant.

— Avant toutefois de lever la séance, poursuivait-il, me permettrez-vous de faire à mon tour une suggestion qui va dans le sens de la vôtre, je veux dire qui aurait pour objet de la pousser à son terme en donnant à la Compagnie de *l'Assiente* les moyens de rendre la traite plus productive ?

J'acquiesçai d'un mouvement de tête.

— Eh bien, marquis, votre exposé des motifs, s'il m'a personnellement convaincu, ne me paraît cependant pas suffisamment explicite. Entendez par-là que je l'eusse voulu plus précis, plus nourri. Vous nous avez parlé, par exemple, du manque d'air et de lumière, de l'odeur peu obligeante qui règne dans les cales, de l'exiguïté de la place réservée à chaque pièce d'Inde. Un rapport comprenant une évaluation chiffrée sur tous ces points me paraîtrait indispensable. Vous avez élevé des critiques sur la capacité de certains capitaines à exercer leurs fonctions. Je voudrais être éclairé sur chaque cas. Enfin, si l'île de Saint-Domingue, bien connue de vous, je crois, doit constituer pour nous le centre principal de répartition des pièces d'Inde, nous avons prévu la mise en place de sept autres directions locales, Cartagène, Panama, Lima, La Havane, Campêche, Mexico et Buenos-Aires. Les ports espagnols de Vera Cruz, Portobello et Nombre de Dios nous sont également ouverts. Je souhaiterais qu'un de nous fît le voyage d'Amérique pour prendre une vue directe de ce vaste champ d'action et nous dépeindre toutes les perspectives qui peuvent s'y offrir à notre activité. Pour une pareille mission de confiance, marquis, et considérant vos états de service à l'armée du roi, à la traite même, nul ne me semble plus qualifié que vous.

Une murmure flatteur accueillit cette astucieuse démonstration. J'étais forcé dans mes retranchements. Crozat pensait-il vraiment ce qu'il disait, ou voulait-il seulement se débarrasser d'une présence importune ? Mon beau-père vint à mon secours.

— Mon cher ami, dit-il, vous ne me tiendrez certainement pas rigueur si j'invoque l'esprit de famille pour répondre avant mon gendre, restant entendu que je ne prétends pas peser sur sa décision. Je me bornerai à observer que le marquis de la Prée de la Fleur n'est marié que depuis un an et qu'une séparation de nature à durer deux ou trois années ne me paraîtrait pas favoriser le bonheur de ma fille. Certains d'entre vous, plus anciens dans la carrière, me sembleraient plus aptes à s'accommoder d'aussi longues vacances conjugales.

J'entendis des rires aussitôt couverts par la voix sèche de Crozat.

— Abondez-vous dans ce sens, marquis ?

Je levai les épaules.

— Oserai-je dire que la vie privée de chacun de nous ne relève pas de la Compagnie de *l'Assiente*, messieurs ? C'est dans cet esprit que, toute réserve faite sur une proposition qui m'honore et qui, de votre part comme de la mienne, appelle réflexion, je vous demanderai de briser là.

Au sortir de la séance, mon beau-père avait marqué une certaine irritation.

— Quel jeu jouez-vous, mon gendre ? m'avait-il demandé avec une pointe d'aigreur. Crozat est un homme redoutable. Je ne suis nullement assuré qu'il ne soit pas au fait de vos exploits passés. S'il ne les connaît pas, votre étrange complaisance pour le bois d'ébène pourrait l'engager à s'informer, et il n'y trouvera guère plus de difficultés que moi. Vous risquez alors d'être à sa merci, et c'est un homme qui ne fait pas de sentiment. Il a déjà mis le couteau sur la gorge de plus d'un pour quelques misérables centaines de pistoles. Imaginez qu'il s'entête dans l'idée de vous envoyer aux Amériques. Il faudra passer par ses volontés ou vous laisser enfermer à la Bastille. Pensez un peu à votre femme.

C'était une quinzaine de jours plus tard que Sa Majesté avait exprimé le désir de me voir figurer à la cour avec mon épouse. Yolande n'avait manifesté aucun enthousiasme à cette nouvelle.

— Pourquoi, mon cœur, irais-je faire des mines dans ce concert de *pupazzi* qui s'épuisent en grimaces devant le Grand Mogol ?

— Songez-vous, madame, que celui que vous traitez si cavalièrement est le plus grand roi du monde ?

— Un roi qui a donné de bien mauvais exemples à ses sujets en débauchant leurs femmes et leurs filles.

— Ce temps-là est révolu, madame, et votre vertu n'a pas à s'alarmer. Madame de Maintenon, à ce qu'on dit, s'entend à brider son monarque tour à tour sur le prie-Dieu et sur l'oreiller.

— Grand bien lui fasse ! Tout roi qu'il est, s'il eût osé faire le doucereux avec moi, je lui eusse baillé un grand soufflet.

— Savez-vous bien ce que vous dites, Yolande ?

— Et toi, mon Fortunat, sais-tu bien ce que je suis ? Pour l'amour de toi, je veux être laide à Versailles, afin de ne conserver d'attraits qu'à tes yeux.

C'était un propos bien difficile à tenir pour une femme comme elle, à qui la richesse du tissu, des bracelets, colliers, sautoirs et autres affiquets ajoutaient si peu qu'on les voyait à peine pour ne s'arrêter qu'à l'éclat de la peau et de l'œil, à la noblesse du port. Ce lundi-là pourtant, elle s'était efforcée de gagner son pari en raffinant non sur le luxe, mais sur la simplicité. La mode de la saison était à la moire ventre de biche et à la brocatelle cerise rehaussée de petits bouquets de fil d'argent, que les gens de la cour devaient d'ailleurs porter sans ostentation pour ne pas choquer un roi tenu en lisières par une dévote. Elle choisit un déshabillé d'hiver de soie noire, avec

une palatine de loutre nouée autour de son cou pour
le parcours en carrosse, et de longs gants de peau
d'Espagne. Le corsage à brandebourgs accentuait la
finesse de sa taille, et un seul fil de perles attirait irré-
sistiblement le regard sur son décolleté en bateau.

Quand, sortant de son cabinet, à peine touchée d'un
doigt de poudre au jasmin, parmi les gloussements de
Lauretta et de Giuseppina, elle me rejoignit dans le
grand salon et plongea dans une révérence du meilleur
style, je demeurai sans voix.

— Eh bien, monsieur, dit-elle comme je ne parvenais pas à sortir de ma contemplation, que vous
semble de ma parure ? Je l'ai voulue exempte de toute
fanfreluche, pour que rien n'y tire l'œil.

— Mon Dieu ! madame...

— *Bellissima !* murmurait Giuseppina.

— *Gentilissima !* faisait en écho Lauretta.

— *Basta, ragazze !* dit Yolande en leur décochant
un regard irrité.

Et avançant une moue de désappointement :

— Vous déplairais-je, mon ami, que vous restez
muet comme une carpe ?

Je lui baisai la main.

— Comment vous dire que tout ce noir vous rend
encore plus belle ? Mais que répondrez-vous si l'on
vous demande de qui vous portez le deuil, encore
qu'aujourd'hui il se porte en gris ?

Elle rit :

— Si c'est un galant : « De vos illusions, monsieur ! »

— *Una madonna !* dit Giuseppina en joignant les
mains.

— *Delle sette Gioie,* acheva Lauretta.

Les deux filles pouffèrent.

— *Alla cucina, voi altre !* s'écria Yolande en levant
une dextre menaçante.

Elles s'enfuirent.

Je n'avais pas tort de me poser des questions sur
l'effet que devait produire à Versailles une vêture aussi
délibérément austère chez une jeune femme à qui sa
fortune permettait toutes les fantaisies.

VII

Un incident devait retarder notre arrivée chez le roi. En cette fin de novembre, une brume froide s'était abattue sur Paris. Le gel succédant à la pluie, une pellicule de verglas recouvrait le pavé des rues. Le fidèle Germain avait bien pris la précaution d'envelopper de chiffons les sabots de nos chevaux, mais comme nous allions atteindre la rue d'Enfer, une voiture de remise, en tentant de nous dépasser, glissa sur ses roues et vint faucher notre équipage. Un de nos chevaux avait deux jambes cassées. Il fallut dételer; un encombrement s'ensuivit.

Le temps de réparer le dommage nous parut interminable. La braise de nos chaufferettes s'était consumée. Yolande, grelottant contre moi, retrouvait sa superstition italienne pour déclarer qu'elle augurait mal d'un voyage entrepris sous d'aussi fâcheux auspices et qu'il serait plus sage d'y renoncer. J'eus grand-peine à la persuader qu'on n'en usait pas avec le roi comme avec un parent de province, tandis qu'elle injuriait tous les saints du paradis auxquels était vouée sa famille, avant de les supplier de nous prendre sous leur garde.

L' « appartement » du roi était ouvert à six heures du soir et fermait à dix. Nous n'y fîmes notre entrée qu'à huit, et le hasard voulut que Sa Majesté vînt de terminer sa partie de billard où Elle avait triomphé haut la main des ducs de Rohan et de Noailles. Aussi le souverain, simplement vêtu d'un justaucorps à

brandebourgs, couleur de tabac d'Espagne, était-il de
la meilleure humeur. Mon beau-père, qui rongeait son
frein à nous attendre, se précipita pour nous présenter.
Je crus expédient de justifier notre retard par la
mésaventure dont nous avions été victimes, ajoutant
que, si nous nous étions rompu le cou, ç'eût encore été
au service du plus grand des princes. Un sourire ambigu erra sur les lèvres augustes d'où tombèrent alors
ces mots :

— A votre peu d'empressement à paraître ici, monsieur, je ne vous eusse pas cru si bon courtisan.

Puis, considérant Yolande qui s'abîmait dans la
révérence la mieux étudiée :

— Sans doute, madame, le marquis appartient-il à
cette espèce de maris qui cachent avaricieusement
leurs trésors.

— Le marquis est un très bon mari, Sire, répondit-
elle.

Une dureté parut dans le regard du roi.

— Il serait impardonnable, dit-il, de ne l'être point.

Et lui tendant la main :

— Venez çà, que je vous fasse connaître à Madame de
Maintenon. Elle a ouï dire le plus grand bien de vous
et brûle de vous voir.

La marquise était assise dans un coin de la pièce
avec deux ou trois dames mûres, d'aspect guindé dans
leurs vêtements pareillement noirs et sans recherche.

— Voici, madame, dit le roi, cette jeune personne
que vous attendiez et dont la ville publie les vertus.

— Vous m'en voyez ravie, Sire, lui répondit-elle en
formant un sourire de bon accueil. Elle a bien de la
beauté et je m'en vais la confesser pour savoir comment, avec ces yeux-là, elle s'arrange avec le diable.

— Ouais ! reprit celui que j'avais appelé le plus
grand des princes et qui l'était, en vérité, sinon par
la taille médiocre et renforcée de hauts talons, du
moins par la puissance et le génie, j'espère que vos
exhortations ne l'arracheront pas à l'état conjugal
pour la faire entrer au couvent. Quant à son mari, je
l'enlève.

Il m'entraîna dans une pièce voisine où l'on grignotait et se désaltérait à discrétion. Il s'y faisait grande
consommation de massepains, de tourtes et de cer-
neaux à l'eau de rose, et les vins d'Espagne et de la
Grande Côte le disputaient aux saute-bouchon de Hautvillers et de Sillery. Mon glorieux hôte montrait une
familiarité fort rare chez lui.

— Par ce temps qui vous glace la tripe, la Prée la
Fleur, il n'y a que le ratafia, le vrai, celui qu'on fait
avec des noyaux de pêche et d'abricots, non le rossolis,
qui est liqueur de dames.

Un laquais en livrée bleue, raide comme un piquet,
lui en servit un grand verre qu'il avala sans broncher.
Je l'imitai rondement et il se récria :

— Diable, marquis, vous tenez le godet, comme
disent les bonnes gens des Halles. Il est vrai que vous
avez fait le voyage des Iles, heureux homme, tandis
que leur grandeur attache les rois au rivage. Un de
vos compères en navigation, ce bon Monsieur Ducasse,
qui est un fier marin, m'a fait présent un jour d'un tonnelet de la meilleure guildive de la Jamaïque. Il l'avait
soustraite à un corsaire anglais, et j'ai cru m'incendier
la glotte. Mais ne m'a-t-on pas conté que vous étiez
de notre *Assiente* ? On voulait même vous confier une
mission d'importance aux Amériques, ce me semble, et
vous avez décliné l'offre. Maintenant que j'ai vu la
marquise, je comprends vos raisons, qui sont celles
du cœur. Mais il est temps que je vous libère, car vous
vous faites dix ennemis par minute de conversation
avec moi, et je vous veux du bien. Allez donc jouer, et
souvenez-vous que je vous souhaite de perdre.

Il me donnait congé d'un signe de main, et plusieurs
courtisans, qui ne l'avaient pas perdu de l'œil pendant notre entretien, l'entouraient déjà.

Il lui avait suffi de quelques instants pour me conquérir. Je savais aussi que, pour rester en grâce, je
devrais être assidu à Versailles, et je me demandais
ce que Yolande penserait de cette nécessité. On ne
pouvait rien dissimuler au roi. Il venait de me le prouver à propos de *l'Assiente*. De Monsieur d'Argenson,

lieutenant général de police, au dernier des recors, de Monsieur Chamillart, qui venait d'être nommé ministre de la guerre, au plus humble sergent de village, tous étaient à sa dévotion.

Il m'avait invité à jouer, et ses désirs étaient des ordres. Je traversai plusieurs salles, où les plus grands noms du royaume pontaient ferme autour des tables. Ici les personnes d'âge alignaient leurs mises à l'hombre ou au lansquenet; ailleurs, des gentilshommes plus verts, aux mines crispées, s'affrontaient au pharaon, à la bassette ou au hoca.

Je pris mes risques au papillon, dont la vogue était nouvelle, et perdis en un quart d'heure trois cents louis que ramassa Monseigneur le Dauphin. J'allais poursuivre quand une main se posa sur mon épaule. Je reconnus à mon oreille la voix de l'honorable Girolamo d'Ognissanti.

— C'est bien de faire la cour au futur roi de France, mais point trop n'en faut. Songez, au demeurant, que votre femme doit se languir de vous.

Je répondis au beau-père qu'à la cour de France, il était de mauvais ton de serrer sa femme de trop près, et ne m'en levai pas moins en ajoutant que Yolande avait trop d'esprit pour s'ennuyer avec une femme comme Madame de Maintenon qui avait dû en avoir à revendre pour séduire le roi.

La même voix, qui n'était plus qu'un souffle, reprit :

— Eh ! qui vous dit que Yolande soit encore auprès d'elle ? La Maintenon s'est retirée avec Sa Majesté il y a dix bonnes minutes.

Avant de rapporter l'événement capital de cette soirée, je crois préférable de conter dès maintenant, d'après le rapport qu'elle m'en fit par la suite, ce qui était advenu à Yolande depuis que je l'avais laissée auprès de la confidente du roi.

— Madame, lui avait d'entrée dit celle-ci, je n'ai nullement dessein de vous tarabuster par des questions oiseuses. J'ai la faiblesse, voilà tout, de prendre intérêt à l'honnêteté partout où je la rencontre, alors que tant d'autres n'aiment à se pencher que sur le vice. J'espère que ma curiosité ne vous sera point à charge. Si elle l'était, dites-le-moi franchement. Croyez, en tout cas, que, pour rien au monde, je ne me permettrais de franchir les limites de la bienséance.

Yolande avait souri.

— Qui n'a rien à cacher, madame, n'a rien à redouter.

— Voilà la plus jolie réponse du monde. Je n'en attendais pas moins de vous et, puisque je vous vois si bien armée, j'attaque. Pourquoi, si jeune et d'une beauté au plus vif de son éclat, êtes-vous venue au palais tout de noir vêtue ? Ne pensez-vous pas que ce sombre appareil sied plutôt aux personnes qui ont passé l'âge des douceurs ?...

Et, adressant un sourire circulaire aux dames qui l'entouraient :

— Cela dit sans vouloir vous offenser, mes bonnes amies, puisque je m'inclus dans le lot.

— Votre question, madame, dit Yolande, appelle une réponse sans détour. La jeunesse, que je me reconnais, et la beauté, que vous avez la générosité de m'accorder, portent un caractère sinon agressif, du moins insolent. Je ne pense pas qu'elles perdent ni l'une ni l'autre à s'adjoindre la modestie.

Madame de Maintenon en soupirait d'aise.

— Ah ! mon enfant, si un lieu tel que celui-ci ne nous recommandait la réserve, je vous embrasserais. Je crois pouvoir me flatter d'avoir été à votre âge dans d'aussi bonnes dispositions que vous, mais avec moins de mérite, mes attraits n'approchant pas les vôtres. Est-ce une chance que d'avoir mangé son pain noir le premier ? Ce fut mon cas, sans fortune, promise au voile et sauvée du couvent *in extremis* par un malheureux qui n'avait pour lui que l'esprit. Vous avez du bien, votre époux est galant cavalier, vous vous aimez, et je crois savoir que vous craignez Dieu; voilà tous les gages d'une vie heureuse.

Yolande m'a confié qu'à ce moment un frisson soudain lui avait parcouru le dos. Elle s'était signée, et

Madame de Maintenon lui avait marqué une sollici-
tude toute maternelle.

— Vous pâlissez, ma belle. Auriez-vous des vapeurs ?

Yolande s'était aussitôt ressaisie.

— Non, madame, une simple appréhension, rien de
plus. Ma mère, qui a passé toute sa jeunesse en Italie,
tient que, de même qu'il ne faut pas parler de corde
dans la maison d'un pendu, de même il est prudent
de ne pas prononcer le mot de bonheur chez les gens
heureux.

Une moue avait accueilli cette déclaration.

— Mon Dieu ! mon enfant, seriez-vous superstitieuse ? Fi ! Laissez-moi vous dire qu'il n'y a là que
billevesées indignes d'une tête aussi bien faite que la
vôtre. Résumons-nous : comme je l'enseigne à mes
filles de Saint-Cyr, le bonheur, pour une honnête femme,
est inséparable de la pratique des devoirs d'Etat,
autrement dit de la vertu. Vous me parliez de prudence. S'il est vrai qu'elle est mère de sûreté, j'ajouterai que la vertu consiste essentiellement, pour une
femme, à fuir la tentation lorsqu'elle craint de ne
pouvoir la repousser. Il ne faut pas défier le diable.

La conversation en était là quand le roi s'était appro-
ché avec le duc de L... (Si je ne désigne ce dernier que
par une initiale, c'est qu'ayant eu à me plaindre de ce
personnage, le seul fait d'écrire son nom en entier me
ferait encore bouillir le sang.)

Madame de Maintenon s'était levée, ainsi que ses
compagnes, à la vue du souverain qui prononçait avec
sa majesté naturelle :

— Eh bien, madame, êtes-vous satisfaite de cette
nouvelle connaissance à qui j'ai scrupule de vous
arracher ?

— Ah ! Sire, les mérites de cette enfant passent
mes espérances. Plût au Ciel que votre royaume ne
comptât que des femmes aussi accomplies !

— Ne médisez pas de nos sujettes, madame. Il y a
parmi elles plus d'épouses parées de toutes les vertus
que ne le porterait à croire la malignité des hommes...
Mais allons de ce pas retrouver le chancelier.

Sur quoi le roi se tourna vers le duc de L...

— Quant à vous, monsieur, je pense que vous n'allez pas importuner la marquise de la Prée de la Fleur plus que de raison. Ce que vous avez de mieux à faire est de la ramener à son mari que nous tenons en vive estime.

Le duc fit sa révérence, je l'imitai, et le roi s'éloigna, Madame de Maintenont trottinant à son côté, en dépit de l'embonpoint qui commençait de l'alourdir.

Je ne décrirai pas le duc de L... qui devait se manifester ce soir-là si malencontreusement pour moi. Monsieur de La Bruyère s'en était chargé peu avant de mourir, et si le portrait n'a pas été ajouté à la dernière édition de ses *Caractères*, bien qu'il courût les salons où l'on en faisait des gorges chaudes, c'est que, tant il était ressemblant, le libraire craignait d'être bâtonné. Je le reproduirai ici :

Lycidas est né coiffé. Il n'est faveur qu'il ne juge au-dessous de son mérite. Une caille lui tombe-t-elle du ciel toute rôtie, qu'il se récrie: « Piètre chevance quand il m'en eût fallu deux ! » Hérite-t-il cent mille livres d'un cousin de province et doit-il, pour entrer en possession du magot, couvrir cinquante lieues en poste, et le voilà gémissant : « Ce maraud-là a été bien impertinent d'aller rendre l'âme si loin que de me faire rompre les côtes. » Un courtisan qui devait tenir le bougeoir au coucher du roi s'abstient-il pour un mauvais rhume qui risquerait de le faire éternuer à la figure de Sa Majesté très Chrétienne, c'est lui qui, à point nommé, se trouve là pour en recevoir tout l'honneur. Il se rengorge où un autre serait confus; il est si imbu de sa personne que le ridicule ne l'atteint pas; sa vanité le rend invulnérable. Non que la nature lui ait été prodigue de ses dons. Il a le nez long et pointu, la taille médiocre; il rembourre ses bas de crin de cheval pour étoffer ses mollets de coq. Il ne s'en croit pas moins le plus séduisant des hommes, et son imperturbable assurance le transforme en ce qu'il n'est pas. Voyez-le faisant l'agréable auprès de cette

ingénue, de cette coquette, de cette prude. Si grande
est sa confiance en soi que l'idée même de l'échec n'ef-
fleure pas son esprit. Il n'est pas jusqu'à la platitude
de ses propos qui ne le serve, car on ne le croit pas
dangereux. Il l'est, et la dame s'en avise trop tard. Il a
l'oreille du roi, auprès duquel il joue le petit saint.
En faut-il davantage ? Incapable de faire quoi que ce
soit de bon, il se juge propre à tout. Glorieux de son
néant, il doit un insolent bonheur à l'incompréhensible
fortune.

Tel était le piètre échantillon de la noblesse de
cour ou, pour mieux dire, le sot en trois lettres, tout
gonflé de vent, à qui, dans les termes les plus louan-
geurs à mon adresse, le souverain avait commis le
soin de reconduire Yolande auprès de son mari.
Ç'eût été le mal connaître que de penser qu'il rempli-
rait ce rôle en galant homme. Il était bien trop per-
suadé d'être établi par la naissance et le génie au-
dessus de tout ce qui n'était pas duc, bien trop ancré
dans la certitude qu'un homme de sa complexion ne
pouvait connaître de cruelles, pour ne s'être pas senti
piqué par l'observation du roi selon laquelle il aurait
pu être importun.

Il convenait donc à ses yeux, avant tout, de rappeler à cette ignorante épouse d'un insignifiant petit
marquis l'ordre des préséances et la hiérarchie des
dignités. Après quoi, si elle avait du bon sens, elle ne
pourrait assurément que ressentir l'honneur insigne de
se laisser croquer.

Je compléterai le tableau en ajoutant que le duc
de L... allait aborder les rivages ingrats de la cinquantaine, qu'il avait conduit ses deux premières femmes
au monument et que, remarié à une riche orpheline
de bon lieu, il tenait sa troisième victime en chartre
privée depuis plus de six mois sous couleur d'une
grossesse difficile. Je pourrais noter enfin que sa
denture était vilaine, mais quoi ! rien ne décourage
les braves.

Yolande ne m'a pas caché que, dès l'instant que le

roi l'avait laissée avec le duc, elle avait eu le pressentiment que les choses allaient se gâter. Le personnage se pavanait devant elle, haussant le menton, se hissant et se balançant sur la pointe du soulier, la lèvre méprisante et le rire bref. Il revenait sur les paroles du roi et en prenait texte pour s'enfler le jabot.

— Sa Majesté, disait-il d'un air sucré, ne se trompe jamais sur la qualité de ceux qui la servent. Elle estime votre mari. Quant à moi, Elle m'aime. Hi ! hi !

Cet « hi ! hi ! » avait tellement choqué Yolande qu'elle était restée de glace, tandis que le butor, sans se démonter, poursuivait :

— J'irai jusqu'à dire qu'Elle m'est officieuse au-delà de ce qui se pourrait concevoir. Ouais ! Je me flatte de compter parmi les rares privilégiés dont les placets ne moisissent pas dans la cassette royale.

Yolande ne changeait pas de visage, et le duc vit sans doute dans son silence une marque d'admiration, car il jugea le moment venu de pousser sa pointe.

— Oserai-je vous dire, madame, que le signe le plus sensible du mérite qui a valu à votre mari l'estime du roi tient au fait qu'il ait pu obtenir la main d'une femme telle que vous ?

Le haussement d'épaules par lequel son interlocutrice répondait à ce lourd compliment ne découragea pas le complimenteur. Il eut même pour effet de l'enhardir.

— Il apparaît cependant, poursuivit-il, que les attraits qui brillent en vous auraient pu vous faire viser plus haut.

— Sachez, monsieur, dit Yolande, que je ne demande rien de plus au Ciel que de me maintenir dans l'état où je suis.

— Et moi, répliqua le duc, je connais quelqu'un qui serait...

A ce moment, un vent coulis, filtrant par le chambranle d'une fenêtre, provoqua chez lui un violent éternuement. Il tira un mouchoir de batiste bordé de dentelle, y plongea son long nez, se moucha à grand bruit.

— A vos souhaits, monsieur, prononçait Yolande en se retenant de rire, impatiente d'être délivrée du fâcheux.

Pour la suite, je transcrirai maintenant, autant que ma mémoire ne me trahisse pas, le récit de Yolande dans les termes mêmes qui furent les siens :

— Dieu ! qu'il pouvait être bouffon, le très haut et très puissant duc de L..., son mouchoir à la main, morveux encore, et suffoquant, et reniflant, ce néanmoins toujours avantageux et, malgré sa disgrâce d'enchifrené, se dépêchant d'attraper la perche que je lui tendais avec innocence ! — « Mes souhaits, dit-il, ah ! madame, ils ne vont qu'à célébrer vos charmes, à vous faire connaître tous les plaisirs qu'un duc et pair peut apporter, à vous adorer dans le secret, à faire construire pour vous seule une retraite consacrée à l'Amour, et où je sacrifierai, avec votre agrément, au plus puissant des dieux. Personne n'aime, n'a aimé, n'aimera jamais comme moi. Nulle ne sera aimée comme vous. » D'ennuyeux, il devenait odieux, et je pensai me tirer d'affaire en le prenant sur le pied de la plaisanterie. — « Est-ce un conte que vous me récitez, monsieur ? fis-je. Si oui, faites-moi la grâce de m'en dire l'auteur. Il est galant, je le concède, mais je crains pour vous le coryza qui a pour effet de brouiller la cervelle et ne saurais trop vous engager à fuir le voisinage de cete fenêtre qui vous envoie un filet d'air pernicieux. » — « Que ne ferais-je pour vous complaire ? » continue le bonhomme en se déplaçant de quelques pas, mais de façon que, me trouvant pressée dans un coin, il me devenait impossible de me dégager sans le contraindre à reculer. Alors, c'est plus fort que moi, la moutarde me monte au nez. « Voyons, monsieur, lui dis-je froidement, ce coryza obscurcirait-il à ce point en vous la judiciaire qu'il vous autorise à en user avec moi comme un palefrenier avec une fille de cuisine ? » Loin de le calmer, ces paroles semblent l'exciter davantage. Le sang lui monte à la tête; ses yeux s'injectent; il me souffle dans la figure une mauvaise haleine. — « Ah ! madame, ne vous défendez pas davantage. Vous serez à moi, je le sais. Ecoutez-moi bien. Demain, à quatre heures, je vous attendrai sur le cours, et nous conviendrons de notre prochaine rencontre. » Une telle impudence me laisse sans voix. Je parviens cependant à prendre assez sur moi pour lui signifier que mieux vaut briser là. Il paraît qu'il ne m'entend pas. Ses yeux s'exorbitent. Il me touche une main. Alors, que veux-tu, mon Fortunat ? Je ne peux plus me contenir. Ce duc et pair, qui se conduit avec moi en goujat d'écurie, mérite une leçon. Le contact de sa main moite a achevé de me mettre hors de mes gonds. Je prends une grande respiration, et vlan ! vlan ! le très haut et très puissant duc de L..., du plat et du revers, essuie une magnifique paire de claques.

Les dés étaient jetés. Un tel esclandre à Versailles, dans l'appartement du roi ! Plusieurs couples, allant et venant dans la pièce, avaient assisté à la scène. Des exclamations retentissaient. Yolande, repoussant le galantin déconfit, traversait, tête haute, deux ou trois salles, m'apercevait comme je venais de quitter la table de jeu, venait à moi, toute frémissante, puis, se calmant presque aussitôt, partait à rire. Ce n'était pas un rire à bouche close que le sien, mais un rire franc, éclatant, presque un fou rire, car elle ne parvenait pas à le maîtriser. Je la regardais sans comprendre et je l'admirais. Qu'elle était belle, ma Yolande, dans ce débordement de gaieté que je ne m'expliquais pas et qui attirait tous les regards vers elle ! Enfin, l'épaule soulevée d'un dernier hoquet, elle me dit :

— Je viens d'administrer à Monsieur le duc de L... une fameuse paire de claques.

Elle n'avait pas cru devoir baisser la voix pour m'annoncer cette surprenante nouvelle, en sorte que plusieurs personnes, autour de nous, n'en avaient pas perdu un mot. Elle continuait d'ailleurs sur le même ton :

— Ai-je besoin d'ajouter que la grossièreté de ses

façons appelait ce traitement ? J'ai été gravement offensée. A vous, monsieur, de juger la suite qu'il vous appartient de donner à cette affaire.

Une rumeur courut dans la salle. Les joueurs eux-mêmes suspendaient leur partie pour commenter l'événement. Balançant entre la colère et la stupeur, je m'efforçai de garder mon sang-froid pour dire :

— Entendez-vous, madame, que je doive demander raison au duc de L... ?

— Vous êtes homme d'honneur, me répondit-elle.

Et désignant du menton la direction d'où je l'avais vue venir :

— Vous le trouverez de ce côté.

J'allais me mettre en quête quand on me tira par la manche, tandis qu'une voix me chuchotait à l'oreille :

— Ne faites pas de folies. Votre avenir est en jeu. Le duc donne l'eau bénite à la Maintenon tous les dimanches, et le roi ne sait rien lui refuser. Que vous importe qu'il ait débité des fadaises à Yolande ? Elle se moque bien de lui et vient de le prouver. Racontez plutôt au duc n'importe quoi, que votre femme est dure d'oreille, qu'elle a mal compris ce qu'il lui disait et qu'elle est, comme vous-même, en peine pour la chiquenaude.

C'était le beau-père dans les yeux de qui je vis une inquiétude qui me hérissa.

— Je vous suis obligé, monsieur, lui dis-je, mais cette affaire ne regarde que moi.

Je lui tournai le dos. Je traversai une salle, puis une autre. A mesure que j'avançais, la rumeur grandissait. J'attrapais au vol des : « Croyez-vous ?... Le duc de L... oui !... Cette petite !... Tiens ! voilà le mari... » L'esclandre devenait un scandale.

Dans la troisième salle, des gentilshommes entouraient le duc. Plusieurs d'entre eux s'écartèrent à ma vue, et je pus examiner à loisir le piteux héros du moment. Il tenait un mouchoir appliqué sur sa joue droite. Diable ! la chère Yolande n'y était pas allée de main morte. Le mouchoir était taché de sang, et je compris que la bague ornée d'un gros diamant, qui ne la quittait pas depuis le jour de nos fiançailles, avait causé le dommage.

Il avait perdu beaucoup de sa superbe, le glorieux duc de L..., dans cette épreuve qu'il n'eût tenu qu'à lui de s'épargner. Ses yeux, habituellement dépourvus d'expression, étaient égarés. Il tournait la tête de droite et de gauche, à la façon d'un automate, comme s'il avait craint de voir surgir, suscitée par Yolande, une Furie de serpents coiffée et un fouet à la main. Il recevait, d'une oreille tour à tour complaisante et distraite, les témoignages d'intérêt qui lui étaient prodigués, d'autant plus hypocrites qu'ils étaient chaleureux.

Il ne me connaissait pas et, me voyant approcher, crut que je voulais me faire présenter à lui pour me joindre à la troupe de ses adulateurs. Une vague lueur anima son regard; il bomba le torse et prit son air le plus altier, sans toutefois cesser de presser son mouchoir contre sa joue meurtrie. Cependant, comme un silence soudain planait sur son entourage, il parut troublé, recula machinalement d'un pas. Ce fut alors que je lui dis tranquillement :

— Monsieur le duc, je suis le marquis de la Prée de la Fleur, et je présume que vous devinez ce que j'attends de vous. A l'odieuse conduite qui a été la vôtre avec ma femme, puis-je espérer que vous n'ajouterez pas l'injure de me refuser réparation ?

Le pauvre homme ! Mon défi était si imprévu pour lui que, son enchifrènement aidant, il avala de travers et faillit suffoquer. Puis il hoqueta, se racla la gorge, saliva dans son mouchoir, ce qui me permit de découvrir la sanglante estafilade de sa joue. Enfin, les yeux rouges, ahuri, hagard, il retrouva un reste de hauteur pour bégayer d'une voix rauque :

— C'est bien à vous, monsieur, de prendre le parti d'une harpie qui a voulu m'assassiner.

A cette couardise, je ne pus me défendre de lever les épaules et de répondre du ton le plus froid :

— Assurément, monsieur, si le ridicule tuait, vous seriez déjà mort.

L'insolence le réveilla.

— Voilà qui passe les bornes, monsieur. Vous serez avisé des dispositions que j'aurai prises par Monsieur le comte de Landreville, ici présent.

— Serviteur, monsieur le duc, fis-je comme le témoin désigné s'inclinait. Quant à moi, je vous ferai part de mes convenances par le canal du marquis de Septsorts que je m'en vais prévenir de ce pas.

VIII

Girolamo Farinacci, sur mes talons, n'avait rien perdu de mon algarade avec le duc. Sans souffler mot, il me suivit encore comme mon ombre quand, pour le prier de me seconder, j'allai frapper sur l'épaule de Fabrice de Septsorts, assis à une lointaine table de jeu. Il était de la plus belle humeur du monde, l'honnête Fabrice, car il venait de gagner cinq cents pistoles au pharaon, et sa lourde face s'illumina en apprenant mon démêlé.

— Vertu de ma vie ! ce sera ma première occasion d'assister un ami en duel contre un duc, dit-il. Pour Landreville, je le connais : ce n'est qu'un bravache qui se sert de son épée comme d'un manche à balai. Si l'idée lui prend d'en découdre avec moi, il peut recommander son âme à Dieu.

Il n'était cependant pas si fou que de ne m'avoir fait cette déclaration à mi-voix, promenant autour de soi un regard méfiant.

— Quant au duc, mon cher, je ne donnerais pas deux liards de sa chance devant vous.

Il baissa encore le ton pour ajouter :

— Mais le roi n'aime pas qu'on badine avec ses ordonnances. Je crains qu'il n'interdise la rencontre et que vous ne soyez plus tôt à la Bastille que sur le pré... Quoi qu'il doive m'en coûter, marquis, je suis votre homme et m'en vais prendre langue avec Landreville.

Sur quoi il se rassit pour continuer sa partie, et mon beau-père se planta devant moi :

— Mon gendre, me dit-il d'une voix à peine audible, je vous avais pourtant mis en garde, et voilà que vous faites le fier-à-bras avec un des hommes les mieux introduits auprès du roi. Je vous croyais assagi. Je vois bien que je me suis trompé, et il faut que vous ayez perdu la tête. Mais je tiens au bonheur de ma fille, et dussé-je y perdre la moitié de ma fortune, je vous jure que vous ne vous battrez pas.

Ni lui ni moi ne nous étions aperçus que Yolande nous rejoignait dans cet instant. Il fallait qu'elle eût l'ouïe fine pour avoir entendu les dernières paroles prononcées par son père, car, prenant affectueusement celui-ci par le bras, elle lui disait :

— *Caro babbo,* voudriez-vous que votre fille fût déshonorée, ridiculisée, montrée du doigt ? Un homme m'a manqué de respect, et je me moque bien qu'il soit duc, pair, grand d'Espagne, et qu'il ait le cordon bleu. Mon mari a été offensé en ma personne. Je l'ai épousé parce que je le savais inaccessible à la crainte, capable, pour l'amour de moi, d'égaler les exploits du Roland de l'Arioste et du Renaud de Torquato Tasso. Et vous voudriez qu'au moment de me prouver que je ne me suis pas trompée sur son compte, il baissât pavillon devant un barbon libertin ?

Elle était si sûre de son fait qu'elle n'élevait même pas le ton. Elle avait prononcé son plaidoyer d'une voix limpide, unie. Sa passion ne brillait pas dans ses yeux, mais je la connaissais assez bien pour savoir qu'elle était toute flamme secrète. Et le *padre* ne s'y trompait pas, car il hochait la tête, soucieux de ne pas la contrarier.

— *Capito, carissima ! Bene ! Benissimo !*

Et, dans le même temps, au sourire en coin du personnage, il m'apparaissait qu'il était prêt à faire à sa fille tous les serments du monde sans le moindre propos de les tenir.

— C'est bien, dit Yolande. Partons.

A la maison, elle me conta son aventure par le menu. Elle était persuadée d'avoir acquis les bonnes grâces de Madame de Maintenon et que celle-ci défendrait sa cause auprès du roi envers et contre tous.

— Fortunat, tu ne vas pas te laisser imposer par un capon.

Devrais-je vivre cent ans et plus que je ne perdrais jamais la mémoire de cette nuit-là. Je ne me faisais guère d'illusions sur le sort qui m'attendait, et je n'aurais pas juré que, malgré sa belle assurance, Yolande s'en fît davantage. Mais il me suffisait de la tenir dans mes bras pour que le temps fût aboli.

La matinée du lendemain devait être marquée pour moi par une singulière cascade d'événements. Dès huit heures, un valet de mon beau-père se manifestait. Il était porteur d'un message par lequel on me recommandait de ne quitter mon domicile sous aucun prétexte, dans l'attente de nouvelles d'importance. Le *signor conte* d'Ognissanti n'avait pas perdu son temps. Je m'abstins de communiquer l'avis à Yolande qui dormait encore. A dix heures, un autre valet, appartenant à Fabrice de Septsorts, me remit un billet m'informant qu'un exempt de police venait d'arriver chez mon ami pour l'emmener à la Bastille. Par quelques lignes, griffonnées à la hâte sur un bout de table, on me prévenait qu'il n'était peut-être pas trop tard pour prendre le large. Infortuné Septsorts, victime de l'amitié ! Une demi-heure plus tard, un troisième valet me transmettait les surprenantes excuses du comte de Landreville qui, embastillé lui aussi, m'exprimait ses regrets de ne pouvoir remplir la mission dont l'avait chargé le duc de L...

Alors seulement, je crus devoir informer ma femme, et son comportement répondit à ce que j'attendais. D'abord interdite, elle se jeta sur ma poitrine, noua ses bras à mon cou et dit :

— Fortunat, Septsorts a raison, il n'y a pas une minute à perdre. Il faut partir.

J'allais objecter qu'un exil volontaire revenait à me mettre au ban du royaume, mais elle appliqua une main contre ma bouche.

— Plus un mot, mon maître. Ecoute-moi. Le roi, la cour, la ville, mon père, le soleil et les étoiles ne me sont rien. Tu es mon cœur, mon sang, ma vie, tout ce qui compte pour moi sur la terre comme au ciel. Que j'expire à l'instant plutôt que d'être séparée de toi un seul jour ! Toutes les raisons que tu pourrais invoquer sont inutiles. Je pars avec toi. Pas de carrosse : nous perdrions trop de temps. Demande tout de suite à Germain de seller trois chevaux : deux pour nous, un pour lui. Je vais me préparer. J'emporte mes diamants. Mon père s'occupera de nos affaires.

Elle libéra ma bouche, et je lui demandai où nous irions. Elle rit.

— Où irions-nous ailleurs qu'en Italie ? J'y ai des oncles et des cousins à la douzaine. Enfile tes bottes. Il faut qu'avant dix minutes nous soyons à cheval.

Je la regardais avec admiration. La pensée que l'entreprise pût être insensée ne l'atteignait pas. Elle m'aimait; elle refusait d'être séparée de moi : qu'avais-je à objecter ? Ce que son dessein avait de déraisonnable flattait en moi le goût de l'aventure. N'était-elle pas elle-même une aventure, et la plus enivrante ? « Toute femme est une aventure, m'avait dit mon défunt père dans son épître testamentaire. L'important est qu'elle ne soit pas fastidieuse. » Ah ! je n'avais pas à redouter que Yolande le fût, et qu'était-ce, en vérité, au prix des plaisirs qu'elle me dispensait avec usure, qu'était-ce que cette vie insipide d'escarmouches de cour, semée de chausse-trapes, meublée de sourires mièvres et de manières affectées où triomphaient la fourbe et le faux-semblant ? En une semaine ou deux, nous pourrions avoir gagné l'Italie. L'Italie ! A ce mot, ruisselant de soleil, quand Paris baignait dans un brouillard glacé, mon imagination s'enflammait déjà.

— Je vais m'occuper des chevaux, dis-je.

Elle m'étreignit encore et murmura :

— *Voglia mi sprona, Amor mi guida e scorge* (1).

_____

1. Le Désir m'éperonne, Amour me guide et mène.

C'est du divin Pétrarque, *caro mio*. A tout de suite, devant les écuries.

J'allais saisir le bec-de-cane, quand celui-ci tourna, la porte s'ouvrit et mon beau-père parut. Aussitôt Yolande courait à lui et attaquait :

— Est-ce toi, *babbo,* qui es intervenu pour empêcher ce duel, comme tu l'avais annoncé ? Si oui, bien que je t'aime tendrement, sache que je te maudis. Comment as-tu pu imaginer que j'accepterais de voir mon mari emprisonné, arraché à moi pour des mois, des années peut-être ? Je te préviens que je ne le supporterai pas. Nous partons tous les deux, à l'instant même, et si tu ne me revois de ta vie, ne t'en prends qu'à toi. Je n'ai pas besoin de te recommander la surveillance de nos intérêts. C'est tout ce que tu sais faire.

Girolamo Farinacci n'était pas homme à se laisser démonter aussi facilement et répliquait avec calme :

— D'abord, on embrasse son père.

Mais ce fut lui qui embrassa Yolande.

— Et puis, reprit-il, qui t'a dit que ton mari allait être jeté en prison ? Il n'en est pas question et je te prie, ma fille, de garder ton sang-froid.

Elle se rebiffait, toutes griffes dehors.

— Mais Septsorts, Landreville...

— Ma chère enfant, tu devrais savoir, à ton âge, que, selon que l'on est riche ou gueux, seigneur ou manant, il y a deux poids et deux mesures dans ce monde d'iniquité. Les comparses payent pour les premiers rôles et les innocents pour les coupables. Septsorts et Landreville devaient assister respectivement ton mari et le duc de L... Le duc est bien en cour, et ton père a le bras long parce qu'il n'a jamais renâclé à la demande quand le trésor royal était à sec. C'est pourquoi ni le duc ni le marquis ne prendront pension à la Bastille. Cela dit, je reconnais être intervenu en haut lieu pour que ce duel soit rendu impossible.

— *E una vergogna !* s'écria Yolande.

Le beau-père secoua la tête.

— Réfléchis un peu, ma fille. On ne sait ni qui vit ni qui meurt. Imagine que, par malefortune, ton mari

ne soit pas sorti vivant de la rencontre. N'aurais-tu
pas été fondée à me reprocher de n'avoir rien fait
pour t'épargner le veuvage ? Je t'accorde que Fortunat
avait les meilleures chances de l'emporter. Mais, le
duc expédié, il risquait sa tête. Je n'ai pas voulu lui
laisser courir ce risque.

— Tu as eu tort.

— Allons donc ! Ecoute-moi. Dès hier soir, le roi a
tout su, et il est entré dans une colère bleue. Heureusement, tu avais su charmer Madame de Maintenon.
Donne-toi la peine de réfléchir. Sa Majesté a interdit
le duel. Quand ses ordres sont transgressés, le souverain estime avoir non pas le droit mais le devoir de
sévir. Il a commencé par prononcer : « Tous à la
Bastille ! » Le duc, compris dans le lot, s'est souvenu
à temps que son justaucorps à brevet lui permet d'entrer à toute heure chez le roi. Après s'être fait panser,
il use de ce privilège pour demander audience par
un billet passé au chancelier Pontchartrain. Accordé.
Il se présente chez Madame de Maintenon, la tête tout
enveloppée de bandages. A sa vue, se départant de son
habituelle solennité, le roi éclate de rire. Un roi qui
rit est désarmé. — « Souffririez-vous d'une rage de
dents, monsieur ? » lui dit-il. — « Non, Sire », répond
le personnage. Naturellement, Madame de Maintenon,
le chancelier et jusqu'aux scribes avaient cru pouvoir
rire à l'unisson; mais voilà que Louis fronce le sourcil
et reprend sèchement : « Je me suis laissé dire, monsieur le duc, qu'au mépris de mes ordonnances, vous
aviez accepté de vous battre en duel. » Le malheureux
rougit sous sa charpie, bégaye, convient de ses torts,
ajoute qu'il préférerait s'enfoncer une dague dans le
cœur plutôt que de déplaire au roi. « En ce cas, expli-
quez-vous, monsieur, et je vous engage à ne pas farder
la vérité. » Le duc, tremblant, s'empêtre dans sa tentative de justification, de laquelle il ressort que la
marquise de la Prée de la Fleur aurait à tort pris
ombrage d'innocentes galanteries et que le mari de la
dame, alarmé plus que de raison, l'aurait provoqué
injurieusement. « C'est bien, dit le roi, mais vous

m'avez manqué. Je devrais vous envoyer à la Bastille méditer sur vos devoirs envers la couronne. Prenant votre repentir en considération, je vous prierai seulement de vous retirer sur vos terres et d'y attendre notre bon plaisir. » Le duc, bredouillant remerciements et protestations de dévouement, disparaît, plus mort que vif, et le roi clôt l'affaire en déclarant : « Les autres, à la Bastille. » Il fallait faire diligence. A la première heure, ce matin, j'étais chez Pontchartrain. Il me conte toute la scène d'hier et me confie qu'il est bien fâché pour votre mari dont le père était de ses amis. Je le supplie d'intercéder en faveur de mon gendre. Il commence par se dérober, puis, comme je vais prendre congé, m'avise que, le roi étant fort en colère, seule Madame de Maintenon pourrait fléchir l'auguste rigueur. Je cours chez la marquise, qui me reçoit de la meilleure grâce du monde. « Le duc de L... s'est conduit en vrai butor, me dit-elle, c'est un débauché de la pire espèce, de ceux qui se déguisent en dévots, et j'aime que la vertu s'insurge contre le vice. Peut-être, dans le même cas, eussé-je agi comme votre fille que j'aurais peine à voir malheureuse pour s'être défendue contre les entreprises d'un chenapan. Je vous promets de parler au roi. » Elle lui a parlé. Elle a obtenu la grâce de Fortunat. Il n'ira pas à la Bastille.

— Ah ! *babbo*, soupira Yolande en larmes, pardonne-moi d'avoir douté de toi.

— Ouais ! fit-il en lui tapotant la joue, mais je n'ai pas fini. Un duc et pair est envoyé en disgrâce, et il a mérité son sort. C'est pourtant bien ton mari, si juste que soit sa cause, qui l'a appelé sur le pré. Le monarque n'admet pas d'être désobéi. Grâce à Madame de Maintenon, la liberté a été laissée à Fortunat. Il n'est pas blanchi pour autant aux yeux du prince. On veut s'assurer de sa fidélité en le mettant à l'épreuve. La Compagnie de *l'Assiente*, par la bouche de Crozat, lui avait proposé une mission d'enquête aux Amériques. Il s'y rendra, rédigera un rapport sur ce qu'il aura vu là-bas, suggérera toutes réformes opportunes, singulièrement en vue de réduire la mortalité des captifs. Sa Majesté a décidé qu'une somme de cinq mille livres sur sa cassette lui serait remise à titre de gratification avant son départ et la même à son retour. Ce n'est pas une punition, c'est une munificence !

Aux derniers mots prononcés par son père, Yolande avait changé de couleur. Elle lui prit un bras qu'elle serra avec force.

— Est-ce à dire, père, que Fortunat va devoir quitter la France et que je serai séparée de lui ?

Girolamo Farinacci leva les yeux au ciel.

— Je te répète, ma fille, que Sa Majesté donne à ton mari une véritable marque de faveur. Que Fortunat s'acquitte de sa mission avec succès et, à son retour, la voie des plus grands honneurs lui sera ouverte.

— Soit ! dit Yolande, mais si mon mari doit prendre la mer, j'embarquerai avec lui. Je l'en avais prévenu avant notre mariage.

— Voilà qui est malheureusement irréalisable, repartit doucement son père. La vie à bord d'un navire de la traite n'est pas faite pour une jeune femme de ton rang. Ta vie serait en danger.

— Eh ! que m'importe de mourir, s'écria-t-elle, si c'est auprès de mon mari ! Ce n'est pas à toi, père, c'est à lui de décider.

Le banquier agita une main conciliatrice.

— Ne disputons pas inutilement. J'ai dû m'engager à accompagner ton mari jusqu'à son embarquement. Un exempt et deux archers du guet nous escorteront. L'hôtel est déjà sous surveillance et le restera jusqu'à notre départ. Mais, *cuor mio*, tu peux être du voyage jusqu'à Nantes et revenir avec moi. Le départ aura lieu demain matin. J'ai donné ma parole que nous aurions franchi la barrière avant midi.

Yolande se précipita sur moi, me prit aux épaules et, plongeant ses yeux dans les miens :

— Fortunat, dit-elle sourdement, accepterais-tu de me quitter ?

— Non.

— Ah ! je savais bien. Ecoutez-moi, père. Je vais

aller chez Madame de Maintenon. Je me jetterai à ses pieds. Elle comprendra.

— Tu ne feras que l'indisposer, ma fille. Pour elle, comme pour le roi, l'affaire la Prée la Fleur est réglée. Il serait dangereux d'y revenir. Le roi a fait acte de clémence. Veux-tu qu'il traite ton mari en rebelle ? Pense au sort de ce pauvre surintendant qui a mis vingt ans à mourir entre les quatre murs de sa prison. Que Louis se fâche, et c'est la lettre de cachet.

Yolande se cacha la tête dans les mains et souffla entre ses doigts :

— Et si je disais à la marquise que j'attends un enfant ?

Girolamo Farinacci me regarda tout interdit. Je ne l'étais pas moins que lui et je l'entendis proférer à voix basse : « *Dio mio !* » tandis que j'étreignais ma femme, à qui je crus voir les yeux humides.

Après ces effusions, je voulus savoir à quelle date approximative elle me rendrait père. Elle parla confusément du début de l'été. Nous étions en novembre. Sa réponse laissait place au doute.

— Es-tu bien sûre de ce que tu avances, Yolande chérie ?

Je la sentis se raidir dans mes bras.

— N'auriez-vous pas confiance en moi, monsieur ?

Son père l'embrassait à son tour.

— Qui donc pourrait te refuser sa confiance, *bellissima ?* Ce que tu viens de nous révéler me transporte, me ravit au-delà de ce que je saurais dire, mais me donne aussi à penser. Les débuts de la grossesse sont délicats pour la future mère. Toute imprudence lui est interdite, toute fatigue proscrite sous peine de délivrance prématurée. Quel chagrin n'éprouverais-tu pas si, ayant présumé de tes forces, tu en arrivais là ! C'est pourquoi il me paraît impossible non seulement que tu coures le risque d'un long voyage en mer, mais aussi que tu accomplisses l'exténuant déplacement de Paris à Nantes en carrosse. Tu as besoin de calme, de repos. Un an est vite passé. Fortunat fera en sorte de réduire la durée de son séjour aux Amériques; à son retour, un bel enfant lui tendra les bras, et il pourra tout prétendre.

Le visage de Yolande se crispait. Elle se dégagea pour me regarder en silence, et dit enfin :

— Laissez-moi. Oui, laissez-moi tous les deux. J'ai besoin d'être seule.

Elle sortit. Son père hocha la tête, fit la moue et murmura :

— Je l'aime mieux bavarde. Espérons que la maternité la rendra moins intraitable. Quant à vous, mon gendre, voilà une raison de plus de ne pas négliger votre fortune, et je compte que vous y pourvoirez, en songeant de surcroît que la mienne sera celle de votre fils... J'ai encore à vous dire que, d'ordre du roi, vous n'êtes autorisé à sortir de cet hôtel que pour prendre la route de Nantes. Je me rends donc de ce pas chez Crozat retirer pour vous les instructions de la Compagnie. Je retournerai ensuite auprès du chancelier qui doit me remettre le brevet du roi vous accréditant auprès des autorités espagnoles et autres au Nouveau Monde. Je serai de retour dans l'après-midi.

Il remonta les pointes de sa moustache, effila sa barbiche, et partit fort content de soi.

Je n'avais pas les mêmes motifs de satisfaction que lui. En moins d'une heure, il m'avait fallu passer de l'espérance la plus folle à la réalité la plus amère. Yolande m'avait prouvé la force de son amour en me proposant de tout abandonner pour me suivre, et je me voyais contraint de m'éloigner d'elle sans savoir quand je la reverrais. J'allais être père, et cette nouvelle, qui aurait dû me remplir de joie, ajoutait à mon accablement. Je ne verrais pas naître mon enfant. Peut-être ne me serait-il jamais donné de le connaître. Je savais quelle somme de dangers représentait un voyage aux Amériques et que si, pendant sept années, je n'avais pas été trahi par la fortune, il suffisait d'un mauvais hasard pour que ma vie fût suspendue à un fil. La mer et les hommes allaient de nouveau se liguer contre moi. La guerre était sur le point de se rallumer. Parviendrais-je, cette fois encore, à vaincre le destin qui me narguait ? Pourrais-je garder l'amour d'une femme aussi passionnée que la mienne et que j'aurais délaissée à mon corps défendant ? Une soirée avait suffi pour ruiner l'édifice d'un bonheur qui, la veille encore, me paraissait si solidement assis, et le sentiment de mon impuissance me terrassait.

A ce moment, Lauretta et Giuseppina entrèrent dans le salon, trottinant et caquetant. Quand elles m'aperçurent, elles pressèrent encore l'allure et éclatèrent de rire avant de disparaître.

Derrière la porte refermée, leur rire se prolongea et s'éteignit. Ces filles du soleil, même quand le ciel est maussade, riaient de tout et de tous. Avaient-elles donc raison de ne voir dans la vie qu'une comédie ?

IX

Le lendemain, ayant passé Versailles sur les dix heures, un carrosse aux armes du comte d'Ognissanti, où saint Pierre était figuré en porte-clefs du paradis, s'engageait sur la route de Rambouillet. Il faisait si froid que le double jet de vapeur formé par le souffle des chevaux se changeait aussitôt en cristaux de glace qui cernaient leurs naseaux. A côté de moi, le beau-père, emmitouflé jusqu'aux oreilles dans une pelisse de gris de Moscovie, grommelait et jurait aux secousses provoquées par les cahots de la route.

— J'en atteste tous mes saints patrons, mon fils, vous auriez pu attendre les beaux jours pour vous mettre à dos ce duc de chaise percée. Tant y a que, par ce gel à pierre fendre, si je ne prends pas une belle fluxion de poitrine, je n'en aurai pas moins les os rompus avant d'arriver à Nantes.

Je demeurais sourd à ces jérémiades. A travers les vitres embuées, je regardais les arbres sans feuilles, la terre nue, le ciel bas rayé d'un vol de corbeaux. La disgrâce d'un hiver précoce s'inscrivait dans ce paysage désolé. Je me dégantais pour porter une main à mes narines, et j'y sentais le parfum d'eau de mille fleurs par quoi, depuis peu, Yolande avait remplacé l'eau d'ange. Fermant les yeux, je croyais la serrer encore dans mes bras. Pourrais-je oublier jamais cette nuit, la dernière avant une séparation dont je n'entrevoyais pas le terme ? Nous n'avions, ni l'un ni l'autre, fermé l'œil et, à l'aube naissante, j'avais reçu un surprenant aveu :

— Fortunat, je ne peux te laisser partir sur un mensonge et j'ai besoin de soulager ma conscience. Hier, je t'ai dit devant mon père que j'attendais un enfant. Rien ne me permettait de l'affirmer ; pour tout dire, ce n'était pas vrai, mais je suis sûre que ce l'est maintenant... Tais-toi... Voici le moment de te préparer. Va, et ne reviens pas dans cette chambre. Je veux que tu emportes l'image de la femme qui t'aime dans un demi-jour qui la flatte, non celle d'une pleureuse dépeignée, sans poudre et sans mouche, dans un matin louche qui brouille le teint.

Que penser de cette tardive sincérité ? Allais-je être père ou non ? J'avais répondu dans une dernière étreinte :

— Yolande, tu me donneras un fils.

J'avais quitté la chambre et je n'y étais pas revenu. Sur le perron, cousine Apollonie en larmes, gémissant et reniflant, m'avait joué, en l'accommodant à la circonstance, l'avant-dernière scène d'*Athalie :*

— *Dieu, qui voyez mon trouble et mon affliction.*
Détournez loin de lui la malédiction.

Le *babbo*, qui m'attendait dans son carrosse, m'avait dit d'un air satisfait :

— *Grazie al cielo !* Ma fille a compris la situation. Je n'en attendais pas moins d'elle, car enfin elle a de l'esprit. D'ailleurs, mon ami, ne vous faites pas une montagne de cette mission dont le caractère honorable ne doit pas vous échapper. Avec un navire bien gréé, bon voilier, si vous mettez le cap directement sur le Nouveau-Monde, vous pouvez y être en deux mois. Comptez de trois à quatre mois pour votre tournée d'inspection, deux pour le voyage de retour. Avant un an, vous êtes quitte, et vous arrivez à point nommé pour la naissance du *bambino* que nous appellerons Jérôme, si vous acceptez que je sois son parrain.

Il caressait complaisamment sa barbiche. J'avais répondu sèchement que je n'avais pas les mêmes raisons que lui de faire éclater mon contentement et que je le trouvais bien osé de prendre avec tant de légèreté une disgrâce qui affectait sa fille. Il s'était alors éclairci la gorge avant de me déclarer que je le connaissais mal, qu'il avait depuis longtemps pris le parti de ne pas s'insurger contre l'inévitable et que, si peu ostensible fût-elle, sa contrariété n'en était pas moins véritable.

— Comprenez-moi, mon gendre. Mon excellente femme pleure depuis hier toutes les larmes de son corps. J'ai eu toutes les peines du monde à la consoler, et elle a décidé de faire dire pour vous autant de messes que vous compterez de semaines d'absence. Le monde est ainsi fait : aux femmes de prier, aux hommes d'agir. Je crois, pour ma part, m'être employé au mieux de vos intérêts.

Je lui demandai s'il savait sur quel navire j'embarquerais.

— Je ne suis pas plus avancé que vous là-dessus, dit-il. Nous n'en aurons le fin mot qu'à Nantes. J'ai là trois plis cachetés qui ne doivent être ouverts que sur place par l'agent de l'*Assiente*. Vous allez avoir une bonne surprise : c'est un de vos vieux amis, le capitaine Fulminet. Sa femme lui a donné cette année un dixième rejeton, et il a cessé de naviguer.

— Dommage ! fis-je simplement.

Le capitaine Fulminet ! Je l'entendais encore, le cher homme, me traiter de « forban sentimental » et me dire avec un accent d'indulgence, où je croyais déceler une certaine pointe d'envie, que j'avais su « occuper mes belles années ». A son nom, les images du passé affluaient dans ma mémoire : *la Pétulante*, qui tenait si bien le vent, Justin Colinet, le flegmatique second, abattu par les Saletins, et l'exubérant lieutenant Pigache, et Taillebois, le chirurgien philosophe, tous deux jetés en pâture aux poissons de la mer océane, et le blond et intrépide et joyeux Sosthène, victime de la trame ténébreuse ourdie par les perfides créoles Eponine et Valérie.

Emporté sur la vague du souvenir, je ne dis plus mot jusqu'à la sortie de Paris, où mon compagnon de route rompit le silence.

— A propos de Crozat, je ne m'étais pas trompé. Il sait qui se cachait sous le masque du fameux captain Lafortune. Il me l'a appris en me confiant ses plis cachetés et m'a laissé entendre que sa religion était déjà éclairée à cette réunion de l'*Assiente* où vous plaidâtes avec tant de chaleur la cause de la race noire. Comprenez-vous, à présent, que toute résistance de votre part était vaine ? Il a barre sur moi, et vous ne pouviez que filer doux. Il ne m'a point mâché le mot. Il tient, comme il l'a déclaré au cours de cette séance où vous vous êtes si imprudemment découvert, que, de par votre passé, nul n'est plus apte que vous à réunir les éléments d'information qui contribueront le plus efficacement à la prospérité de la Compagnie. Si votre funeste altercation avec le duc de L... n'avait si bien servi ses intentions, il était résolu à vous mettre le marché en main : ou vous acceptiez de remplir la mission qui vous était proposée, ou il vous démasquait avec toutes les désastreuses conséquences que cette révélation pouvait entraîner. Vous n'avez rien à regretter.

Je serrai les poings. Il me fallait bien convenir que la situation était sans issue. Mais que je n'eusse rien à regretter, là le bonhomme extravaguait. La route devenait de plus en plus mauvaise. Un cahot plus violent que les autres le précipita contre moi. Il jura, et je le repoussai sans douceur en insinuant hypocritement que si la charge de grand voyer lui avait été confiée par Sa Majesté très Chrétienne, le risque eût été moindre pour lui d'arriver à Nantes en marmelade. Il rognonna avant de se renfermer dans un silence maussade, rompu seulement, de fois à autre, par un soliloque où s'exhalait son humeur morose.

Un essieu rompu et un cheval couronné retardèrent notre arrivée à Nantes. Quand nous parvînmes aux portes, la température s'était adoucie. Depuis la veille, une pluie fine et obstinée avait rendu les chemins quasi impraticables. Les roues ferrées de notre carrosse, en traversant les flaques, faisaient jaillir des gerbes d'eau boueuse. Dans les rues de la ville, en bordure du fleuve limoneux, le pavé glissant luisait sous un ciel de plomb.

Aubert Fulminet habitait, à la pointe de l'île Feydeau, une belle demeure construite en pierre de taille. Sa noble façade, percée de hautes fenêtres et ornée de balcons en fer forgé, reposait sur un soubassement qui formait rez-de-chaussée. Celui-ci présentait trois baies cintrées à petits carreaux, au-dessus desquelles des mascarons figuraient des têtes de sauvagesses grimaçantes. Germain, qui nous servait de cocher, ayant sauté de son siège pour ouvrir la portière, Girolamo Farinacci mit le premier pied à terre et émit un sifflement admiratif.

— Mâtin, dit-il, la traite rapporte. On a dû faire ses petits profits à la barbe de la Compagnie.

L'ancien capitaine de *la Pétulante* nous accueillit dans son cabinet qui donnait sur la Loire toute hérissée de mâts de navires. Je pense qu'il avait voulu y reconstituer sa chambre de commandement telle qu'elle était à bord de son bateau. Je ne reconnaissais pas sans émotion l'astrolabe, la boussole, la peau de tigre jetée sur un fauteuil et la projection de Mercator clouée sur une cloison. On y voyait aussi son râtelier d'armes — fusil, pistolets, sabre et poire à poudre —, plus une panoplie où s'entremêlaient, autour d'un bouclier de joncs tressés portant en son milieu un masque cornu aux dents saillantes, arcs, sagaies, sarbacanes et deux sabres à lame courte et large, fort propres à couper des têtes, tels que j'en avais pu voir chez le roi Lolo.

Il devait approcher de la cinquantaine, l'intrépide capitaine Fulminet. Il s'était levé du bureau de chêne sculpté où il écrivait avec une grande plume d'oie, et sur son visage boucané, dans ses yeux du vert de l'aigue-marine, je retrouvais le même air de résolution tranquille que je lui avais connu aux périls de la mer. A peine grisonnait-il un peu plus, au-dessus des tempes, que deux ans plus tôt, quand, retour des Amériques, il avait jeté l'ordre de serrer les amarres sur le quai de la Madeleine. Il n'avait pas perdu un pouce de sa haute taille, toujours droit comme un i, l'épaule vaste, le torse puissant.

A ma vue, il avait tout de suite été porté à rire, mais la présence de maître Girolamo, après une petite toux forcée, l'incitait à garder son sérieux.

— Mon cher marquis, dit-il — car j'ai appris votre nouvelle dignité conséquente à la disparition de votre regretté père — quelle heureuse fortune m'échoit de vous revoir ?

Il me tendait les mains. Le beau-père pensa aussitôt qu'il y avait lieu de couper court à toute démonstration superflue pour venir au fait. Il dit ses nom et qualités, que j'étais son gendre, qu'il siégeait au conseil de l'*Assiente,* qu'il venait voir en la personne du capitaine Fulminet le délégué de la Compagnie à Nantes, qu'au demeurant il était inutile d'user de circonlocutions et autres précautions de langage à mon endroit, enfin que l'ex-captain Lafortune ayant commis une incartade à la cour, ce n'était pas une fortune pour lui de se retrouver à Nantes.

— Ce néanmoins, acheva le beau-père, Sa Majesté, dans sa bonté, l'a chargé d'une mission de confiance qui va lui faire reprendre la mer. Il lui suffira de s'en acquitter avec zèle pour regagner les bonnes grâces du prince.

— Bon ! fit Monsieur Fulminet, je suis sûr qu'il l'accomplira avec éclat, car je le connais. Nous avons tous nos faiblesses, monsieur. La mienne consiste à ne pas cesser de prendre intérêt à ceux dont j'ai guidé les premiers pas sur un pont de navire et qui, de ce fait, ont été en quelque sorte mes fils spirituels. Quant à votre gendre, j'ai plaisir à vous déclarer qu'il a été un de mes enseignes les plus brillants. C'est un marin hors de pair, doué d'un sens naturel de la navigation et qui a vite su gouverner sans avoir besoin de personne.

— Pour l'usage qu'il en a fait, reprit son interlocuteur en fronçant le sourcil, je l'eusse préféré incapable. Mais laissons là les propos oiseux. Voici trois plis cachetés, dont deux m'ont été remis par Monsieur Crozat et le troisième par le chancelier. A vous de les ouvrir et de nous en communiquer la teneur.

Monsieur Fulminet décacheta le premier pli, commença de lire, haussa le sourcil, et un air de satisfaction se répandit sur son visage à mesure qu'il avançait dans sa lecture. Quand il eut terminé, il me frappa cordialement sur l'épaule.

— Mon cher ami, laissez-moi vous féliciter, car vous allez faire du bon travail. Ceci est une lettre de marque en forme de mémoire, aux termes de laquelle le porteur est habilité : *primo*, sur simple coup de semonce et après avoir envoyé ses couleurs, à visiter tous les bateaux de la traite, pour s'assurer que toutes choses y sont en ordre et que les captifs y reçoivent un traitement humain ; *secundo*, en cas de rencontre avec des navires ennemis, à les canonner, aborder, amariner, rançonner et, éventuellement couler sans merci pour la plus grande gloire du roi ; *tertio*, à se rendre de toute nécessité (*sic*) tant auprès des huit directions locales de l'*Assiente* que des commis généraux de ladite Compagnie aux Indes Occidentales ; *quarto*, et en conclusion, d'établir un rapport circonstancié sur les résultats de la mission et de présenter toutes suggestions, propositions et remarques tendant à favoriser un heureux développement du commerce entre le royaume de France et les Amériques.

Il me tendit le pli et ajouta :

— Voilà une mission pour laquelle nul ne me semble plus qualifié que vous.

J'avais déjà entendu ce couplet dans la bouche de Crozat, et la confirmation n'était pas pour me plonger dans le ravissement.

— Ce qui me surprend, disait encore mon ancien instructeur, c'est que votre nom ne figure pas sur le papier. En vingt-cinq ans de métier, je n'ai pas souvenir d'avoir vu une seule lettre de marque en blanc. Je suppose que les autres plis vont éclaircir l'énigme.

Le second, signé non de Pontchartrain mais de Crozat, spécifiait que « par raison d'Etat » et d'ordre du roi, le marquis de la Prée de la Fleur, pour toute la durée de son voyage, adopterait le nom de guerre de Le Gendre, vicomte de Tous-les-Saints.

— *Madonna !* fit le signor Farinacci d'une voix aigre, ce Crozat croit pouvoir impunément me narguer. Il s'en remordra les doigts.

Je préférais, pour ma part, entrer dans la plaisanterie et observai en m'esclaffant :

— Tête-bleu, monsieur, ce ne sera pas la première fois que je me couvrirai d'un nom d'emprunt, et il me paraît que vous devriez être flatté. Vous m'offenseriez en le prenant mal.

Il se renferma dans un silence lourd de hargne, tandis qu'Aubert Fulminet, ayant rompu les cachets du dernier pli, annonçait que j'aurais à m'embarquer au plus tôt à bord du *Vulcain,* navire de trois cents tonneaux, percé à trente-six canons et de cent vingt hommes d'équipage.

Et de poursuivre :

— Nom d'un tonnerre ! je vous conseille de vous plaindre, mon petit marquis : c'est un bâtiment de quatre ans, bien profilé sur l'eau, avantageux de toile. Je souhaite du plaisir aux Barbaresques qui voudraient le battre à la course. Vous irez bâbord et tribord amures comme un jésus, et avec tous les saints pour souffler dans les voiles. Et attendez ! je ne vous ai pas tout dit. On vous accorde la haute main sur le capitaine, avec lequel, d'ailleurs, vous vous entendrez comme cul et chemise, bien que, dans les temps, il ait été votre supérieur hiérarchique : vous vous rappelez bien Monsieur Dufourneau.

Le lieutenant Dufourneau ! C'était vraiment une bonne nouvelle. Le lieutenant Dufourneau, celui qui m'avait initié à la traite, l'homme que son cuir grêlé avait voué à la Vénus moricaude, celui qui, par le canal du mulâtre Ovide, ayant pensé me sauver la vie en m'expédiant chez les *marrons,* m'avait engagé sur la voie qui devait faire d'un enseigne quasiment novice le captain Lafortune ! Les détails de ma mission, qui venaient de m'être communiqués, n'avaient pas, en revanche, de quoi m'exalter. Pour venir à chef d'une

telle entreprise, il ne me faudrait pas huit ou neuf
mois, comme feignait de le croire l'artificieux Farinacci, mais deux ans au bas mot, plus peut-être. Comment Yolande s'accommoderait-elle d'une aussi longue
absence, même à supposer qu'elle me donnât un fils ?
Les nouvelles arrivant du Nouveau Monde en Europe
étaient rares ou inexistantes, en raison de la guerre
de course ou des flibustiers qui rendaient leur ache-
minement incertain. N'aurait-elle pas les meilleures
raisons de m'imaginer noyé, pendu au bout d'une vergue, torturé, décapité, rôti à petit feu, dévoré par une
tribu de cannibales ?

Je décidai de ravaler mon amertume, et comme notre
hôte, satisfaisant à un rite que je n'avais pas oublié,
prétendait nous réchauffer d'une guildive que je devais
reconnaître d'emblée comme assaisonnée de poudre à
mousquet, j'en avalai coup sur coup deux grands
verres, tandis que le beau-père s'étranglait et toussait
à fendre l'âme dès la première gorgée.

Je ne fis pas moins bonne figure au souper où Monsieur Fulminet voulut nous convier. Neuf petits diables,
sur les dix que lui avait donnés son épouse Perpétue,
disposés par rang de taille autour de la table, tous
basanés comme des maugrabins, disputèrent un concours d'imitation de cris d'animaux. Moins rigoureux
que pour les matelots de *la Pétulante*, leur père les
laissait faire, et l'on se fût cru dans l'arche de Noé.
Perpétue était une volumineuse personne, non seulement créole, mais, selon toute vraisemblance, quarteronne. Je ne lui trouvai pas, comme me l'avait dit
Sosthène Goujet à Saint-Domingue, « des yeux à réveiller un mort », mais plutôt une grâce pliante, une molle
langueur dans l'attitude et le geste, fort propres à
troubler leur homme. A l'entremets, un vague sourire
aux lèvres, elle quitta la table en roulant ses hanches
de matrone, et revint avec son dernier né, qui me
parut avoir la peau plus sombre que ses frères et sœurs
et qu'elle allaita sans gêne aucune. Je me rappelle ce
sein gonflé, à qui les maternités successives avaient
fait perdre de son arrogance, l'aréole brune du mame-

lon, la petite bouche avide. Comment ma pensée ne se fût-elle pas reportée vers cet enfant que Yolande portait peut-être, et qui était le mien ? Par chance, Monsieur Fulminet avait le bon esprit de remplir mon verre sitôt qu'il était vide, et cet allègre petit vin du pays nantais, qu'on appelle gros-plant ou folle-blanche, monte assez vite à la tête pour bannir toute mélancolie.

Le *Vulcain* était ancré en grande rade de Paimbœuf, où Monsieur Fulminet me proposa de l'aller visiter le lendemain matin. Il y avait douze lieues à parcourir, avec une traversée de la Loire en bac, et la chaise à deux roues qui nous transportait faillit verser dans le fleuve en crue.

Mon beau-père, alléguant six jours de route dont ses reins étaient rompus, avait décliné l'invitation au voyage et donné campos à l'exempt et aux deux archers du guet. La pluie faisait trêve, mais l'eau avait envahi de larges étendues de plaine. La route était coupée en plusieurs endroits ; il nous fallut emprunter de petits chemins marécageux. Aussi insensible aux traîtrises de la terre ferme qu'aux déchaînements des flots, mon compagnon, tout en ballottant à chaque cahot comme une coque de noix par gros temps, achevait de m'instruire sur le *Vulcain*. Ce navire, prêté par le roi, était armé pour la guerre de course. Il venait, avec deux vaisseaux malouins, le *Saint-Charles* et *l'Aimable*, de faire une campagne de dix-huit mois dans la mer du Sud, d'où il avait rapporté des pépites d'or, des lingots d'argent et des piastres échangés au Pérou contre des toiles de Bretagne, des miroirs de Saint-Gobain, des montres de Blois et des barres de fer normand. Au nombre des hommes à bord, il y avait une compagnie de cinquante gardes-marine très vains de leur uniforme bleu, de leurs bas rouges et de leur tricorne à plumet. Au demeurant, presque tous des vauriens incapables de faire le moindre nœud d'étrésillon ou de capelage et que je serais prudent d'avoir à l'œil, des ivrognes, des gibiers de potence qui n'avaient que le mérite de savoir se battre. Seul moyen de les mater : à l'occasion, pour l'exemple, en pendre un ou deux pris en flagrant délit d'indiscipline.

Ces propos nous avaient amenés à Paimbœuf. Ce n'était guère qu'un gros village avec ses quelques dizaines de petites maisons couvertes d'ardoise, ses longs hangars en planches à usage de magasins pour les frets, et son église sans style, le tout aligné devant un petit port à demi envasé. Notre postillon arrêta ses chevaux devant un cabaret baptisé *la Grande Ourse*. Des chants accompagnés de rires s'en échappaient. Je reconnus *Corbleu Marion !* que j'avais entendu plus d'une fois à bord du *Fulminant* dans la bouche du pilotin Jacques Dufour, dit la Manille, galérien en rupture de ban :

> — *Qu'allais-tu faire à la fontaine,*
>   *Corbleu, Marion ?*
>   *Qu'allais-tu faire à la fontaine ?*
> — *J'étais allée querir de l'eau,*
>   *Mon Dieu, mon ami,*
>   *Querir de l'eau à la fontaine.*

La Manille, qui avait une voix de basse-contre à faire trembler les vitres, y mettait toute son âme farouche et naïve. A *la Grande Ourse*, ce n'étaient que braillards avinés appartenant aux équipages des navires en rade et qui s'enivraient avec méthode.

J'étais entré dans la salle enfumée sur les talons de Monsieur Fulminet, et je pus voir tout de suite que, bien qu'il eût cessé de naviguer, le *boss* n'avait rien perdu de son autorité. Promenant un regard tranquille sur les buveurs et les fumeurs de pipe, il abattit sur une table un poing puissant qui fit vibrer verres et bouteilles. Ceux qui chantaient en chœur se turent. Un silence relatif s'établit.

— Garçons, demanda alors une voix tonnante, y a-t-il ici des hommes du *Vulcain* ?

Des jurons retentirent et un homme se leva qui, chancelant sur ses jambes et soulevé de hoquets, fit d'une voix pâteuse :

— Qu'est-ce que vous leur voulez à ceux du *Vulcain* ?

Monsieur Fulminet empoigna l'homme au collet.

— Tu en es, coquin, et, matelot sur un bateau du roi, tu as la jambe qui tremblote. Je te ferai mettre aux fers.

Trois autres, en veste courte, ceinture de flanelle bleue et chapeaux de cuir à larges bords, s'étaient dressés.

— Nous aussi, monsieur, nous en sommes, dit l'un d'eux qui semblait un peu moins gris que ses compagnons.

— En ce cas, suivez-moi tous les quatre. Vous allez tirer ferme sur les pelles pour nous conduire à bord.

Ils obéirent en grommelant, tandis que des rires éclataient et que reprenait la chanson :

> *Mais qui donc alors te parlait ?*
> *Corbleu, Marion !*
> *Qui te parlait à la fontaine ?*

Une vingtaine de bâtiments de tous les tonnages étaient au mouillage dans la grande rade. Il y avait des dogres, des brigantins, des flûtes, des pingres, des frégates, et même un vaisseau de haut bord qui devait bien jauger cinq cents tonneaux. C'était l'heure du jusant. L'eau était calme. Sous le ciel bas, aucune brise n'agitait les pavillons qui tombaient immobiles le long des drisses. Tandis que nos quatre gaillards tiraient en force sur leurs avirons, Monsieur Fulminet me désigna le *Vulcain*.

— Vous ne me direz pas que je vous ai fait un conte, eh ? Avec un pareil outil, la vie est belle. Il est ici depuis un mois. Il a été radoubé, espalmé. Un accastillage aussi soigné ne se rencontre pas dans tous les ports de France et de Navarre. Et les peintures fraîches, et la mâture remise à neuf ! Pas un agrès qui cloche ! Une carène à toute épreuve ! Allez ! Je prendrais bien votre place, moi qui suis désormais condamné à fouler *in æternum* le plancher des vaches.

Je n'osai pas lui répondre que je la lui aurais bien abandonnée de grand cœur, cette fichue place qui allait me séparer de la femme que j'aimais. Il ne m'aurait pas compris, lui pour qui, malgré ses dix enfants, la mer était la femme et la maîtresse, et qui ne se sentait vraiment vivre que sur une dunette, commandant la manœuvre, criant ses ordres dans un portevoix.

Cependant, nous approchions du navire. Monsieur Fulminet avait pris la précaution de se munir d'une longue-vue. Il la développa, et ayant appliqué son œil droit à l'oculaire, me dit :

— J'aperçois Monsieur Dufourneau. Il fait les cent pas sur le gaillard d'arrière.

Il me tendit l'instrument et je distinguai avec netteté celui qui m'avait arraché à la cale du *Fulminant,* où je me battais contre les rats, dans l'attente d'un sort pire. Il me parut qu'il n'avait pas changé, toujours raide comme un échalas et portant haut le menton. Non loin de lui, plusieurs groupes formés de matelots et de gardes-marine discutaient avec force gesticulations. Monsieur Dufourneau semblait ne pas s'en préoccuper, quand un canonnier, apparemment fort affairé à assujettir une des deux pièces de retraite, bondit sur lui et le terrassa. Ils avaient disparu derrière le bordage, mais plusieurs hommes étant venus à la rescousse, je voyais briller et tournoyer des sabres, des espars, des anspects, dans une mêlée confuse. A ce spectacle, le vocabulaire maritime me revint spontanément aux lèvres :

— Nom d'un sabord ! m'écriai-je, mais c'est une mutinerie.

Monsieur Fulminet reprit sa lunette et, l'ayant accommodée, émit un sifflement, puis entama un soliloque :

— Les scélérats ! J'étais prévenu qu'une vingtaine d'entre eux voulaient prendre la clef des champs, sous couleur que la croisière est terminée et alors qu'ils doivent encore un mois de service. Monsieur Dufourneau a refusé de payer leur restant de solde avant l'expiration de leur engagement. La moitié de l'équipage est à terre. Ils auront voulu en profiter pour le contraindre... Mais ils sont fous ! En voilà un qui brandit une hache d'abordage. Ils vont le tuer... Ah !

l'aumônier s'en mêle. Il a détourné la hache de l'énergumène. Un dominicain ! qu'est-ce que vous en dites ?
Il bouscule les autres. Quel homme ! Il a relevé Dufourneau. Il l'adosse au mât d'artimon. Appuyez sur les
pelles, vous autres !... On s'écharpe de plus belle, mais
je crains que nous n'arrivions trop tard pour être de
la fête.

Monsieur Fulminet, qui ne se laissait jamais surprendre, avait deux pistolets engagés dans la ceinture,
comme au beau temps de *la Pétulante*. Nous n'étions
plus guère qu'à une demi-portée de fusil du *Vulcain*
quand il fit mine de viser et tira. Je lui demandai sur
qui.

— Sur les nuages, me répondit-il.

Enfin, nous accostions le navire. Une échelle de
corde était suspendue à son flanc. Monsieur Fulminet
l'attrapa d'une main, et en un clin d'œil fut sur le pont
où je l'avais suivi.

C'était trop tard, comme il l'avait prévu, pour servir
la cause de l'ordre. Déjà les rebelles domptés prenaient
le chemin de la cale où ils allaient être mis aux
fers. Il y avait deux morts et une dizaine de blessés.
L'aumônier du bord allait de l'un à l'autre, et bien
qu'il fût lui-même indemne, son froc blanc était taché
de sang. Monsieur Dufourneau, toujours adossé à l'artimon, semblait avoir le crâne fendu, et le chirurgien,
penché sur lui, parlait d'une jambe cassée en faisant
la moue.

— Le pauvre garçon est mal en point. Je pense
que la plaie du cuir chevelu sera sans gravité, mais
sait-on jamais ?

Après avoir pansé la blessure de la tête, il faisait
respirer des sels à Monsieur Dufourneau qui, rouvrant
enfin les yeux, promena autour de lui un regard
trouble.

— Enseigne Lafortune, murmura-t-il.

Le visage du chirurgien s'éclaira.

— Ne vous inquiétez pas, capitaine, nous vous
tirerons de là.

Monsieur Dufourneau porta une main à sa jambe droite, et la douleur le fit grimacer.

— Aïe ! Ma jambe !

— Je vous répète, reprit le chirurgien, que vous n'avez pas à vous mettre martel en tête. J'ai eu, moi aussi, une jambe cassée. Est-ce que je traîne la patte ? Nous allons vous transporter à l'hôpital et, dans un mois, un mois et demi, vous serez vif comme un gardon.

Le blessé sourit faiblement, et on le descendit dans la chaloupe avec d'autres estropiés.

Comme l'embarcation s'éloignait sur l'eau miroitante où le reflux commençait à se faire sentir, je regardai Monsieur Fulminet en hochant la tête.

— Ne trouvez-vous pas, monsieur, que j'engage mal la partie ?

— L'important est de la bien terminer, observa-t-il froidement.

Il me présenta au dominicain qui s'appelait le R.P. Cornélius Van den Broeck et était originaire de Douai. Ce religieux de forte carrure, et dont une barbe roussâtre encadrait le visage tanné, porta sur moi un regard où se lisait une fraîcheur d'âme exempte d'illusion sinon de curiosité. Il parut apprendre avec intérêt que je serais de la prochaine croisière du *Vulcain* et que, porteur d'ordres du roi et son représentant à bord, j'aurais à prendre, en accord avec le capitaine Dufourneau, toutes décisions qu'il appartiendrait sur la marche du navire.

— Le vicomte Le Gendre de Tous-les-Saints, poursuivait Monsieur Fulminet, est d'ailleurs un remarquable navigateur qui a fait ses preuves et dont j'ai été personnellement à même d'apprécier les qualités.

Je fus un instant avant de comprendre que l'étrange nom qui venait d'être prononcé s'appliquait à moi. Il allait falloir m'y habituer. L'aumônier observait à son tour que l'appareillage prévu pour le surlendemain devrait être retardé, d'une part en raison des blessures de Monsieur Dufourneau, à moins que celui-ci ne fût remplacé dans son commandement, d'autre part du fait que l'équipage, privé de ses mutins appelés à passer en jugement, aurait à être complété.

— Le roi ne sera pas content, dit Monsieur Fulminet.

— Les rois, comme les simples mortels, sont dans la main de Dieu, opina le dominicain, et c'est une entreprise hardie que d'aller dire aux hommes qu'ils sont peu de chose, comme l'a proclamé l'Aigle de Meaux du haut de la chaire chrétienne.

J'ai peu de goût pour les sermons et j'exprimai le désir de faire la visite du navire. Un officier marinier nommé Le Gonidec, petit Breton trapu à la tignasse frisée et aux yeux bleus, nous conduisit d'abord du gaillard d'arrière au château d'avant pour nous faire admirer mâture et voilure, puis de la batterie haute aux sabords de chasse et de retraite, et enfin du fond de cale, où bouttes et barriques étaient soigneusement arrimées, à la sainte-barbe et à la soute aux poudres. Monsieur Fulminet ne m'avait pas trompé. Avec un bateau comme celui-là, on pouvait défier le diable.

Il demanda à notre guide depuis combien de temps il servait sur le *Vulcain*.

— Ma doué, monsieur, répondit l'homme, depuis sa mise à flot, et à dix ans de navigation que j'en suis, je n'en ai pas encore vu qui coure mieux la bordée.

— Bon Dieu de bois ! grommelait entre ses dents Monsieur Fulminet, comme nous regagnions la terre ferme sur le même canot qui nous avait amenés à bord, tout allait si bien. Nous voilà dans de beaux draps !

Nous ne fûmes de retour à Nantes qu'à nuit noire, et maître Girolamo, en apprenant l'échauffourée du *Vulcain*, faillit prendre un coup de sang.

— Monsieur Fulminet, s'écriait-il, considérez que vous êtes responsable devant la Compagnie et, conséquemment, devant le roi.

Il en fallait davantage pour émouvoir un homme de sa trempe. Il bourra tranquillement sa longue pipe en terre, l'alluma avec un tison qu'il avait saisi au bout d'une pincette, et dit en riant :

— Si vous devez m'envoyer ramer sur les galères,

de grâce, laissez-moi téter en paix mon dernier calumet.

Cette égalité d'âme désarma le beau-père qui leva les épaules.

— Je voudrais seulement vous rappeler, monsieur, que, chargé de défendre les intérêts de la Compagnie de l'*Assiente* à Nantes, vous êtes par le fait tenu d'assurer en temps et lieu le départ des navires qui en relèvent. Or, le *Vulcain* doit remplir une mission à laquelle Sa Majesté attache une importance toute particulière et dont l'accomplissement ne saurait être différé.

Monsieur Fulminet expédia lentement une longue bouffée vers le plafond et dit, une malice dans l'œil :

— Je n'ai pas encore vu de navire appareiller sans capitaine.

— Vous m'accorderez, repartit sèchement mon beau-père, que c'est à vous d'y remédier.

Une nouvelle bouffée, savamment divisée en une triple émission de fumée, forma plusieurs cercles bleus qui se dissocièrent avec lenteur.

— Puisque vous voulez bien me reconnaître quelque compétence dans l'art de la navigation, reprit Monsieur Fulminet d'un air bonasse, je vous dirai en toute honnêteté que le capitaine d'un navire de trois cents tonneaux ne se trouve pas dans le pas d'un cheval. J'ajouterai que je n'en connais pas un, digne de ce nom, présentement disponible sur la place de Nantes... ou plutôt si, j'en connais un, mais...

— Il n'y a pas de mais, monsieur. Le roi doit être obéi, et votre oiseau rare fera l'affaire, dussé-je en personne l'aller querir, *tenens lupum auribus*. Son nom ?

Monsieur Fulminet éclata de rire en clignant de l'œil de mon côté.

— Mais, monsieur, il est écrit en toutes lettres dans un de ces plis que vous me fîtes l'honneur de me remettre. Nul ne sait mieux que ce gentilhomme gouverner à la lame ou virer cap pour cap, et il rendrait des points à ce diable de captain Lafortune dont vous

parliez tout à l'heure, que je n'en serais pas autrement
surpris. Bref, il s'agit de votre gendre.

Un silence pesa. Le père de ma chère Yolande
semblait pétrifié. Puis ses yeux roulèrent dans leurs
orbites ; il toussa, se gratta le nez, secoua sa perruque.
Enfin, il me regarda fixement, d'un air où se mêlaient
l'incertitude et la crainte.

— Un tel crédit vous semble-t-il justifié, monsieur ?
demanda-t-il d'une voix blanche.

Je retins la subite envie de rire qui me chatouillait
à mon tour. Le rappel du captain Lafortune, encore
qu'il eût lui-même, la veille, prononcé son nom, avait
dû ranimer en lui des soupçons qui, peut-être, n'avaient
jamais été tout à fait dissipés. La présence de l'excellent Monsieur Dufourneau à bord du *Vulcain* l'eût
rassuré. Que je fusse, en revanche, seul maître à bord
lui rappelait apparemment les exploits anti-négriers du
Fulminant, et il pouvait se demander si je ne céderais
pas à la tentation d'en reprendre le cours.

Il eût été cruel de prolonger sa perplexité.

— Je tiens toute ma science de Monsieur Fulminet,
fis-je paisiblement, et s'il me trouve quelque mérite,
c'est à lui que je le dois : voilà pour la navigation.
Quant au reste, monsieur, si vous révoquez en doute
l'impatience que j'ai de revoir votre fille, c'est que
vous me connaissez mal. Je ne cesserai de faire en
sorte d'abréger le temps de la pénible séparation qui
m'a été imposée.

Girolamo Farinacci tirailla nerveusement sa barbiche.

— En ce cas, dit-il, à Dieu vat !

X

Le *Vulcain*, couvert de toile toute gonflée par la brise de terre, s'avançait noblement vers le large.

Depuis l'avant-veille, mon tortueux beau-père ne m'avait pas quitté d'une semelle. Il avait d'abord voulu s'assurer *de visu* que le capitaine du navire était véritablement hors d'état de prendre son commandement. Aussi avais-je dû l'accompagner avec Monsieur Fulminet à l'hôpital de la marine. Le malheureux Dufourneau gisait sur son lit, la tête emmaillotée de linges, la jambe droite enfermée dans une gouttière. Il faisait contre mauvaise fortune bon cœur et, en m'apercevant, avait ébauché un sourire terminé en grimace.

— Aïe !... Enseigne Lafortune, excusez-moi. Je n'ai pas le droit de sourire si je ne veux pas que cette plaie à la tête me tiraille. Auriez-vous imaginé que je pusse être ainsi changé en cul-de-plomb, en *has-been*, comme disent ces coquins d'Anglais ? On aurait, au moins, pu me laisser à bord. Un marin ne se sent à l'aise que dans son hamac, bercé par la houle. L'immobilité du lit, c'est déjà celle du cercueil. Et penser que le *Vulcain* va appareiller sans moi !

Je lui dis qu'il ne serait pas remplacé comme capitaine, mais que, chargé de mission aux Iles, je le suppléerais à son poste. Il fit mine de s'emporter.

— Dieu me damne ! monsieur, je perds là une belle occasion de prendre ma revanche sur vous au biribi chez le sombre Ovide. N'oubliez pas de taper pour moi sur la bedaine de ce louche tavernier, s'il ne se balance pas encore au bout d'une corde, et s'il vous arrive de rencontrer cette Cléomène qui est la perle noire du Cap Français, je vous la lègue avec mes encouragements.

Je crus séant de porter à sa connaissance que j'avais pris femme et lui rappelai que je n'avais jamais été porté sur les demoiselles de couleur. Puis je tirai de ma poche une livre de chocolat acquise à son intention.

— Je n'en userai pas, mon ami. Permettez-moi de vous l'offrir.

Une détresse, où l'ironie relayait la nostalgie, parut dans son regard.

— Vous retournez le fer dans la plaie, camarade. Il n'y a, dans ce damné pays qui est le nôtre, ni négresses, ni mulâtresses, ni tierceronnes, ni quarteronnes, ni même octavonnes. Rien que des blanches, des blêmes, des cireuses, des plâtreuses, des champignons de couche, qui me coupent l'appétit. Pouah !

Je n'avais pas pris congé de lui sans mélancolie. J'avais passé la journée du lendemain à faire mes préparatifs, et le surlendemain, jusqu'au moment de désaffourcher, Monsieur Fulminet, toujours escorté de l'obsédant Girolamo Farinacci, était demeuré sur le pont du navire. Avant de quitter le bord, mon beau-père m'avait étreint avec une solennité peu accordée à son personnage.

— Mon fils, m'avait-il dit, l'œil clignotant non d'émotion mais par la réverbération du soleil sur l'eau où couraient des risées, laissez-moi vous embrasser pour ma chère fille, en souhaitant un heureux succès à votre entreprise.

Je n'avais éprouvé nul plaisir à sentir ses poils rêches me gratter la joue, et lui avais remis pour Yolande un billet griffonné à la hâte, de crainte que l'attendrissement n'abattît mon courage.

Enfin, la barque qui l'emmenait avec Monsieur Fulminet ayant regagné la terre ferme, j'avais donné l'ordre de mettre à la voile, résolu désormais de ne prendre intérêt qu'à ce chemin d'eau verte au bout duquel étaient les Amériques.

Cependant, nous avions gagné la haute mer. La côte

n'était plus derrière nous qu'une ligne incertaine et brumeuse, et une étrange sensation m'envahissait. Neuf ans plus tôt, j'embarquais pour la première fois à Nantes. Je n'étais guère alors qu'un enfant qui savait monter à cheval et se servir d'une épée. Pendant sept années de rang j'avais ensuite risqué la mort par noyade, mousquetade, canonnade ou pendaison ; j'avais tué pour éviter de l'être ; j'avais commandé l'abordage de trente-cinq navires, dont les équipages n'étaient pas composés d'enfants de chœur. Les nègres *marrons* qui m'obéissaient au doigt et à l'œil ressemblaient moins à des hommes qu'à des bêtes féroces, et j'avais, grâce à eux, délivré de l'esclavage des centaines de leurs frères misérables. Et puis, Monsieur Fulminet aidant, un sourire du destin m'avait ramené en France pour me faire épouser une femme belle comme tous les amours et pour laquelle un an de mariage, loin d'éteindre ma passion, l'avait portée à son comble. A quoi d'autre pourrais-je désormais songer que d'affermir mon état dans le monde et d'assurer ma descendance ? Et voilà que, la trentaine proche, par un incompréhensible caprice du sort, contre mon gré, de nouveau je coupais les ponts. Voilà que, tout comme lors de mes vingt ans effrénés, ma vie était remise à ce précaire assemblage de planches, de voiles et de cordages qu'on appelle un navire, et pour un temps dont je ne pouvais raisonnablement prévoir la durée. Et il me paraissait soudain que ces neuf dernières années, depuis mon embarquement sur *la Pétulante*, n'avaient peut-être pas été, que peut-être elles n'avaient pas plus de réalité qu'un rêve de malade. Ne me retrouvais-je pas au même point, à quelques lieues d'une côte qui s'effaçait peu à peu ? Le bateau qui me portait ne gouvernait-il pas, comme alors, ouest-nord-ouest ? L'air n'était-il pas aussi limpide ? N'allais-je pas, en me retournant, être interpellé par un gros homme rougeaud, qui me dirait s'appeler Taillebois Joël, chirurgien natif de Paimpol, et qui me conterait sérieusement ses déboires dans la lutte contre les rats ?

J'aspirai une grande goulée d'air chargé d'une vive odeur de goémon et passai la langue sur mes lèvres salées. Au-dessus de moi, les voiles claquèrent. Le ciel, peu à peu, s'encombrait d'une nuée fuligineuse. Une voix empreinte d'un rude accent de terroir fit derrière moi :

— Jour de Dieu, capitaine, voilà que le vent tourne. M'est avis que nous allons recevoir un grain.

Tiré de ma rêverie, je me retournai et reconnus l'officier marinier Le Gonidec, le petit Breton qui m'avait fait reconnaître le *Vulcain*, à mon arrivée à bord. Je frissonnai. Le bon Monsieur Taillebois, hélas ! avait depuis longtemps basculé sur une planche dans la mer tropicale. A quelques pas de moi, accoudé à la lisse, je pouvais apercevoir un grand escogriffe olivâtre, en justaucorps bleu, l'épée au côté, qui était le vicomte de Montgaillard, un Provençal, capitaine de la compagnie des gardes-marine.

Il est imprudent, quand le ciel noircit et que le vent fait une saute d'humeur, de rêver sur un navire de trois cents tonneaux couvert de toile. A peine avais-je eu le temps de m'aviser qu'il était grand temps de carguer les voiles : déjà la bourrasque était sur nous et le *Vulcain* donnait de la bande au point que je nous crus perdus.

Par chance, mon équipage était composé de matelots éprouvés, prompts à s'empresser aux manœuvres. De justesse, le navire se redressa pour continuer sur son erre. J'avais failli, quant à moi, passer par-dessus bord, et tout en marmottant une prière, j'avais pu songer que la mer est une maîtresse ombrageuse et qui ne souffre pas la distraction. Deux ans plus tôt, je ne me fusse jamais laissé surprendre par la soudaineté de son attaque, et son brutal rappel à l'ordre devait me servir de leçon.

Le mauvais temps dura toute la journée et toute la nuit suivante. La violence du vent m'avait contraint de mettre à la cape. Nous allions capeyant du nord-nord-ouest au nord-nord-est, voire à l'est, et je ne me dissimulais pas que nous risquions d'être drossés à la côte.

Quand l'aube du deuxième jour se leva, un cocon de brume grisâtre enveloppait le navire dégréé de son perroquet de fougue, de son foc avant et de sa vergue de barre. La mer continuait de grossir. J'avais fait serrer la grand-voile et, le grand hunier étant déchiré, je laissais courir sur la misaine. Au milieu de la matinée, cette voilure même ne pouvait plus être portée et je faisais prendre deux ris dedans. A midi, un coup de mer nous mettait entre deux eaux. L'infortuné *Vulcain* n'obéissait plus au gouvernail. Il se coucha. Etait-ce la fin ? L'aumônier, à genoux sur le pont, cramponné d'une main au cabestan, égrenait de l'autre son chapelet avec la sérénité de la bonne conscience. Il fallait recourir aux grands moyens. J'ordonnai de scier le grand mât qui s'abattit dans un bruit affreux, et le gouvernail obéit.

Cependant, nous n'étions pas tirés de peine. Le navire fatiguait et faisait de l'eau. Quelques grains de pluie nous accordèrent des répits passagers avant que la tempête reprît de plus belle. Les vents persistaient à nous être contraires. Il était vain de prétendre tenir notre route, et l'état de la mer nous interdisait de regréer.

Ce temps pourri se prolongea plus de trois semaines. La brume, toujours aussi épaisse, m'empêchait de faire le point. Quand le ciel enfin se dégagea, le jour de Noël, je ne fus pas surpris outre mesure de découvrir que nous avions été chassés au large des îles d'Arran, dont les hautes falaises commandent la baie de Galway. Après m'avoir fait observer que ses prières nous avaient sauvé du naufrage, le P. Cornélius van den Broeck célébra sur le tillac une messe d'action de grâces, que tout l'équipage écouta, le bonnet à la main.

Les Irlandais sont de bonnes gens, francs buveurs et grands batailleurs, qui ont toujours marqué de l'amitié aux Français. Ils étaient partisans du prétendant Jacques III, reconnu par le Roi très Chrétien, contre le fourbe Guillaume d'Orange. Le piteux état de mon navire m'engagea à relâcher dans le petit port de Galway pour y réparer nos avaries. Nous y restâmes toute une semaine, pendant laquelle, dans des ruelles tortueuses où les cabarets étaient barbouillés de couleurs crues, plusieurs de mes matelots, pour avoir lampé sans modération de cette méchante eau-de-vie de grain que la population appelle *whiskey*, se firent passablement écharper au cours de rixes quasi quotidiennes. J'y fis la connaissance d'un *alderman* qui crachait à trois pas chaque fois que l'on prononçait devant lui le nom de l'usurpateur. Ce personnage, de noble allure sous sa perruque à marteaux, m'apprit que l'Angleterre et l'Empire. ligués avec le Danemark et les Provinces-Unies, ne tarderaient pas à reprendre les hostilités contre la France pour l'affaire de la succession d'Espagne. Il m'exhorta à considérer avec méfiance tous les navires que je rencontrerais dans les eaux irlandaises, car les corsaires anglais pouvaient fort bien devancer la déclaration de guerre ; puis il conclut dans un dernier jet de salive :

— *God punish England !*

Je donnai l'ordre d'appareiller le 3 janvier de cette année 1702 qui devait être pour moi si agitée. Je n'ai oublié ni la transparence de l'air, ce matin-là, ni le vert des collines pacifiques, ni ces mouchoirs qu'agitaient sur le quai de roses Irlandaises au corsage rebondi, pour saluer, la larme à l'œil, le départ de leurs galants d'un jour.

La brise était favorable et, suivant l'avis de l'*alderman*, je gouvernai aussitôt sud-sud-ouest pour m'éloigner des côtes. L'avis était bon. Sur le midi, j'aperçus à la lunette un vaisseau qui ne pouvait être qu'anglais et armé d'au moins cinquante canons. Le *Vulcain* était, par chance, meilleur voilier que lui et, avant le crépuscule, nous l'avions déjà perdu de vue.

Un mois bientôt allait être écoulé depuis notre départ de Paimbœuf, et non seulement nous n'avions pas avancé d'une lieue dans la bonne direction, mais il nous fallait rebrousser chemin à force de voiles pour nous y engager. Les instructions contenues dans ma lettre de marque étaient formelles. Je devais visiter tous les bateaux de la traite pour m'assurer que toutes choses y étaient en ordre. Ils appareillaient pour la plupart de Nantes. J'étais donc tenu de mettre le cap au sud, en diligence, pour me retrouver, sinon à l'embouchure de la Loire, du moins sur la route habituellement suivie par eux, entre Nantes et la Corogne.

A la vérité, si je m'étais borné à une vue étroite de ma mission, j'aurais pu considérer qu'elle ne commençait que sur la côte d'Afrique, puisque les premières opérations de cueillette n'étaient pratiquées généralement qu'à partir des îles Bananes. Mais le captain Lafortune n'était pas mort, et sous le masque du dénommé Le Gendre de Tous-les-Saints, l'occasion lui était trop belle de travailler encore pour la cause qu'il n'avait abandonnée qu'à son corps défendant. N'était-il pas habilité à mener la vie dure aux négriers ? A défaut de délivrer les malheureux captifs, enchaînés dans la puanteur des cales, du moins pourrait-il rendre leur sort moins cruel.

Pendant une dizaine de jours, notre navigation plein sud fut sans histoire. Il ventait frais, comme le voulait la saison, mais dans le bon sens ; les courants nous portaient sur une mer plissée d'une houle bénigne, et nous n'apercevions pas une voile à l'horizon, à croire que toutes les flottes du Vieux Monde avaient sombré dans la tempête.

Un brouillard blanchâtre, et qui allait s'épaississant, tomba sur nous comme nous approchions des côtes d'Espagne. On n'y voyait pas à une portée de pistolet, et j'étais contraint de faire donner continuellement de la corne de brume.

En dépit de cette précaution, nous heurtâmes par le travers, pour ne l'avoir vu que lorsqu'il était sur nous, le *Dragon-Volant*, senau de cent tonneaux et six canons, qui venait des Antilles chargé de sucre, d'indigo et de gingembre. Le navire éventré coula en quelques instants et ce fut miracle si nous pûmes nous dégager.

Par chance, la mer était calme, et je commandai aussitôt de descendre un canot et de jeter des filins pour sauver les naufragés. A ma surprise, nous n'en repêchâmes que cinq. Le dernier fut le capitaine, un Malouin nommé Bastard qui, à peine tiré de l'eau, leva les épaules en me disant :

— Ma foi, monsieur, je vous suis diantrement obligé de m'avoir disputé aux espadons qui pullulent dans le coin et qui vous embrochent comme des tueurs à gages ; mais j'aime mieux vous dire que, pour votre sûreté, il eût peut-être été plus sage de me laisser barboter dans la mare aux harengs.

Comme je protestais qu'une telle indifférence à la vie d'autrui n'eût pas été digne d'un chrétien, il se secoua comme un chien mouillé, éternua et avala d'un trait le verre de tafia que je lui tendais.

— Ouais, reprit-il, vous êtes un homme de cœur, capitaine, et je vous en loue, mais ne vous êtes-vous pas demandé pourquoi vous n'aviez vu que cinq hommes surnager de tout un équipage ? Sachez que j'avais cinquante solides gaillards à bord quand nous quittâmes Fort-de-France.

— Et alors ?

— Pardieu ! Je regrette d'avoir à vous inquiéter, mais il serait malhonnête de vous dorer la pilule. Nous étions à deux jours de la Martinique lorsque notre mousse, un garçon de treize ans, a pris le mal ; un accès de fièvre chaude qui l'a emporté en trois jours. Pour tout arranger, la seconde victime a été le chirurgien. Et voilà que, les uns après les autres, mes hommes se couchaient pour ne plus se relever. En huit, dix jours au plus, plouf ! ils allaient dire bonjour aux poissons. Là-dessus, nous essuyons quelques tempêtes du type classique et qui auraient bien suffi à écœurer les plus durs à cuire ; mais nous n'étions pas au bout. En plein milieu de l'océan, un ouragan nous tombe dessus. Quel ouragan ! J'ai bien cru que notre malheureux *Dragon-Volant* allait justifier son nom en allant battre de l'aile dans les nuages. Il tournoyait comme un bouchon sur la mer. La grand-voile s'est déchirée du haut en bas, et puis le grand mât s'est cassé net à mi-hauteur. Les cages à poules, que nous avions sur le pont, balayées par une lame, ont disparu dans l'écume. Les manœuvres courantes se détachaient, se rompaient, sifflaient autour de nous comme des serpents. Mon second en a reçu une dans l'œil, et comme il y portait sa main en hurlant, une autre énorme lame s'en est venue qui a recouvert le tillac, et nous ne l'avons pas revu.

« Comment nous n'avons pas sombré corps et biens dans cette fureur des flots qui se hérissaient comme des montagnes, je me le demande encore. Notre gouvernail avait été arraché et nous avons dérivé pendant une semaine jusqu'aux Açores. Quand nous affourchâmes devant l'île San Miguel, dans le petit port de Ponta Delgada, le temps s'était remis au beau. Un grand concours de peuple vint béer à distance devant notre misérable bâtiment réduit, avec un seul mât de fortune, à l'état d'épave.

« Quant à l'équipage, pauvre de nous ! il ne valait guère mieux. Depuis l'ouragan, une dizaine de mes hommes avaient péri. De cinquante, nous étions tombés à trente, et le chirurgien du bateau de santé, ayant découvert parmi les survivants plusieurs malades rongés de fièvre et *in articulo mortis,* nous interdit de débarquer.

« Nous sommes restés en rade près de trois semaines pour remettre nous-mêmes le navire en état. A cause du risque de contagion, nous ne pouvions communiquer avec les indigènes, tous Portugais bon teint, qu'à l'aide de porte-voix. Ce dont nous avions le plus pressant besoin : mâts, voiles, cordages, tierçons d'eau, vivres, nous était apporté sur la rive où nous l'allions chercher après que les insulaires s'étaient éloignés. Le dernier jour enfin, comme j'avais déposé à l'endroit convenu un petit sac de toile garni de pièces d'or représentant le prix arrêté pour leurs fournitures, j'en vis plusieurs s'approcher précautionneusement, mettre le feu au sac et ramasser les pièces avec des pincettes. Je devais cependant leur savoir gré de leurs bons offices, et j'attendis d'avoir gagné le large pour immerger nos vingt-et-unième et vingt-deuxième cadavres. »

Le Malouin, petit homme sec et râblé, au regard perçant, éternua derechef et reprit :

— Vous m'avez sauvé la vie, et tout ce que je pouvais faire pour vous en remercier était de vous signaler que votre opération de sauvetage menaçait de se retourner contre vous. Maintenant, si vous gardez un reste de charité chrétienne, je ne vous demanderai plus que de me ravigoter encore d'un coup de tafia et de me prêter des vêtements secs, car mes vieilles nippes me collent à la peau et je ne tiens pas à attraper la mort.

Il faisait le long cours depuis quinze ans et avait acquis la philosophie du métier. Quand il eut enfilé une camisole de matelot, à rayures blanches et bleues, je lui demandai s'il voulait être débarqué sur la côte espagnole avec ses hommes ou voguer avec nous vers les Amériques. Il me répondit que ses hommes étaient libres de faire comme ils l'entendaient, mais que, s'étant pour sa part marié à Saint-Malo au retour de son précédent voyage, il avait pour principe que la vertu d'une jeune femme ne devait pas trop longtemps être mise à l'épreuve. Aussi préférait-il rejoindre la France dans le plus bref délai. Je chassai les déprimantes images qui se levaient en moi à cette déclaration et mis le cap sur Vigo.

Nous mouillâmes le lendemain, sur le soir, dans une vaste rade bien protégée par un amphithéâtre de riantes collines. Une mauvaise surprise nous y attendait. Deux des quatre matelots rescapés du *Dragon-Volant*, étaient sur le flanc depuis le matin. Ils grelottaient de fièvre, et le chirurgien du port les ayant examinés nous fit arborer le pavillon de quarantaine. Il nous laissait seulement le choix de subir celle-ci à bord ou au lazaret de l'île voisine de San Martin. J'eu beau lui jurer qu'il ne pouvait s'agir de la maladie de Siam, qu'on appelle aussi *vomito negro* ou typhus d'Amérique, il me reprocha, avec une indignation démonstrative, de compromettre mon salut éternel par un faux serment et me représenta qu'ayant conquis le bonnet de docteur à l'illustre Université de Salamanque, il était fondé à m'apprendre que la fièvre récurrente, dont les deux matelots étaient atteints, n'avait pas d'effets moins redoutables que la fièvre jaune. Conséquemment, son haut souci de la salubrité publique au royaume d'Espagne, et singulièrement en Galice, lui faisait un devoir de nous soumettre à la quarantaine la plus rigoureuse, qui dure effectivement quarante jours. Je décidai de rester à bord, tandis que le capitaine Bastard, ses hommes et plus de la moitié de mon équipage optaient pour le lazaret.

C'est une pénible condition pour un marin que de se voir immobilisé sur un bateau à l'ancre et déployant à son mât de misaine le pavillon carré d'étamine jaune qui marque l'interdiction de communiquer avec la terre. Tous les bateaux qui entraient dans la baie ou la quittaient, sitôt que leur pilote l'avaient aperçu, changeaient d'amures pour se tenir éloignés de nous. Il n'était guère de jour où la contagion ne gagnât un de mes matelots, et l'homme qui, à l'aube, tardait à se lever de son hamac, déjà tout suant et claquant des dents, pouvait recommander son âme à Dieu.

Notre état était d'autant plus dur à supporter que nous voyions toute proche cette belle ville de Vigo étager ses maisons de marbre blanc dans un cercle de collines où tant de plaisirs nous semblaient à portée de main. A la pressante requête de notre chirurgien, tous les hommes valides portaient sur la bouche un tampon imbibé de vinaigre. Cette précaution n'empêcha pas que, des cinquante hommes demeurés avec moi, trente-deux durent être successivement largués par-dessus bord, un boulet aux pieds, le chirurgien étant du nombre. Il m'en restait donc tout juste dix-huit, dont le père Cornélius et le vicomte de Montgaillard, ce dernier seul survivant de sa compagnie de gardes-marine.

Il se trouva pourtant que, la dernière semaine de quarantaine n'ayant fait aucune victime, nous fûmes autorisés à descendre à terre. J'y appris avec stupeur que, de mes soixante-dix matelots internés au lazaret, dix seulement étaient encore en vie, plus le capitaine

Bastard. D'une douzaine d'autres, on ne savait ce qu'ils étaient devenus. Ayant pris la clef des champs, ils n'avaient pu être retrouvés, à l'exception de trois d'entre eux qui, pour avoir détroussé un marchand de chapelets à Saint-Jacques de Compostelle, avaient subi le supplice de la garrotte. Toujours est-il que mon équipage de cent-vingt hommes se trouvait ramené à vingt-huit et qu'il m'était impossible de poursuivre ma route sans le renforcer. Quoique la France fût l'alliée de l'Espagne, c'était à Vigo une entreprise difficile. Pouvait-on concevoir que, sur un vaisseau du roi, les Français fussent perdus au milieu des Espagnols ?

Je pris le seul parti raisonnable, qui consistait à rebrousser chemin pour mettre le cap sur le premier port français où reconstituer un équipage. C'était Bayonne. Avant d'y parvenir, il fallut encore surmonter une brève mais violente tempête, que le petit nombre de mes matelots aurait pu nous rendre fatale.

Le ciel était limpide, et une petite brise fraîche gonflait nos voiles quand nous franchîmes la barre de l'Adour. Peu après, le *Vulcain* chassait doucement sur ses ancres devant la citadelle du Saint-Esprit dominée par la haute tour carrée du Château-Vieux. Le printemps s'annonçait aux bourgeons des arbres. J'avais quitté Paimbœuf depuis bientôt quatre mois. J'aurais dû, depuis deux mois au moins, louvoyer dans la mer Caraïbe, entrevoir déjà le retour, et je me retrouvais quasiment à mon point de départ, dans un port de mon pays. Durant le temps de notre éprouvante navigation comme dans celui de la quarantaine, les tribulations auxquelles j'avais été exposé m'avaient empêché de fixer ma pensée sur ma femme abandonnée par un sinistre matin d'hiver. Maintenant que quelques journées de poste m'auraient suffi pour la serrer dans mes bras, une terrible tentation me sollicitait : sauter à cheval, piquer la bête à mort, galoper à bride abattue vers Paris. Je m'ouvris de mon trouble au père Cornélius sous le secret de la confession. Il me sermonna avec la dernière sévérité. Qu'allais-je me mettre en tête ? Le roi ne m'avait-il pas expressément chargé d'une mission aux Amériques ? N'étais-je pas tenu d'obéir au roi comme à Dieu même ?

J'avalai le sermon et fus rendre visite au gouverneur de la ville, La rue, bordée d'arcades, que je devais gravir pour accéder à son palais, embaumait le chocolat chaud. Le gouverneur, ancien capitaine des vaisseaux du roi, était un vieux gentilhomme qui avait servi en son temps sous Monsieur Duquesne dans ses expéditions contre les Barbaresques et la ville de Gênes. Il ne parut pas prendre au sérieux le récit de mes malheurs, me déclara que la tempête était l'école du marin, qu'il avait lui-même fait trois fois naufrage, et m'offrit du tabac. Je m'aperçus seulement en prenant congé de lui qu'il était sourd à n'entendre pas Dieu tonner.

Plusieurs semaines me furent nécessaires pour reformer mon équipage. Entretemps, j'avais écrit à ma femme pour la mettre au fait de ma situation et en la priant de n'en pas souffler mot à son père. Je reçus d'elle une réponse qui me jeta dans un profond désarroi. Elle ne s'était pas trompée et pouvait maintenant m'en donner l'assurance formelle : j'allais être père.

Cette nouvelle, qui aurait dû me remplir de joie, acheva de m'abattre. Mon enfant naîtrait, hélas ! quand je serais à l'autre bout du monde. Le verrais-je même jamais ? Que pouvais-je sainement augurer d'un voyage aux prémices aussi désastreuses ?

Le *Vulcain* ne fut en état d'appareiller qu'à la mi-avril. Le 4 mai, le roi d'Angleterre et l'empereur devaient déclarer la guerre au roi de France.

XI

Avais-je enfin conjuré le mauvais sort ? Depuis notre départ de Bayonne, le beau temps s'étant maintenu, il nous avait suffi d'un peu moins d'un mois pour parvenir en vue de la Sierra Leone. Quelques jours plus tôt, en apercevant le pic de Ténérife, j'avais senti un coup au cœur. Pour rien au monde, je n'eusse cette fois relâché à Santa Cruz. Etait-il possible que tant d'années me séparassent du jour où le cher Sosthène avait juré à la mulâtresse Consuelo de l'épouser à son prochain passage ? La mort l'avait empêché de trahir son serment. Et qu'était devenue la sœur de Consuelo, cette gracieuse Juanita qui avait eu des bontés pour moi ? Ces heures si douces dans mon souvenir n'avaient-elles pas appartenu à une autre vie ?

Entre les îles du Cap Vert et le Cap Tangrin nous avions hissé à bord un malheureux agrippé à une futaille et qui, à bout de forces, allait se laisser couler. Il était originaire de Dieppe et subrécargue du brigantin *l'Atalante*, qu'un corsaire anglais avait, la veille, envoyé par le fond. Ainsi fus-je averti que la guerre venait de recommencer.

J'accueillis cette nouvelle, qui aurait dû m'accabler, avec une sorte de soulagement. La vie à bord est monotone quand nulle voile ne paraît à l'infini du désert marin, et la visite des négriers, à laquelle m'astreignait ma lettre de marque, dès lors que la libération des captifs n'y était pas liée, n'avait qu'un intérêt de principe. La guerre déclarée, tout navire anglais ou hollandais devenait pour moi un gibier qu'il m'appartenait de traquer, de forcer, de réduire impitoyablement. Cette perspective m'inspira une harangue assez bien venue pour que mon équipage, composé pour la plus grande partie de Basques rompus aux périls de la mer, l'accueillît, bonnets jetés en l'air, à grand renfort de hourras.

L'Afrique devant nous, je fis courir des bordées pour nous rapprocher de la terre et augmenter ainsi nos chances de rencontrer des bateaux de la traite. Comme nous n'étions pas à plus d'une lieue de la côte, par un temps couvert et moite, le navire fut soudain environné comme d'un nuage qui eût été fait de minuscules flocons de neige. En quelques instants, le pont, le gréement, l'équipage et moi-même en fûmes recouverts. Mais cette neige tropicale, loin de nous rafraîchir, nous piquait cruellement et faisait apparaître des ampoules sur la peau. C'étaient des insectes transportés par le vent, comme il se produit parfois, à de grandes distances, dans la zone tropicale, et ces bestioles ressemblaient à des poux blancs et plats. J'ai rarement entendu pareil concert de jurons, tandis que mes hommes s'appliquaient de grandes claques sur les joues, les mains et les pieds qu'ils avaient nus à l'ordinaire. Le père Cornélius, tout en ne manquant pas à s'infliger le même traitement, se lamentait et se répandait en reproches véhéments auprès des matelots qu'il vouait à la flamme éternelle pour blasphémer le nom de Dieu.

Nous fûmes ainsi, à qui mieux mieux, piqués, mordus, percés de dards minuscules pendant une bonne dizaine de minutes, au bout desquelles le soleil, déchirant les masses nuageuses, nous favorisa de ses rayons brûlants. Sur-le-champ, les maudits insectes périrent, à l'exception de ceux qui, s'étant introduits sous nos vêtements, continuaient de pomper notre sang Le résultat de cette agression singulière fut que tout mon équipage, en proie à de violentes démangeaisons, se gratta pendant deux jours.

Nous continuions de caboter quand, moins d'une

semaine après, à la tombée de la nuit, je distinguai les feux d'un navire au vent à nous. Je voulus virer de bord pour lui couper le chemin, mais l'obscurité gagne vite dans les régions voisines de l'Equateur, et un brouillard s'épaissit, qui acheva de le soustraire à ma vue. La brise était faible. J'eus l'idée de mettre en panne. Quelle ne fut pas ma surprise, à l'aube, de découvrir, beaucoup plus proche de moi, un navire qui était évidemment le même que la veille ! Son capitaine avait dû penser comme moi, et je pouvais observer à l'œil nu que son tonnage était sensiblement analogue au mien.

Prenant l'initiative de l'affrontement, il tira un coup de canon sous le vent pour assurer son pavillon. C'était un anglais ; j'eus soupçon que, de surcroît, il devait faire la traite. A mon tour, je montrai mon pavillon et commandai le branle-bas de combat. Nous devions être à égalité d'armement ; ma résolution n'était pas moindre qu'au temps du *Fulminant*, et je ne doutais pas de mettre l'ennemi à la raison, pour peu que mon équipage répondît à mon espérance.

Le capitaine anglais, dont le navire s'appelait le *Furious*, était, contrairement à ce nom de baptême prometteur, un homme de sang-froid et un remarquable manœuvrier. Il m'en administra aussitôt la preuve, qui aurait pu me coûter cher. Je vis avec surprise qu'il m'attendait en panne, sans illusion ni crainte sur ma possibilité de le joindre, avec ses basses voiles carguées et son grand hunier sur le mât. Il n'était alors pour moi que de le prolonger sous le vent pour l'aborder de long en long. Oui-da ! Sitôt que mon beaupré fut par le travers de sa poupe, il appareilla sa misaine, traversa ses voiles d'avant, mit son grand hunier en ralingue, et arriva si promptement que, malgré toute mon attention, je ne pus éviter d'engager mon beaupré dans ses grands haubans.

Je m'étais laissé prendre au piège, et cette faute me mettait en mauvaise posture, car je ne pouvais utiliser contre mon adversaire que mes deux canons de l'avant, tandis qu'il disposait contre moi de toute son artillerie. Aussitôt j'essuyai son feu qui me tua une dizaine d'hommes et fit à mon bord un grand désordre. Mon petit mât de hune s'abattit, assommant un mousse. De toutes parts, je n'entendais que craquements de vergues et sifflements de cordages coupés. Nul doute que j'eusse été perdu si, dans l'instant, je n'avais donné l'ordre à tout mon équipage de sauter à bord de l'ennemi.

Je ne m'étais pas trompé sur leur compte : mes Basques avaient du cœur au ventre. En un clin d'œil, sabre au poing, ils descendaient sur le pont du *Furious* comme des anges exterminateurs.

Ce fut un combat confus, où je dois reconnaître honnêtement que nous avions, d'assez peu il est vrai, l'avantage du nombre. (Je ne sus que plus tard que seuls étaient restés sur le *Vulcain* le père Cornélius et le timonier.)

Il faut rendre justice aux Anglais : ils savent se battre et, s'ils ne possèdent pas l'agilité des Barbaresques, leur fermeté d'âme et la sûreté de leur coup d'œil en font des adversaires redoutables.

Le hasard voulut que, pour ma part, lâchant le funin qui m'avait transporté à travers les airs jusque sur la dunette du *Furious*, je m'y trouvasse nez à nez avec son capitaine. C'était un grand diable osseux et au teint boucané sous son tricorne noir de cuir bouilli. Il tenait un pistolet d'une main et un sabre de l'autre. Je n'étais, quant à moi, armé que de mon sabre. En me voyant tomber du ciel à deux pas de lui, il leva en même temps ses deux armes. Il aurait eu tout le temps d'appuyer sur la détente du pistolet pour se débarrasser de moi sans plus de cérémonie. Il se borna pourtant à parer la botte que je lui portais, tout en rengageant l'arme à feu dans sa ceinture. Il avait reconnu ma qualité, car un rire démasquait sa denture de loup, et il demandait :

— *Captain, sir ?*

— *Yes, sir.*

— *Well then, side arms.*

Ce qui voulait dire que, pour la correction de la

rencontre, il estimait devoir en découdre avec moi à l'arme blanche.

Je compris tout de suite qu'il n'y avait pas là présomption de sa part. Il ne cessait pas de ricaner, tandis qu'il détaillait avec une aisance tranquille et comme s'il voulait me donner la leçon, les coups de l'escrime la plus classique : coup droit, coup de pointe, coup de taille, flanconnade, moulinet, octave, etc. Il rompait, feintait, poussait la botte, la serrait, voltait, puis, sur un dégagement, me décochait un fulgurant contre de quarte. Je déjouai de justesse un coup fourré, lequel avait été amené dans toutes les règles de l'art, parai de même un coup au flanc, et une contre-attaque à la manchette, enfin, désarma mon homme.

Je n'avais nulle envie de tuer ce *gentleman* qui, le poignet droit en sang, secouait la tête d'un air dépité. Notre combat, me dit-on par la suite, avait duré près d'une demi-heure et, tout entier à l'action, j'entendais bien autour de moi des bruits de lames, des détonations, des cris et des gémissements de blessés ou de mourants, mais je ne pouvais rien voir et j'avais perdu la notion du temps.

Quand mon batteur de fer cessa de secouer la tête pour saluer son vainqueur en levant son tricorne de la main gauche, je pris conscience que les bruits avaient cessé. Le *Furious* était à nous. Je promenai mon regard sur le pont. Mes hommes brandirent leurs sabres et s'écrièrent :

— Vive le roi !

Les matelots anglais survivants avaient déjà mis bas les armes comme leur chef. Je demandai à ce dernier s'il avait des captifs à bord, comme l'annonçaient suffisamment les relents fétides montant des écoutilles.

— *Two hundred, sir.*

Je le priai de me conduire auprès d'eux. Il fit la grimace mais obtempéra, et je fus à même de constater que la traite anglaise était encore plus inhumaine que la nôtre. Les noirs enchaînés croupissaient dans l'ordure, la sanie et une puanteur à tuer les mouches.

Ma décision fut vite prise. Mes instructions portaient que je devais visiter tous les bateaux de la traite, mais il ne s'agissait expressément que des bateaux français de l'*Assiente*. Le cas des négriers anglais n'était pas prévu, ni ce que j'aurais à faire, le cas échéant, de captifs découverts à leur bord. En revanche, il était spécifié que je pouvais, de ma seule décision, et pour la plus grande gloire du roi, couler sans merci tout navire ennemi. Le sort des captifs était donc remis à la discrétion de celui qui, n'ayant cessé que malgré soi d'être le captain Lafortune, était parfaitement fondé à se rappeler sa vocation première.

Je convoquai dans ma chambre Monsieur Jauréguy, mon second, les lieutenants Iturri et Lissagaray, l'officier marinier Le Gonidec, le vicomte de Montgaillard et le père Cornélius van den Broeck.

— Messieurs, leur dis-je, la prise que nous venons de faire pose un problème délicat et que nous devons résoudre dans l'heure, afin d'assurer notre décision à l'avenir, si le cas venait à se représenter. Le *Furious* transportait deux cents captifs à destination de la Jamaïque. Ils sont toujours dans ses flancs. Qu'allons-nous en faire ? La mission dont j'ai été investi ne nous permet pas de les prendre en charge, même au profit de la Compagnie de l'*Assiente*. Nous ne pouvons pas davantage amariner ce navire, vu l'éloignement où nous sommes des côtes de France. Il ne nous reste qu'à le couler.

— C'est la meilleure solution, fit Montgaillard en tortillant avantageusement sa petite moustache. Coulons-le avec ses nègres et ses Anglais. Des païens et des hérétiques ! Un peu plus tôt, un peu plus tard, c'est l'enfer qui les attend. Que le diable les emporte !

L'aumônier toucha sa barbe et prit une belle colère.

— Mon fils, dit-il, voilà une cruelle pensée contre laquelle je dois m'élever de toutes mes forces. Les païens ont une âme immortelle, eux aussi, et les hérétiques ne sont que des brebis égarées auxquelles il est permis, avec la grâce de Dieu, de rentrer dans le giron de notre Sainte Mère l'Eglise. Je veux donc espérer que le capitaine Le Gendre, si heureusement placé sous l'invocation de Tous-les-Saints, laissera à ces infortunés une chance de faire leur salut.

Monsieur Jauréguy et les lieutenants opinèrent du bonnet. Ils se ressemblaient curieusement tous les trois : secs, le visage basané en lame de couteau, l'œil noir et brillant comme l'olive confite, le jarret vif des montagnards. Ils étaient peu causants, mais armés de résolution et savaient se faire obéir.

— Et vous, Le Gonidec ? demandai-je à l'officier marinier.

Les yeux bleus du Breton illuminèrent son visage tanné.

— Ma doué, dit-il, je « cuide », moué, que c'est affaire de capitaine.

Montgaillard leva les épaules.

— A quoi bon chercher midi à quatorze heures ? Le feu aux poudres, il n'y a que ça.

Je pensai alors que je pouvais rendre mon arrêt.

— Messieurs, dis-je, il me paraît que notre aumônier a prononcé selon les préceptes de la charité chrétienne. Nous ne faisons pas la traite et n'avons pas mandat de la faire. Nous enverrons donc le *Furious* par le fond. Au préalable, toutefois, comme il nous est impossible de prendre à notre bord les deux cents misérables que nos ennemis promettaient à l'esclavage, nous les débarquerons sur la terre africaine où ils ont été achetés comme du bétail. Nous leur laisserons quelques vivres et les confierons à la miséricorde divine.

Le père Cornélius hocha la tête et eut une réflexion singulière dans la bouche d'un homme de Dieu.

— Capitaine, dit-il, je rends hommage en votre personne à la noblesse de l'intention, mais notre saint père le pape ne vous en demande pas tant. N'oublions pas que Rome n'a pas interdit l'esclavage. Pourquoi ? Parce que, même composé d'un corps et d'une âme, comme vous et moi, le sauvage reste un sauvage et que la captivité peut être pour lui le chemin du salut. En faisant voguer le *Furious* de conserve avec nous pendant quelque temps, vous aurez une chance de revendre vos nègres à un bateau français de la traite,

et l'argent que vous en retirerez pourra servir la
gloire du roi et de l'Eglise.

— Mon père, lui dis-je, vous ne me blâmerez certainement pas, vous qui, en revêtant le saint habit, avez
renoncé au monde, non, vous ne sauriez me blâmer si je
vous dis qu'au-dessus de la vanité des biens temporels,
je place la paix de la bonne conscience. Fidèle sujet du
roi, je suis tenu de lui obéir — excusez la formule qui
n'appartient pas à votre ordre — *perinde ac cadaver.*
Participant à la traite sans son aveu, même par raccroc,
je prendrais sur moi et n'en veux pas assumer le
risque. Les deux cents captifs vont donc être remis
en liberté. Quant à nos prisonniers anglais, nous les
débarquerons à l'île de Gorée, où nous les remettrons
aux mains du gouverneur.

L'aumônier me dévisagea avec une expression
bizarre.

— Pourquoi, capitaine, ne pas lui remettre aussi les
captifs ?

— Parce que je ne suis pas marchand de chair
humaine, mon père.

Il eut un geste de mécontentement qui me fit comprendre mon imprudence, et je me repris aussitôt.

— Je veux dire, et j'y insiste, parce que la traite
n'est pas de mon ressort. Je dois seulement m'assurer
qu'elle est pratiquée avec humanité.

J'ajoutai sèchement, pour montrer que je n'entendais
pas disputer davantage :

— Je vous remercie, messieurs. Vous pouvez disposer. Monsieur Jauréguy, veuillez immédiatement
mettre le cap sur le grand Mesurade. A ce que je crois,
nous n'en sommes pas loin.

Quelques heures après, nous mouillions en rade de
Saint-Paul. Je redoutais d'y trouver à l'ancre un navire
de la Compagnie, car il m'eût été alors difficile de
justifier ma décision de libérer les captifs. Par fortune,
la rade était vide. Par groupes de vingt, les deux cents
noirs furent conduits à terre dans notre chaloupe.
Les premiers débarqués n'en revenaient pas de se voir
déferrés et laissés sans garde sur le sable de la baie.

Ils s'attendaient à quelque mauvaise surprise et regardaient d'un air effaré tantôt le navire qu'ils venaient de quitter, tantôt, à faible distance, un rideau de cocotiers qui aurait pu dissimuler leur fuite.

La chaloupe dut accomplir dix fois, à l'aller et au retour, le parcours du *Vulcain* au rivage. A chaque débarquement, quelques captifs, plus déterminés que les autres, voyant qu'aucun de mes hommes ne demeurait sur la plage pour les surveiller, après un court moment d'hésitation, prenaient leurs jambes à leur cou et disparaissaient sous les cocotiers.

J'avais voulu être de la dernière chaloupe, dans laquelle j'avais fait charger quelques sacs de riz, empruntés à la dépense du *Furious*. Quatre matelots étaient de l'expédition qui, arrivés sur la terre ferme, prirent les sacs sur leur dos et les déposèrent devant les noirs. Ainsi ces derniers auraient-ils la subsistance assurée pendant plusieurs jours.

J'aurais voulu pouvoir accompagner cette libéralité d'une harangue explicative, mais comment me faire entendre autrement que par gestes ? Comment aussi eussent-ils pu attendre le moindre bien d'un de ces bourreaux blancs qui les avaient toujours traités comme des bêtes ? Je désignais les sacs, puis, portant la main à mon estomac, faisais mine de mâcher avec satisfaction. La bouche ouverte, les bras ballants, les yeux ronds, ils se demandaient visiblement par quels sévices allaient se terminer pour eux les simagrées dont je leur donnais le spectacle.

Il fallait en finir. Je commandai à mes hommes de pousser la chaloupe dans l'eau et, quand elle flotta, j'y sautai le dernier. Les captifs rendus à la vie libre, immobiles, pétrifiés, nous regardaient partir. Debout à l'arrière de la chaloupe, je leur faisais des signes d'adieu. Alors, comme nous nous éloignions, tout à coup ils comprirent la portée de l'événement. Ils étaient les héros d'une aventure extraordinaire et telle que, de mémoire de nègre, on n'en avait jamais connu de semblable (car les exploits passés du captain Lafortune n'étaient évidemment pas venus jusqu'à eux) :

réduits en esclavage par des blancs pareils à tous les blancs, c'est-à-dire insensibles à la souffrance des noirs, voici qu'un autre blanc, venu lui aussi de la mer, les arrachait à leur pitoyable condition. Si différent des mauvais blancs, celui-là ne pouvait être qu'un dieu. Je les entendis encore, dans l'éloignement, échanger des paroles confuses et pousser des cris. L'un d'eux, enfin, tomba à genoux, les autres l'imitèrent, et tous, se prosternant, élevant les bras et les abaissant, se prirent à frapper de leurs fronts le sable fin. Ils me rendaient le culte dû à un dieu bienfaisant.

L'équipage entier du *Vulcain*, penché sur le plat-bord ou accroché en grappes dans les cordages, avait assisté avec stupeur aux scènes qui venaient de se dérouler. Quand je me retrouvai sur le pont, un grand silence m'accueillit. J'eus un regard circulaire qui feignait de ne rien remarquer d'anormal et jetai mes ordres :

— Tout le monde à son poste ! Pare à virer.

Comme tous s'empressaient à la manœuvre, l'aumônier s'approcha de moi.

— Capitaine, me dit-il, je ne sais si la longanimité dont vous venez de faire preuve vous est inspirée par Dieu ou par le diable. Les nègres captifs peuvent être évangélisés. Livrés à leurs instincts, ce ne sont plus que des sauvages adonnés aux pires superstitions et capables de tuer comme ils respirent, ainsi que nous le montre l'exemple des *marrons*.

J'avais assez d'empire sur moi pour rester impassible. Ah ! si le père Cornélius avait su !... Mais je me bornai à répondre, sans ciller :

— A chacun selon ses œuvres, mon père.

Et, prétextant que je devais me rendre à la barre, je lui tournai le dos.

Quand nous fûmes à bonne distance de la côte, je fis mettre en panne et transporter armes, vivres et munitions du *Furious* à notre bord. Tous les matelots anglais prisonniers étaient déjà enfermés dans la cale, à l'exception du capitaine qui eut le privilège d'assister à la disparition de son navire. Un boulet rouge de notre unique bordée tomba dans la sainte-barbe du *Furious,* et tous les tonneaux de poudre que j'y avais laissés sautèrent en même temps. Une immense gerbe de flammes et de fumée s'éleva. Quand elle se dissipa, la corne d'artimon s'abîmait dans les flots.

— *Good business !* dit flegmatiquement l'Anglais.

J'eus un mouvement de surprise. Il me regarda et haussa les épaules.

XII

Entre le cap Mesurade et l'île de Gorée, nous rencontrâmes un navire de la traite. C'était *la Léonore*, de Saint-Malo, une flûte de douze canons, qui avait déjà embarqué une centaine de captifs sur la côte du Sénégal. Son capitaine, un certain Yves Le Guen, hercule mal embouché, m'annonça tout net qu'il devait en traiter encore cinquante pour compléter son chargement à destination de Cartagène. D'assez mauvais gré, sur le vu de ma lettre de marque, rognonnant et grommelant que c'était bien du temps perdu, que tous les nègres se ressemblent et que tel qui en a vu un les a vus tous, il finit par consentir à me laisser visiter l'entrepont sous la conduite de son second, grand flandrin à l'œil louche et qui paraissait aussi rustaud que lui.

— Sauf respect, me disait ce dernier en déverrouillant l'écoutille, il faut que vous ayez le nez bouché pour prendre plaisir à descendre dans ce trou à gorets. Il y a de quoi tomber raide.

Il y avait de quoi en effet, et le logement des captifs à bord du *Furious* lui-même, en dépit de sa puanteur et de son exiguïté, pouvait faire figure d'un lieu de délices au prix du spectacle qui m'était offert. Les cent malheureux noirs, aussi serrés que harengs en caque, ne pouvaient bouger plus de la largeur d'une main sans se heurter les uns les autres. Outre la marque de la Compagnie : C.A. sur la poitrine, ils portaient dans le dos, sous forme de cicatrices bour-

soufflées et violâtres, les initiales du capitaine : Y.L.G.
J'observai aussi que, contrairement à la règle de séparation des sexes, une demi-douzaine de négresses roulaient des yeux blancs dans un coin. Je demandai la
raison de cette infraction à la coutume. Le second
émit un long jet de salive qui aboutit sur la tête crépue
d'un captif.

— Manque de place, dit-il.

— En ce cas, repris-je, où Monsieur Le Guen entend-
il mettre à pourrir les cinquante pièces d'Inde supplémentaires qu'il a l'intention de traiter ?

— C'est son affaire, répondit l'homme. Peuh ! Il en
meurt toujours bien un sur trois avant l'arrivée, et les
morts font de la place aux vivants.

A ce moment, j'aperçus un noir d'apparence assez
jeune et qui, râlant, un fil d'écume à la bouche, semblait à la dernière extrémité.

— Celui-ci, par exemple, fis-je en le désignant.

— Ha ! ha ! Vous avez l'œil.

Le grand flandrin, écrasant les pieds nus au passage
et délivrant des coups de pied de droite et de gauche
sans le moindre ménagement, se dirigea vers le malade
qui reçut pour médication deux ou trois coups de
garcette. Il ne lui en fallait sans doute pas davantage
pour rendre l'âme, car ses yeux s'agrandirent, devin-
rent fixes et vitreux, et son menton retomba sur sa
poitrine.

— Sortons, dit le bourreau. Il faut jeter ça à la
mer sans perdre de temps.

Un bruit léger, rythmé, comme d'ongles tapotant sur
une vitre, alternait dans ce domaine de la mort avec
celui des chaînes remuées. Je ne tardai pas à découvrir
d'où il venait : tous les nègres, de crainte ou de fièvre,
ou des deux à la fois, claquaient des dents.

Je remontai sur le pont et communiquai au capitaine
les décisions que, d'ordre du roi, les résultats de mon
enquête m'amenaient à prendre. *Primo*, le nombre
des captifs à bord de *la Léonore* ne pouvant dépasser
la centaine, il lui était fait interdiction de poursuivre
sa cueillette ; *secundo*, les mâles devant, selon le règle-

ment des navires de la traite, être séparés des femelles, cette séparation aurait lieu sur l'heure ; *tertio*, la malpropreté de l'entrepont étant une cause évidente de mortalité pour les captifs, le plancher de celui-ci serait, comme le pont, chaque matin poncé et lavé à l'eau vinaigrée.

Je m'étais exprimé froidement, ni plus ni moins qu'un procureur donnant lecture d'un procès-verbal d'inventaire. Je vis les yeux du sieur Le Guen s'injecter, ses mains trembler.

— C'est de la folie, monsieur, dit-il enfin en serrant les poings.

— N'oubliez pas, capitaine, repartis-je du même ton glacé, que vous parlez au représentant du roi et, dans votre intérêt, je vous engage à mesurer vos paroles.

Assez coloré naturellement sous sa couronne de cheveux carotte, son teint avait viré au rouge brique. Il éclata.

— Si je dois me conformer à vos instructions, monsieur l'envoyé du roi, je ne débarquerai pas cinquante nègres à Cartagène.

— Vous aurez, en tout cas, le mérite de n'en avoir pas tué cent, repris-je, et à cette fin je vous enjoins de mettre sur-le-champ le cap sur la Nouvelle-Grenade. Je vous préviens que, sous deux ou trois jours, un rapport sera déposé par mes soins entre les mains du gouverneur de Gorée, qui le fera tenir au chancelier du royaume. J'ajoute que je me rendrai à Cartagène après vous, et que l'état des captifs débarqués de votre fait m'y sera remis.

Le personnage grinça des dents avant de s'écrier :

— Que le diable vous emporte !

Je portai négligemment la main à mon épée.

— Si nous n'étions pas tous deux au service de Sa Majesté, monsieur, et si je ne mettais au-dessus des blessures d'amour-propre l'engagement que j'ai pris d'accomplir scrupuleusement ma mission, je vous rentrerais ces paroles dans la gorge.

Le capitaine Le Guen était un butor, mais la fureur ne l'aveuglait pas. Cinq solides matelots, armés chacun d'un sabre d'abordage et de deux pistolets, m'avaient accompagné sur *la Léonore*, et un duel d'artillerie à douze pièces contre trente-six risquait de tourner mal pour lui.

— C'est bon, grogna-t-il, je m'incline devant la force, mais pour peu que vous persistiez dans l'exercice de votre fonction, je ne donne pas un an à la Compagnie pour faire banqueroute. Personnellement, je m'en lave les mains. Je rédigerai, moi aussi, mon rapport. Serviteur, monsieur.

Je lui tirai mon chapeau et, de retour sur le *Vulcain*, lâchai une bordée de bâbord, pour témoigner à l'irascible Le Guen que je n'étais pas d'humeur à plaisanter. Il me rendit le salut par la décharge d'un seul canon et marqua son intelligence de la situation en mettant aussitôt le cap sur la haute mer.

Deux jours plus tard, nous mouillions devant Gorée, dont le gouverneur, Monsieur de Couhé-Vérac, gentilhomme poitevin, nous reçut à bras ouverts. Il cacha mal sa surprise quand je lui déclarai que je remettais tous mes prisonniers du *Furious* à sa discrétion.

— Ne voulez-vous pas au moins rançonner le capitaine ? me demanda-t-il.

— Je vous en laisserai le soin et l'avantage, monsieur le gouverneur.

— Que vous donnerai-je donc, monsieur, en échange?

— Fi ! monsieur, ne parlons pas de cela. Je vous confierai seulement pour ma femme, qui se languit de moi, — du moins j'aime à le croire — une lettre que je vous prierai de lui expédier par le premier bateau.

— Vive Dieu, capitaine, et vive l'amour ! Vous pouvez compter sur ma diligence, mais faites-moi la grâce de demeurer ici une couple de semaines.

Je n'y restai que le temps de me pourvoir en eau et en vivres. Monsieur de Couhé-Vérac paraissait contrarié de ma hâte à reprendre la mer. Il poussa les bons procédés jusqu'à faire danser pour moi en tenue d'Eve une demi-douzaine de négresses dont il me confia qu'elles étaient originaires de la région de Cantory, où les mâles sont les plus féroces et les femelles les

plus ardentes de toute l'Afrique. Le spectacle m'était
offert de nuit, sous les frangipaniers et à la lueur des
torches. De troublants parfums voguaient dans l'air,
portés par la brise marine. Les contorsions des diablesses, qui s'évertuaient à faire valoir leurs charmes
jusque sous mon nez, ne réussirent pourtant pas à
m'émouvoir, et quand mon hôte me demanda laquelle
allait trouver grâce à mes yeux, je lui répondis que
je m'en voudrais trop de lui faire tort d'une seule de
ses favorites. Il prit assez bien la chose pour me
déclarer que ma femme devait être la plus séduisante
de France pour m'avoir inspiré une passion aussi
exclusive.

Ce fut après cette bacchanale sans conséquence que
j'écrivis à Yolande. J'étais séparé d'elle depuis plus
de cinq mois. Sa lettre reçue à Bayonne remontait à
plusieurs semaines. Où serais-je au moment de sa délivrance ? A Cartagène des Indes, à Campêche, à la
Havane, à Panama ? Dans tous ces ports, l'*Assiente*
avait installé les directions locales auprès desquelles
j'étais tenu de me faire entendre.

Je ne me rappelle plus les termes exacts de ma lettre,
mais je sais bien que je recommandais à sa destina-
taire de dépêcher à Nantes, dès la naissance de l'enfant, un exprès chargé de remettre à tous les capitaines
de bateaux en partance pour les Amériques un iden-
tique message à mon adresse.

La nuit était lourde, poisseuse, et je suais à grosses
gouttes dans cette chambre aux murs crépis à la chaux,
que le gouverneur m'avait assignée pour logement au
dernier étage de la forteresse. Des éphémères voletaient autour de la flamme de trois bougies plantées
dans un chandelier d'argent. Parfois un insecte ébloui
s'en approchait trop près, ses ailes aussitôt prenaient
feu, et, après un bref grésillement, un impalpable
résidu de cendre noire tombait sur le papier. N'était-il
pas plus heureux que moi, cet être infime qui se consu-
mait de son éblouissement ?

J'achevais de sceller mon pli à la cire rouge quand
un coup de vent, s'engouffrant par une étroite embra-

sure qui donnait sur la mer, souffla en même temps mes trois bougies. La tempête se déchaînait, et un frisson me parcourut à cet avertissement du destin qui, ma lettre à peine close, me rejetait à l'angoisse des ténèbres.

Le lendemain, nous appareillions par bon vent. Monsieur de Couhé-Vérac semblait tout chagrin de me voir partir. Peu avant que je fisse lever l'ancre, il arriva en canot pour m'étreindre une dernière fois et fit haler à mon bord un fût du meilleur madère appelé *sercial* et qu'il prétendait contemporain du roi Louis XIII.

— J'en bois un petit verre chaque matin au réveil, en alternance avec un jerez presque aussi vénérable, dit-il. Il n'y a pas, selon moi, meilleure manière de glorifier Dieu dans ses œuvres, et il n'en faut pas moins pour vous remonter le tempérament dans ce damné pays. Tâtez-en, et vous m'en direz des nouvelles à votre prochain passage. Adieu, capitaine.

Il avait la larme à l'œil, et quand il eut regagné la rive, après avoir arboré notre pavillon, je fis tirer toute une salve d'artillerie afin de l'honorer, tandis qu'autour de lui les six négresses de Cantory gambadaient comme des guenons.

La suite de notre voyage, qui comprenait la traversée du grand océan, fut exempte de tout incident digne d'être rapporté. De Gorée aux Petites Antilles, nous naviguâmes près de deux mois et demi sans découvrir une voile à l'horizon. Nous connûmes des périodes de calme plat, où, pendant deux ou trois jours de rang, sous un soleil meurtrier, le malheureux *Vulcain* flottait comme une épave sur la mer immobile. Le père Cornélius qui, depuis que j'avais gratuitement libéré les captifs du *Furious* sur la terre africaine, ne laissait pas de s'interroger sur mon compte, avait soin de faire agenouiller sur le pont, matin et soir, tous les membres de l'équipage, à l'exception de la vigie et du timonier, afin de leur faire réciter la prière. (N'allait-il pas, d'ailleurs, jusqu'à lever le nez en l'air, pour s'assurer que ladite vigie avait bien retiré son bonnet ?) Je

participais, cela s'entend, à la cérémonie avec toute
la maistrance (les Basques sont dévots), bien que j'aie
toujours été un chrétien d'observance très relâchée.
Depuis la pluie d'insectes qui nous avait si cruellement
tourmentés, il était devenu intransigeant sur l'article
de la foi, notre dominicain, au point que, s'il entendait
un matelot jurer pour une vétille le saint nom de Dieu,
il exigeait aussitôt qu'il fût mis aux fers. Cependant,
à la lecture du *Nouveau Testament* ou de *l'Imitation
de Jésus-Christ* qu'il me recommandait comme remède
à la mélancolie, je préférais de beaucoup celle du
Quichotte dont Antonio Montemor de Oca, le bon chirurgien du *Santo Francisco de Asis*, m'avait enseigné
la profonde philosophie masquée par l'extravagance
des situations. Mes entreprises n'étaient-elles pas frappées de la même absurdité foncière que celles de l'ingénieux hidalgo ? Il combattait de chimériques ennemis
pour acquérir des mérites aux yeux d'une fallacieuse
princesse à la face bouffie et au nez camard, et je
fuyais à force de voiles celle que j'avais légitimement
épousée et qui était une des plus belles femmes du
royaume. J'avais résolu de m'insurger contre l'oppression de la race noire par la race blanche, et j'étais
au service d'une Compagnie dont l'unique raison d'être
consistait à acheter des nègres et à les revendre comme
du bétail.

Chaque jour, avant le dîner, je m'exerçais à l'épée
avec le vicomte de Montgaillard, qui était un fameux
bretteur, comme je l'avais fait jadis sur *la Pétulante*
avec le cher Sosthène. A la nuit, les matelots allu-
maient des chandelles et dansaient sous les étoiles au
son d'une musette.

Nous étions à peu près à mi-chemin entre l'Afrique et
les Iles, quand je m'avisai que, notre première escale
devant être le Cap Français, je risquais d'y être
reconnu. Plus de neuf années avaient passé depuis
l'enlèvement à l'abordage du *Victorious* par une bande
de nègres *marrons* à mon commandement. A me regarder dans le miroir, je pouvais admettre que, sur la
trentaine, j'avais élargi du torse et que mon visage

s'était buriné, mais non au point de devenir méconnaissable. Sans doute l'enseigne Lafortune avait-il mué en vicomte Le Gendre de Tous-les-Saints et une lettre de marque établissait-elle sa qualité d'envoyé extraordinaire de la Compagnie de l'*Assiente*. Mais, en raison même de cette qualité, le gouverneur de la colonie s'estimerait tenu de donner en mon honneur une réception à laquelle seraient conviés tous les notables de la ville et des environs. Dans le nombre se trouverait à coup sûr la famille Cazenave, dite de Saint-Lary, et si Augustin, le père, dont je me rappelais le nez en lame de couteau, tout pareil à celui de mon second, Monsieur Jauréguy, et si la mère, Soledad, la grasse Espagnole, ne m'ayant vu qu'assez peu, pouvaient avoir perdu le souvenir de mes traits, Eponine et Valérie, elles, seraient, selon toute probabilité, plus perspicaces.

L'illumination me vint un soir que je faisais assaut avec Montgaillard. J'en fus même tourneboulé au point de baisser distraitement mon arme, alors que le Provençal se fendait. Moins maître de son poignet, il m'eût inexorablement envoyé au paradis.

— Au nom du ciel, l'ami, êtes-vous fou ? s'écria-t-il. J'aurais pu vous tuer.

Je lui éclatai de rire au nez.

— Rien à craindre. Vous avez une bien trop belle moustache.

— Ah ! çà, vous gausseriez-vous de moi ?

Je rengainai.

— Loin de moi cette pensée, monsieur de Montgaillard. Je viens seulement de penser tout à coup que « du côté de la barbe est la toute-puissance », comme l'a dit l'immortel Molière, *ergo* que nous sommes bien mal inspirés de la couper, subséquemment que, pour faire pièce à une mode que vous avez mille fois raison de réprouver, je m'en vais laisser pousser la mienne.

— Ma première idée était la bonne : vous avez perdu la raison. Il me reste à prier Dieu que vous sachiez encore gouverner un navire entre les écueils.

Je fis la paix avec lui en débouchant une bouteille

de ratafia et en trinquant à la santé du roi et des belles.

A compter du lendemain, et pour l'ébahissement de mes Basques, tous rigoureusement glabres, j'abandonnai l'usage du rasoir. En huit jours, j'avais le menton bleu. En trois semaines, le poil foisonnait. Un mois s'était écoulé quand je fis une étrange découverte : moustache et barbiche taillées à la Mazarin, je me trouvais un air de famille avec mon beau-père, l'astucieux Girolamo Farinacci, mis à part que je n'avais pas les yeux en vrille, mais franchement ouverts sur le monde, et que je le dépassais par la taille de la hauteur d'une bonne tête. Quoi qu'il en fût, j'eusse tiré le tricorne dans un miroir à l'inconnu portant beau qui s'y fût reflété en ma personne.

La première terre dont nous eûmes connaissance, après cette interminable traversée, fut la Barbade. C'était une possession anglaise, et si je ne craignais pas les mauvaises rencontres, je n'éprouvais nulle envie de les provoquer. Je ne cherchai donc pas à m'en approcher, et comme les courants portaient à l'ouest, formai le projet de m'engager entre la Guadeloupe et Marie-Galante, afin de piquer ensuite directement sur Saint-Domingue en évitant le chapelet des îles anglo-hollandaises.

Nous étions au large de la Dominique lorsqu'une voile parut, que nous n'eûmes aucune peine à gagner au vent. C'était un navire anglais de cent tonneaux et de huit canons, l'*Endeavour*, qui allait de Faïal à Antigua, chargé de raisins secs et de vins de Pico, les meilleurs des Açores, qu'on appelle *passados*. Il ne pouvait guère nous opposer de résistance avec ses treize hommes d'équipage. Aussi amena-t-il son pavillon, dès la première bordée et se laissa-t-il amariner avec une simplicité de bonne compagnie. Son port d'attache était Cardiff, et je n'ai pas oublié que son capitaine s'appelait Joë Mackworth. Etait-ce en raison de ma barbe toute neuve ? Ce Gallois barbu et velu comme un ours m'inspira tout de suite de la sympathie, et comme il se plaignait amèrement de manquer de pétun pour sa pipe depuis quinze jours, je le fournis d'un excellent tabac d'Espagne dont j'avais fait provision à Vigo.

Une semaine plus tard, j'apercevais par le travers tribord, non sans un pincement au cœur, l'entrée de la passe du Cap Français. La matinée était lumineuse, le ciel d'un bleu transparent ; aucun lambeau de brume ne traînait sur les terres. Le pilote arriva dans sa barque au premier coup de canon. Ma fidèle mémoire aurait presque pu me permettre de me passer de lui. Je savais qu'il fallait parer la Pointe de la Trompeuse, laisser à bâbord la corne du Grand Mouton et à tribord les récifs qui vont jusqu'aux îles du Carénage.

Une âcre mélancolie m'envahissait, née de la brusque conscience de l'écoulement irrémédiable du temps. J'avais quitté cette terre qui, de nouveau, sous mes yeux, développait toutes ses séductions, en hors-la-loi, incertain du sort qui m'attendait avec un équipage pour qui l'assassinat des blancs était œuvre pie et dont je pouvais tout craindre. J'y revenais en envoyé du roi, chargé de mission par la Compagnie de l'*Assiente*, porteur d'un congé scellé et contresigné sur un beau papier frappé en filigrane des armes de France. Un navire ennemi capturé précédait le mien. Plusieurs bâtiments de divers tonnages, espagnols ou français, mouillaient dans la rade. Je n'aurais pas, cette fois, à en enlever un à l'abordage pour m'épargner un sort funeste. J'allais avoir droit à tous les honneurs. Et pourtant, n'étais-je pas le même ?

Quand je donnai l'ordre de réunir les deux ancres par l'émerillon d'affourche pour assurer notre mouillage, un vol de perroquets criards passa au-dessus de nous très haut dans l'air transparent. Ils devaient se rendre, comme chaque matin, à l'île de la Tortue, dont ils revenaient le soir.

Je voulus y voir un heureux présage.

XIII

Le marquis Xavier de Roberval de la Touche, gouverneur pour le roi de l'île de la Tortue et de la Côte de Saint-Domingue, chevalier de l'ordre de Saint-Louis, avait été pendant vingt ans officier de la marine royale. Après sa dernière expédition sur *le Bouillant*, frégate de quatre cent cinquante tonneaux et quarante canons, il avait épousé à la Martinique une demoiselle Alexandrine de Laiguillon, créole de petite noblesse et de grande beauté. Celle-ci avait mis deux conditions au mariage : premièrement, son futur époux s'engageait à ne plus prendre la mer ; secondement, il ferait en sorte d'être nommé gouverneur d'un de ces derniers paradis sur terre que Dieu a semés dans la mer des Antilles sous le nom d'Iles du Vent ou Sous le Vent. Il avait quarante ans ; elle en avait vingt. Bien en cour et pouvant se prévaloir de brillants états de service, Monsieur de Roberval de la Touche avait sans trop de peine exaucé le double vœu de la belle. Gouverneur depuis six années, il était déjà père de quatre enfants, et la languissante marquise s'apprêtait à en mettre au monde un cinquième.

J'avais appris avec soulagement, à mon départ de Nantes, que le gouverneur de Saint-Domingue n'était plus le même qu'à mon premier séjour dans l'île. Sans doute, depuis qu'il exerçait sa fonction, le nouveau gouverneur avait-il pu avoir les oreilles rebattues des scandaleux exploits du captain Lafortune. Mais quel rapport établir avec une apparence de raison entre un furieux qui excitait les noirs à la révolte et le vicomte Le Gendre de Tous-les-Saints, chargé de surveiller les navires de la traite ? Le pirate n'avait-il pas mystérieusement disparu en mer ? Depuis plus de deux ans, voire trois, nul n'avait plus entendu parler de lui. Le courroux céleste ne s'était-il pas abattu sur l'impie qui, contrairement à l'oracle romain, niait la légitimité de l'esclavage pour les noirs d'Afrique ?

Aussitôt débarqué, je voulus me rendre au palais du gouverneur avec Monsieur de Montgaillard, et, traversant la ville, je pus observer qu'elle avait moins changé que mon cœur. Des nègres à demi nus, allongés sur le quai, ronflaient comme des tuyaux d'orgue, un chapeau de paille sur la figure, pour se protéger du soleil. Négresses et mulâtresses, vêtues d'indiennes imprimées, allaient nonchalamment, roulant la hanche, frottant leurs dents éclatantes avec des racines de gingembre et aguichant le passant par des œillades chargées de voluptueuses promesses. J'aurais pu me croire revenu à cette journée enfouie dans le passé, où le lieutenant Dufourneau, lesté de la provision de chocolat nécessaire à ses entreprises galantes, m'avait emmené chez Ovide.

Ma première surprise devait me venir de la disparition de l'auberge tenue par le pourvoyeur des *marrons*. Elle avait fait place à un terrain vague, où se voyaient éparses quelques solives calcinées. Interdit par ce spectacle, je m'arrêtai un instant, et Monsieur de Montgaillard me frappa sur l'épaule :

— Souvenir d'amour ? me dit-il d'un air goguenard.

Je haussai les épaules, et une quarteronne qui, depuis un moment, marchait à notre hauteur en s'appliquant à mettre en valeur l'opulence de sa croupe, se prit à rire, puis proféra, heureuse de se manifester :

— Missi capitaine, ici y en avait mauvais nègre, li moitié-moitié avec marrons coupeurs de têtes à grands blancs. Li appelé Ovide, pas malin, li poignet coupé, et tout, hi ! hi ! Li après pendu et case à li brûlée d'ordre missi gouverneur, hi ! hi !

Monsieur de Montgaillard fit signe à la fille de prendre le large et tira la conclusion :

— Alors ce n'est pas un souvenir d'amour.

Je n'allais pas prononcer d'oraison funèbre à la mémoire d'Ovide qui avait trahi ma confiance.

— Non, répondis-je d'une voix qui manquait peut-être un peu de fermeté. Il y avait seulement, sur cet emplacement nettoyé par l'incendie, un cabaret à l'enseigne du *Bon Colon*, mi-auberge, mi-tripot. On y buvait sec, et je me rappelle y avoir gagné quarante pistoles. Le tenancier était un mulâtre un peu trop matois pour faire une bonne fin.

Monsieur de Montgaillard ricana.

— Quarante pistoles ! Bigre ! Vous pourriez porter des fleurs sur sa tombe.

A ce moment, l'idée surgit en moi que je venais d'être bien imprudent en lui révélant que j'étais déjà venu au Cap Français. Il fallait tout de suite prévenir les possibles effets de cette maladresse.

— Monsieur, dis-je, laissez-moi me confier à vous. J'ai eu ici jadis une affaire d'honneur avec un colon qui, d'ailleurs, en est mort. Mieux vaudrait, pour ma tranquillité, ne pas remuer le souvenir de cette vieille histoire tant auprès du gouverneur que des autres personnes du cru que nous pouvons être appelés à rencontrer. Le gouverneur a d'ailleurs changé depuis. Des années ont passé. Tout le monde doit avoir oublié jusqu'à mon nom. Je n'étais alors qu'un petit enseigne à ses débuts dans le métier. Ai-je votre parole ?

— Vous l'avez, bien entendu, répondit l'officier. Lequel d'entre nous n'a pas eu d'affaire de ce genre ? Pour ma part, tenez... hum ! Bref, je vous absous.

Et il roula avantageusement entre deux doigts les pointes de sa moustache.

Le palais du gouverneur ressemblait, avec plus d'ampleur, à l'habitation des Cazenave, avec son fronton à l'antique reposant sur des colonnes doriques. Il était perché sur un petit tertre gazonné, et au-dessus de la porte principale, l'écusson de France, bleu à trois fleurs de lis d'or, indiquait la dignité du représentant de Louis le Grand.

L'ancien officier de la marine royale nous reçut de la meilleure grâce du monde. C'était un homme de haute taille, aux épaules de portefaix, aux tempes grisonnantes et à la face tannée, curieusement éclairée par des yeux d'un bleu de porcelaine où respiraient à la fois la bonhomie et la résolution. Il portait un habit brodé rouge nacarat à boutons dorés, avec la croix de Saint-Louis sur le sein gauche et l'épée au côté.

Après les présentations et révérences de rigueur, il m'écrasa la main dans une étreinte puissante et se répandit en congratulations. Il parlait avec un fort accent gascon, et sa volubilité semblait intarissable.

— Ma foi, messieurs, disait-il, point n'est besoin que vous m'exhibiez des lettres patentes pour que je voie à qui j'ai affaire. On dit que l'habit ne fait pas le moine, et je m'inscris là-contre : tout dépend de la façon dont il est porté. Vous n'êtes pas de ces gentils-hommes de parchemin, comme il s'en fabrique par ici à la douzaine et dont les grands-pères étaient boucaniers, regrattiers ou valets d'auberge, et les mères-grand filles de cuisine, appareilleuses ou marchandes à la toilette. Soyez les bienvenus et touchez là, que diable !

Cette fois, l'invite s'adressait à Monsieur de Montgaillard qui avança une main innocente et se récria sous l'écrasement de ses phalanges.

— Nom d'un pétard ! quelle poigne, monsieur !

Le gouverneur éclata de rire et frappa sur l'épaule de mon compagnon.

— Tudieu ! vous me plaisez. Dites-moi maintenant ce que vous êtes venus comploter dans ce trou.

Il tira sur un cordon de tapisserie, et un nègre en livrée chocolat apporta plusieurs bouteilles sur un plateau d'argent.

— Mais d'abord trinquons, poursuivit-il sans nous laisser le temps de placer un mot. Que boirez-vous ? Grave problème ! *Téquila* du Mexique, *aguardiente* de Panama ou *pisco* péruvien ? Toutes ces liqueurs fortes me viennent de la prise d'un brigantin anglais dont l'armateur devait jeter des flammes par la bouche comme un dragon de la Fable, quand il s'approchait du feu. Entre nous, je leur préfère notre eau-de-vie de canne pur vesou de Saint-Thomas. Un nectar incomparable, distillé sur la baie de l'Acul, que Christophe Colomb, en y débarquant, avait baptisée baie de Saint-Thomas, ce qui était à la fois plus honnête et plus chrétien.

Il eut un rire gras.

— Le dernier cadeau que m'ait fait ce pauvre Cazenave, un des plus riches planteurs de l'île, Cazenave de Saint-Lary. Ouais ! il était noble comme je suis pape. Un fils de boucanier ! Il avait dû tâter un peu trop de son nectar quand il est tombé raide devant l'alambic. L'attaque d'apoplexie ne pardonne guère. Une belle fin, si vous voulez. La suite l'a été moins. Sa femme, une Espagnole exaltée, comme elles sont presque toutes, s'est poignardée sur le cercueil. Quelle aventure ! Bien entendu, le curé s'est refusé à faire reposer en terre chrétienne une créature de Dieu qui s'était donné la mort. Et ce n'est pas tout. Le couple avait deux filles, des jumelles, toutes deux mariées. Elles ont menacé le curé de lui arracher les yeux si leurs parents étaient séparés dans la tombe. Conclusion : les époux Cazenave ont été enfouis dans leur propriété sans *requiem*, comme des chiens.

J'avais écouté, en serrant les dents, cette affreuse histoire qui m'apprenait en même temps que je n'avais plus à redouter la rencontre du couple Cazenave et qu'Eponine et Valérie avaient trouvé chaussure à leur pied. Imperturbable, le gouverneur continuait son récit :

— Là-dessus, la société du Cap s'est partagée en deux clans. Les uns ont tourné le dos à ces filles indignes qui avaient délibérément privé la dépouille de leur père des aspersions d'eau bénite à quoi elle avait droit ; les autres ont applaudi à leur décision par la considération que l'Eglise même ne pouvait séparer ce que Dieu avait uni. Eh bien, les filles ont fini par gagner. Elles ont d'abord fait dire chaque jour une messe « à une intention particulière » qui trompait le curé moins que personne. Sur leurs instances, il a même écrit à Rome que la feue dame Cazenave, bonne catholique, ne pouvait avoir accompli son acte de désespoir que dans une crise de folie. Le saint père a bien voulu l'admettre. On a solennellement exhumé les cadavres, et jamais il ne s'était vu au Cap plus bel enterrement.

Monsieur de Montgaillard but d'un trait son verre d'eau-de-vie de Saint-Thomas, clappa et dit gravement :

— Vous n'auriez pas, monsieur le gouverneur, d'histoires plus gaies ?

Le gouverneur soupira et reprit :

— Ce que je vous en ai conté n'est que pour vous mettre au fait des curiosités locales. Leur caractère excessif est dû en partie au climat. La chaleur humide vous débilite neuf mois sur douze. Les moustiques et les maringouins vous persécutent. L'air stagnant devient irrespirable. On se sent brûlé d'un feu intérieur. On ne dort que d'un œil. Si vous n'êtes pas bâti à chaux et à sable, un verre de trop vous rend fou. Autant les hommes sont d'une jalousie féroce, autant les femmes perdent facilement la tête. Les noirs se battent au couteau et les blancs à l'épée. On m'a dit qu'avant mon arrivée ici, les jumelles Cazenave se faisaient un malin plaisir de susciter des querelles entre leurs prétendants et qu'elles avaient plusieurs morts sur la conscience. Maintenant, ces intéressantes personnes ont été mises au pas par leurs maris qui ont pris le parti de les engrosser sans leur laisser le temps de faire ouf. Trois mois de répit, et hardi petit ! Arrive qui plante ! C'est la seule solution raisonnable dans ce pays. Madame de Terrasson, Eponine de son prénom, a six enfants ; Madame de Capefigue, sa sœur Valérie, cinq. Toutes deux se dépensent en bonnes œuvres, comme leur fortune le leur permet, quand leur état ne les contraint pas de garder la chaise longue.

Le gouverneur me toucha le bras.

— Vous rêvez, je crois, monsieur.

Je protestai que, loin de perdre le fil du surprenant récit qu'il venait de nous faire, j'en avais été tellement frappé que ma méditation s'y attardait. Il était temps d'ajouter :

— N'accusez que la cordialité de votre accueil, monsieur le gouverneur, si je ne vous ai pas encore instruit de la mission que Sa Majesté m'a confiée par le canal de la Compagnie de l'*Assiente*.

En dépit de son apparente désinvolture, Monsieur de Roberval de la Touche examina avec attention les papiers que je lui présentais. Quand il eut terminé, il hocha la tête d'un air pénétré.

— Ainsi, dit-il, notre auguste souverain a résolu de se pencher sur le sort des nègres. Il faut que, comme celle de Dieu, sa bonté s'étende sur toute la nature. Et pourtant, ces coquins-là ne sont pas sans me causer du tracas. Enfin, que sa volonté soit faite ! Votre mission est délicate, monsieur. Soyez assuré que je vous en faciliterai l'accomplissement de tout mon pouvoir. Saint-Domingue est comme le centre vital, le nœud de la traite dans cette partie du monde, et nos esclaves y vivent bien, pour peu qu'ils apportent du zèle à la tâche. Dommage qu'ils soient trop souvent enclins à la paresse, en sorte que leur nonchalance native l'emporte sur la crainte du fouet.

Il marqua un temps et reprit avec une expression de soulagement :

— D'ailleurs, si je sais lire, vous n'avez pas à vous préoccuper du sort des esclaves dans les plantations, ce qui constituerait un empiètement sur le mandat que j'ai reçu. Il s'agit seulement pour vous de l'inspection des bateaux de la traite et du déroulement normal des opérations de vente. Nous avons présentement dans le port deux négriers arrivés depuis quelques jours : le *Saint-Félicien* et la *Bonne-Etoile*. Si, avec de pareils nom de baptême, les captifs n'y sont pas comme des coqs en pâte, c'est à désespérer de la miséricorde divine : quatre cents au total qui, depuis hier, sont à rafraîchir dans leur « savane ». Un beau chargement. Il n'en est mort que cent cinquante sur le parcours : la proportion est relativement modeste.

Je réprimai un mouvement de colère. Monsieur de Roberval de la Touche, si bonhomme qu'il parût, était comme tous ses pareils : les noirs, pour lui, n'étaient pas des hommes comme les autres.

Il se leva.

— Je dois vous demander de m'excuser, vicomte. C'est l'heure de ma quotidienne promenade à cheval. Pour se garder frais et dispos ici sans que la graisse vous gagne, il faut se donner de l'air et du mouvement. Mon prédécesseur est mort hydropique. Je ne tiens pas à l'imiter.

Il frappa dans ses mains, et le même serviteur à la livrée chocolat, qui avait apporté les bouteilles, revint, les bras ballants, roulant des yeux blancs dans sa face noire.

— Ajax, dit-il, apporte-moi mes bottes.

Le nègre sorti, son maître ajouta :

— Celui-là m'est fidèle comme un caniche. Il se ferait hacher menu pour moi, et je le considère comme faisant partie de ma famille. C'est lui qui m'a conté l'origine de la différence des races blanche et noire, suivant sa mythologie qui en vaut une autre. L'explication est simple. Quand Dieu créa l'homme, il le fit blanc. Le diable, qui avait épié le Créateur, probablement derrière l'arbre de la science du bien et du mal, ne voulut pas être en reste. Il façonna un être tout pareil à celui qui venait de sortir des mains divines, mais quand son travail fut achevé, il se trouva que cet être était noir. Dieu, qui voit tout, ne pouvait admettre que son ouvrage fût confondu avec celui du Malin. Alors le diable, furieux, appliqua un soufflet à sa créature. Celle-ci tomba face contre terre. Voilà pourquoi, à l'image du premier noir, toute sa descendance a le nez camus et la bouche lippue.

Ajax reparut et, un genou en terre, aida le gouverneur à enfiler ses bottes. Pendant qu'il procédait à cette opération, son maître lui tiraillait l'oreille.

— Brave Ajax, n'est-ce pas que tu ne voudrais pas me quitter ?

— Oh ! non. Missi gouverneur bon pour pauvre nègre.

— Tu sais que je t'aime comme un fils, Ajax.

— Oh ! oui, missi gouverneur.

— Cher Ajax !

Et comme il s'était levé, Monsieur de Roberval de la Touche abattit une main, dont la vigueur m'était connue, sur l'épaule du fidèle serviteur qui trébucha et faillit choir, la tête en avant.

Sans doute ce genre de bourrade était-il dans ses habitudes, car il en riait bruyamment, Ajax s'esclaffait, lui aussi, en s'enfuyant et jetant un regard de mon côté pour s'assurer que je goûtais l'excellence de la plaisanterie.

— Messieurs, dit alors le tout-puissant représentant du roi sur le territoire de Saint-Domingue, en ajustant son tricorne devant un miroir baroque dans le goût espagnol, il me reste à savoir et vous allez me dire combien de temps vous pensez demeurer au Cap Français. Pour les gens d'ici, vous êtes ce que pourrait être le Grand Turc ou le Grand Mogol à Paris. La bonne société, ou ce que l'on tient pour tel, ne me pardonnerait pas de manquer à vous faire honneur dans une soirée dont l'éclat restera dans les annales. Nos planteurs, ne serait-ce que pour faire oublier leur basse origine, se piquent de recevoir avec faste. Sachez, de surcroît, que vous aurez droit aux sourires, œillades enamourées, minauderies et soupirs étudiés de leurs épouses. La plupart d'entre elles ont le diable au corps.

Je répondis que notre séjour au Cap ne saurait guère se prolonger au-delà d'une semaine. Il se récria qu'un temps aussi bref ne suffirait pas à espalmer un navire éprouvé par la traversée de l'Océan. Voyant que je ne me laissais pas ébranler, il cingla une de ses bottes d'un coup de cravache.

— En ce cas, dit-il, ma réception aura lieu la veille

de votre départ, le 5 août, jour de la Saint-Abel. Espérons que nous n'aurons pas de Caïn.

Nous le vîmes enfourcher un bel alezan et partir au galop, suivi de deux gardes galonnés et dont les sabres battaient les flancs de leurs montures.

Quoique cette escale de Saint-Domingue ne présentât pas les difficultés attendues et que tout risque d'identification entre le vicomte Le Gendre de Tous-les-Saints et l'enseigne ou le captain Lafortune parût pratiquement écarté, je préférais me mettre à l'abri de toute surprise et ne pas provoquer le destin. Je commençai donc par m'acquitter de mes obligations en visitant l'agent de la Compagnie et les captifs qui venaient d'être débarqués.

L'agent n'était qu'un scribe à l'œil torve, ancien commis des Fermes exilé à la colonie pour détournement de deniers publics et qui, après avoir échappé de justesse aux galères par des influences occultes où je croyais voir la main de Crozat, continuait de sacrifier à son génie de la fraude en falsifiant ses écritures. Je n'eus pas grand-peine à découvrir ses irrégularités et le menaçai de la corde au cas où ses livres ne seraient pas remis en ordre dans la semaine.

Dans leur « savane », les captifs, suivant l'usage, étaient gavés et parés en vue de la vente prochaine. On les nourrissait non seulement de manioc et de patates douces, mais de crabes tourlourous, de perroquets rôtis à la broche et de poissons cuits entre les pierres brûlantes ; on les ravigotait aussi, matin et soir, de quelques doigts de tafia, afin qu'après l'enfer du navire négrier, ils se crussent parvenus à l'orée de ce paradis sur terre qui leur avait été promis au départ d'Afrique. Ce traitement de bétail à l'engrais ne m'apprenait rien, j'enrageais de mon impuissance à secourir ces misérables, et je faillis prendre à partie le père Cornélius qui, m'ayant accompagné à la « savane », les faisait agenouiller devant lui pour leur donner solennellement sa bénédiction.

En quatre jours, j'avais terminé le gros de mon travail. J'avais décliné l'invitation du gouverneur qui m'offrait l'hospitalité de son palais. Chaque soir, je regagnais en barque ma demeure flottante que les calfats radoubaient dans une écœurante odeur de suif et de goudron. Je songeais à Yolande dont le terme approchait. Afin de chasser l'amertume qui se levait en moi à son évocation, je lisais *Don Quichotte* et je m'émerveillais que l'île de Barataria, dont Sancho fut l'éphémère gouverneur, eût, contrairement à Saint-Domingue et au commun des îles, le stupéfiant privilège de n'être pas entourée d'eau. Mais les héroïques facéties du parangon des chevaliers errants cessaient promptement de séduire mon esprit. Ma pensée se portait vers le cher Sosthène, depuis tant d'années enseveli dans la terre rouge du « mornet » qui dominait la baie de l'Acul. A la vérité, son souvenir m'avait hanté dès le moment où, dans l'aube naissante, j'avais vu se dessiner au loin les côtes vaporeuses de l'île. J'entendais encore notre suprême dialogue, au cours de la nuit fatale qui devait être pour lui la dernière. Nous parlions du duel avec les *novios,* que Valérie venait de nous annoncer comme inévitable, et je lui disais :

— Si je comprends bien, voilà une aventure qui doit se terminer par mort d'homme.

— Et comment voudriez-vous, monsieur, qu'elle se terminât ? m'avait-il répondu, confiant en sa fougueuse jeunesse.

Hélas ! cher Sosthène qui m'appelais si drôlement « frère Félix » !

Je commis une imprudence que nulle représentation n'aurait pu m'empêcher de commettre. Je décidai de lui rendre l'hommage de l'amitié en allant me recueillir sur sa tombe. Je ne pouvais interroger personne sur l'emplacement de celle-ci sans éveiller sinon des soupçons, du moins des curiosités inopportunes. Combien alors je regrettai de n'avoir pas questionné en temps utile Monsieur Fulminet, qui avait évidemment dû accomplir les démarches nécessaires auprès des autorités civiles et religieuses pour la sépulture de son enseigne ! Comment n'en avais-je pas eu l'idée, lorsqu'il m'avait sauvé de la pendaison, recueilli sur *la Pétulante*, après la trahison de l'infâme Polydor, puis à Nantes ?

Pour plus de précaution, je fis louer un cheval par mon second et partis sur la route de l'Acul un après-midi, à l'heure où maîtres et esclaves, craignant l'ardeur du jour, cèdent à l'engourdissement de la sieste. Les rues du Cap étaient désertes sous le ciel de plomb où ne ramait nul oiseau. J'avais suivi ce même chemin avec Sosthène qui, se plaignant de son mauvais cheval, lui donnait de l'éperon et me tenait des propos délirants sur Eponine et Valérie, qu'il me proposait de tirer au sort. Je reconnaissais les parasols des badamiers d'où l'on tire le benjoin et où pendent les lianes à chique, les torches vertes des cactus candélabres, les palettes épineuses des nopals, les alléluias aux fleurs jaunes et, de-ci de-là, une blanche orchidée à points rouges, épanouie comme une chair offerte.

Après une chevauchée qui me parut interminable, à l'entrée d'un sentier transversal, sur ma droite, j'aperçus, cloué sur un piquet fiché dans la terre rouge, un écriteau de bois peint en blanc. Sous une croix noire, j'y pouvais lire ces trois lettres : R.I.P. Pas de doute : il fallait comprendre *Requiescat in pace*, et le sentier devait conduire au champ des morts.

J'y fus en quelques minutes. La végétation s'était éclaircie, et je découvrais l'enclos funèbre sur un terreplein dominant la mer. Il était défendu par une haie de bambous, et une grande croix d'ébène étendait ses bras en son milieu. Mon cœur se prit à battre plus fort.

J'attachai mon cheval et entrai. Il n'y avait pas là plus d'une centaine de tombes marquées, les unes par une dalle de granit, les autres par des anges plâtreux, rongés par l'humidité marine et qui montraient le ciel du doigt, d'autres enfin par de simples croix. Le monument le plus ambitieux, visible de loin, représentait un homme et une femme se tenant par la main et se regardant les yeux dans les yeux. Je m'en approchai. Une inscription indiquait : *Famille Cazenave de Saint-Lary,* et elle était suivie de quatre noms. Il y avait là le vieux boucanier, fondateur de la dynastie, sa femme, son fils et la « señora Soledad-Pilar-Concepcion de Mora, épouse d'Augustin Cazenave de Saint-Lary ». J'avais dû écarter les brassées de fleurs qui masquaient une partie de la liste des défunts pour la déchiffrer tout entière.

Encore que, dans l'instant, j'en eusse ressenti une certaine contraction à l'épigastre, ce n'était pas là ce que j'étais venu chercher. Errant de tombe en tombe, je lisais des noms qui laissaient presque tous supposer une noble extraction. Ce cimetière était réservé à ceux qui faisaient partie de la société, selon l'expression de Monsieur de Roberval de la Touche.

J'avais examiné ainsi presque toutes les tombes et je désespérais de trouver celle de mon ami quand, sur une croix de bois plantée légèrement de travers, par suite peut-être de l'affaissement du sol, je lus enfin :

Ci-gît
SOSTHENE-YVON-PLACIDE
GOUJET
enseigne à bord de *la Pétulante*
1673-1693

Je me découvris. Aucune fleur n'ornait la sépulture, mais pourquoi en aurais-je été choqué, alors qu'à Saint-Domingue Sosthène ne connaissait personne, sinon celle à cause de qui il était mort et qui l'avait tout de suite oublié ? Si le souvenir des morts n'est pas dans le cœur des vivants, il n'est nulle part, et les fleurs ne sont que vanité sur la vanité des restes dissous dans la terre indifférente. Moi, du moins, j'avais gardé la mémoire de celui qui avait été mon meilleur compagnon et je penserais à lui jusqu'à mon dernier jour. Sous le soleil brûlant de l'été tropical qui faisait craquer la haie de bambous, j'engageais avec lui un dialogue dont, hélas ! je devais faire les questions et les réponses :

— Sosthène, mon ami, il t'a donc fallu venir si loin de ton pays pour rencontrer la mort. Toi qui étais si allant, voilà des années que tu es immobile. Toi qui aimais tant à tenir de galants et plaisants propos sous la douceur du ciel, te voilà pour jamais silencieux et grave dans l'épaisseur de la terre. Toi qui proclamais avec tant d'enthousiasme que la vie est belle, à peine t'a-t-elle laissé entrevoir ce que tu brûlais d'en obtenir. Et pourquoi, pour qui, Seigneur ? Pour une créature futile, à peine digne de dénouer le cordon de ta chaussure, pour une éphémère beauté, qui jouait avec l'amour comme avec sa cravache, sans prendre souci qu'elle pût jouer un jeu mortel. Que penses-tu aujourd'hui, Sosthène, dont l'un des prénoms était étrangement Placide, alors que tu n'étais qu'exubérance et feu, que penses-tu de cette poupée sans cervelle qui, en te forçant à te battre, te condamnait à tuer ou à mourir ? Je t'ai vengé, mais la vengeance est dérisoire qui ne fait pas revivre les morts.

En bas de la colline, les vagues se brisaient sur les

roches et berçaient l'éternel repos de l'enseigne Goujet. Je me signai, fis une prière, me signai encore.

L'après-midi avançait. Il fallait rentrer. Je remis mon tricorne sur ma tête, et comme je me dirigeais vers la sortie, aperçus une femme arrêtée devant le monument de la famille Cazenave. La terre molle du cimetière, qui assourdissait le bruit des pas, m'avait empêché de l'entendre arriver, le couple figé dans la pierre se trouvant d'ailleurs à quelque distance de la tombe de Sosthène.

Nos regards s'étaient croisés un instant, et elle avait aussitôt baissé les yeux, puis joint les mains, mais pour quitter l'enclos je devais passer près d'elle. A première vue, c'était une femme d'assez forte corpulence, tout de noir vêtue, avec une mantille de dentelle à l'espagnole, qui lui masquait partiellement le visage. A deux pas d'elle, je pris un temps d'arrêt, levai mon tricorne et lui tirai la révérence. Elle m'accorda un coup d'œil furtif, inclina la tête avant de se replonger dans son oraison, et je passai.

Si bref qu'eût été son coup d'œil, il avait cependant suffi pour me causer une violente émotion. Dans ce visage empâté, dans cette ébauche de double menton, dans ce teint bistré, aussi bien que dans la silhouette alourdie où sombrait une jeunesse au déclin prématuré, j'avais indubitablement reconnu le sosie de la señora Soledad-Pilar-Concepcion de Mora, la défunte épouse d'Augustin Cazenave. Seule différait la couleur des yeux, d'un noir étincelant chez l'original, d'un bleu égaré chez la copie. La conclusion ne souffrait pas de doute : la fille, comme il est assez commun, reproduisait la mère. Cette grosse personne, qui conservait, dans la lourdeur d'un corps épaissi, des vestiges de beauté, ne pouvait être qu'une des merveilleuses jumelles Cazenave : Eponine ou Valérie, autrement dit, d'après les confidences du gouverneur, Madame de Capefigue, mère de cinq enfants, ou Madame de Terrasson, qui en était à son sixième héritier.

A l'entrée du cimetière, une jument aux larges flancs était attelée à une légère voiture à deux roues, et il y avait entre cet animal paisible, qui mâchait des feuilles de pistachier en remuant sa gourmette, et les frémissantes pouliches qui, en d'autres temps, galopaient sur la route de la Trompeuse, la même différence qu'entre les espiègles amazones d'alors, aux légers déshabillés jaune citron, et la triste matrone noire, en ce jour penchée sur un tombeau.

Je détachai mon cheval, sautai en selle, et dès que je fus revenu en terrain plat, piquai ma bête qui prit le galop.

Il y avait peu d'apparence qu'Eponine — à moins que ce ne fût Valérie — m'eût reconnu, et je pouvais me féliciter d'avoir modifié mon visage en me laissant pousser le poil au menton. Pourtant, la dame noire — le moyen de l'appeler autrement ? — m'avait vu devant la tombe de Sosthène, qui ne devait pas recevoir de fréquents visiteurs. Elle n'avait pu manquer de se poser des questions sur cet inconnu. Les langues vont vite aux Iles. Elle allait parler de la mystérieuse rencontre à sa sœur. Mais ne les verrais-je pas toutes deux à la réception du gouverneur ? Baste ! Il serait toujours temps d'aviser. N'étais-je pas couvert par les papiers les plus officiels ? Mieux valait seulement ne pas trop me manifester. Il ne me restait que trois jours avant de remettre à la voile pour Portobello, qui serait ma prochaine escale. D'ici là, il n'était pour moi que de rester à bord du *Vulcain*, avec les calfats dont je stimulerai le zèle afin d'en finir plus vite.

Ainsi fis-je, sans autrement me préoccuper de poursuivre, à travers la luxuriante nature, ces chevauchées qui, après mon pèlerinage à la tombe de mon ami, ne pouvaient que raviver en moi l'amertume du souvenir.

Vint la soirée du gouverneur et, comme il m'en avait prévenu, il s'y vit grand concours du beau monde de la colonie. Les planteurs, flanqués de leurs épouses et de leurs filles nubiles, étaient venus, de cinq à dix lieues à la ronde, de Limonade comme de Plaisance, du Bourg du Trou comme de la baie des Gonaïdes, sur le Canal du Vent. Leur apparence et leur comportement n'avaient pas sensiblement changé depuis mon premier voyage : les hommes glorieux, faisant mousser leurs manchettes de dentelle, tirant hors de propos leurs grosses montres d'or émaillé pour se les appliquer contre l'oreille, visiblement incommodés par le port inhabituel des lourdes perruques qui leur chatouillaient la joue et sous lesquelles ils transpiraient à grosses gouttes ; les femmes adipeuses, aux pommettes immodérément teintées d'un rouge incendiaire dans leurs robes à falbalas gorge de pigeon, vert amande, rose praline ou jaune canari, dont la coupe, tout comme leurs pyramides de cheveux, retardait de plusieurs favorites royales. Les filles montraient ce qu'avaient été leurs mères vingt ans plus tôt. Elles avaient pour elles la grâce, la langueur, l'éclat de la jeunesse qui attend et qui espère. Toutefois, étais-je devenu plus exigeant ou, désabusé des charmes antillais, me défendais-je d'être séduit ? Leurs regards appuyés, leurs battements de paupières, leurs mines, les rires cascadants qui faisaient palpiter la naissance de leurs rondes gorges ambrées me produisaient l'effet d'un spectacle donné sur une autre planète et auquel je n'étais plus appelé à participer.

Monsieur de Roberval de la Touche, solennel dans un justaucorps de velours olive à boutons d'argent, remplissait son office d'hôte et de représentant du plus grand des rois avec une hauteur qui mesurait les sourires et les empressements au rang et à la fortune. Il avait commencé par me présenter à sa femme, petite créature blondasse et effacée qui balbutia quelques mots de bienvenue. Elle était tout yeux pour son époux et maître et pouvait assurément lui être reconnaissante d'une cinquième grossesse fort apparente et qui la fit s'excuser, en rougissant, de devoir promptement quitter la place. J'entendais d'une oreille distraite des noms à particules qui avouaient une roture mal décrassée, comme Dupont de la Rivière, Colardeau de la Roche, Maugiron du Pâtis ou, plus pittoresquement, Laplace du Trou. Ces personnages gonflés de leur importance, pour qui la bastonnade, la flagellation ou le fait d'échopper une oreille d'un seul coup de sabre d'abattis représentaient des pratiques courantes à l'égard de leurs esclaves, passaient, le menton avantageux, entre deux haies de serviteurs noirs en livrée blanche à boutons de nacre, qui portaient des chandeliers dorés à cinq bougies.

Enfin, le majordome, mulâtre de haute taille, dont l'éminente fonction se marquait à un habit vert d'eau à boutons dorés, annonça d'une voix aigrelette :

— Missi et Médème dé Terrasson dé Saint-Lary.

Je sursautai. Je voyais devant moi la dame noire du cimetière. Elle avait d'ailleurs abandonné son vêtement de deuil pour une robe grenat dont la légère mousseline flottait autour de ses formes plantureuses. Elle avait apporté un soin particulier à farder son visage, mais ni lait virginal, ni décoction de racines de lis, ni pommade aux amandes douces, ni poudre de riz au safran, ni fleurs de frangipanier macérées dans l'huile de tournesol ne lui restitueraient le teint à la fois chaud et suave en qui Sosthène, je ne l'avais pas oublié, célébrait poétiquement la succulence d'un fruit mûri au soleil du tropique « entre la sapotille et l'abricot ». Qu'en si peu d'années une beauté aussi accomplie eût pu se flétrir à ce point, m'emplissait d'une tristesse voisine de l'angoisse. En dépit de tout le mal que cette femme m'avait fait, malgré la mort tragique de Sosthène et des *novios*, je me surprenais à la plaindre. Comment reprocher à la beauté ses cruels caprices, quand le châtiment doit si tôt lui venir par la fatale perte de son pouvoir sur ses victimes ? Ah ! misérable beauté dont le règne est si court !

Eponine, entendant le gouverneur me présenter comme le vicomte Le Gendre de Tous-les-Saints, avait imperceptiblement levé le sourcil, puis esquissé une révérence de bon ton et formé, en se redressant, une moue, qui était peut-être un sourire, et où j'eus le sentiment de la retrouver soudain.

Celui qui avait consommé la déchéance de ses charmes était sur ses talons. Le sieur (de) Terrasson tenait du magot. Il était assez court de taille, rougeaud, ventru. Il avait de gros yeux saillants et la mine empruntée. Il ricana bassement en me serrant la main. La sienne était molle. Pauvre Eponine !

Valérie se manifesta peu après avec le sieur (de) Capefigue. Elle ressemblait toujours à sa sœur jumelle, avec moins d'ampleur dans l'épanouissement des formes. Elle me parut aussi plus guindée, presque rogue, et me considéra avec un peu plus d'insistance qu'Eponine.

Quant à son mari, c'était un grand échalas au teint bilieux, aux yeux durs, et à qui une longue cicatrice barrait la joue gauche. Il me serrait la main pour satisfaire au rite, avec une indifférence qui confinait à l'hostilité.

Quand les deux couples se furent éloignés, Monsieur de Roberval de la Touche me dit à l'oreille :

— Ce sont les deux sœurs dont je vous avais parlé, celles qui ont fait tourner en bourrique le malheureux curé. De la Terrasson, il n'y a plus grand-chose à dire : à chaque nouveau rejeton, elle prend quelques livres, et comme elle augmente chaque jour la durée de sa sieste et qu'elle ne se déplace plus qu'en voiture, elle finira par éclater. Quant à la Capefigue, c'est un autre oiseau. Son mari a eu un jour la malencontreuse idée de lui administrer une paire de soufflets pour on ne sait quelle vétille. Alors la douce créature est allée chercher une chicote, et vlan ! elle vous l'expédie de toutes ses forces, toutes lanières sifflantes, dans la figure du brutal. Il saignait comme un veau. Il est resté trois semaines sans mettre le nez dehors, et quand on l'a revu, il était drôlement marqué, comme vous avez pu voir. Depuis ce temps-là, il file doux avec sa moitié, mais il est devenu plus féroce que jamais avec ses esclaves ; on ne le voit plus dans sa plantation que la chicote à la main, et il a fait brûler vif un nègre surpris par lui en galant entretien avec une négresse qu'il honorait de ses faveurs.

Ce conte m'avait rappelé l'épisode du coup de cravache infligé par la même Valérie sur le bras de Sosthène à la Pointe de Limonade, et j'eus un sourire contraint.

— Aimables mœurs, monsieur le gouverneur ! Croyez-vous qu'on puisse appeler ces gens-là des civilisés ?

— Peuh ! me répondit-il, c'est le climat. Le soleil leur fricasse la tête, comme ils disent, et le diable mène la danse.

Cependant, la soirée s'animait. Les serviteurs présentaient sur des plateaux des nourritures et des boissons glacées toutes pareilles à celles que j'avais vu servir à la « grande case », en cette lointaine nuit où deux sœurs jumelles avaient tourné la tête de deux jeunes enseignes incapables de les distinguer l'une de l'autre. Seule manquait l'eau-de-vie. Le gouverneur m'avait prévenu. « Je leur refuse le tafia. Rien que des rafraîchissements qui ne feraient pas de mal à un nourrisson. Mes invités le savent. Je les connais et je ne veux pas de bagarre chez moi. »

Les hommes mangeaient, buvaient, riaient lourdement, s'envoyaient des claques dans le dos et fumaient des *puros*. Les femmes grignotaient, papotaient, gloussaient, battaient de l'éventail à l'abri de quoi elles ne se privaient pas de lancer des œillades assassines, et je pensais que, sous le ciel de Saint-Domingue, l'épithète gardait tout son sens.

L'amphitryon ouvrit le bal avec une douairière dont il m'avait coulé à l'oreille, au moment des présentations, qu'elle était la seule grande dame de l'île figurant régulièrement à l'armorial.

— La marquise de Hautvallon, née de Férébrianges, a du vrai sang bleu dans les veines, mon cher. Son mari, maréchal de camp, s'en était venu mourir ici au retour de l'expédition de Cartagène. Cette Baucis a pris le premier bateau à Nantes pour venir veiller sur la tombe de son époux. Elle refuse toutes les invitations et n'accepte de venir que chez moi. Tous ces croquants enrichis par la canne à sucre n'osent plus lui adresser la parole depuis que l'un d'eux, afin d'entrer dans ses bonnes grâces, lui ayant fait porter un tonnelet de son meilleur *vesou*, le vit ramener chez lui par un nègre, serviteur de la marquise, et qui lui dit : Médème maîtresse marquise de... de... de... de... dire vous pas connaître, vous petit blanc. Elle pas vouloir poison... » Se faire insulter par un nègre et — humiliation suprême — ne pouvoir le faire fouetter à mort ! Le malheureux en a pris un coup de sang. Il y a survécu, mais depuis ne bouge plus pied ni patte. Paralysé des membres inférieurs, oui. »

Le fait est qu'elle avait grande allure, la marquise de Hautvallon dans sa robe à brandebourgs et à manches « Amadis » gris de lin et sous sa couronne de cheveux blancs en palissade. Elle dansait le menuet avec une noble lenteur, à la mode de sa jeunesse. J'observai que Monsieur de Montgaillard avait été le premier à suivre l'exemple du gouverneur en s'emparant d'une jeune créole des plus piquantes, en robe cerise, et qui le dévorait des yeux.

Les salons ouvraient sur le jardin où, çà et là, en bordure des allées, sous les manguiers et les magnolias, de petites flammes tremblotaient dans des verres de couleur. La nuit était lourde. Des odeurs vives et mêlées parfumaient l'ombre, tout comme jadis, quand Sosthène me disait que son parti était pris et qu'il « épousait », sans savoir laquelle. Je n'avais nul désir de participer à l'agitation de cette « société » fondée sur le lucre, le dol, et gouvernée par une vanité dérisoire. Je descendis subrepticement les marches du perron pour gagner le jardin et y goûter un moment de calme, en attendant de pouvoir prendre congé.

D'innombrables étoiles palpitaient au ciel. J'allais m'engager dans une allée, qu'un dôme de branches rendait totalement obscure, quand une voix m'arrêta.

— Monsieur de Tous-les-Saints, auriez-vous la bonté de me prêter l'assistance de votre bras ? Je crains de me tordre les pieds.

Je reconnus la voix d'Eponine. Elle m'avait donc épié, suivi. Que me voulait-elle ? Impossible, en tout cas, de me dérober. On est galant homme ou on ne l'est pas. Je m'inclinai, tandis qu'elle reprenait :

— C'est à mourir de chaleur avec tout ce monde, et puis, la danse pour moi, aujourd'hui... Bref, j'étouffais et j'avais besoin de prendre l'air.

Elle engageait son bras sous le mien. Je ne savais que lui dire et j'étais fermement résolu à ne laisser échapper aucune confidence, mais elle attaquait d'entrée :

— N'êtes-vous jamais venu à Saint-Domingue, monsieur ?

— Jamais, madame.

— Vraiment ? Quand je vous ai vu l'autre jour, au cimetière, j'avais pensé que...

— Vous avez pensé à tort, madame. Quoique marin, je suis un homme de cheval, et chaque fois que je descends à terre, j'en profite pour satisfaire mon goût de l'équitation. Ainsi je poussais devant moi, au hasard de la route, quand j'ai vu un écriteau marquant le chemin du cimetière. Voilà l'explication.

— Vous aimez les cimetières ?

Elle avait prononcé la phrase presque indolemment. Moi qui savais de quoi elle avait pu se montrer capable, j'aurais voulu la battre. Je me bornai à répondre tout à trac :

— Quelle espèce d'homme faut-il être pour aimer la mort ?

Elle ne se laissait pas démonter pour autant et poursuivait sur le même ton dégagé :

— Celui-là est beau, n'est-ce pas ? triste et beau. Sur la mer. Un cimetière pour marins. Ils doivent s'y sentir encore chez eux, ne pas se croire tout à fait morts.

La belle invention ! Comment supporter de telles paroles ? Elle continuait :

— Vous m'y avez vue sur la tombe de mes parents, que j'ai perdus il y a trois ans déjà. Le temps de mon deuil est passé, mais quand je leur rends visite, c'est plus fort que moi, c'est comme s'ils étaient morts hier : je m'habille toujours en noir et je porte la mantille. Ma mère était d'origine espagnole.

Je la louai de sa piété filiale. Elle exhala un soupir, puis murmura :

— Ah ! la vie n'est pas toujours gaie ici, monsieur.

Je ne me retins plus.

— La vie est ce qu'on la fait, madame, c'est-à-dire généralement celle qu'on a méritée, dis-je sèchement.

Sa main se crispa sur mon bras.

— Ah ! monsieur, j'avais rêvé d'une autre vie.

Sa voix tremblait, prenait un ton pleurard. S'imaginait-elle m'attendrir ?

— Je crois, dis-je du même air, qu'il serait sage de rentrer. Votre mari pourrait s'inquiéter.

Elle se rebiffa, presque furieuse.

— Mon mari ! Vous vous moquez, je crois. J'ai six enfants et je parais dix ans de plus que mon âge. Je suis déjà une vieille femme. Qui s'intéresserait encore à moi ?

Par un reste de civilité, je protestai mollement :

— Allons donc ! vous êtes encore jeune.

— Jeune ! s'écria-t-elle avec une sorte de rage. Par l'âge peut-être, mais je n'ai plus d'illusions à me faire : mon miroir m'instruit tous les jours. Ah ! pardonnez-moi, monsieur, si je vous parais un peu folle. Quand je vous ai vu au cimetière, j'ai eu le sentiment de vous avoir déjà rencontré. Vous ressemblez extraordinairement à quelqu'un que j'ai connu et qui aurait à peu près votre âge. Il était enseigne sur un bateau de la traite. Il s'appelait Félix Lafortune. Des circonstances malheureuses nous ont séparés. Vous pourriez être parents. Ce nom ne vous dit rien ?

— Il n'y a pas de roturiers dans ma famille, madame.

Elle retira sa main de mon bras.

— Je n'ai pas voulu vous offenser. On peut se ressembler sans...

Cette fois, elle était vraiment au bord des larmes, mais pourquoi aurais-je pris en pitié cette grosse femme effondrée ? Avait-elle eu pitié de moi ? N'aurais-je pas pu, à cause d'elle, être à cette heure couché à dix pieds sous terre, comme Sosthène, dans le petit cimetière où, selon elle, on ne se sentait pas tout à fait mort ?

— Brisons là, madame, dis-je. Cette conversation est devenue sans objet. Rentrons.

Elle était à bout. Un sanglot la secoua, et je ne pus m'empêcher de penser dans l'instant qu'il venait avec sept ans de retard. « Croyez que je regrette ce qui est arrivé » : c'était tout ce qu'elle avait alors trouvé à dire pour la mort de trois hommes.

— Madame, ajoutai-je froidement, vous aurez les yeux rouges. Reprenez votre sang-froid, ou tout le monde va croire qu'on vous a battue.

Elle balbutia en hoquetant, la bouche perdue dans son mouchoir :

— Pourquoi êtes-vous si dur ? Que vous ai-je fait ? N'avez-vous donc jamais aimé ?

Une envie folle me prenait de lui révéler que j'étais ce Félix Lafortune qu'elle n'avait pas oublié. Je serrai les poings, m'enfonçai les ongles dans les paumes et parvins à me contenir. Ne venait-elle pas de me dicter elle-même la réponse à faire pour en finir avec ses momeries ?

— Si, madame, dis-je posément. J'ai aimé, j'aime toujours et davantage la femme que j'ai épousée.

Ses hoquets redoublèrent. La scène avait trop duré. Je m'inclinai.

— Adieu, madame. Souffrez que je vous laisse au débordement de votre exquise sensibilité. Serviteur !

Tandis qu'elle se mouchait, reniflait et s'épongeait les yeux, je regagnai les salles illuminées. La fête y était au plus fort dans le grincement des violons, le heurt des tambourins, le glissement rythmé des danseurs sur le parquet ciré qui tremblait sous les semelles. Parfois, un des musiciens noirs se prenait à pousser quelques hurlements qui accéléraient le mouvement et rappelaient qu'on n'était pas à Versailles. Une main se posa sur mon épaule. Je reconnus le gouverneur.

— Où diable étiez-vous, mon cher vicomte ? Je vous cherchais partout. En bonne fortune, je gage ? Ah !

séducteur ! Il y a là justement une aimable personne qui brûle de faire plus ample connaissance avec vous. Je la confie à vos bons soins, et surtout ne l'enlevez pas. Vous me feriez des histoires.

L'aimable personne était Madame de Capefigue, cette Valérie qui savait si bien se servir de la cravache et de la chicote. Elle me regardait en souriant, et je vis bien tout de suite que son sourire était pincé. J'observai aussi que ses yeux, du même bleu que ceux d'Eponine, avaient un éclat plus froid, l'éclat cassant de la glace. Sa sœur, soumise à une indolence traversée de colères subites, s'était amollie. Elle, au contraire, embonpoint mis à part, s'était comme pétrifiée dans le refus. C'était elle, je ne l'avais pas oublié, qui, la nuit du drame, avait annoncé à Sosthène que, pour l'épouser, il devrait d'abord tuer le *novio*. L'initiative de la rencontre venait d'elle. Eponine s'était bornée à suivre. Le fond de la nature de Valérie était la sécheresse. Pour tenir ses entreprises en échec, il ne fallait pas lui laisser le moindre avantage.

— Dansez-vous, monsieur ? disait-elle.

J'avais dansé à la « grande case », et elle s'en souvenait.

— J'ai toujours été impropre à cet exercice, madame, répondis-je avec une insoupçonnable expression de regret.

Elle reprit d'une voix doucereuse :

— Comme c'est mal à vous, monsieur ! Avec votre prestance, l'aisance de vos manières, j'aurais juré...

A ce moment, Monsieur de Montgaillard passa fort à propos devant nous. Il avait la mine longue. Je le retins par la manche pour lui dire :

— Cher ami, on vous a sûrement présenté à Madame de Capefigue ?

— Assurément, mon cher, et je lui renouvelle l'expression de mes hommages les plus empressés.

Encore qu'elle parût agacée par l'intervention de ce tiers, elle fit battre son éventail et répondit un peu vite :

— Une honnête femme accepte toujours avec plaisir

les marques de courtoisie d'un galant homme, monsieur, même si elle ne les attendait pas.

La réplique était un peu roide, et Montgaillard considéra la dame avec surprise, mais j'étais bien décidé à ne pas lui laisser le temps de réfléchir.

— Mon cher vicomte, fis-je, m'autoriserez-vous à signaler à Madame de Capefigue que vous dansez comme un dieu, ainsi que j'ai été à même de l'observer tout à l'heure ?

Le front du capitaine des gardes-marine s'assombrit.

— Parlons-en, s'écria-t-il d'une voix si retentissante que je dus lui faire signe de baisser de ton, à quoi il obéit d'ailleurs aussitôt. Excusez-moi, madame, si vous me jugez prétentieux. Monsieur de Tous-les-Saints exagère, bien entendu, à son habitude : je ne prétends pas briller comme une étoile de première grandeur dans l'art de l'entrechat, et je n'ai jamais eu l'ambition de finir mes jours dans la peau d'un maître de ballet ; mais enfin je tricote le rigaudon aussi bien qu'un autre. Or donc, figurez-vous que je croyais, il y a quelques minutes, par l'effet de mes grâces tant naturelles qu'acquises, avoir mérité, je ne dirai pas les faveurs — je ne suis pas si libertin —, ni même la faveur, mais disons... la sympathie d'une jeune personne dont les attraits m'avaient paru dignes de retenir l'attention d'un gentilhomme de mon état. J'ai donc dansé avec elle ce rigaudon qui, ainsi que je viens d'avoir l'honneur de vous le dire, constitue ma partie forte dans les travaux de Terpsichore, quand, je vous le donne en mille...

Il prit le temps de souffler avant de repartir.

— Ouais ! le rigaudon achevé, j'avais fait brûler l'encens de mes compliments les mieux tournés aux pieds de la demoiselle, et elle avait semblé prendre un vif plaisir à m'entendre. Je dirai plus : l'extase, je dis bien : l'extase se peignait sur son visage. Bon ! Une gavotte s'organise. Je me dispose tout naturellement à recueillir le fruit de mon éloquence, à pousser par une seconde épreuve mon avantage auprès de la belle. *O rage, ô désespoir*, etc... Voici qu'approche un grin-

galet sans autre recommandation que sa petite mine
et que j'aurais pu sans difficulté emporter sous mon
bras pour le mettre à bouillir dans la marmite. Il
prend la main de ma conquête en me disant d'une
voix sucrée, qui n'a même pas achevé sa mue : « Excusez, je suis le *novio*, monsieur. » Je ne savais pas ce
qu'il voulait dire, ce poulet de l'année, et j'allais me
fâcher, quand l'objet de la dispute intervient avec
un sourire fort gracieux. « C'est mon fiancé, monsieur.
Merci de m'avoir fait danser en l'attendant. » Et les
voilà qui s'envolent tous les deux. Morbleu ! Le vicomte
Anicet-Blaise-Valentin de Montgaillard, dont les ancêtres étaient à Bouvines, servir de doublure à un freluquet sans naissance, à peine sorti des jupes de sa
doudou ! Je n'en suis pas encore revenu. En tout autre
lieu, je l'aurais cassé en deux.

Brave Montgaillard ! Il en devenait écarlate jusqu'aux oreilles. Quant à la Capefigue, toujours bonne
âme, elle se mordait les lèvres pour contenir son envie
de rire.

— Vous avez bien fait de maîtriser votre impétuosité, monsieur, dit-elle. Les *novios* sont ici très ombrageux, ils ont le sang chaud, et la partie eût été trop
inégale entre vous, homme de guerre, et un petit créole
rageur. Ces affaires-là se terminent généralement par
mort d'homme, parfois même deux ou trois.

— Deux ou trois, comment cela ?

— C'est qu'un *novio* ne se bat jamais seul, monsieur.
Il se fait assister d'un ami. S'il est tué, l'autre met un
point d'honneur à le relayer pour en découdre, lui
aussi.

Tout en s'adressant à Montgaillard, Valérie ne cessait
pas de me couler des regards de biais, et j'affectais un
air à la fois intéressé et empreint d'un certain détachement. Elle pencha soudain la tête de côté, considérant
le capitaine avec une expression de langueur rêveuse
qui appartenait à l'ancienne Valérie, celle que j'avais
connue huit ans plus tôt.

— Le plus clair dans tout cela, monsieur, c'est que

vous n'avez pu faire la démonstration de vos talents sur la gavotte.

Montgaillard était trop galant homme pour se dérober à une invite aussi limpide.

— Si vous voulez me faire l'honneur, madame...

J'eus droit à une nouvelle œillade ironique de Valérie avant qu'elle s'élançât avec lui. En dépit de son alourdissement, elle avait conservé beaucoup de sa grâce d'antan et dansait à ravir.

— Eh bien ! eh bien ! vicomte, fit derrière moi la voix enjouée du gouverneur, vous vous êtes laissé souffler Madame de Capefigue. Je vous accorde qu'elle n'est plus de la première fraîcheur, les femmes ici se fanent vite, mais je lui crois du tempérament, à cette bougresse. Il est vrai que le temps vous est compté : vous appareillez demain et n'auriez guère le loisir d'en planter à Capefigue qui, entre nous, est un vrai sauvage et ne l'aurait pas volé. Ah ! heureux homme qui allez reprendre la mer ! L'amour m'y a fait renoncer et je dois avouer que je ne le regrette pas. Ma femme est un ange à forme humaine. Vous verrez, vous y viendrez, vous aussi. L'heure sonne pour les pires mécréants — aucune allusion personnelle ! — où ils comprennent la nécessité de se ranger. Ce n'est pas en courant le guilledou qu'on fait son salut.

Je ne lui avais pas dit que j'étais marié. La soirée avançait. Je lui demandai s'il n'avait pas prévu un feu d'artifice, comme j'avais ouï dire que c'était la coutume dans l'île.

— Pour l'amour du ciel, s'écria-t-il, ne me parlez pas de cette fichue coutume. Le dernier feu d'artifice qui ait été donné ici, l'an dernier, a provoqué un incendie du tonnerre de Dieu. Vingt cases ont brûlé, deux négresses ont grillé comme des rats. La ville entière aurait pu y passer. Depuis ce temps-là, j'ai interdit les feux d'artifice sur toute la côte de Saint-Domingue, à moins d'une autorisation spéciale, que je refuse à tout coup.

Cependant, je regardais, évoluant au milieu des robes bariolées et des habits brodés, le couple formé par

Valérie et Montgaillard. La haute taille de l'officier me permettait de ne pas le perdre de vue, et je pouvais observer que Valérie ne cessait pas de lui parler. Je n'avais pas à m'interroger sur ce qu'elle lui disait ; elle le persécutait évidemment d'astucieuses questions sur mon compte, et je me félicitai d'avoir pris la précaution de le prévenir, afin qu'il gardât bouche cousue. Mais ne parviendrait-elle pas à tourner sa discrétion et à lui arracher des confidences qui lèveraient pour elle les derniers doutes ? Que se passerait-il ensuite ? Aviserait-elle le gouverneur ? Démasquerait-elle un certain Félix Lafortune, coupable d'avoir tué les *novios* Gilles Dugain et Zacharie Pioux, dont la mort devait être vengée ?

— Ah ! reprenait Monsieur de Roberval de la Touche, ignorant de cette trame, ne croyez pas que le rôle de gouverneur soit de tout repos dans une île comme celle-ci, qui par ses richesses naturelles constitue une proie de choix pour des ennemis aux dents longues. Maintenant que la guerre a repris, nous sommes à la merci d'une descente anglaise. Aux dernières nouvelles, deux grands vaisseaux seraient arrivés à la Jamaïque, autant dire à deux jets de pierre, pour s'embosser à Port-Royal, cap à l'est. Et je ne parle que pour mémoire de ces damnés flibustiers qui ne font que jeter de l'huile sur le feu, quel que soit leur pays d'origine. Que ne pouvez-vous rester à demeure avec vos trente-six canons, ou tout au moins adopter le Cap Français comme port d'attache ! Je me sentirais plus tranquille... Bah ! foin des idées noires ! Si nous sommes attaqués, nous nous défendrons ; nous prendrons même l'initiative au besoin... Comment avoir le front de ne rêver que plaies et bosses, quand une aimable personne comme Madame de Terrasson vient nous charmer de sa compagnie ?

Eponine, en effet, venait de surgir devant nous. Elle s'était visiblement efforcée de restaurer son visage défait et n'y était parvenue qu'à demi. Elle avait les traits tirés ; un pli amer apparaissait aux commissures de ses lèvres.

— Un astre succède à l'autre, poursuivait courtoisement le gouverneur. Il n'y a qu'un instant, nous nous entretenions avec Madame de Capefigue.

Elle chancela tout à coup, et il la retint.

— Qu'avez-vous, chère madame ? Vous sentiriez-vous incommodée ?

— Excusez-moi, dit-elle en déployant son éventail pour ne plus montrer que des yeux égarés. La chaleur m'avait suffoquée et j'étais sortie un moment. Je vais mieux. Ne vous tourmentez pas pour moi.

— Ma chère amie, reprit-il à mi-voix, je sais ce qu'il vous faut. Le tafia administré avec modération, quand il est de bonne qualité, constitue un excellent topique. Il vous ressuscite un moribond en deux temps trois mouvements. Je vous demanderai seulement le secret sur cette médication, car vous savez qu'ici... Chut !

Il posa un doigt sur ses lèvres, fit signe au majordome, et lui parla à l'oreille. Le mulâtre sourit et s'inclina.

La gavotte s'achevait. Montgaillard revint vers nous avec Valérie qui arborait un air triomphant.

— Vous aviez raison, me dit-elle. Votre ami est un excellent danseur. Et quel homme d'esprit ! Il a failli me faire manquer un pas, tant je m'esclaffais à une de ses saillies.

— Contez-nous cela, dit le gouverneur.

— En vérité, monsieur, l'imiter serait le trahir, et il serait trop fondé à me traiter de pécore.

Montgaillard effila sa moustache.

— Ce que vous en dit Madame, gouverneur, n'est que pour me consoler des duretés qu'il m'a fallu essuyer.

— Des duretés, monsieur ?

— Dont je ne vous garde nulle rancune, belle dame. Ne m'avez-vous pas demandé si le port de la moustache était une nouvelle mode de Paris ?

— Et vous m'avez répondu que c'était seulement une tradition, qu'on pouvait suivre ou non, chez les officiers des gardes-marine.

— Et ne m'avez-vous pas renvoyé qu'il y avait des traditions peu recommandables ?

— Je me suis bornée à observer que des gentils-hommes aux traits réguliers, comme vous ou Monsieur de Tous-les-Saints, pouvaient fort bien se passer de cet ornement superflu.

Montgaillard secoua la tête.

— En ce qui me regarde, comme j'ai eu l'honneur de vous le dire, je ne sais si vous avez raison. J'ai laissé pousser ma moustache dès mon arrivée au service. Le cas du vicomte Le Gendre de Tous-les-Saints est différent. Il ne s'y est décidé que pendant la traversée. Pris d'une subite émulation, il a même voulu se donner sur moi la supériorité de la barbiche qui le fait ressembler au feu roi Louis XIII, à moins que ce ne soit au cardinal de Richelieu.

Le gouverneur éclata de rire. Le capitaine riait aussi de bon cœur, et cette franche gaieté des deux hommes formait un contraste frappant avec les rires forcés d'Eponine et de Valérie. Les yeux de la seconde étincelaient d'une allégresse suspecte. Dans ceux de sa sœur, je lisais une sorte d'effroi.

Le majordome revenait, portant sur un plateau un verre de tafia qu'Eponine saisit aussitôt et but à petits coups.

— Alors, vous sentez-vous mieux maintenant, chère madame ?

— Mille grâces, monsieur le gouverneur, répondit-elle d'une voix blanche. Je me sens même si bien que j'en ai des fourmis dans les jambes et que je voudrais danser...

— A la bonne heure !

— ... avec Monsieur de Tous-les-Saints.

— Le vicomte ne danse pas, dit sèchement Valérie. Il a tout à l'heure décliné mon offre en me déclarant qu'il était impropre à la danse.

— Il ne déclinera pas la mienne, répliqua Eponine, car je vais le guider.

Elle me jeta un regard si suppliant que je craignis un éclat dans le cas où je persisterais dans le refus.

— A vos risques et périls, fis-je en levant les épaules.

La difficulté consistait pour moi à feindre la maladresse en évitant le ridicule. Je ne sais si j'y parvins, car à peine avions-nous fait quelques pas qu'elle murmura sans me regarder :

— Je vous avais reconnu au premier regard. Ainsi, c'est bien vous, monsieur Lafortune, enseigne à bord de *la Pétulante*.

— Ce n'est pas mon nom, répondis-je calmement

Elle soupira et reprit :

— Je ne sais pourquoi vous l'avez changé et ne veux même pas chercher à savoir quel est le véritable. Apprenez seulement que vous n'avez rien à redouter, ni de Valérie ni de moi. Le passé est le passé, et il n'est pas en notre pouvoir de ressusciter les morts. Nous sommes toutes les deux mariées, mères de famille. Le scandale que nous avons réussi à éviter, il y a huit ans, n'a pas à être réveillé. Nous serions les premières à en souffrir. Nos maris seraient capables de nous tuer.

— En ce cas, pourquoi m'interrogez-vous ?

— On a dit que le fameux captain Lafortune, la Terreur des Caraïbes, et vous, enseigne du même nom, ne faisiez qu'une seule et même personne. Est-ce vrai ?

— Je suis le vicomte Le Gendre de Tous-les-Saints, représentant officiel de la Compagnie de l'*Assiente* et envoyé du roi.

— Vous ne voulez rien dire... Ah ! ma tête se perd. Je crois que je vais devenir folle. Il n'y a pas de femme plus malheureuse que moi.

— Vous avez six enfants.

— De quel père !

— N'en dites pas davantage. Vous avez été très belle. Nous dansons comme de bons amis, sans rancune sinon sans remords.

Je la regardai à ce moment. Son visage s'était illuminé.

— Enfin ! dit-elle très bas, d'une voix tremblante, vous venez d'avouer que vous m'avez connue quand tous les hommes étaient à mes pieds. Merci ! C'est bien fini maintenant... Que Dieu vous garde, monsieur !

Je la ramenai près de sa sœur qui conservait son air de défi.

— Je ne sais qui je dois complimenter de ma sœur ou de vous, me dit-elle. Vous vous êtes joliment tiré d'affaire pour un novice, vicomte, et vous formiez tous deux un couple apparié à merveille. Aussi j'espère que vous ne me refuserez plus cette gavotte que je vous avais demandée tout à l'heure.

Qu'avais-je désormais à craindre d'elle ? Je dansai la gavotte avec Valérie. Elle ne prononça pas une parole pendant toute la danse mais ne se priva pas d'exercer des pressions de main significatives et de se serrer contre moi.

Comme les musiciens déposaient leurs instruments elle me chuchota à l'oreille :

— Avez-vous remarqué mes ongles, enseigne Lafortune qui avez pris bien de l'avancement, dont je vous félicite de tout cœur ? Ils ne sont plus acérés, coupants comme des rasoirs. C'est que les temps ont changé. Je n'ai plus à m'en servir pour éborgner les audacieux. J'ai cessé d'être une femme dangereuse.

Elle eut un rire glaçant.

— Je tenais encore à vous dire une chose. J'ai vraiment regretté dans les temps anciens, pour votre malheureux ami, l'enseigne... ah ! son nom m'échappe... Un garçon si séduisant ! Comprenez-moi : comment aurais-je pu penser qu'un jeune officier comme lui, rompu au maniement des armes, allait se faire expédier par un Zacharie Pioux ? Zacharie Pioux ! Il était encore plus bête que Capefigue !

Je l'aurais étranglée.

XV

— Ainsi, mon cher ami, vous vous êtes rendu aux raisons de cette dame de Capefigue qui, pour des causes obscures, mais certaines, en voulait à votre barbe. Quel avantage pensez-vous retirer de cette capitulation ? Convenez que je résiste mieux que vous aux agaceries des personnes du sexe.

Monsieur de Montgaillard me tenait ce langage sur le tillac du *Vulcain*, alors que nous venions de quitter la passe du Cap Français et que, par vent favorable, nous gagnions la haute mer. Il tortillait sa fière moustache, tout en ployant les genoux comme un cavalier qui, à sa descente de cheval, cherche à retrouver la souplesse de ses articulations.

— Ouais ! poursuivait-il, entre nous et sans vouloir médire de cette personne de goût qui m'a prodigué les appels du pied de la façon la plus flatteuse, elle aurait le feu aux jupes que je n'en serais pas autrement surpris. Dommage de ne l'avoir connue que la veille du départ : elle m'a parlé de son mari en des termes ! Un butor, un verrat qui se jette sur toutes les négresses de sa plantation et aurait déjà une quarantaine de bâtards café au lait ! Elle a dû être fort plaisante et elle a de beaux restes. C'eût été œuvre pie que de... Baste ! Encore une qui devra rester sur sa faim !... Vous étiez occupé à la manœuvre, et je regardais sur le quai, dans la longue-vue. Eh bien, elle y était avec sa sœur qui avait, elle aussi, une lunette d'approche collée à l'œil et qui ne voulait pas s'en défaire, si bien qu'elles ont failli se battre. Voilà comme nous sommes.

Je venais de me raser de près et je savais bien, moi, pourquoi Eponine avait refusé de prêter la lunette à Valérie. Elle ne se lassait pas de revoir l'enseigne Félix Lafortune tel qu'elle l'avait connu et le reverrait ainsi le reste de sa vie.

Dans la nuit, peu après avoir dansé avec la Capefigue, j'avais annoncé à Monsieur de Roberval de la Touche que je lui laissais la libre propriété de *l'Endeavour*, avec toute liberté de rançonner son capitaine. Il avait failli en tomber de son haut.

— Une prise de cette valeur ! Vous raillez, je pense.

— Je ne suis pas corsaire, mon cher gouverneur, et je considère que les intérêts du royaume doivent passer avant ceux de la Compagnie. Vous m'avez exprimé vos craintes concernant une possible attaque de l'île par les Anglais. Mettez un bon équipage à bord de *l'Endeavour*, et ses huit canons ne seront pas de trop pour vous défendre. Je vous demanderai seulement, en souvenir de moi, de le rebaptiser *Tous-les-Saints*, et de l'alléger à mon profit de quelques fûts du vin de Pico dont j'ai déjà tâté avec plaisir.

L'aube pointait quand le gouverneur était arrivé sur une chaloupe avec six fûts de ce vin de volcan, à quoi il avait ajouté un fût du meilleur tafia, par manière de remerciement. Avant de quitter mon bord, enfin, il avait fait signe au majordome qui l'accompagnait, et celui-ci m'avait remis un long paquet soigneusement ficelé.

— C'est un autre souvenir, vicomte. Ne l'ouvrez qu'après avoir mis à la voile, et sachez que je vous tiens pour un homme d'honneur.

Sur quoi, il m'avait embrassé.

J'étais allé porter le paquet dans ma chambre et fus le déficeler quand Monsieur de Montgaillard eut achevé de me conter sa bonne fortune auprès de Valérie. Il contenait une épée dans son fourreau, plus une lettre que j'ai conservée et dont voici le texte :

Mon cher vicomte, permettez-moi de vous offrir cette

*épée. Elle a appartenu à un enseigne qui servait sur
la Pétulante, navire de la traite. Ce malheureux garçon,
qui s'appelait Sosthène Goujet, a péri, il y a huit ans,
dans une affaire qui n'a jamais pu être éclaircie et où
deux fils de riches planteurs ont également trouvé la
mort. Ces derniers étaient d'ailleurs des vauriens,
comme beaucoup de ces fils de boucaniers qui ne sont
pas encore lavés de la bassesse de leur origine, et les
torts étaient certainement de leur côté. L'arme était
restée ici comme pièce à conviction. Je crois qu'elle ne
saurait être désormais en de meilleures mains que les
vôtres.*

*Croyez, mon cher vicomte, aux sentiments dans les-
quels j'ai l'honneur d'être votre bien zélé serviteur.*

Xavier,
marquis de Roberval de la Touche,
gouverneur de l'île de la Tortue
et de la Côte de Saint-Domingue.

Ainsi donc, il savait à quoi s'en tenir sur mon compte
et avait gardé le silence. Comment avait-il été informé ?
Par les sœurs Cazenave ? Rien ne pouvait le laisser
supposer. Par courrier de l'*Assiente* arrivé avant moi
à Saint-Domingue ? Crozat, demeuré méfiant à mon
égard, aurait pu vouloir prévenir le gouverneur, afin
de le mettre en garde. D'une part, on me chargeait
d'une mission de confiance, et d'autre part on se pré-
munissait contre des écarts possibles. A cette heure,
peut-être le marquis Xavier de Roberval de la Touche
rédigeait-il un rapport spécifiant que le vicomte
Le Gendre de Tous-les-Saints, ex-enseigne Félix Lafortune, pouvait être considéré comme un fidèle sujet du
roi. Quant à révéler que l'enseigne et le captain fussent
une seule et même personne, il ne me paraissait pas
que Crozat eût pu aller jusque-là.

De toute façon, désormais la page était tournée.
Saint-Domingue ne représentait plus pour moi un danger. Adieu, Eponine ! Et, tournant et retournant entre
mes mains l'épée de mon ami, je me disais que maintenant il était doublement mort.

Nous passâmes sans histoire le Canal du Vent et pénétrâmes dans la mer des Antilles qui nous accueillit par une chaleur de four. Si le gouverneur avait dit vrai au sujet des deux vaisseaux anglais mouillés à Port-Royal, mieux valait pour moi me tenir le plus éloigné possible de la Jamaïque. Je n'avais pas à rechercher un combat inégal. Par une disgrâce du sort, après toute une journée de calme plat, où la mer semblait figée sous un soleil de plomb, nous fûmes pris dans un ouragan accompagné d'une pluie torrentielle et d'un vent si violent qu'il était impossible de gouverner. Deux de mes Basques furent jetés à la mer sans que l'on pût se risquer à leur porter secours ; le père Cornélius, levant la main pour leur donner l'absolution, faillit connaître le même sort. L'état de la mer et du ciel ne me permettait pas de faire le point. J'avais le sentiment que le malheureux *Vulcain,* ballotté comme une coque de noix et embarquant de l'eau, tournait en rond.

Quand, enfin, le vent tomba, par une aube louche, j'aperçus la terre. Nous avions été drossés sur la Jamaïque, et les deux vaisseaux que j'avais voulu éviter venaient sur nous, toutes voiles dehors.

Si je ne pouvais leur brûler la politesse, l'affaire promettait d'être chaude, et je me rappelle avoir alors consulté ma montre : il était six heures du matin. Jusqu'à onze heures, faisant force de voiles, je gardai l'espoir de me mettre hors d'atteinte. A midi, j'y devais renoncer et mes poursuivants étant le *Ruby,* qui portait soixante-dix canons et le *Kingly* cinquante, il fallait me résoudre à opposer mes trente-six canons aux cent vingt de l'ennemi. J'observai à la lunette que le *Ruby* avait un amiral à bord, comme l'indiquait son pavillon blanc. Etait-ce enfin pour m'intimider ? J'y voyais, indépendamment de son équipage, nombre de soldats en habit rouge se promener nonchalamment sur le pont supérieur, comme si l'engagement qui s'annonçait n'allait constituer pour eux qu'une formalité. Je m'écriai alors de la dunette :

— Les amis, ces gros milords se moquent de nous. Une bonne moitié de leurs sabords est garnie de canons de bois. Nous allons leur montrer, nous, qu'ils n'ont pas affaire à des polichinelles.

Le vaisseau amiral n'en fut pas moins le premier à nous cracher sa bordée par tribord, tandis que son acolyte nous attaquait par la hanche, et je me demande quel saint nous avait pris sous sa protection pour rendre les canonniers anglais aussi maladroits. Deux coups seulement portèrent sur la mâture, dont l'un dans le grand mât et l'autre dans la vergue d'artimon. En revanche, un boulet faucha la tête de mon second, le brave Jauréguy, et un autre, qui m'était passé entre les jambes, tomba dans la sainte-barbe, d'où une épaisse fumée ne tarda pas à sortir. Le père Cornélius, qui ne se laissait pas émouvoir facilement, lisait son bréviaire à deux pas de moi, comme si de rien n'était.

— Mon père, lui dis-je, rendez-vous utile. C'est Dieu lui-même qui vous demande par ma bouche indigne d'aller éteindre le feu de la sainte-barbe. Sinon, nous allons tous griller au purgatoire.

— Parlez pour vous, mon fils, répondit-il en fronçant le sourcil.

Il n'en disparut pas moins prestement par une écoutille, éteignit le feu et remonta, le visage et le froc tout noircis. Comme il rouvrait son bréviaire, un boulet rouge arriva qui, sifflant au ras de son menton, enflamma sa barbe avant de s'enfoncer dans la mer. En toute autre circonstance, ç'eût été un plaisant spectacle que de voir cet homme de Dieu empoigner sa robe blanche et la soulever pour y enfouir son visage, découvrant ainsi ses chausses ; mais la situation était trop critique pour que j'eusse le cœur à rire. Il me fallait avoir l'œil bien ouvert pour éviter, par de brusques changements de cap, d'avoir à subir le feu de toute l'artillerie de mes assaillants. Cependant la brise augmentait ; je fis tirer sur le *Ruby* à boulets ramés et, en deux coups heureux, j'eus la fortune d'abattre son grand mât. Je voyais bien que son prétentieux amiral aurait voulu m'aborder pour jeter tous ses soldats à mon bord et nous écraser sous le nombre. Une nouvelle décharge abattit son mât de beaupré ; sa manœuvre en était rendue difficile et je pus m'occuper du *Kingly*, qui s'approchait dangereusement.

Mon plan était inspiré de la ruse qui avait si bien réussi au *Furious* contre nous au large de la côte africaine et qui eût infailliblement causé notre perte sans la vaillance de mon équipage. Donc, je feins de vouloir prendre la fuite. Le *Kingly* insiste, arrive sur nous ; il va nous aborder par l'arrière. Du moins son capitaine le croit-il. *Error, sir !* je suis auprès de mon timonier, je barre avec lui, et le *Vulcain*, craquant de toute sa membrure, obéit à la commande. Il vire sec, d'un bon quart de tour, en sorte que l'ennemi, gouvernant sur lui, l'éperonne par le travers. Le choc ne causera pas de dégâts sérieux, et l'Anglais se trouve en mauvaise posture. Son beaupré s'est, comme prévu, engagé sous mes haubans, et il ne peut utiliser ses batteries contre nous, alors que toutes mes pièces de tribord et mes pierriers le criblent de boulets.

L'engagement ne traîna guère. Pour compléter la fête, mes matelots, les uns lançaient des grenades — et les Basques, dans cette spécialité, ne craignent personne — les autres, fusil en joue, ajustaient posément leurs cibles. Nous eussions assurément pu nous rendre maîtres de ce beau navire, mais son compère, le *Ruby*, bien que passablement dégréé, était encore à trop faible distance et pouvait nous créer de mauvaises surprises.

J'eus alors l'occasion d'admirer le courage d'un gabier anglais qui, assis à califourchon sur sa vergue de beaupré, la coupa devant lui d'un coup de hache, puis trancha les manœuvres dormantes encore empêtrées dans nos haubans. Brave matelot ! Je détournai le fusil d'un des miens qui le visait et ne l'eût certainement pas manqué. Grâce à lui, le *Kingly* put se tirer de la fâcheuse situation où il se trouvait, et je m'empressai de prendre le large.

Nos pertes étaient sévères : cinq morts, outre le pauvre Jauréguy. Mon grand mât endommagé menaçait de venir bas, et le corps de voiles, criblé de mitraille, ralentissait notre course. Par chance, l'ennemi était plus éprouvé que nous, et quand la pointe de ses mâts eut disparu à l'horizon, le père Cornélius déclara qu'il convenait de rendre à nos morts les derniers devoirs. Il récita les prières avec sa componction coutumière, encore que les charbonneux vestiges de sa barbe et son froc souillé lui fissent une figure de pirate plus que de saint homme.

Le lendemain, nous rencontrâmes une frégate de Flessingue percée à dix-huit canons. Son capitaine ne manquait pas d'audace, ou peut-être pensa-t-il que nous étions trop mal en point pour lui opposer une vraie résistance : bref, il eut le front de nous attaquer. Nous nous chamaillâmes pendant près d'une heure, au bout de quoi, complètement dégréé qu'il était, je lui eusse volontiers fait grâce s'il avait amené. Il n'en fit rien et, atteint dans ses œuvres vives, sombra en quelques minutes, pavillon haut.

Mon dessein initial était de joindre Portobello. Nous étions au début de septembre, et j'aurais dû me rappeler que cette époque de l'année, dans la mer des Antilles, est la pire qui soit pour la navigation. Non seulement, de mai à novembre, il y pleut sans discontinuer, mais il faut aller contre les courants et louvoyer ou batailler contre le vent d'ouest.

Ce damné vent, si je l'avais laissé faire, m'eût chassé jusqu'en Afrique. Je décidai sagement de mettre le cap sur Cartagène où je parvins après trois semaines.

Cartagène — Cartagena de Indias, disent les Espagnols — est le Saint-Malo des tropiques, dans sa ceinture de hautes murailles. Si, en 1697, elles avaient été achevées, le baron de Pointis ne se fût pas si facilement rendu maître de la place. Six années avaient passé depuis ce fait d'armes, et des équipes de nègres travaillaient encore sous le fouet à les renforcer.

Je commençai par rendre visite au directeur de l'*Assiente*, le chevalier Calixte de Larieu, qui avait en principe la haute main sur les agents de Panama et du Pérou. C'était un gentilhomme béarnais, long et jaune comme un cierge pascal et qui me surprit dès l'abord par le luxe de son costume. Il portait un magnifique justaucorps rouge feu à volants plissés et manches à bottes, une cravate de mousseline blanche piquetée d'or et une énorme émeraude au doigt. Après m'avoir offert un verre de jerez, il partit en lamentations sur le sort funeste qui l'avait fait échouer en Nouvelle-Grenade.

— Ah ! monsieur, il fallait que j'eusse la tête à l'envers, le jour où j'ai accepté de venir dans ce pays maudit. On me l'avait décrit comme un paradis sur terre. Ouais ! Le climat y est aussi exécrable que les gens. Le gouverneur, don Miguel Gomez de Pimienta, que le diable emporte ! joue les grands seigneurs. Il aurait tort de se gêner. Madrid est loin, et presque tout l'argent extrait des mines de Santa Fé prend le chemin de ses grègues. A peine si, sur une piastre, Sa Majesté Catholique reçoit deux réaux. Devais-je, moi, représentant du plus grand roi de la terre, mener le train d'un gueux ? Cinq mille écus suffiraient tout juste à soutenir mes frais. La Compagnie m'en alloue à peine la moitié. Du temps que les Portugais faisaient la traite, ils vendaient, bon an mal an, de douze cents à quinze cents pièces d'Inde. Avec la guerre, les bateaux se font rares, et ce n'est pas avec trois cents nègres à trois cents piastres l'un que l'*Assiente* augmentera mes appointements. Il paraît que tout ce qui se traite de la Vera Cruz au Pérou doit être soumis à mon contrôle. La vérité, c'est que chacun voit midi à sa porte.

Je lui répondis que, dans ces conditions, mieux vaudrait supprimer la factorie de Cartagène et que je me ferais un devoir de le proposer à la Compagnie. Il me jeta un regard de biais et reprit :

— N'en faites rien, monsieur. Où la chèvre est attachée, il faut bien qu'elle broute. Qu'eussiez-vous fait à ma place ? Entre don Miguel et moi, la partie n'était pas égale. Comment rétablir l'équilibre ? Il avait une fille nommée Conchita, bigle et boiteuse et qui ne pouvait trouver preneur. Je l'ai épousée, monsieur. Avec sa dot, je tiens le beau-père en échec. Une lutte à mort, en quelque sorte. C'est à qui donnera les *fiestas* les plus brillantes. Comme il a vingt ans de plus que moi, j'espère bien chanter le *requiem* sur l'hidalgo avant d'avoir flambé mon dernier doublon.

Sur quoi, il m'invita à souper pour le lendemain. Le beau-père gouverneur serait présent.

J'acceptai et fus visiter la nègrerie. C'était une puante baraque au bord d'un marécage. Une dizaine de nègres, au visage gris, secoués par la fièvre, attendaient d'y rendre leur âme au diable. C'est du moins ce que pensait le contremaître qui, le fouet à la ceinture, les surveillait en se bouchant le nez. Ce personnage, qui avait une jambe de bois, crut devoir me raconter sa vie. Maître d'équipage à bord du *Saint-Esprit*, vaisseau de cinquante canons, il avait eu la jambe broyée par la chute d'un mât, en 1692, à la bataille de la Hougue.

— Monsieur de Tourville a été trahi, monsieur. Sinon, j'aurais encore ma jambe, et je n'aurais pas été contraint d'abandonner le service. Ah ! c'est une dure épreuve que d'avoir commandé à de braves marins et de se voir réduit, pour toute distraction, à caresser l'échine de ces sales nègres.

Joignant le geste à la parole, il brandit son fouet et l'abattit sur les cuisses nues d'un malheureux captif qui semblait à l'agonie et qui, après un dernier sursaut, s'immobilisa définitivement.

— En voilà toujours un de moins, fit-il en ricanant.

Je lui demandai froidement ses nom et prénoms.

— Coquebert Jean-Baptiste, dit-il sans se départir de son ricanement.

— Apprends donc, Coquebert Jean-Baptiste, que les nègres ne sont pas des bêtes qu'on peut brutaliser à plaisir. Tu es révoqué et tu vas sur l'heure me vider les lieux si tu ne veux pas que je te chatouille les côtes avec mon épée.

Je dégainai. Il me regarda d'un air stupéfait.

— Allons, coquin, décampe, si tu tiens à la vie.

J'éraflai son menton de la pointe de mon arme. Il recula incertain encore, puis détala. J'avisai alors un

mulâtre qui roulait des yeux éperdus à la porte de la
baraque. C'était le sous-maître qui me dit s'appeler
Epiphane. Il ajouta que, bien qu'il fût un homme
libre, le sieur Coquebert, quand il était pris de boisson,
ne se privait pas de le fouetter, lui aussi.

— Epiphane, lui dis-je, c'est toi désormais qui seras
le contremaître de la nègrerie, mais il faut me pro-
mettre que tu ne fouetteras jamais les captifs.

Il me regardait, les bras ballants.

— Eh bien, repris-je, as-tu compris ?

Il bégaya :

— Oui, monsieur.

— Bon ! Dis-moi maintenant quel navire a pu amener ici des nègres en si piteux état.

— *La Léonore,* monsieur. Trente nègres en ont été
débarqués. Cinq seulement ont pu être vendus. Une
quinzaine sont morts. Ceux qui restent ne valent guère
mieux. *La Léonore* est repartie il y a une bonne
semaine.

La Léonore, capitaine Le Guen. Nous l'avions ren-
contrée entre le cap Mesurade et l'île de Gorée. Je
gardais dans mon esprit la vision des nègres entassés
dans la puanteur de l'entrepont. Ils claquaient des
dents à la vue du second qui se divertissait à leur
écraser les pieds. Le compte du capitaine et de son
acolyte était bon. Si mon rapport était pris en considération, tout commandement serait retiré à ces brutes.

Le souper du lendemain, où j'étais convié, fut tel
que je pouvais l'attendre. Des parterres d'hibiscus,
d'orchidées et de fleurs de canna précédaient la rési-
dence de Monsieur de Larieu. Six esclaves noirs, en
livrée amarante, formaient la haie sur les marches du
perron. Dans la salle à manger, la table en fer à cheval,
recouverte d'une nappe damassée éclatante de blancheur, l'étincellement des cristaux, la vaisselle d'argent,
les buissons de bougies, tout dénonçait la volonté
d'éblouir. Le gouverneur devait cependant me surprendre bien davantage.

Devant lui arrivèrent d'abord douze estafiers en
habit rouge et vert, comme les dragons du roi, mous-

quet sur l'épaule et sabre au côté. Ils se disposèrent tout autour de la salle pour veiller sur la précieuse personne dont ils devaient assurer la sauvegarde.

Ensuite se manifesta don Miguel Gomez de Pimienta lui-même, encadré de deux officiers, morion en tête et le torse enfermé dans un corselet d'acier. C'était un Andalou olivâtre, aux yeux d'un noir huileux et qui suait et soufflait sous sa perruque surmontée d'un tricorne frangé de plumes. Son ventre énorme pointait comme un promontoire sous un justaucorps fait de drap d'or à boutons de diamant. Une petite épée de cour à la poignée sertie de gemmes battait sa cuisse gauche.

— *Buenas noches, mi yerno,* dit-il en se laissant tomber dans un fauteuil d'un air accablé.

Et comme Monsieur de Larieu me présentait en me donnant du vicomte :

— *Soy de Vd, señor vizconde. Tanto gusto en conocerle, pero no estoy en si.*

Ce qui voulait dire qu'il se déclarait mon serviteur, qu'il était enchanté de me connaître, mais qu'il ne se sentait pas dans son assiette. Il ajouta que son malaise procédait, selon une certaine probabilité, de la lourdeur de l'air due à l'orage qui menaçait, et selon une probabilité accessoire, de la faim qui lui tordait les entrailles et de la soif qui lui desséchait le gosier. Son gendre lui demanda des nouvelles de la señora. Il leva les yeux au ciel et déclara en soupirant qu'elle faisait une neuvaine à la Vierge de la Merced, pour obtenir la guérison d'hémorroïdes tenaces, et qu'elle ne quittait pas son oratoire.

Là-dessus parut Madame de Larieu qui honora son père d'une révérence. Monsieur de Larieu ne m'avait pas abusé sur les charmes de son épouse. La Conchita n'était pas seulement bigle. Elle avait de petits yeux vairons, l'un gris de lin et l'autre vert absinthe, perdus dans un visage bouffi ; sa claudication la faisait hocher de droite et de gauche avec une telle amplitude qu'elle donnait le sentiment de parcourir tout l'arc d'un pendule et il semblait, à chaque pas, qu'elle allait choir dans sa robe de brocart à ramages.

L'hôte ayant frappé dans ses mains, nous prîmes place et je me trouvai assis à la droite de cette déshéritée, qui commença par se signer. Je l'imitai ; on entendit autour de la table un marmonnement d'orémus, et don Miguel s'écria que, si on ne lui servait pas à boire à l'instant, son gendre aurait à lui rendre raison de ce manque d'égards. Un esclave du plus beau noir vint aussitôt déposer devant lui deux flacons, l'un de *blanco* l'autre de *clarete*. Il se versa successivement de l'un et de l'autre, puis aspira le potage de tortue à grand bruit, dévora une langue de requin marinée, un quartier de bœuf en poivrade, deux perdreaux au sucre et un coq d'Inde aux pruneaux. Pendant tout ce temps, il ne prononça pas une parole et ne retrouva la voix que pour réclamer d'abord un muscat de Candie qu'il accusait son gendre de vouloir réserver égoïstement à sa consommation personnelle, puis un certain *amontillado* qu'il prétendait l'accompagnement indispensable des fleurs de casse confites.

En vain Monsieur de Larieu tentait-il, entre deux services, d'engager une conversation : le gouverneur, imperturbable, continuait d'entonner et de travailler des mâchoires. A ma gauche, sa fille, elle aussi, montrait un bel appétit ; elle n'était pas moins taciturne, et comme je lui demandais si elle préférait la cuisine française à l'espagnole, elle me répondit entre deux bouchées, tournant la tête vers moi et paraissant regarder ailleurs :

— *No deseo nada ajeno.*

Rien n'était bon qui ne vînt de son pays. Bien Espagnole en cela, elle tint à m'apprendre que la confiture de fleurs de casse était fabriquée par des Juifs venus d'Espagne, c'est-à-dire des *marranes,* ce qui expliquait sa qualité.

C'est alors que se produisit l'événement que la prodigieuse gloutonnerie du *gobernador* pouvait laisser prévoir. Il suait à grosses gouttes et s'emporta soudain, attestant le ciel que l'*amontillado* était tiède à vomir et qu'on lui faisait injure, car dans une maison qui se respecte, il doit être bu frais, comme tous les jerez, qu'ils viennent de Machamudo, d'Anina, de Balbaina ou de Carrascal.

Don Miguel Gomez de Pimienta était fin connaisseur. Après qu'il eut achevé sa leçon par un *Madre de Dios !* retentissant, ses yeux roulèrent dans leurs orbites, sa bouche se tordit, son menton s'affaissa sur sa poitrine, et il roula en avant, le nez, par une grâce ou une dérision suprême, dans son verre d'*amontillado* qui se brisa.

Madame de Larieu poussa un cri et se précipita vers son père en se dandinant. Son mari s'était levé, lui aussi, et s'efforçait de se composer un visage affligé. Les serviteurs allaient et venaient dans la plus grande confusion, battant l'air de leurs bras.

Deux jours après, Monsieur de Larieu, comme il m'en avait exprimé l'espoir, chanta dévotement le *requiem* dans l'église de *Santo Domingo* devant un catafalque enseveli sous les fleurs. Le lendemain, je mettais à la voile pour me rendre à Portobello.

Nous quittâmes la rade par un temps bouché. Une brume épaisse flottait sur la mer à peine plissée d'une faible brise. Portobello est à quatre-vingts lieues sous le vent de Cartagène et, par temps favorable, entre novembre et juin, il ne faut pas plus de trois ou quatre jours pour y prendre terre. On m'a affirmé que, dans le passé, une flotte de galions mit soixante-dix jours pour y parvenir. Nous avions levé l'ancre le 1er octobre. Nous accostâmes le 15, après une navigation contrariée notamment par ces grains orageux, fréquents au voisinage de l'équateur, qu'on appelle les grains blancs.

Est-ce par antiphrase que les Espagnols ont baptisé cet affreux endroit Portobello ? Tout y offense la nature humaine. Dans l'air pesant et visqueux stagnent des odeurs qui lèvent le cœur. Des sociétés d'insectes rongent les charpentes des maisons qui s'effondrent sur leurs occupants. Des caïmans haussent leur long corps écailleux à la surface des rivières glauques. Des serpents minuscules tombent des branches ruisselantes pour vous piquer à mort.

Le commis de la Compagnie à Portobello s'appelait Ravoisier. C'était un Normand cauteleux, au regard faux et à la lèvre pendante. Il espérait que le *Vulcain* lui amenait des captifs et eut peine à cacher sa déconvenue en apprenant ma mission. Il commença par se plaindre que les nègres débarqués depuis plusieurs mois ne répondissent pas suffisamment aux qualités recherchées par les acheteurs. Ceux-ci appréciaient surtout les Aradas, les Mondongues et les originaires du Cap Vert qui sont les plus propres au travail des plantations. On leur proposait surtout des Achantis, qui étaient des fainéants, ou des Baoulés, qui ne gagnaient pas davantage leur nourriture.

— Monsieur me permettra de lui faire remarquer très respectueusement que je n'ai en vue que l'intérêt de la Compagnie, dont je ne suis qu'un modeste commis. Le débit est maigre à Portobello. A peine y vend-on de vingt à trente nègres par an. Toutes les fournitures s'en vont sur Panama où siège le directeur régional, Monsieur Le Cordier. C'est lui qui a la charge de les acheminer sur Lima, ou si vous préférez Los Reyes, qui est le vrai nom espagnol de la capitale du Pérou.

Je coupai court à ce bavardage en lui demandant de me conduire à la nègrerie. Nous nous y rendîmes à cheval. Située au bord d'une lagune infestée de moustiques, elle contenait deux ou trois cents captifs en instance de départ pour Panama. Ces misérables, qui couchaient sur des planches à mi-hauteur d'homme, étaient, au moins pour la moitié d'entre eux, minés par la maladie. Le pian et la dysenterie épuisaient les uns ; les autres grelottaient sous l'empire de la fièvre tierce ou quarte d'origine palustre.

Ce spectacle n'était pas fait pour améliorer l'opinion que j'avais tout de suite conçue du personnage.

— Monsieur, lui dis-je sèchement, il faudra me changer cela. Les nègres ne sont pas des chiens. Ils doivent être traités comme des hommes. J'accompagnerai leur prochain convoi jusqu'à Panama. J'entends qu'à mon retour cette nègrerie ait disparu et que vous en ayez trouvé une autre dans un lieu sain et, en tout cas, suffisamment éloigné de la lagune. Sinon, je me verrai dans l'obligation d'y mettre le feu moi-même.   .

Il me jeta un regard venimeux.

— Cette nègrerie ne nous appartient pas, monsieur. Elle a été construite par les Portugais, et nous la louons mille écus par an. De toute façon, le responsable est Monsieur Le Cordier.

— Il sera avisé de ma décision, repris-je, mais vous êtes prévenu. A vous de l'exécuter si vous voulez rester en place. Maintenant, je vais examiner vos livres.

Il me les présenta dans son bureau, qui n'était qu'une branlante cabane en planches, après m'avoir prévenu qu'il sortait de maladie et n'avait pas encore eu le temps de mettre ses comptes à jour. Je compris rapidement que j'avais affaire à une franche canaille et qu'il n'y avait pas de friponnerie dont il ne fût capable. Ecœuré, je me disposais à lui signifier son congé sans plus de cérémonie quand il me dit d'une voix mielleuse :

— J'oubliais de vous dire, monsieur le vicomte, que, par le dernier navire de nègres, il y a quelques jours, j'ai reçu une lettre pour vous.

Je bondis, le pris à la gorge et le secouai durement.

— Coquin, tu mériterais la corde.

Il râlait quand je me décidai à le lâcher.

— Si vous me pendiez, monsieur, dit-il en haletant, vous n'auriez pas votre lettre.

Il me la remit. Je reconnus l'écriture de Yolande et autour de moi, aussitôt, tout s'abolit : l'air moite, les grosses mouches bourdonnant à travers la pièce qui sentait le bois moisi, le chant d'un nègre sur le quai du port, l'ignoble Ravoisier lui-même qui se frottait le cou en me regardant par en-dessous.

Je l'ai toujours gardée précieusement sur moi, cette lettre, dont voici le texte :

Ce 2 septembre 1703

Marquis,

Votre fils, Jérôme, est né hier à six heures du matin, ce qui, s'il est vrai que le monde appartient aux lève-tôt, laisse augurer pour lui une belle fortune. C'est un gaillard bien fait de sa personne, membru, remuant, un vrai petit farfadet aux cordes vocales puissantes. Lauretta et Giuseppina en sont déjà coiffées et ne m'ont pas caché qu'il serait, comme son père, un grand séducteur. Ces ragazze de malheur n'en manquent pas une pour me faire endêver.

Comme vous m'en priâtes par message envoyé de je ne sais plus quel pays africain, je vous fais tenir ce billet par un exprès qui partira pour Nantes ce jour même et le remettra aux capitaines des navires en partance pour les Indes Occidentales. Ne me tenez pas trop rigueur de sa brièveté, bourreau, car je dois l'écrire en cinq exemplaires, pour être plus sûre qu'il vous joigne à Cartagène, à Panama, via Portobello, à Campêche, à la Vera Cruz ou à la Havane. Même éloigné de moi, monsieur, vous abusez de mes faibles forces, et si vous pensiez découvrir aux Amériques une femme dont le mérite surpasse le mien, c'est que vous seriez un monstre indigne de vivre.

A la vérité, je ne redoute pas de ta part une ingratitude aussi noire, mon Fortunat, et, si forte que soit ton émotion, tu n'auras pas à perdre le sens quand tu liras ce gribouillage, car ton épouse devant Dieu a vaillamment supporté l'épreuve qui consiste à mettre au monde un enfant premier né. La mamma n'en revenait pas. Laisse-moi seulement te rappeler que, s'étant engagée à faire dire autant de messes que ton absence durerait de semaines, afin que tu reviennes plus vite, cette excellente mère en est à sa quatre vingt-quatrième messe, et commence à soupçonner le curé de tiédeur dans la célébration de l'office.

Hâte-toi si tu ne veux pas que je meure.

Yolande.

La lettre tremblait entre mes mains. Je levai les yeux. Ravoisier avait dû lire sur mon visage les sentiments que m'inspirait ma lecture, car un sourire mi-obséquieux mi-inquiet errait sur ses lèvres.

— Bonnes nouvelles, monsieur le vicomte ? se risqua-t-il à me demander d'une voix sans timbre.

Je haussai les épaules. Mon mépris pour lui n'avait pas diminué, mais l'irritation avait en moi cédé la place à l'indifférence. Il faisait partie d'un monde où régnaient la cupidité, le mensonge, la duplicité, l'envie, toutes les formes de la bassesse. J'appartenais, moi, à un monde où rayonnait l'éblouissant sourire de Yolande. Ma présence à Portobello était le fait d'un mauvais hasard. Je n'avais rien de commun avec cette nature vénéneuse, avec ces gens grossiers, brutaux, ou seulement misérables, qui s'agitaient autour de moi, comme dans un songe. *Aegri somnia...*

Oui, cette canaille de Ravoisier avait compris que la lecture de ma lettre venait de me désarmer. Je n'aurais pas voulu le laisser sur l'impression qu'il était désormais tiré d'affaire, et je me sentais incapable de poursuivre sur le ton menaçant. J'avais une soudaine envie de rire, de bondir, de faire éclater ma joie. Je sourcillai ; je m'efforçai de reprendre contenance. Foin de la faiblesse ! Il me fallait oublier pour quelques instants la nouvelle qui venait de fondre sur moi, oublier que j'étais l'heureux époux de la bellissime Yolande, le père comblé du farfadet Jérôme. (L'oublier ! Quelle folie !)

Je toussai, comme pour m'éclaircir la gorge, affermir ma voix et déclarai :

— Mêlez-vous de ce qui vous regarde, Ravoisier, et souvenez-vous que la malhonnêteté a toujours pour dénouement la prison ou les galères.

Mes paroles sonnaient faux, et le scélérat le sentait bien, car il dit d'un air de chien battu :

— Ah ! monsieur, ce qu'on nomme malhonnêteté est-il condamnable, quand c'est le seul moyen de survivre ?

L'impudence du propos acheva de me rendre ma
présence d'esprit.

— Si vous ajoutez le cynisme à la friponnerie, Ravoisier, repartis-je en faisant mine de tirer mon épée,
j'ai là de quoi vous ramener à la raison. Je partirai
demain matin à l'aube pour Panama avec le convoi
de nègres. Les malades, bien entendu, resteront ici,
et j'entends qu'ils reçoivent tous les soins que néces-
site leur état. Je les verrai à mon retour, et gare à
vous si je m'aperçois qu'ils ont été maltraités.

— Vous serez obéi, monsieur, dit-il en s'inclinant
très bas.

XVI

Il y a vingt-six lieues de Portobello à Panama, et il faut généralement cinq jours pour les couvrir. Nous en mîmes sept. Un guide *zambo* [1] allait en tête de la colonne. Suivaient, pieds nus, cent cinquante nègres escortés de trois gardes armés. Je fermais la marche sur mon cheval. Les captifs n'étaient pas enchaînés, comme il se pratique dans les îles françaises. On compte dans le pays vingt nègres pour un blanc, et les nègres affranchis, assez nombreux, risqueraient de se révolter.

Les deux premières journées, il plut sans répit. Les rivières ayant débordé, l'eau venait jusqu'aux sangles de ma monture. Pour les nègres, c'était jusqu'au ventre, et il arrivait que l'un d'eux, butant contre une souche ou s'empêtrant dans une liane invisible, disparût dans un bouillonnement limoneux. Nous faisions étape à la nuit dans des gîtes de fortune, situés sur de faibles éminences, où nous étions relativement au sec, et où nous faisions chauffer, dans des chaudières rouillées, une grossière bouillie de blé de Turquie. Chaque captif en recevait une ration de deux grandes louches dans une écuelle de bois, avant de dormir sur le sol de terre battue.

Après la plaine inondée, vinrent des montagnes aux sentiers de chèvre rocailleux, où je devais mettre pied à terre, car mon cheval aurait pu broncher et rouler

1. Métis de nègre et d'indien.

au fond du ravin. Les pieds des nègres s'y ensanglantaient. Une jeune négresse tomba et se blessa au genou. Elle ne pouvait plus avancer. A la stupeur de ses congénères, je la fis monter sur ma selle et poursuivis la route en tenant ma bête par la bride. Quand nous arrivâmes à destination, en dénombrant mes hommes, je m'aperçus que dix d'entre eux manquaient.

Monsieur Le Cordier, directeur de la Compagnie à Panama, était un honnête homme égaré dans cette partie du monde où la crapule abonde. Il avait une cinquantaine d'années, le poil grisonnant, la taille belle et les manières courtoises. Il voulut me loger dans sa maison, qui était modeste mais construite en pierre, à la différence de la plupart des autres maisons de la ville qui, depuis sa mise à sac par les flibustiers de Morgan, avait été reconstruite en bois.

— Panama, me dit-il, n'est plus que l'ombre de ce qu'elle fut. Les Espagnols qui viennent aux Indes sont presque tous de pauvres hères qui crevaient de misère chez eux. Ils s'imaginent qu'ils mèneront ici une vie de délices, que l'or affluera dans leur bourse et que toutes les femmes se jetteront à leur cou. Bref, ils passent l'océan *para buscar la vida,* « pour chercher la vie », comme ils disent. Les deux tiers meurent d'épuisement à peine arrivés. Les survivants se dispersent dans les campagnes d'alentour, s'y acoquinent avec des Indiennes ou des mulâtresses qu'ils battent comme plâtre, et vivent avec elles dans le plus grand dénuement. Quant aux officiers que le Roi Catholique envoie pour gouverner sa possession, ils sont si mal payés qu'ils se croient autorisés tacitement à faire leurs affaires. Alors, ils fraudent. Ils favorisent les *metedores* : c'est ainsi qu'on nomme les trafiquants de nègres. Ceux-ci viennent de la côte atlantique avec leur marchandise, par des chemins impossibles, au milieu des fleurs carnivores, des ronces et de ces cactus rigides comme des cierges et hérissés de piquants, que les indigènes appellent « soupirs de vierges ». De la montagne, ils font des signaux convenus à l'adresse des navires de contrebande, et le bois d'ébène est embarqué de nuit à quelques lieues au sud de Panama. De là, ils se rendent à Payta, où ils doivent acquitter une taxe de cinq piastres et demie pour l'enterrement de chaque nègre mort à la mer, et même si le cadavre a été au préalable basculé dans les flots. De Payta à Lima, il leur reste à parcourir, par voie de terre deux cent cinquante lieues. C'est un voyage de deux mois. Par mer, il en faudrait six, huit, voire un an, à cause des vents contraires qui obligent à courir bord sur bord et toujours à pointe de bouline et au plus près du vent. L'entretien d'un nègre de Panama à Los Reyes revient à soixante-huit piastres et trois réaux, calculé au plus juste. Comme il a été acheté en fraude cent cinquante piastres et qu'il se vend au Pérou six cent cinquante à sept cents, le bénéfice est à la mesure du risque. On peut l'évaluer, par pièce d'Inde, à trois cents piastres au bas mot.

Monsieur Le Cordier soupira. Il paraissait découragé. Il reprit :

— Et les fraudeurs, monsieur, ont des complices que vous n'iriez jamais soupçonner. Toute marchandise de contrebande est saisissable, en quelque lieu que ce soit. Où pensez-vous donc que le trafiquant mette ses captifs en sûreté, si le navire qui doit les emmener tarde à paraître ? Vous ne devineriez jamais. Chez les prêtres, monsieur, parfaitement, dans les presbytères ou les couvents, où les pauvres nègres sont aspergés d'eau bénite moyennant finance. Quel gouverneur, pour ne pas dire quel vice-roi serait assez hardi, en pays espagnol, pour forcer la porte d'un homme d'Eglise ?

Je pensai, à cette déclaration, que Monsieur Le Cordier était dans son cœur hostile à la traite et lui demandai s'il ne la jugeait pas contraire à la doctrine évangélique.

— Puis-je compter, monsieur, dit-il, que cette conversation restera entre nous ?

Je lui en donnai ma parole et il hocha la tête.

— En ce cas, monsieur, je vous avouerai que la condition de ces hommes, de ces femmes et de ces enfants, hélas ! arrachés par force à leur pays et à qui l'on fait traverser l'océan pour les vendre à l'encan, n'a pas cessé de heurter ma conscience et que je me suis toujours efforcé d'adoucir leur sort. Je n'ai jamais compris que le pape non seulement tolère mais approuve une pareille offense à la condition humaine.

— Pourtant, vous êtes au service de la Compagnie.

— Sans doute, mais les fraudeurs traitent les nègres encore plus mal que ne le font nos gens de l'*Assiente*. Ici, du moins, je veille au grain.

C'était la première fois, quelques réflexions du défunt lieutenant Pigache mises à part, que j'entendais un homme raisonnable me parler de la traite des nègres en s'inspirant des principes de la raison sans exclure les mouvements du cœur. J'éprouvais la tentation de lui demander s'il avait ouï parler d'un certain captain Lafortune et ce qu'il pensait de lui. La prudence me retint, et je me bornai à le questionner sur les motifs qui l'avaient poussé à accepter son poste. Il secoua la tête.

— Je pourrais, monsieur, vous répondre : le dégoût du monde, tel que nous l'ont fait ceux qui nous gouvernent ; mais, d'une part, je suis un fidèle sujet du roi, et, d'autre part, les peuples ont les chefs qu'ils méritent. Pourquoi, d'ailleurs, refuserais-je d'admettre que la vie à Paris, où j'ai passé quarante années, est, malgré tout, plus riante qu'à Panama ? Il est seulement regrettable qu'on s'y laisse si facilement abuser sur ce qui est important et ce qui ne l'est pas. Le Français, et plus encore le Français de Paris, a la tête frivole, monsieur. Bref, je suis entré à seize ans à la banque de Samuel Bernard, dont je suis vite devenu un des principaux commis. Ce grand financier, que le roi devait faire chevalier, avait de l'estime pour moi et voulait favoriser ma fortune. J'avais toutes les raisons de voir l'avenir sous les plus brillantes couleurs, une femme que j'aimais, un fils qui faisait d'excellentes études au collège d'Harcourt. La petite vérole les a emportés tous deux en un mois, et le spectacle de la ville où j'avais été si heureux m'est aussitôt devenu insupportable. Je m'y revoyais partout avec ceux que j'avais perdus. Quand je rencontrais un ami accompagné de sa femme, je le fuyais. Je me sentais un étranger dans mon pays. Je n'ai pas tardé à penser que l'éloignement serait le seul remède à mon hypocondrie. Le chevalier Bernard préparait alors, avec l'agrément du roi, l'affaire de l'*Assiente*. Il m'a envoyé ici où je m'efforce de me conduire en homme.

Je lui serrai la main avec amitié. Je pensais à Yolande, à Jérôme. Ils étaient, eux aussi, à la merci d'un coup du sort. Séparé d'eux par des mois de navigation dangereuse, je pouvais disparaître sans revoir ma femme, sans connaître mon fils. A cette heure, où je conversais paisiblement avec le bon Le Cordier, en buvant un jus de *guanabana* laiteux et sucré, peut-être un danger mortel planait-il sur ces têtes chères.

— Si je vous ai bien compris, lui dis-je, il me faudrait quatre mois pour me rendre au Pérou et en revenir.

Il leva les bras au ciel.

— Vous êtes loin de compte. Six, au moins, monsieur, car il y a cinq cent cinquante lieues de Panama à Lima, qui se trouve à douze degrés et demi de latitude sud. Il faut d'abord débarquer à Payta avant de descendre toute la *Costa* qui peut vous réserver de mauvaises surprises. Vous y rencontrez parfois des montagnes de sable que vous devez contourner à distance respectable, car il arrive que le sable glisse brusquement dans la mer, et vous risquez d'être enseveli.

— Monsieur, repris-je, des événements fortuits m'ont retardé considérablement dans la poursuite de mon itinéraire. A Panama succédait sur ma liste la ville de Lima. Ce que vous venez de me dire me rend moins impérieuse la nécessité d'un tel voyage.

Il sourit.

— Je vous comprends, et si vous m'autorisez à vous donner un conseil, voici ce que je vous suggère de rapporter à Paris. Au cas où la Compagnie prendrait le parti d'établir une factorie à Lima, le plus sûr serait d'y envoyer des navires qu'elle ferait passer par le détroit de Magellan. Car, pour ce qui est de construire la moindre pinasse au Pérou, il vaut mieux ne pas en parler. Encore, pour assurer un profit substantiel, le transport de mille cinq cents nègres au moins par an, serait-il, à mon avis, indispensable.

Mon parti était pris. Je ne songeais plus qu'à prendre le chemin du retour. L'Océan Pacifique développait devant moi son immense nappe bleue, d'une parfaite immobilité sous la morsure du soleil.

— Monsieur Le Cordier, fis-je, croyez que je vous suis obligé. Je repartirai demain pour Portobello. Il me reste à y prendre une décision à l'égard du commis de la Compagnie, sur lequel j'aimerais à connaître votre sentiment.

— Ah ! monsieur, me dit-il, ce Ravoisier est un vrai gibier de potence, qui ne m'a jamais fait illusion. Je sais que, sur chaque chargement de bois d'ébène, il commence par prélever les trois plus belles négresses avec lesquelles il vit en concubinage jusqu'à l'arrivée du bateau suivant, qui lui permet de les remplacer. Il retient aussi des captifs qu'il vend à son seul bénéfice et porte ensuite sur son registre comme ayant succombé pendant leur passage à la nègrerie. Le contrôle est difficile, tant le lieu est malsain.

— Pourquoi, sachant ce qu'il est, ne pas mettre ce drôle hors d'état de nuire ?

— J'ai écrit à la Compagnie pour signaler ses rapines. On m'a répondu de le renvoyer dès que je lui aurais trouvé un successeur. Je n'ai pas encore mis la main sur cet oiseau rare. Quant à la nègrerie, Ravoisier a reçu à plusieurs reprises l'ordre de la transférer à l'écart de la lagune. Il prétend chaque fois qu'il ne peut rien trouver de mieux.

Je fis part à Monsieur Le Cordier de mon intention de mettre moi-même le feu à la nègrerie si elle était encore en service à mon retour.

— Gardez-vous-en bien, s'écria-t-il. Ses nègres coucheraient dehors. Ce pays m'a appris qu'il y avait toujours pire que ce qui était. C'est pourquoi j'hésite toujours au moment d'y changer quoi que ce soit.

Il me regarda dans les yeux.

— Vous penserez peut-être que c'est de la lâcheté ?

Et baissant de ton :

— *Sea lo que fuere !* [1]

A Portobello, je revis Ravoisier sans plaisir. Il était plus rampant que jamais. Mon absence avait duré quinze jours, et il commença par me faire observer que les malheurs arrivent sans qu'on les cherche et qu'une subite épidémie de typhus avait, dès le lendemain de mon départ, commencé de dépeupler la nègrerie. Bref, des quinze nègres que j'avais laissé plus ou moins égrotants, aucun, à l'en croire, n'avait réchappé.

Pour mon voyage à Panama, je ne m'étais fait accompagner ni du père Cornélius ni de Monsieur de Montgaillard. J'avais remis mes pouvoirs à ce dernier, en le priant de surveiller discrètement la nègrerie. Ainsi avait-il pu observer que si, quatre jours après mon départ, trois nègres avaient indubitablement passé de vie à trépas, les douze restants, qui semblaient revenir à la santé, avaient disparu en une nuit.

Je l'avais emmené avec moi au bureau de Ravoisier à qui je demandai tout à trac comment douze nègres apparemment sains pouvaient, en un si bref espace de temps, être morts et enterrés.

Le commis changea de couleur et bégaya :

— Mais, monsieur le vicomte, on meurt ici plus vite qu'ailleurs.

— C'est en effet ce qui pourrait t'arriver, coquin, lui dis-je en mettant la main à l'épée. Maintenant, tu vas venir avec nous à la nègrerie, nous à cheval, toi devant nous, à pied.

Nous traversâmes la ville dans cet équipage. Les nègres, qui composent les trois quarts de la population de Portobello, nous regardaient passer bouche bée et,

1. Advienne que pourra.

derrière nous, s'esclaffaient en se tapant sur les cuisses.

La nègrerie était vide. Lorsque je m'en fus assuré, j'ordonnai à Ravoisier de porter la torche aux quatre coins du bâtiment. Il le fit, tête basse et mâchoire crispée. Le feu avait du mal à prendre, car la saison des pluies venait seulement de s'achever et l'humidité imprégnait les maisons ; mais, ce jour-là, le soleil était vif. Au bout d'une heure, la nègrerie entière était en flammes.

— Pour ta part, dis-je au commis inquiet, estime-toi heureux de ne pas griller avec elle, comme tu le mériterais. Les douze nègres que tu as soustraits à la Compagnie lui auraient rapporté trois mille six cents piastres. Tu vas employer cette somme à l'installation d'une nouvelle nègrerie, située dans un lieu moins insalubre. Monsieur Le Cordier s'assurera sous peu que mes ordres ont été exécutés. Sinon, tu passeras en jugement. Maintenant, conduis-nous à ton domicile.

La demeure de Ravoisier était, elle aussi, tout en bois, mais, à l'intérieur, des meubles espagnols, richement sculptés, des tapis, des cuivres et des étains témoignaient que ses détournements lui avaient été profitables. Je lui demandai s'il avait des négresses à son service. Ses yeux brillèrent ; il eut un sourire ignoble.

— Tout de suite, monsieur le vicomte.

Il disparut quelques instants, revint en poussant devant soi trois jeunes négresses apeurées, fort appétissantes et coiffées de mouchoirs de couleur. Elles nous regardaient en dessous, tout en tortillant de la croupe.

— A votre disposition, monsieur le vicomte. Je vous promets que vous n'aurez pas à vous plaindre d'elles.

— Tu te les es appropriées indûment, lui dis-je. Désormais, elles seront libres. Je les emmène à la Vera Cruz, où elles pourront gagner leur vie comme servantes. Ne t'avise plus de voler effrontément la Compagnie, si tu ne veux pas finir au bout d'une corde.

Nous mîmes à la voile le lendemain avec les trois négresses qui s'appelaient Pulchérie, Eriphyle et Iphigénie. Le père Cornélius devait avoir l'œil sur ces demoiselles jusqu'à la Vera Cruz. Chaque matin, il leur enseignait le catéchisme, et chaque soir il leur faisait réciter les commandements de Dieu en insistant sur l'importance des sixième et neuvième, avant de fermer à double tour leur porte, dont il gardait la clef. Aussi les matelots qui louchaient à leur passage, foudroyés par le regard terrible du dominicain, en furent-ils pour leurs frais.

Les périodes de calme se conjuguant avec les vents contraires, notre navigation dura quarante-cinq jours, et nous n'atteignîmes qu'à la mi-décembre le port de la Vera Cruz, sans avoir aperçu une voile. La rade, dominée par la forteresse de Santiago, est mal abritée, et il fallut solidement affourcher pour tenir contre le vent.

Le commis de la Compagnie, nommé Lalagade, n'était en place que depuis un mois et ne songeait plus qu'à repartir. Ce Landais, haut sur pattes et sec comme une trique, avec son visage chafouin et son menton pointu, ressemblait à un héron. Il me dit tout de suite qu'il fallait être insensé ou maudit du Ciel pour vivre à la Vera Cruz. La consommation de nègres ne pouvait dépasser deux cents par an pour toute la province, car le pays fourmillait d'Indiens qui, pour un écu, acceptaient de travailler une semaine entière. Au surplus, la terre était pauvre, et les captifs ne pouvaient être vendus plus de trois cents piastres payables en cochenille.

— D'ailleurs, poursuivit-il, aucun navire de nègres n'a encore accosté depuis mon arrivée et ma nègrerie attend son premier occupant.

Il ne paraissait pas mauvais diable, et son œil s'alluma lorsque je lui présentai la noire trinité composée de Pulchérie, d'Eriphyle et d'Iphigénie, en le prévenant qu'elle n'était pas à vendre, mais à louer. Il avait eu jusque-là pour servante une vieille Indienne au visage parcheminé, aux nattes graisseuses, et dont les sempiternelles *tortillas* au *chile* lui incendiaient le palais.

— Je congédierai cette empoisonneuse et je suis prêt à engager vos trois mignonnes si elles n'ont pas de prétentions excessives, fit-il d'un air un peu ragaillardi, mais dites, je vous prie, à ces messieurs que le plus modeste emploi de scribe du côté de la rue Quincampoix m'accommoderait mieux que celui dont j'ai la charge céans.

Je n'avais pas de raisons de m'attarder à la Vera Cruz, où je ne restai que quatre jours. Nous ne devions plus ensuite relâcher qu'à la Havane avant de regagner la France, et cette pensée m'enivrait. Mais c'étaient trois cents lieues à parcourir, et à une saison peu favorable où le vent souffle invariablement du nord. Pendant trois semaines, nous dûmes louvoyer dans le golfe de Campêche, et quand enfin nous doublâmes le cap Catoche, le père Cornélius célébra sur le pont une messe d'actions de grâces. Il nous fallut cependant encore quinze jours pour arriver en vue du cap San Antonio, à l'extrême pointe ouest de Cuba, et près d'une semaine pour nous présenter devant la tour crénelée qui commande le port de la Havane.

Le directeur de la Compagnie dans la grande île s'appelait Monsieur de Beaugiron. C'était un petit gentilhomme de Saintonge qui, retour d'Italie où il s'était distingué à la Marsaille sous Catinat, avait trouvé sa femme en galanterie avec un voisin aussitôt expédié d'un coup d'épée. Arrêté, banni, l'intervention d'une lointaine cousine, amie de Madame de Maintenon, l'avait tiré d'affaire, à la condition qu'on n'entendît plus parler de lui. Il s'était alors embarqué à La Rochelle sur une frégate baptisée *la Vierge-de-Bon-Port*, ce qui ne l'avait pas empêchée de s'échouer sur la côte de Masulipatam. Capturé par les Mahrattes, il s'était évadé et, suivant la côte de Coromandel à travers d'affreux marécages, était arrivé à Pondichéry où il avait pu se rembarquer pour la France et de là pour Cuba où il espérait rétablir sa fortune.

J'avais des points communs avec Monsieur de Beaugiron, soldat, puis marin, et nous étions faits pour nous entendre. Aussi fûmes-nous promptement en sympathie. C'était un homme au visage rond, au teint fleuri, et dont les yeux bleus trompaient leur monde. On l'eût pris pour un rêveur, n'eût été l'éclair qui, passant parfois dans son regard, dénonçait une âme résolue. Il avait commencé par me conter comme la chose la plus simple du monde qu'il avait, l'avant-veille, tué de sa main deux hidalgos qui, à l'issue d'un dîner, lui reprochaient de regarder leurs épouses de trop près.

— A croire qu'ils n'avaient pas, eux, accordé un regard à ces créatures depuis leur mariage. Des duègnes moustachues, l'une pansue comme une tonne, l'autre longue comme un jour sans pain, et à qui, à moins d'avoir la vue basse, je ne pouvais, de sang-froid, adresser que des sourires de politesse compatissante. Ils n'en ont pas moins, à cause d'elles, pris leurs six pouces de fer dans les côtes et sont présentement en pâture aux poissons du port. Ces Espagnols sont encore plus fous que nous, monsieur, comme ils le prouvent bien par leurs courses de taureaux. Ils aiment voir couler le sang, même le leur.

Monsieur de Beaugiron me fit les honneurs de sa maison qui était vaste et meublée avec goût. Je ne manquai pas à lui en faire compliment, et il m'apprit en riant qu'il était pourri de dettes et que, pour inspirer confiance à ses créanciers, il devait vivre sur le pied d'un seigneur.

C'était un curieux homme que Monsieur de Beaugiron. Les intérêts de la Compagnie ne semblaient pas le préoccuper outre mesure. Il me confia pourtant, en toute simplicité, que l'île de Cuba pouvait recevoir six cents pièces d'Inde par an et qu'il se ménageait d'honnêtes bénéfices sur les marchandises exotiques à destination de la France, et qui étaient le sucre blanc et gris, le tabac, les cuirs, le bois de Campêche et le cuivre extrait d'une mine située à soixante lieues de la Havane.

Il m'emmena faire des promenades à cheval par les champs de cannes qui couvraient de vastes étendues, me régala d'une guildive qui coulait dans le gosier comme une fleur de feu, caressa innocemment les seins de quelques négresses accortes qui en roucoulaient d'aise, et donna, la veille de mon départ, un grand dîner de vingt-cinq couverts où fut convié le gouverneur, gros homme d'une aussi extraordinaire voracité que son collègue de Cartagène.

Le lendemain, à l'aube, il était sur le quai pour me faire ses adieux et me remettre un coffret en bois de cèdre, contenant une livre de tabac en poudre.

— Vous serez obligé de penser à moi chaque fois que vous éternuerez, me dit-il.

— En somme, fis-je après l'avoir remercié, vous êtes un homme heureux.

Il hocha la tête.

— Pour l'être, monsieur, il suffit au sage de vivre comme s'il l'était.

Cette réflexion de bon sens me resta dans l'esprit jusqu'au moment où s'enfoncèrent au lointain des flots la tour du port, les clochers des églises et la montagne qui domine la ville de la Havane. Il ne me restait plus qu'à franchir les milliers de lieues d'eau salée qui séparent les Antilles de la France. Il m'était toutefois impossible de relâcher aux Açores, comme je l'eusse fait si le Portugal n'avait lié partie avec l'Angleterre et l'Empire. Je résolus de gagner la Guadeloupe avant de cingler vers les Canaries.

Nous restâmes trois jours à Pointe-à-Pitre pour y faire de l'eau, du bois et des vivres. Je relève sur mon livre de bord que notre chargement y comporta deux cents barriques d'eau, huit cents boisseaux de maïs, quatre cents boisseaux de riz et quelques tonneaux de bœuf salé. J'embarquai du même coup un chirurgien de trente ans, Monsieur Auguste Goffin, natif de Dunkerque, et qui, atteint de fièvre pourprée, avait été laissé à terre deux mois plus tôt par un navire de la traite. C'était une aubaine, car nous étions privés d'homme de l'art depuis Vigo, le père Cornélius en tenait lieu, et il était beaucoup plus préoccupé d'envoyer les malades au Ciel que de prolonger leur séjour dans cette vallée de larmes.

Le mauvais temps aidant, il ne nous fallut pas moins de deux mois pleins pour atteindre l'île de Palma, la plus occidentale des Canaries, et jamais navigation ne me parut aussi longue. Cinq matelots périrent du scorbut avant notre arrivée au port. J'avais moi-même, comme presque tout l'équipage, les dents branlantes et des ulcères aux gencives, qui sont signes certains de cette funeste affection. Monsieur Goffin tint à nous montrer qu'il n'était pas un chirurgien d'occasion en nous imposant une cure de bananes, de citrons et de malvoisie durant les dix jours que nous restâmes à l'ancre. J'en profitai pour faire espalmer le navire qui n'était guère moins éprouvé que les hommes.

Nous eûmes une bonne brise de l'est-sud-est depuis Palma jusqu'à proximité de Madère qu'il était prudent d'éviter, car les Portugais sont de fameux marins, qui ne redoutent personne. A quelques lieues au large des Desertas survint un grain d'une rare violence. Comment ne me serais-je pas rappelé la tempête essuyée par *la Pétulante* dans les mêmes parages, alors que je n'étais encore qu'un novice à sa première traversée ? En ce temps-là, le joyeux Sosthène, plein de vie, ne me quittait pas d'une semelle, Sosthène qui maintenant n'était plus qu'un nom sur une croix de bois dans le petit cimetière de Saint-Domingue au bas duquel les flots se brisaient sur les roches, Sosthène-Yvon-Placide Goujet, dont je ramenais l'épée.

Le grain passé, nous ne subîmes plus que des vents contraires, et si toute rencontre de navire ennemi nous fut épargnée, la mer, grosse un jour sur deux, ne nous permit d'arriver en vue de Noirmoutier que le premier jour de juin à l'aube.

Déjà les matelots, à la vue de la terre de France, saluaient la fin de leurs épreuves. Les uns chantonnaient, voire chantaient à tue-tête ; les autres dansaient la *jota*, accompagnés sur la *tchirola*, qui est une flûte à trois trous particulière au pays basque.

Cette allégresse, que je partageais, fut de courte durée. Je me faisais la barbe dans ma chambre et j'avais les joues toutes couvertes de savon, quand le maître d'équipage vint frapper à ma porte.

— Capitaine, voile en vue à tribord. Un gros de cinquante canons au moins. Probablement un anglais.

Je me précipitai, encore tout barbouillé de mousse, observai le navire à la lunette. Aucun doute possible : nous avions devant nous un vaisseau de ligne, dont les soixante sabords s'ouvraient non sur des canons de bois mais sur de menaçantes gueules de bronze. Il était visiblement animé d'intentions hostiles, car il venait sur nous à force de voiles. Il arbora son pavillon. Le maître d'équipage ne s'était pas trompé. Je distinguai son nom : c'était le *Seven Stars*.

Sa position entre la terre et nous favorisait son dessein. Un fort vent d'est soufflait, et nous ne pouvions, pour nous éloigner de lui, que gagner la haute mer. Je ne tenais nullement à courir des risques si près du but mais, en un quart d'heure, il fut à portée de canon, et nous envoya sa première décharge qui, par chance, ne nous causa pas de graves dommages.

Démâté, le *Vulcain* se fût trouvé en mauvaise posture, car il suffisait au *Seven Stars* de mettre à profit la supériorité de son artillerie pour nous envoyer par le fond. J'eus alors l'occasion de bénir dans mon cœur le capitaine Fulminet pour les bonnes leçons qu'il m'avait données : « Souvenez-vous, monsieur l'enseigne, qu'une voilure bien orientée permet de remonter à soixante degrés du vent. N'oubliez pas la règle du louvoyage : deux fois la route et trois fois le temps. Vous vous placez au vent et vous courez sus, vent arrière, ou vous vous dégagez dans la direction voulue. »

Changeant de cap à mon commandement, le *Vulcain* eut la chance de ne prendre qu'une douzaine de boulets dans sa coque avant d'être hors de portée. Le dernier, à bout de course, devait malheureusement me choisir pour cible. Après avoir rebondi sur le tillac, il m'atteignit au milieu de la cuisse gauche, et je perdis connaissance.

Quand je revins à moi, Monsieur Goffin me pansait. Il eut un bon sourire en me voyant rouvrir les yeux.

— Je ne vous cacherai rien, capitaine. Vous avez la jambe cassée, mais quoi ! On vous la reboutera.

Monsieur Iturri, mon second, s'approchait à son tour.

— Ils l'ont payé cher, monsieur, dit-il. Nous avons mis bas leur mât de misaine, et ils sont maintenant hors d'état de nous rejoindre.

Je trouvai encore la force de plaisanter.

— J'avais eu la jambe droite cassée à terre, messieurs. La gauche l'est à la mer. Pas de jalousie.

Le père Cornélius se pencha sur moi.

— Ayez confiance dans la bonté de Dieu, mon fils.

— Amen, mon père.

A la tombée du jour, nous mouillions en rade de Paimbœuf.

XVII

C'était à mon tour d'être allongé dans un lit de l'hôpital de la marine, à Paimbœuf, comme l'avait été, dix-neuf mois plus tôt, le capitaine Dufourneau. Comme lui, j'avais la jambe droite enfermée dans une gouttière. J'aurais voulu, au débarqué, me jeter dans un carrosse, me précipiter à Paris. Monsieur Goffin, faisant état de sa qualité de chirurgien responsable, s'y était opposé. Si je n'attendais pas que ma jambe fût ressoudée, je risquais, selon lui, de rester boiteux le reste de mes jours. Le souvenir de mon père à la jambe raccourcie m'avait incliné à l'obéissance.

Après la réduction de ma double fracture, mon premier soin avait été, bien entendu, d'écrire à ma femme pour la prier de joindre Nantes par les moyens les plus rapides. J'avais prévenu le courrier, spécialement dépêché pour porter mon message, qu'ayant moi-même crevé six chevaux sur le même parcours, s'il n'en crevait au moins dix, je le tiendrais pour un jean-foutre.

Le gaillard n'en creva que cinq et fut à Paris en quatre jours, ce qui pouvait être considéré comme un exploit plus insigne que celui du coureur de Marathon. Yolande, emmenant avec elle un enfant de dix mois dans un carrosse tiré par six chevaux, accomplit le même trajet en six. Ainsi, dix jours après mon opération, comme, ayant terminé la rédaction de mon rapport destiné à la compagnie de l'*Assiente*, je regardais, par la fenêtre ouverte sur la chaleur de juin et l'odeur de la mer, les grèbes et les mouettes tourner

sur l'estuaire en poussant des cris aigres, la porte de
ma chambre s'ouvrit et, derrière la religieuse qui s'effaçait pour la laisser passer, j'aperçus ma femme tenant
mon fils dans ses bras.

Elle n'avait pas sensiblement changé, ma Yolande,
en dix-neuf mois de séparation. La « brune incandescente », l' « amazone sarrasine » selon la définition
de mon père, avait toujours ce feu vert des yeux,
cet éclat des dents, cette cambrure du buste, qui me
l'avaient rendue si chère. Mais la maternité lui avait,
me semblait-il, ajouté un air de gravité. Elle s'avançait
vers moi et déposait l'enfant sur le drap, en me disant
d'une voix brisée :

— Voici votre fils, monsieur.

C'était un bel enfant aux yeux sombres, brun comme
sa mère et qui promettait d'avoir l'âme ferme, car il
me regardait dans une curiosité tranquille. Comme je
le serrais dans mes bras, je vis soudain accourir Giuseppina, à moins que ce ne fût Lauretta, répandant un
flot de protestations italiennes : « *E un bambino molto
fragile. Lasciatemi questo angelo, brutto padre !* »

Elle m'enleva mon Jérôme et s'enfuit. La porte se
referma derrière elle, et je me demandai si l'artificieuse
chambrière n'avait pas manigancé son coup pour me
laisser seul avec Yolande.

Car c'était à Yolande maintenant de m'étreindre.
J'étais assis sur mon lit. Ma jambe cassée m'interdisait des transports si longtemps attendus, mais nos
souffles se mêlaient, nos cœurs battaient l'un contre
l'autre, mes narines s'emplissaient de ce parfum d'eau
de mille fleurs que j'avais emporté sur mes mains la
dernière nuit que j'avais passée dans ses bras.

Combien de temps dura cette félicité silencieuse ?
Je ne sais, mais quand Yolande se détacha de moi, ce
fut pour me dire, ses yeux dans les miens :

— Comment as-tu été blessé, Fortunat ?

Il me fallut lui conter la rencontre inopinée du
Seven Stars, alors que je n'avais pas achevé ma barbe,
le rebond du boulet sur le tillac, la surprise du chirur-

gien quand, après ma blessure, je lui avais demandé de faire d'abord office de barbier.

— Je te reconnais bien là, mon héros.

Je déclarai que je n'étais pas un héros mais un commandant de bord qui s'efforçait de bien faire son métier.

— En mer, ma mie, c'est simple : il y a du vent ou il n'y en a pas. S'il fait défaut, tu attends qu'il se mette à souffler. S'il y en a, tu manœuvres suivant sa direction, tu fais le point. Et puis tu rencontres des navires ennemis que tu attaques ou contre qui tu te défends. Mais parle-moi de toi.

Elle secoua la tête et me dit que, durant sa grossesse, elle avait cru devoir s'abstenir de paraître dans la société, sauf deux fois à Versailles, avec son père. Encore ne s'y était-elle résignée qu'à la requête de Madame de Maintenon qui n'avait pas cessé de lui marquer de l'amitié. La seconde fois, elle avait prévenu la confidente du roi que son état la contraindrait désormais de demeurer à la maison jusqu'à sa délivrance. Madame de Maintenon l'avait approuvée en lui promettant de prier pour elle. Par la suite, autant mes lettres de Bayonne, puis de Gorée lui avaient causé de joie, autant le long silence consécutif à ma traversée de l'océan l'avait plongée dans des transes mortelles.

Enfin Jérôme était né, et avec ses devoirs de mère, la confiance lui était revenue.

Une lueur d'amusement brilla dans ses yeux.

— Voudriez-vous, monsieur, qu'une femme dont le mari court au loin les pires dangers reçût chez elle d'insignifiants damerets ou de cyniques libertins ? Je ne l'ai point pensé. Mon père a donné quelques réceptions auxquelles il a voulu me voir. J'y fus sans plaisir. J'y ai vu notamment votre ami Saint-Saulge, devenu prudent et respectueux à ne pas croire, et bien d'autres qui, après de timides ouvertures, ont brisé là dès mon premier froncement de sourcils. C'est que mon soufflet au duc de L... est passé dans les annales, mon cher. Savez-vous que le roi a laissé ce malheureux mariner dans sa province pendant toute une année ? Encore n'a-t-il pas retrouvé sa faveur première et, d'ailleurs veuf depuis six mois, on dit que, désespéré de sa disgrâce, il songerait au couvent. Et voilà pour la galanterie.

— Yolande, parle-moi maintenant de ton père.

— Il n'a pas changé. Il vend, troque, achète, spécule, trafique, et tu n'es pas absent de ses projets. Il t'imagine très bien en fermier général et s'est fâché tout rouge contre Crozat qui parlait de te faire nommer gouverneur à Saint-Domingue. Pour rien au monde, il ne voudrait désormais te voir loin de lui. Son petit-fils lui a tourneboulé l'entendement. Il veut en faire un ministre. Peu m'importe, quant à moi, de vivre en Afrique, en Asie ou en Amérique, pourvu que ce soit avec toi, et je suis prête à expédier chez Satan celui qui prétendrait nous séparer.

Elle prit mes mains dans les siennes et ajouta :

— Enfin, je te jure de ne plus souffleter aucun duc.

— Il est bien temps, lui dis-je en souriant.

Paris. Mamaia. Szigliget.
La Rosiaz. Paris.
1968-1970.

Achevé d'imprimer
sur les presses du Palais-Royal
48, Galerie Vivienne, Paris (2ᵉ)
Dépôt légal : 3ᵉ trim. 1970.
Numéro de publication : 337
Numéro d'impression : 9706